MAURO P

Contesti italiani

viaggio nell'italiano contemporaneo attraverso i testi

materiali per la didattica dell'italiano L2

ISBN 88-7715-570-1

9.   8.   7.   6.

2012

Guerra Edizioni
via Aldo Manna, 25 - Perugia (Italia)
tel. +39 075 5289090
fax +39 075 5288244
e-mail: info@guerraedizioni.com   www.guerraedizioni.com

Sommario

Presentazione

È dagli anni '50 che il concetto di cultura inteso in senso antropologico ha fatto la sua comparsa anche nell'ambito dell'insegnamento delle lingue straniere, sia pure a livello teorico. Basta ricordare i lavori di N. Brooks e R. Lado. È solo negli anni '70 che, grazie ai contributi di studiosi italiani operanti nell'ambito del CLADIL e del CILA, comincia a farsi strada fra gli autori di manuali e gli insegnanti la consapevolezza che la lingua sia la chiave di accesso alla cultura e civiltà che attraverso essa si esprimono.

Da allora si è assistito ad una crescente produzione di materiali didattici per l'insegnamento dell'italiano a stranieri, nei quali, tuttavia, la presenza della cultura e civiltà appare in molti casi un'aggiunta dettata dalla moda glottodidattica. La rappresentazione della cultura e civiltà offerta da molti manuali nati sulla scia dei nuovi orientamenti della glottodidattica ha spesso finito per rinforzare vecchi stereotipi e accreditare falsi clichés, contribuendo a diffondere un'immagine distorta o riduttiva della realtà italiana.

Nel panorama esistente per l'italiano L2 è certamente da salutare con favore l'uscita della presente opera, redatta da due valenti studiosi, nella quale la presentazione di atteggiamenti, mentalità, giudizi di valore distintivi del popolo italiano si coniuga con un accostamento critico ai prodotti più elevati della cultura letteraria, stimolando una riflessione interculturale che trascende gli elementi di civiltà solitamente proposti nei manuali di lingua.

Il testimone passa dai compilatori di manuali ad autori contemporanei di opere letterarie che hanno saputo interpretare e rappresentare il modo di vivere e di sentire degli italiani.

Per la scelta dei testi e per il suo impianto metodologico la presente opera rappresenta un'assoluta novità nel campo dell'insegnamento della lingua e cultura italiana a stranieri di livello intermedio e avanzato. Alla varietà dei documenti proposti si aggiunge, infatti, una ricca gamma di attività di analisi e di approfondimento linguistico che tengono conto dei recenti apporti della linguistica testuale.

L'aver seguito sin dai primi passi la nascita di Contesti italiani e la sua sperimentazione in classi multiculturali presso l'Università per Stranieri di Perugia legittima il convincimento che esso troverà unanime accoglienza presso studenti e docenti d'italiano all'estero.

Ciò sarà il meritato riconoscimento per due autori che hanno profuso passione e competenza in un lavoro che segna una tappa importante nella ricerca di percorsi didattici di alto profilo per la diffusione di un'immagine obiettiva e a tutto tondo dell'Italia d'oggi.

Katerin Katerinov

Introduzione

L'accresciuto interesse per la lingua e la cultura italiana e l'esigenza di disporre di materiali didattici che soddisfino una domanda più matura e articolata, sono le ragioni di fondo che hanno indotto a riunire in un volume esperienze d'insegnamento dell'italiano lingua seconda ai livelli intermedi e avanzati. Si tratta di un lavoro che, pur con i dovuti limiti, tende a coniugare l'analisi e lo studio linguistico con la presentazione e lo sviluppo di alcuni temi della cultura italiana. Esso vuol essere uno strumento per gli studenti stranieri di lingua italiana per esplorare e per cogliere i rapporti tra la lingua e le sue realizzazioni letterarie e per approfondire certi aspetti della realtà italiana così come emerge dalla sensibilità di alcuni autori tra i più significativi di questi ultimi anni.

L'apprendimento di una seconda lingua implica non solo l'acquisizione di un altro sistema grammaticale ma anche l'assunzione di un diverso complesso di nozioni, di valori e di comportamenti che costituiscono il sistema "culturale" del paese straniero. Per questo apprendere una lingua significa apprendere anche la cultura che la lingua veicola, così come la conoscenza della cultura straniera costituisce un necessario punto di ancoraggio per l'apprendimento linguistico.

È sulla base di un'accezione ampia del termine di cultura che è stata operata la selezione dei testi. Anche se prevalgono brani letterari, nella scelta non si è tenuto conto del solo carattere "letterario", ma dei contenuti, dei valori, delle idee e delle esperienze trasmesse. La scelta del testo letterario si motiva con il fatto che esso è comunque un documento che, di un determinato periodo, coglie quei tratti sociali umani e culturali che hanno un significato che supera il momento storico che li ha prodotti. In altri termini il testo "letterario" è scelto per le sue caratteristiche di "acontestualità" e "acronicità", per il fatto cioè che conserva una capacità comunicativa anche al di fuori del contesto pragmatico che lo ha prodotto, per cui la sua comprensione è possibile anche se si ignorano alcune coordinate storico-letterarie. Così, ad esempio, opere come *Gli indifferenti* di Moravia o *Il Gattopardo* di Tomasi di Lampedusa, pur riferendosi a realtà storico-sociali ormai lontane, hanno un sapore di modernità e attualità in quanto sollevano problematiche che investono l'uomo in quanto persona che vive in una società. Inoltre, non va dimenticato che in molti scrittori italiani contemporanei il distacco, che tradizionalmente distingueva la lingua letteraria e la lingua parlata a livello di registro e strutture linguistiche, è meno marcato. I due poli fondamentali della comunicazione linguistica, oggi, grazie anche al ruolo dei mass-media, si influenzano reciprocamente: da una parte gli scrittori mutuano dalla lingua quotidiana modi ed espressioni, dall'altra il parlato è attratto dal prestigio di cui gode la lingua letteraria.

L'altro criterio seguito nella scelta dei brani di scrittori contemporanei è stato, ovviamente, quello didattico: la necessità di offrire, in una varietà di generi testuali (dal racconto alla fiaba, dal romanzo all'articolo di giornale, dalla poesia all'articolo di cronaca), modelli linguistici e stili diversi, e nello stesso tempo l'esigenza di presentare un'articolata gamma di temi e problemi che fossero occasione di conoscenza di certi aspetti della realtà italiana e anche motivo di discussione e di riflessione generale. Attraverso i testi letterari spesso si colgono meglio i tratti della realtà che sono meno legati alla contingenza di un particolare momento storico.

Come in ogni antologia, il desiderio di offrire un quadro ampio ed esauriente di un paese attraverso i suoi scrittori più rappresentativi e i temi più interessanti si scontra con le esigenze e le dimensioni di un manuale "scolastico". Siamo consapevoli che importanti e significativi sono gli autori e moltissime le opere che non hanno potuto trovare spazio in questo lavoro. E' il rischio che si corre ogniqualvolta si operano delle scelte. In questo caso, tuttavia, ci conforta il fatto che le scelte operate abbiano incontrato una favorevole accoglienza da parte dei molti allievi che hanno seguito i corsi e i seminari tenuti dagli autori presso l'Università per Stranieri di Perugia.

Struttura generale

I brani proposti sono stati riuniti in otto sezioni tematiche *(Ritratti - Fiaba e mito - Lavorare stanca - Noi e gli altri - Scuola e dintorni - Ridere e sorridere - Tra realtà e finzione - Al di là delle apparenze)*, secondo una suddivisione che tiene conto del topic o argomento affrontato nei vari testi proposti secondo prospettive e angolature diverse. La progressione e distribuzione dei materiali (testi e attività) è solo una delle possibili: altri percorsi possono essere seguiti sulla base di altri criteri. Le diverse sezioni e le singole unità di apprendimento e lettura imperniate su un testo, infatti, sono strutturate in modo flessibile, sì da consentire all'insegnante una progressione ed un utilizzo diverso. Ad esempio, i vari brani potrebbero essere presentati in ordine cronologico in modo da offrire una breve panoramica dello sviluppo della letteratura italiana in questo secolo; oppure, potrebbero essere estrapolati dalle diverse sezioni quei testi che presentano un argomento comune, realizzando così nuovi itinerari tematici (possibili temi potrebbero essere, ad esempio: le vacanze e il tempo libero, il rapporto genitori e figli, problemi sociali come il ruolo della donna, la solitudine degli anziani, la crisi adolescenziale, ecc.); oppure, la progressione delle singole unità potrebbe basarsi sulle attività di ordine linguistico o lessicale o testuale, magari in stretta correlazione con lo studio della grammatica che viene portato avanti nell'ambito del corso. In quest'ultimo caso i vari testi potrebbero essere il punto di partenza per un'analisi dell'uso concreto che della lingua italiana hanno fatto alcuni autori contemporanei.

Il livello di conoscenza della lingua italiana, le motivazioni e i bisogni del gruppo discente, gli interessi specifici degli allievi potranno suggerire all'insegnante strategie diverse d'impiego dei materiali e nuova successione dei testi e delle attività presentate in questo manuale. Una graduazione, ad esempio, secondo la difficoltà o complessità linguistica dei brani non può essere determinata a priori: essa presuppone una consapevolezza dei livelli di competenza linguistica posseduti dagli allievi. Ogni classe di allievi per i soggetti che la compongono, per le problematiche che presenta e per i fattori che intervengono costituisce un *unicum*.

La struttura modulare che si è voluta dare alle sezioni di questo volume consente un impiego ed una progressione dei vari momenti non predefinita, e quindi suscettibile di quei cambiamenti che tengano conto della specificità di ciascun contesto di studio dell'italiano come lingua straniera o seconda. Anche se per ragioni di organizzazione formale le attività si succedono linearmente in fasi distinte, incentrate sull'analisi del brano iniziale, sull'approfondimento delle strutture linguistiche o lessicali e sulla discussione e libera espressione di idee e punti di vista, il loro sviluppo può vedere tanto un ordine diverso quanto una loro integrazione con attività ed esercizi proposti in altra sezione o unità didattica o elaborate dallo stesso insegnante. Attività o tecniche didattiche proposte magari solo in qualche unità possono divenire il modello per nuove elaborazioni da parte dello stesso insegnante.

1. TESTO E TESTI

Come si è intuito da quanto esposto finora, e come lo stesso titolo del volume lascia intendere, il punto di partenza e di arrivo delle varie attività di lettura, comprensione e analisi e produzione linguistica è il testo. E ciò perché siamo convinti che il testo, inteso come unità fondamentale della lingua attraverso cui l'uomo parla o scrive (Dressler, 1972), non solo è centrale nella didattica linguistica ma decisivo per l'apprendimento di una lingua, sia materna sia straniera o seconda. Facendo nostro un pensiero di Michail Bachtin, potremmo dire come lui che: "Dove non c'è un testo, non c'è neppure l'oggetto di studio e di pensiero"[1]. Il testo è così centrale nel discorso linguistico che uno specifico settore della linguistica contemporanea si definisce come linguistica testuale. Questo indirizzo parte dal presupposto che l'attività linguistica non consiste di frasi isolate, ma di insiemi di frasi connesse semanticamente e sintatticamente.

Ma che cosa è un testo? Il linguista risponde: "un testo è, in senso proprio e specifico, un messaggio che, svolgendosi intorno ad un unico tema, presenta i caratteri dell'unità e della completezza. Ciò avviene in rapporto a chi produce (emittente) e a chi riceve (ricevente) il testo" (Dardano-Trifone 2001, p. 529). Il testo, in altri termini, si configura come enunciato complesso, regolato da una propria grammatica diversa da quella delle singole frasi. Soutet a proposito del testo dice: "Ciò che crea il testo non è la lunghezza, che può essere estremamente variabile, quanto invece la natura essenzialmente contestuale della sua interpretazione. In maniera del tutto singolare, il testo si rivela dunque molto vicino all'enunciato, definito - come si ricorderà - come la somma di una frase e di una situazione (o di un contesto) enunciativa. Nel caso in cui il testo sia di una certa lunghezza, esso equivale ad una somma di enunciati, i quali, da un punto di vista formale, si identificano con un insieme di frasi o di sequenze frastiche (paragrafi, capitoli ecc.). Ognuna di queste sequenze attinge a due tipi di contesti: a) un contesto propriamente linguistico, che fa riferimento ad una o più sequenze che la precedono o la seguono; b) un contesto enunciativo"[2]. Con riferimento ai testi letterari, Segre ricorda che il testo è un tessuto i cui contenuti si "tengono" in un insieme coerente: "Parola di uso amplissimo, ma vago, testo assume un valore particolare nell'analisi letteraria. Nell'uso comune, testo, che deriva dal latino *textus* "tessuto", sviluppa una metafora in cui le parole che costituiscono un'opera sono viste, dati i legami che le congiungono, come un tessuto. Questa metafora, che anticipa le osservazioni sulla coerenza del testo, allude in particolare al contenuto del testo, a ciò che sta scritto in un'opera (Segre, 1985: p. 28).

De Beaugrande e Dressler (1984) riassumono le varie posizioni definendo il testo come una *occorrenza comunicativa*, regolata da sette condizioni di testualità. Tali condizioni possono essere distinte in due categorie: quelle pertinenti al materiale testuale, per le quali, dunque, il testo è un'elaborazione di elementi linguistici, rintracciabili proprio nella **coerenza** e nella **coesione**, e quelle che riguardano, invece, la modalità in cui gli utenti partecipano all'attività del prodotto testuale, ovvero:

- l'*intenzionalità*, cioè l'atteggiamento del parlante o scrivente che vuole realizzare un testo coeso e coerente che soddisfi le sue intenzioni;

---

[1] M. Bachtin, *Il problema del testo nella linguistica, nella filologia e nelle altre scienze umane,* 1988, p. 291.
[2] O. Soutet, *Manuale di linguistica,* Il Mulino, Bologna, 1998, p. 314.

- l'*accettabilità*, vale a dire l'atteggiamento del ricevente che si aspetta un testo coeso e coerente ed utile o significativo per acquisire conoscenze;
- l'*informatività*, o misura in cui gli elementi testuali proposti sono attesi o inattesi oppure noti, ignoti o incerti;
- la *situazionalità*, cioè la sua capacità di rimando ad una situazione comunicativa, per cui il testo, pur interpretabile in diversi modi, viene reso chiaro e leggibile dalla situazione;
- l'*intertestualità,* vale a dire il tratto per cui un testo è maggiormente comprensibile se si raccorda ad altri testi.

Come si nota anche per la nozione di testo, come succede per le definizioni di termini centrali di una disciplina, le definizioni variano in ragione delle prospettive assunte e/o delle concezioni sulla lingua. Dati i nostri obiettivi, qui non interessa dare conto delle diverse prospettive, quanto piuttosto dare del testo quella nozione che è poi alla base delle varie operazioni ed attività didattiche, che nel presente volume tendono a guidare un apprendente straniero a capire un testo in italiano e a produrlo. Ci interessa quindi una prospettiva che veda il testo, oltre che come una struttura di cui si possono individuare le parti e i principi organizzativi, anche come un prodotto ed un processo.

Come struttura o complesso di segni il testo ha sue regole specifiche di composizione e di funzionamento (*testura*) ed in nessun caso è riducibile alle frasi che lo costituiscono. Il testo, in altri termini, è una unità linguistica in cui il senso va al di là degli aspetti morfologici e sintattici delle frasi. Si tratta di un oggetto funzionale che risponde alle esigenze comunicative concrete della comunità in cui esso circola.

Un testo è sempre prodotto da qualcuno; ma un testo non può essere visto come il prodotto di un singolo individuo: esso è più genericamente l'espressione di una realtà culturale che va al di là del singolo autore che lo ha materialmente realizzato. In un dato testo, anche il più banale, confluiscono sì le idee, le concezioni e i modi di sentire di un singolo individuo, ma quell'individuo esprime più o meno consapevolmente anche un definito contesto sociale e culturale. Le conoscenze e le esperienze dell'autore vengono partecipate ad altri attraverso un testo e gli altri le comprendono perché partecipano di un comune sentire e di una più generale esperienza. Una storia raccontata è sempre stata prima una storia vissuta o letta. A quanti lettori capita, leggendo un racconto o un romanzo, di ritrovare elementi di storie o vissute in prima persona o sentite raccontare o lette in altre pagine. Quel testo allora nella mente del lettore si collega ad altri testi, quella storia ad altre storie ed in tal modo il testo trova una sua più profonda ragion d'essere nei legami con altri testi. L'intertestualità, prima ancora che una caratteristica analizzata da addetti ai lavori, è un'esigenza insopprimibile del lettore, necessaria per la comprensione e per la piena fruizione del testo stesso.

Ma il testo va visto come prodotto per qualcuno. Ogni testo, in ambito semiotico, è visto come un messaggio, cioè come qualcosa che un emittente invia ad uno o più destinatari. Perché il messaggio sia veramente il luogo in cui emittente e destinatario vengano in contatto è indispensabile che entrambi condividano un sistema di regole e di nozioni costitutive del messaggio. La prima e più immediata è ovviamente la condivisione della stessa lingua: se emittente e destinatario usano lingue diverse un contatto non sarà possibile. La fruizione di un testo presuppone (o postula) che il lettore abbia una conoscenza della lingua (competenza linguistica), una conoscenza del mondo (competenza generale o enciclopedia) adeguata al particolare testo con il quale è a contatto. A queste competenze basilari si aggiunge una competenza intertestuale specifica, cioè la capacità di riconoscere il rapporto che lega quel testo ad altri testi per genere, per stile, per forma e anche per contenuto. Nell'ottica dell'autore queste competenze vengono presupposte come tratti caratteristici di quel profilo di lettore che egli si descrive e al quale il testo è destinato. L'autore del testo si costruisce mentalmente un destinatario ideale, quello che riesce a metter in atto tutti i meccanismi del testo, ed un destinatario virtuale, quello che si pensa che leggerà il testo. In funzione di questo lettore ideale e virtuale l'autore realizza il proprio testo: contenuti e forma sono funzionali al tipo di lettore prefigurato. Il lettore reale potrà coincidere con il profilo dell'uno o dell'altro o di entrambi i tipi di lettori, o anche essere completamente diverso.

La nozione di lettore ideale si desume dal complesso dei requisiti (abilità e conoscenze) che il testo nella sua totalità presuppone per la sua decodifica. Ci sono testi che obbligano il lettore ad avere alcune specifiche conoscenze ed altri che invece consentono al lettore più percorsi ed interpretazioni molteplici. Per i primi testi, quelli che Eco chiama "chiusi", lettore ideale, lettore virtuale e lettore reale coincidono. Si tratta di testi pensati e realizzati per pubblici specifici e magari circoscritti: ad esempio, testi per bambini, per appassionati di musica o di fotografia, per casalinghe o per sarte, per medici o per avvocati, ecc.

Ma a noi interessa altresì vedere il testo anche come un processo, vale a dire come stimolo o fonte dei processi che portano alla sua comprensione. E la comprensione è il momento propedeutico dell'apprendimento: i contenuti di un testo si apprendono se prima vengono compresi. Le operazioni logico-cognitive che si mettono in atto per capire un testo, come fare inferenze ed ipotesi, modificarle o confermarle, individuare le informazioni centrali, gerarchizzare e organizzare le informazioni, rapportare le conoscenze veicolate dal testo con il bagaglio di nozioni posseduto, rendono il processo di lettura e il contatto con il testo un'esperienza formativa utile e stimolante. In ambito didattico la comprensione di un testo diventa fonte di "motivazione", presupposto indispensabile per ogni ulteriore passo per un apprendimento linguistico efficace.

Scopo delle attività di questo volume è quello di aiutare l'allievo a scoprire i meccanismi e le regole costitutive del testo, a individuare le sue componenti e le loro reciproche relazioni che vanno oltre i limiti delle singole parole e frasi, che danno al testo una coesione strutturale, una coerenza semantica ed una funzione comunicativa. In tale ottica sono state pensate ed inserite le varie schede testuali e lessicali in cui si illustrano, ad esempio, i meccanismi di rimando come l'ellissi e l'anafora o si scoprono le relazioni per cui una parola si collega ad altre in base al significato formando un gruppo semantico, o in base all'origine e alla sua evoluzione formando una "famiglia". Si scopre così che quello lessicale è un sistema logico e coerente interno al sistema semiotico della lingua.

L'attenzione al lessico non è in contraddizione con un approccio che pone al centro delle attività e operazioni didattiche il testo, ma il naturale corollario di una visione organica della lingua, in cui i vari livelli che la costituiscono si rapportano e si integrano. In questa ottica la competenza lessicale va vista nel senso di una più completa competenza testuale. La competenza lessicale, infatti, non può essere ridotta ad una generica conoscenza di parole e dei loro possibili significati, ma rappresenta il modo in cui una persona organizza la propria esperienza del mondo. Imparare una parola significa apprendere a usare quella parola come indice di richiamo di uno schema o di un quadro di riferimento (*frame*) che non è puramente linguistico ma culturale e sociale.

Quando pensiamo ad un testo in relazione al suo lettore, lo vediamo come una macchina per costruire significati. La comprensione di un testo è allora la costruzione di una rappresentazione dei significati che il testo esprime e questa rappresentazione è il risultato della proiezione delle conoscenze del lettore sulle conoscenze trasmesse dal testo. Il lettore quindi non è passivo fruitore di contenuti che attinge dal testo ma interprete dei sensi del testo sulla base delle proprie conoscenze.

2. LE ATTIVITÀ DI LETTURA

Assicurare il raggiungimento di una buona competenza comunicativa è l'obiettivo di qualsiasi corso di lingua straniera a qualsiasi livello. La competenza comunicativa si configura come capacità di produrre testi ed enunciati linguisticamente corretti e appropriati al contesto situazionale in cui vengono prodotti. La moderna didattica delle lingue, facendo propri certi assunti della linguistica testuale, pone come unità fondamentale dell'apprendimento linguistico il testo, inteso sia come documento scritto che come mezzo di interazione orale tra due o più interlocutori. Ogni comunicazione avviene, infatti, non per parole singole ma per testi. E questi non si caratterizzano per la loro lunghezza (talora anche una sola parola può essere un testo), quanto per la loro coerenza a livello semantico e per la loro coesione e per la loro capacità di trasmettere un messaggio completo. Sia la comprensione che la produzione di testi presuppone la conoscenza delle regole che, a diversi livelli - da quello fonologico a quello sintattico, da quello semantico a quello testuale -, presiedono alla loro strutturazione e organizzazione; regole che variano in relazione al genere testuale, al canale comunicativo (orale o scritto), alla funzione o scopo per cui il testo viene prodotto.

Partire dai testi per arrivare ai testi: è in sintesi l'intento di questo lavoro. In quest'ottica la lettura diviene momento centrale e perno delle procedure didattiche. E' naturale che apprendendo una lingua straniera uno studente debba, prima o poi, confrontàrsi con modelli di lingua scritta. La lettura è sempre stata una componente importante di qualsiasi procedimento glottodidattico, ed anche i nuovi orientamenti metodologici rivalutano il ruolo comunicativo e la forza pragmatica del testo scritto. Questo, infatti, come discorso immagazzinato per essere riproposto in tempi e luoghi diversi, è sempre realizzato in un contesto comunicativo che, pur diverso rispetto alla comunicazione orale interpersonale, prevede dei partecipanti (autore e potenziali lettori), delle circostanze, dei mezzi e delle finalità ed un sostrato culturale di riferimento. E il lettore, che per un qualsiasi motivo si accosta ad un testo, ha bisogno di alcune coordinate circostanziali, storiche e culturali per comprenderlo pienamente; in altri termini, egli vuole sapere chi ha realizzato quel testo, perché e per chi. La lettura, quindi, di un testo scritto costituisce, pur nella simulazione didattica, una situazione autentica, nella misura in cui il lettore non subisce passivamente il testo ma lo ricrea man mano che ne scopre i contenuti e li interpreta sulla base delle proprie conoscenze e della propria esperienza e concezione del mondo.

Un testo è una traccia di segni che il lettore interpreta e attualizza esplicitando ciò che la traccia suggerisce e integrando le informazioni colte con tutto ciò che rimane implicito ma che è fondamentale ai fini della comprensione. Per questo come osserva Eco (1979) la lettura è un'attività di tipo cooperativo. Sul piano didattico tale caratteristica può essere esaltata attraverso la esplicitazione delle procedure e delle operazioni che il lettore ha seguito, magari mediante la sollecitazione di produzioni meta-testuali come elaborazioni di schemi e mappe, produzioni di riassunti, parafrasi o commenti che evidenzino il percorso della comprensione.

Guardando alla lettura come attività dinamica, creativa e autonoma non si vuol affermare e accettare una tesi relativistica per cui ogni interpretazione di un testo è soggettiva e contingente, in quanto avviene nell'orizzonte psicologico e culturale del singolo individuo. Questa tesi, pur cara a certe correnti di semiotica letteraria, nega la natura conoscitiva dell'atto di comprensione, perché ciò che si comprende è in fondo già pre-dato nel soggetto che legge. In una prospettiva educativa ciò appare inaccettabile. Occorre invece affermare che, pur ammettendo che in una certa misura la comprensione si diversifichi a seconda degli individui e dei gruppi, esiste tuttavia una cultura codificata, partecipata, cui il singolo lettore fa ovviamente riferimento. Ogni lettura è sempre e comunque un'interazione fra sistemi culturali: quello del lettore e quello dell'autore (Segre, 1985).

In ambito didattico la lettura, oltre che essere un momento di attività autonoma ed individuale del discente, è anche occasione di studio del carattere sistematico e sistematizzante della lingua. Nella testualità si intrecciano e si fondono i diversi livelli linguistici: materia, forma e sostanza linguistica trovano la loro sintesi nel testo. Ogni segno linguistico presente in un testo, infatti, manifesta e veicola un valore che gli è proprio in quanto segno di un sistema linguistico, un valore co-testuale che è quello particolare che assume all'interno del testo, e un valore contestuale che riflette la situazione o l'ambiente più generale in cui è stato realizzato il testo. Individuare questi significati (sistemico, co-testuale e contestuale) è il primo passo per la comprensione. Il senso che il lettore ricostruisce è il risultato di un processo di interazione e di decodificazione dei segni linguistici, e quanto più il lettore sarà capace di decodificare tanto più facilmente comprenderà e meglio interagirà "comunicativamente" con il testo.

Queste considerazioni sono alla base delle varie attività che vengono suggerite per la comprensione e l'analisi di ciascun testo. Vanno intese come un necessario completamento e corollario dell'attività di lettura, che è appunto un processo autonomo e dinamico di interpretazione da parte di un lettore. Quale momento primo in senso logico e cronologico della didattica imperniata sui testi, la lettura nella sua globalità va vista come un complesso di attività diversificate condotte secondo tecniche e strategie diversificate, finalizzate alla facilitazione della comprensione di un testo.

2.a. Attività di pre-lettura

Nel lavoro di classe, quindi, la lettura sarà preceduta da una serie di operazioni mirate a suscitare interesse e a dotare l'allievo di strumenti per l'individuazione e comprensione dei singoli significati e del senso globale del testo.

A tal fine l'insegnante procederà ad inquadrare il testo nell'ambito storico-culturale che lo ha prodotto, fornendo notizie relative all'autore e all'opera da cui il testo è stato tratto. E in questo potrà servirsi o richiamare l'attenzione degli allievi sul profilo dell'autore che viene proposto al termine di ogni unità didattica. Si tratta di brevi note biografiche da considerare come schede guida per orientarsi tra le opere più significative di ogni autore e come punti di partenza per un più ampio approfondimento dell'opera di un autore e del contesto storico-letterario in cui ha operato. Se per un più puntuale riferimento del testo con la produzione letteraria dello scrittore e con il momento storico-culturale per l'insegnante risulterà più esauriente la consultazione di un buon testo di letteratura italiana, per lo studente potranno risultare sufficientemente utili le note che sono proposte in questo libro. Ovvie ragioni di spazio e le particolari finalità didattiche non potevano permettere di andare oltre il breve "profilo". Se il livello di competenza linguistica degli allievi lo consente, la presentazione storico-letteraria può essere seguita da un'analisi delle caratteristiche stilistiche e dall'esame delle possibili interpretazioni o percorsi di lettura sia del testo preso in esame come dell'opera generale da cui il brano è tratto.

Importanti e necessari saranno anche i riferimenti a conoscenze più ampie e generali relative agli aspetti storici, sociali, politici o culturali dell'Italia, al fine di spiegare o illustrare fenomeni e comportamenti o avvenimenti cui si fa allusione nel testo. Tra i diversi brani ce n'è, ad esempio, qualcuno che fa riferimento al sistema scolastico italiano, qualche altro allude al fenomeno della mafia, qualche altro descrive degli ambienti di lavoro, ecc. Nella fase di pre-lettura, allora, l'insegnante darà quelle informazioni generali che possono aiutare l'allievo a capire e a conoscere il tratto "culturale" presente nel testo. In questa fase risulterà utile l'impiego anche di altri materiali, come articoli giornalistici, brani di altri testi, fotografie, inchieste e reportages, diagrammi, diapositive o film, al fine di suscitare un più vivace interesse sul tema del brano.

Non va dimenticato che non sempre e non a tutti gli studenti piace leggere in aula, e per di più leggere in lingua straniera. Troppo spesso la lettura in classe è vissuta come un compito scolastico noioso e improduttivo. Troppo spesso agli studenti sfugge il senso e lo scopo della lettura. Le informazioni relative al testo e ai suoi contenuti contribuiranno a determinare nell'allievo quella consapevolezza che leggere, anche in lingua straniera, costituisce non solo un'occasione di nuove conoscenze linguistiche e culturali ma fonte e motivo di piacere. Lo studente deve riuscire a ritrovare quel gusto di leggere che magari prova quando legge nella propria lingua perché è in grado di cogliere nel ritmo e nella scelta delle parole il fascino della "buona scrittura".

Una volta fornite alcune indicazioni per muoversi all'interno del testo, l'insegnante potrà suggerire strategie di lettura adeguate alle esigenze della classe e alle competenze degli allievi. Ad esempio, una prima lettura cursoria alla ricerca di informazioni specifiche o di parole e concetti chiave può essere una procedura adatta a fare previsioni sul contenuto del testo, oppure, il richiamare l'attenzione degli allievi sul titolo del brano, sull'autore, se noto, e sull'anno di pubblicazione dell'opera (informazioni, queste, desumibili dalla citazione a piè di testo) potrebbe essere un criterio per avere alcune indicazioni di massima sull'argomento o sul fatto narrato nel brano. Strategie più mirate potrebbero essere quelle volte ad individuare i diversi paragrafi e i nessi logico-sintattici che li collegano, o, per i testi narrativi, i protagonisti e i luoghi della vicenda, o le sequenze narrative e descrittive.

Le attività di comprensione suggerite subito dopo il brano potrebbero essere viste ed utilizzate come guida per le attività di pre-lettura: le domande del questionario diverrebbero allora la traccia dei temi su cui dovrà focalizzarsi l'attenzione dello studente-lettore.

2.b. Lettura estensiva

Su un piano logico e didattico la lettura lineare ed integrale del testo, o *lettura estensiva*, rappresenta il secondo momento. La lettura estensiva è lo stile di lettura che tutti i lettori posseggono, e che più facilmente un discente straniero è portato ad adottare spontaneamente ogniqualvolta si trova di fronte ad un nuovo testo. Si tratta dello stile più semplice, lo stile che viene intuito come naturale e logico in quanto finalizzato ad uno scopo preciso, che può essere tanto il semplice gusto di leggere, quanto il voler ricavare dal testo delle informazioni. Per queste caratteristiche, potremmo anche dire che la lettura estensiva non va insegnata: in un corso avanzato è data come un presupposto di base. L'attività dell'insegnante si indirizzerà, quindi, a guidare gli allievi dalla lettura integrale a quella cursoria e selettiva, servendosi di quelle tecniche indicate per la fase di pre-lettura.

Come leggere o far leggere il testo introduttivo nella classe? Lettura ad alta voce da parte dell'insegnante? Lettura ad alta voce da parte di uno studente? Lettura silenziosa da parte di tutti?

La lettura è un processo autonomo ed individuale. La comprensione è il risultato dell'interazione tra testo e lettore. La lettura, quindi, andrebbe fatta individualmente e in silenzio, sia in aula che fuori. La lettura ad alta voce in pubblico richiede oltre alle capacità di comprensione, altre abilità legate alle articolazioni fonatorie e alla pronuncia espressiva, che non tutti possiedono. Poche sono poi nella realtà le professioni che richiedono la lettura ad alta voce e poche sono le occasioni in cui uno è chiamato a leggere ad alta voce un testo davanti ad altri, e per di più in lingua straniera. Per questo non sembra opportuno chiedere agli allievi di esercitarsi in una abilità che difficilmente utilizzeranno nella vita. Inoltre, lo studente che legge ad alta voce davanti ai compagni di corso, concentrato o distratto com'è nell'attività di subvocalizzazione, difficilmente riesce a seguire lo sviluppo delle idee contenute nel testo.

Eppure la lettura ad alta voce è prassi comune e diffusa nelle aule di lingua. E potrebbe essere anche utile ed opportuna, a patto che la si consideri esclusivamente come un esercizio fonatorio, è non già una lettura nel senso autentico del termine. La lettura ad alta voce va, quindi, ricondotta nell'ambito delle attività volte allo sviluppo delle abilità fonetiche.

2.c. Lettura intensiva o analitica

Un altro stile di lettura che generalmente nei corsi di lingua accompagna la lettura integrale è la *lettura intensiva*. Si tratta di uno stile che mira a porre l'attenzione sui diversi elementi ed aspetti del testo (da quelli grafici ed iconici, a quelli morfologici e sintattici, a quelli culturali), per cogliere non solo i sensi espliciti, ma anche quelli impliciti, per individuare le caratteristiche stilistiche e per rapportare i contenuti al più generale contesto culturale in cui il testo è stato realizzato.

È una lettura che ripercorre il testo in lungo e in largo, attenta sia agli indici lessicali come alle forme grammaticali, una lettura che dà importanza tanto alla scelta e alla collocazione delle parole, quanto all'uso delle risorse stilistiche e retoriche offerte dalla lingua. E' il tipo di lettura che ben si presta sul piano didattico alla esplorazione ed esemplificazione delle strutture linguistiche, alla individuazione del rapporto tra struttura linguistica e natura comunicativa e pragmatica del testo, alla individuazione di quegli elementi che contraddistinguono lo stile dell'autore. Per queste caratteristiche è il tipo di lettura che solitamente viene proposto per i testi letterari nella forma del "commento".

L'allievo può giungere a questo stile di lettura se guidato in modo appropriato dall'insegnante, che via via richiamerà l'attenzione ora su una forma linguistica, ora su una scelta lessicale, ora sugli elementi che danno al testo coerenza ed unità, ecc. Inizialmente queste operazioni di analisi saranno condotte dallo stesso insegnante, in seguito dovrà essere lo studente a rintracciare le forme, ad interpretare i diversi indizi testuali, a cogliere il particolare valore che un termine assume all'interno del testo, a scoprire il ritmo di una narrazione distinguendo il piano dell'intreccio da quello della "fabula", ad individuare gli elementi tipici del genere testuale cui appartiene il testo in lettura.

3. ATTIVITÀ DI COMPRENSIONE

Se sul piano didattico operativo si distinguono i momenti della lettura e della comprensione, nella realtà le due attività sono inscindibili, esse si svolgono simultaneamente. Mentre si legge, si comprende. La comprensione è la rielaborazione e rappresentazione mentale degli elementi linguistici presenti nel testo o nel discorso. Il lettore, in altri termini, mentre procede nella lettura si costruisce, in base agli indizi lessicali, sintattici, testuali e culturali una propria rappresentazione dei fatti, degli eventi e degli oggetti extralinguistici cui il testo rinvia. E ciò richiede la messa in atto di strategie interpretative e di abilità diverse, come la capacità di inferenza, di discriminazione delle informazioni essenziali ed importanti da quelle secondarie o periferiche, di collegamento delle informazioni del testo con le proprie conoscenze culturali. Tutte queste capacità presuppongono ovviamente una competenza linguistica e cognitiva del lettore rispetto al testo.

Le attività di comprensione, che nella prassi glottodidattica vengono proposte solitamente dopo la lettura, mirano da un lato a guidare l'allievo ad autovalutarsi e a verificare se ha raggiunto lo scopo della lettura, dall'altro a fargli acquisire tecniche e modi di lettura che lo aiutano a comprendere più rapidamente e profondamente.

A tal fine, si propongono attività diverse mirate ad elicitare le informazioni acquisite o acquisibili dal testo, con tecniche e procedure variate che vanno dal classico questionario alla realizzazione di griglie da completare, dalla riorganizzazione e classificazione delle informazioni alle diverse forme di riassunto.

a. *Il questionario* - Per le considerazioni generali fatte sopra, il questionario non va inteso come momento di controllo a posteriori, ma come un percorso guidato attraverso il testo alla ricerca di determinate informazioni o valutazioni o emozioni. Le domande che lo studente trova dopo il testo corrispondono, o dovrebbero corrispondere, agli interrogativi che egli come lettore si pone quando si accosta al testo e quando lo scorre leggendo. La sua attenzione è rivolta a scoprire tra le vicende narrate, le descrizioni, le considerazioni o le valutazioni riportate quelle che sono più importanti, ad individuare come queste si collegano e si rapportano reciprocamente. Egli è proteso ad arricchire il proprio bagaglio cognitivo ed emotivo attraverso quella lettura. A questo fine potrebbe rivelarsi utile la pratica didattica di far precedere la lettura del questionario a quella del brano.

Date le finalità e i destinatari di questo libro, nella stesura del questionario ci si è generalmente orientati su domande a risposta aperta, tendenti ad individuare, a sintetizzare e ad inferire informazioni dal testo; domande che consentano all'allievo di riesporre in modo personale e articolato l'informazione richiesta. I tratti comunicativi tipici dello scambio di informazioni tra due persone e il valore didattico del questionario verrebbero vanificati se lo studente potesse rispondere semplicemente con un "sì" o un "no", o con una singola parola.

In molti casi il questionario prevede, invece delle classiche domande, una sorta di "scaletta" per la stesura di "appunti" o "note" sul testo o un "percorso guidato" alla ricerca di informazioni ed elementi che possono essere classificati e raggruppati in base a caratteristiche omogenee.

b. *La griglia* - Per taluni brani il questionario è sostituito o accompagnato da una griglia da completare con informazioni desumibili dal testo. Scopo della griglia è quello di abituare l'allievo a cogliere le informazioni essenziali, o a classificare comunque delle informazioni secondo un criterio.

c. *Il riassunto* - Il processo di comprensione di un testo può dirsi compiuto quando le informazioni in esso contenute sono divenute patrimonio cognitivo del lettore, che è così in grado, proprio perché le avverte come proprie conoscenze, di riesporle e di rappresentarle mentalmente e verbalmente.

La tipica attività didattica che prevede la riesposizione e riformulazione dei contenuti di un testo è il *riassunto*. Riassumere significa, infatti, tradurre le informazioni del testo di partenza in un nuovo testo più o meno conciso nella forma ma fedele e chiaro nei contenuti. Si tratta di un'abilità complessa ed articolata, cui si arriva solo dopo un lungo tirocinio ed un'adeguata preparazione. Richiede la messa in atto di diverse abilità logico-cognitive: capacità di deduzione dal testo e dal contesto delle informazioni implicite, capacità di analisi dei contenuti generali e specifici, capacità di sintesi delle informazioni, capacità di espressione in modo chiaro, preciso e completo di quanto si è letto.

La pratica del riassumere implica operazioni come l'eliminazione, l'aggiunta, il cambiamento e la riformulazione delle informazioni. Queste operazioni comportano, ad esempio, la cancellazione di ciò che è considerato marginale o accessorio, la permutazione dell'ordine degli elementi informativi per evidenziarne uno in particolare, o anche l'integrazione delle informazioni con altre o desumibili dal testo stesso o dal contesto, o ricavabili dalle conoscenze sull'argomento possedute dal lettore. Per questo il riassunto rappresenta un'attività integrata, in cui trovano la loro sintesi e compiutezza le competenze e abilità legate alla comprensione, alla produzione e all'analisi delle caratteristiche linguistiche, testuali è retoriche di un testo.

Proprio perché attività complessa e articolata e didatticamente importante, vengono suggerite in alcune unità alcune forme di approccio al riassunto, che possono essere di volta in volta utilizzate insieme o separatamente come fasi propedeutiche al riassunto vero e proprio.

Tra le diverse tecniche di guida al riassunto segnaliamo:

a. **il riassunto guidato**: vengono date le parole o le espressioni chiave che devono trovare un'idonea collocazione nel testo che l'allievo ricostruisce e che come in una "scaletta" segnano il percorso da seguire nella costruzione del nuovo testo;

b. **la riorganizzazione delle informazioni**: le informazioni fondamentali sono presentate in ordine sparso. L'allievo deve innanzitutto indicare il giusto ordine e successivamente, con le opportune reintegrazioni di connettivi e altri elementi informativi, costruire un testo che sia una accettabile sintesi di quello di partenza;

c. **il riassunto-cloze**: viene proposta una sintesi del testo, dalla quale però sono state cancellate in modo razionale alcune parole chiave ricavabili dal testo originale o desumibili dal nuovo testo. L'allievo, naturalmente, dovrà completare il testo sulla base delle informazioni acquisite nella lettura e in base agli indizi linguistici presenti nella sintesi proposta;

d. **il riassunto con assunzione di ruoli**: in pratica si chiede allo studente di riesporre gli eventi narrati o le argomentazioni portate nel testo di partenza, assumendo il punto di vista o di uno dei protagonisti della storia o di un ipotetico spettatore o anche quello proprio di lettore. Ad esempio, per il brano *Il seno nudo* tratto da *Palomar* di Italo Calvino si chiede agli studenti di raccontare il fatto così come può averlo vissuto e sentito la bagnante che prendeva il sole sulla spiaggia (v. pag. 401-402);

e. **il riassunto con fini pragmatici**: con questo vogliamo indicare quella forma di riassunto che viene prodotta in funzione di un destinatario. In questo caso la selezione delle informazioni, il punto di vista assunto, lo stile e il registro linguistico scelto per il nuovo testo è funzionale allo scopo di far conoscere certe informazioni ad un'altra persona immaginata come destinatario. Obiettivo pedagogico è quello di abituare l'allievo a produrre testi per scopi definiti, a dare cioè un senso, pur nella simulazione cui obbliga il contesto scolastico, a quanto si scrive, a staccarsi dalla concezione del riassunto come semplice pratica scolastica che ha come solo destinatario l'insegnante. Proporre un destinatario diverso, che può essere tanto una persona di fantasia come una persona reale, amico o parente o persona nota all'allievo, significa addestrare l'allievo in un'attività che in pratica, almeno nella propria lingua madre, svolge costantemente. Quante volte parlando riferiamo la trama di un film, la notizia letta sul giornale o ascoltata alla radio o alla televisione, riesponiamo il contenuto di un libro letto? E nel far ciò teniamo conto dei partecipanti alla interazione comunicativa, quali l'ascoltatore o il lettore, il luogo, il tempo o il canale della comunicazione, teniamo conto, in altri termini, dei diversi fattori pragmatici.

Quelle esposte sono solo alcune delle possibili tecniche e strategie mirate allo sviluppo negli allievi di una competenza riassuntiva. Altre tecniche e modalità potranno naturalmente essere proposte dall'insegnante stesso. Solitamente per ciascun brano si suggerisce una sola forma di sintesi. Ciò non toglie che l'insegnante possa richiedere agli allievi di produrre per lo stesso testo di partenza due o più tipi di riassunto diversi per lunghezza o funzione.

Ci sono, inoltre, attività di preparazione al riassunto che essendo legate al modo in cui il testo viene proposto in classe non abbiamo indicato nelle varie unità e sezioni. Ci riferiamo ad attività come il prendere appunti durante l'ascolto o la prima lettura individuale, oppure il sottolineare (o cerchiare) le parole o le informazioni che sono ritenute più significative, o il costruire schemi, liste di parole o scalette da seguire nella riesposizione orale o scritta del brano letto o ascoltato.

4. ATTIVITÀ TESTUALI

Le attività di lettura, di comprensione, di analisi e di produzione orale o scritta che scandiscono i diversi momenti di ogni unità didattica ruotano ovviamente attorno ad un testo che ne è così il fulcro e il motore. Si leggono, si analizzano, si rielaborano in forme più o meno libere e spontanee dei testi. L'attività del riassunto di cui si è appena detto costituisce una tipica attività testuale.

Il testo, come abbiamo già detto, è il segno linguistico originario. Pur potendosi realizzare anche in una sola parola o in un solo enunciato, per gli scopi didattici che in questo manuale ci si propone, assumiamo il testo come *"un insieme di enunciazioni tematicamente coerenti con funzione comunicativa riconoscibile"*, vale a dire, una sequenza ordinata di enunciati legati fra loro sul piano sintattico e coerente a livello semantico e capace di trasmettere un significato. Coesione linguistica e coerenza semantica e capacità comunicativa sono le caratteristiche fondamentali che deve avere un testo perché sia riconosciuto come tale. Se è vero che apprendere una lingua straniera significa imparare a comunicare in questa lingua, è altrettanto vero che la comunicazione non avviene per parole o frasi isolate ma per unità superiori, che sono appunto i testi. Ed allora una adeguata competenza comunicativa si ha quando si consegue una buona competenza testuale, intesa come capacità di costruire testi orali o scritti, coerenti e coesi. Per questo occorre conoscere le regole che presiedono alla costruzione di un testo, essere in grado cioè di analizzare e cogliere gli elementi che concorrono a dare coesione e coerenza al testo. Questo è in fondo l'obiettivo delle attività che genericamente in questo manuale sono ricomprese sotto l'etichetta di *"analisi testuale"*.

La **coesione** è la corretta relazione fra le parti di un testo, mentre la **coerenza** rappresenta l'unità di senso globale del testo. La *coesione* è assicurata da mezzi linguistici diversi come la concordanza morfologica e sintattica, i collegamenti e i rimandi anaforici (ripetizione, sostituzione, ellissi) e cataforici, i connettivi e i campi lessicali. La *coerenza* è resa possibile dall'unità tematica e logica delle informazioni veicolate dal testo.

Le attività di analisi testuale qui proposte hanno lo scopo di addestrare l'allievo a ricercare nel testo tanto quegli elementi coesivi di rimando che come fili tengono unite le diverse parti del testo e/o rapportano il testo al contesto extralinguistico, quanto i contenuti che coerentemente rimandano agli stessi referenti.

Il percorso didattico che porta alla produzione di testi in lingua straniera deve prevedere momenti di analisi di testi autentici ed operazioni che ne evidenzino i meccanismi di costruzione. Per questo mentre, ad esempio, in una unità didattica si richiama l'attenzione degli allievi sulla funzione coesiva dei pronomi e delle "proforme" (sinonimi e parole generali), in un'altra il compito consiste nell'indicare a quali parole o informazioni fanno riferimento gli elementi evidenziati, in qualche altra, invece, l'attenzione è spostata sul tipo di legame che i connettivi instaurano tra le diverse parti del testo (usi semantici) o tra le rappresentazioni dei fatti (usi pragmatici). L'analisi degli elementi coesivi, in particolare dei connettivi, risulterà produttiva anche ai fini dell'uso (scritto e/o parlato) vivo della lingua in rapporto alla scelta delle strategie da adottare per raggiungere lo scopo comunicativo.

L'analisi della coerenza semantica viene avviata ora attraverso l'individuazione e la raccolta dei termini del testo che si riferiscono a specifiche aree tematiche, ora mediante l'individuazione della relazione tra lessemi di una stessa sfera semantica che non appare nel testo di superficie (contiguità semantica), ora nella costruzione di una lista di frequenza di determinate parole che possono suggerire il tema centrale del testo, ora nell'individuazione dell'ordine o della prospettiva in cui i fatti sono narrati, o le argomentazioni o descrizioni sono presentate. Queste attività incentrate sui contenuti o sui tratti semantici del testo sono sicuramente più complesse. In un certo senso si potrebbe dire che l'allievo è come invitato a rintracciare il percorso seguito dall'autore del testo nella scelta delle parole. Scoprire ad esempio gli elementi pragmatici, cioè esterni al testo, o culturali o situazionali che sono alla base dei meccanismi di relazione semantica tra le parole di un testo è uno degli obiettivi dell'analisi testuale. E in questo processo è importante il bagaglio informativo culturale dell'allievo (la sua enciclopedia) ma è anche importante il ruolo dell'insegnante nel guidare suggerire ed informare in modo preciso l'allievo.

5. LO SVILUPPO DELLA COMPETENZA LESSICALE

Come si è visto, le attività che accompagnano ciascun testo mirano a concentrare l'attenzione dell'allievo ora sull'una ora sull'altra delle componenti, in cui a livello descrittivo e teorico si distingue la lingua, nella consapevolezza che insieme concorrono a formare quella competenza testuale che rappresenta uno degli obiettivi dello studio di una lingua seconda a livello avanzato.

Le abilità legate alla comprensione e produzione di testi presuppongono competenze diverse. Tra queste riveste un ruolo determinante la competenza lessico-semantica. Allo sviluppo e potenziamento di tale competenza, che costituisce un ambito della didattica linguistica spesso trascurato o visto in subordine rispetto all'acquisizione delle strutture morfologiche o sintattiche, sono indirizzate molte delle attività proposte in questo manuale. E' vero che l'unità linguistica fondamentale è e rimane il testo, e alla sua analisi, costituzione e costruzione deve essere rivolta molta dell'attività didattica, ma è altrettanto vero che è a partire dal significato delle singole parole che si organizza un testo e la competenza lessicale risulta essenziale alla realizzazione dei testi.

Le varie attività mirate allo sviluppo della competenza lessico-semantica vengono generamente ricomprese sotto la comune etichetta di *analisi lessicale*. Con queste attività si vuole accompagnare l'allievo a scoprire le relazioni che a livello formale o semantico o storico-culturale legano e collegano le parole, guidarlo a classificare ed organizzare termini ed espressioni, a rapportare i significati propri di ogni segno linguistico a quelli particolari che assume all'interno di un testo, ed infine, e soprattutto, a riutilizzare in modo personale e creativo gli elementi che è andato scoprendo e acquisendo. La gamma delle attività suggerite prevede esercizi e compiti incentrati ora sulle relazioni semantiche tra le parole (sinonimia, antonimia, famiglie di parole), ora sulla forma delle parole (omonimia e omofonia), ora sulla loro formazione (derivazione, suffissazione e prefissazione, composizione), come pure sulla loro classificazione per categorie grammaticali o funzionali o semantiche. Queste attività sono proposte secondo tecniche e modalità diverse, alcune delle quali possono anche avere un aspetto ludico, nella convinzione che quanto si apprende in modo divertente più facilmente lo si ricorda.

6. LA PRODUZIONE ORALE E SCRITTA

Produrre testi, orali o scritti, in italiano lingua straniera o seconda costituisce l'attività conclusiva di ogni unità didattica. Ultima in ordine logico e cronologico, la produzione libera di testi è in realtà l'obiettivo primo e principale al quale sono finalizzate le altre attività, che pur essendo, in buona sostanza, attività di produzione linguistica, in effetti, per le modalità di esecuzione, sono guidate e comunque propedeutiche. Attività che consentono all'allievo da una parte di scoprire come i meccanismi di organizzazione e strutturazione dei testi varino in relazione agli obiettivi, ai destinatari, agli scopi e al genere testuale e dall'altra di riprodurli, attraverso esercizi graduali, nei testi che egli costruisce.

In questa fase sono in genere suggeriti argomenti di discussione e riflessione, sui quali ciascuno studente può esprimere le proprie considerazioni o valutazioni sia oralmente, nella forma del dibattito, sia per iscritto, come "saggio" da svolgere in classe o a casa. Non mancano, tuttavia, altre forme di produzione di testi orali o scritti. In alcune unità, ad esempio, vengono consigliate delle inchieste da svolgere in classe o nel contesto extrascolastico, oppure la compilazione o redazione di un questionario, l'invenzione di slogan pubblicitari, la stesura di lettere, ecc.

Scrivere in modo personale e creativo e per di più in lingua straniera è un'attività complessa ed impegnativa, per cui è necessario che l'allievo sia opportunamente guidato e motivato a compierla. Se è facile rendere consapevole un allievo dell'utilità e importanza del parlare, più arduo è fargli capire perché scrivere in lingua straniera. La tendenza prevalente della glottodidattica moderna vede il processo di insegnamento come un processo che regola il contesto in cui ha luogo l'apprendimento. Ciò comporta, ad esempio, che nell'attività di scrittura l'enfasi, più che sul prodotto, si sposti sul processo di scrittura. L'insegnante deve creare le condizioni che rendono il più agevole possibile il processo di controllo dell'abilità di scrittura, suggerendo strategie e tecniche graduate che tengano conto del retroterra linguistico e culturale di ogni allievo, dello scopo e del contesto in cui si opera, delle funzioni e delle forme del testo da produrre. L'insegnante, in altri termini, dovrà agire come un collaboratore attento ed intelligente che interviene ora come lettore, ora come consulente ora come "correttore di bozze", rispettando quanto l'allievo ha espresso.

Pochi sono gli scrittori autodidatti. Anche se gli studenti possono scoprire da soli il "piacere" della lettura, la maggior parte di essi, tuttavia, ha bisogno di essere incoraggiata a scrivere. Non va dimenticato che scrivere rappresenta un'occasione per un allievo di esplorare e scoprire le proprie idee, per chiarire prima a sé il proprio punto di vista e sviluppare e approfondire i propri concetti attraverso un costante lavoro di redazione e revisione. L'espressione scritta impegna, inoltre, l'allievo all'uso della lingua orientato al significato, e ciò è in linea con una visione integrata dell'acquisizione linguistica.

La scrittura dà allo studente il tempo per riflettere sulla lingua e sulle regole che ha appreso, gli dà modo di trovare espressioni linguistiche alternative a quelle date in un primo momento o forme più rispondenti alle intenzioni. Per usare la terminologia di Krashen, possiamo dire che è soprattutto quando si scrive che entra in funzione il *monitor* che controlla l'output linguistico e in una maniera più attenta di quanto non avvenga nella produzione orale.

Ecco perché l'insegnante più che limitarsi al controllo del prodotto finito, dovrebbe seguire il lavoro di scrittura nel suo sviluppo, dovrebbe fare in modo che l'allievo arrivi per gradi alla scrittura, così da superare l'iniziale atteggiamento di sfiducia su cosa dire e come dirlo in lingua straniera. Perciò è bene, soprattutto all'inizio, limitarsi a testi brevi e semplici, per passare poi a testi anche più elaborati ed articolati. In queste fasi iniziali l'attenzione si focalizzerà sui contenuti e sulle idee più che sulla correttezza linguistica. Buona prassi potrebbe essere quella di scrivere prima di getto e in forma spontanea, seguendo il filo delle idee così come vengono in mente, e solo in fasi successive passare all'organizzazione delle idee seguendo una "scaletta", e quindi procedere alla revisione e riorganizzazione delle informazioni.

Come per ogni altra attività didattica, è importante che l'allievo comprenda l'utilità dello scrivere e si senta motivato a farlo, se non si vuole che la scrittura diventi un'operazione frustrante e didatticamente inutile. Per questo lo studente deve scrivere su ciò che conosce, su ciò che lo interessa e che rientra nel suo campo d'esperienze. Non tutti i soggetti che in questo manuale vengono proposti al termine di ogni unità potranno riscuotere l'interesse dell'allievo o rientrare nell'ambito delle sue conoscenze ed esperienze. Questi vanno visti come suggerimenti e stimoli per attività di scrittura e di discussione, le cui modalità d'esecuzione potranno essere definite dallo stesso insegnante in relazione alle situazioni reali della classe. Nulla vieta all'insegnante di proporre altre tematiche più vicine agli interessi e alle conoscenze reali degli studenti.

Questi suggerimenti, le attività e i materiali proposti in questo manuale, gli sforzi che continuamente gli insegnanti profondono nel loro lavoro hanno come obiettivo ultimo quello di facilitare il processo individuale di apprendimento e approfondimento linguistico da parte dell'allievo, che è e rimane il vero protagonista di detto processo. In questa direzione ci siamo mossi nel redigere questo lavoro, pensato per studenti non italofoni e sperimentato con studenti, nella speranza e con l'augurio che possa essere utile a molti altri allievi ad arricchire la loro conoscenza della lingua e della cultura italiana.

Nel dare alle stampe questo lavoro vogliamo rivolgere un affettuoso ringraziamento a tutti i colleghi che ci hanno aiutato con suggerimenti e consigli, ed in modo particolare ringraziamo Katerin Katerinov e Maria Clotilde Boriosi che più da vicino hanno seguito la genesi e lo sviluppo del lavoro.

Per un approfondimento delle tematiche brevemente esposte nell'introduzione si possono proficuamente consultare i lavori seguenti:

J. BRUNER, *La mente a più dimensioni*, Laterza, Bari, 1998.

R.A. DE BEAUGRANDE, W. U. DRESSLER, *Introduzione alla linguistica testuale,* Il Mulino,
Bologna, 1984.

M. E. CONTE (cur.), *La linguistica testuale*, Feltrinelli, Milano, 1989.

M. DARDANO, P. TRIFONE, *Grammatica italiana con nozioni di linguistica,* Zanichelli, Bologna, 2001.

M. DELLA CASA, *La comprensione dei testi. Modelli e proposte per l'insegnamento*, Franco
Angeli, Milano, 1987.

U. ECO, *Lector in fabula*, Bompiani, Milano, 1979.

U. ECO, *Sei passeggiate nei boschi narrativi*, Bompiani, Milano, 1994.

C. LAVINIO, *Teoria e didattica dei testi*, La Nuova Italia, Firenze,1990.

V. LO CASCIO, *Grammatica dell'argomentare*, La Nuova Italia, Firenze, 1991.

B. MORTARA GARAVELLI, *Manuale di retorica*, Bompiani, Milano, 1989.

C. SEGRE, *Avviamento all'analisi del testo letterario*, Einaudi, Torino, 1985.

R. SIMONE, *Fondamenti di linguistica*, Laterza, Bari, 1991.

R. TITONE, *Introduzione alla glottodidattica: le lingue straniere,* SEI, Torino,1990.

Premessa alla III edizione

Cambiano, con il tempo, i gusti dei singoli, le esigenze e i bisogni di apprendimento degli allievi, le metodologie e gli approcci all'insegnamento, nuovi strumenti anche tecnologici entrano a far parte della dotazione scolastica a disposizione degli insegnanti, e di conseguenza i testi didattici pensati un decennio prima finiscono per apparire vetusti o sorpassati, i contenuti non sembrano tutti adeguati alle nuove esigenze, la veste grafica può apparire antiquata, le tematiche proposte e le problematiche affrontate non rispondenti ai nuovi tempi.

Queste ragioni, unite alla necessità di mettere a disposizione di chi apprende l'italiano come L2 un'opera non solo rinnovata ma anche più ricca e più varia per le riflessioni suggerite, per le attività di analisi e per i nuovi stimoli allo studio della lingua italiana, ci hanno spinto a rinnovare *Contesti italiani*. Non si tratta di semplice restyling, ma di un necessario aggiornamento e ampliamento di un'opera che, in questo decennio, ha conosciuto un soddisfacente interesse e apprezzamento da parte di molti insegnanti che l'hanno adottata nei loro corsi. È anche grazie ai suggerimenti e alle osservazioni di molti di loro che abbiamo proceduto alla rivisitazione di questo testo.

In questa edizione sono stati inseriti brani di autori non presenti nella prima edizione, come ad es. Tabucchi e Flaiano, mentre altri, apparsi meno adeguati ed efficaci ai fini didattici, sono stati tolti. Sono state aggiunte nuove attività linguistiche, orientate prevalentemente allo sviluppo delle abilità testuali. Arricchiscono il testo nuove schede di approfondimento lessicale, sintattico e testuale, mentre sono state rivedute in termini di maggiore precisione terminologica e contenutistica alcune delle schede già presenti. La struttura generale dell'opera è tuttavia rimasta fondamentalmente la stessa. L'impostazione metodologica e la funzione linguistico-didattica originale sono le stesse.

Le motivazioni teorico-didattiche che a suo tempo ci avevano guidato alla realizzazione del volume facendoci optare per l'applicazione dei principi della linguistica testuale e per la scelta di testi "letterari" intesi nel senso più ampio del termine, si sono rivelate una scelta opportuna e a tutt'oggi ancora valida sia sul piano epistemologico che su quello operativo.

Si tratta di una scelta di continuità che viene anche incontro agli insegnanti che hanno utilizzato questo testo nei loro corsi e si sono abituati ad uno stile e forse ad alcuni testi e autori proposti o si sono familiarizzati con pratiche didattiche che vogliono continuare a seguire perché ne riconoscono la validità e l'utilità. Sul doppio binario della continuità e della innovazione è proceduto questo lavoro di rivisitazione, nella fondata speranza di venire meglio incontro alle esigenze di quanti vogliono conoscere e approfondire aspetti significativi della realtà linguistica e culturale dell'Italia di oggi.

L'aspetto grafico e l'impaginazione sono sicuramente i tratti di novità che saltano per primi all'occhio di chi si era familiarizzato con la precedente edizione. Novità che vogliono dare un'aria di freschezza alla pagina e anche una migliore leggibilità grazie ad un carattere tipografico più arioso. Funzionali a questo scopo sono anche le diverse icone che, come "parole calde" procedurali di un ipertesto, segnalano le varie tipologie di macro-attività: comprensione di testi, analisi linguistiche e lessicali, analisi testuali e produzioni orali o scritte. Icone di tipo procedurale possono essere i rimandi a schede, ad attività o ad autori già presentati o che vengono presentati successivamente. Ciò consente di spostarsi tra le pagine del manuale come in una sorta di ipertesto cartaceo, che indirettamente invita a recuperare quanto si è appreso e a integrarlo con quanto viene proposto come nuovo.

I diversi approfondimenti di tipo lessicale, grammaticale, testuale e stilistico-retorico sono segnalati in modo soft attraverso la diversità di formato dei riquadri che racchiudono le varie schede. In modo indiretto, e quasi inconsapevole, l'allievo che usa il testo si familiarizza con esso e riesce così ad intuire il genere di attività da svolgere e la varietà dei livelli in base ai quali una lingua può essere analizzata e studiata.

Ci auguriamo che le novità introdotte rendano questo testo ancora più efficace nel rispondere alle esigenze degli apprendenti stranieri, che vogliono approfondire la conoscenza della cultura e della realtà italiana e migliorare la loro conoscenza linguistica attraverso un contatto diretto e guidato a testi ed autori rappresentativi di una realtà varia e ricca sul piano culturale e umano, come è appunto quella italiana.

Gli autori

Perugia 2003

Simboli per muoversi nel testo

Il simbolo:

 indica che il brano è registrato nella cassetta audio che è abbinata al volume;

 introduce le attività di comprensione del testo;

 segnala le attività di analisi lessicale e linguistica;

 segnala le attività di analisi testuale;

 indica le attività di produzione orale o scritta;

 rimanda alla pagina in cui viene trattato l'argomento oggetto di esercizio.

* * *

L'ideazione e progettazione generale dell'opera è comune ai due autori. Tuttavia Mauro Pichiassi è autore dell'introduzione e della premessa alla nuova edizione e ha curato in modo particolare le sezioni dalla quinta all'ottava, mentre Giovanna Zaganelli ha curato le sezioni dalla prima alla quarta.

ritratti

Questa prima sezione comprende testi collegati fra loro da una caratteristica comune: la descrizione dei tratti, fisici o psicologici, di alcuni personaggi. Si hanno descrizioni e ritratti di persone che colpiscono o per il loro fascino (*Angelica* e *La bella sconosciuta*) o per il sentimento di affetto che prova per loro il narratore o l'autore (*Vacanze in montagna*) o per le loro stranezze maniacali (*Chiosso, Lo sberleffo*). È una piccola galleria di personaggi, scelta soprattutto in funzione di prospettive e modi descrittivi diversi; prospettive in cui, a differenza delle descrizioni di luoghi o di oggetti, la situazione psicologica del narratore, sia protagonista o meno dell'azione, gioca un ruolo decisivo. Il personaggio, infatti, non è visto in modo distaccato e puramente esterno ma si connota a seconda delle impressioni e dei sentimenti che prova verso di lui il narrante. Ed allora vengono evidenziati quei tratti dell'aspetto fisico o psicologico che o colpiscono l'attenzione del narrante o che sono funzionali alla sua caratterizzazione o agli obiettivi della narrazione o alle argomentazioni successivamente portate. Un esempio può essere il brano tratto da *L'isola di Arturo* della Morante. Qui la giovane moglie del padre è vista dal ragazzo, Arturo, con una vena di gelosia che lo porta a giudicarla con disprezzo e ad attribuire una connotazione negativa anche al portamento e all'abbigliamento della donna.

Davvero curioso ed originale è il personaggio descritto con un garbo e con uno stile impareggiabile da Marotta in *Lo sberleffo*. Qui don Pasquale Esposito si vendica, in un certo senso, della sorte avara e crudele con lui, facendo della beffa la sua professione e la sua ragione di vita.

I testi, di autori appartenenti a momenti ed esperienze culturali differenti, presentano stili e forme linguistiche diverse: si spazia da uno stile quasi tecnico a quello poetico, da toni accesi ad espressioni sfumate, da accenti ironici ad accenti realistici.

sezione 1

1. VACANZE IN MONTAGNA

A volte la sera, in montagna, mio padre si preparava per gite o ascensioni. Inginocchiato a terra, ungeva le scarpe sue e dei miei fratelli con del grasso di balena; pensava che lui solo sapeva ungere le scarpe con quel grasso. Poi si sentiva per tutta la casa un gran rumore di ferraglia: era lui che cercava i ramponi[1], i chiodi, le
5   piccozze[2]. "Dove avete cacciato la mia piccozza?" tuonava. "Lidia! Lidia! Dove avete cacciato la mia piccozza?"

Partiva per le ascensioni alle quattro del mattino, a volte solo, a volte con guide di cui era amico, a volte con i miei fratelli; e il giorno dopo le ascensioni era, per la stanchezza, intrattabile; col viso rosso e gonfio per il riverbero[3] del sole sui ghiacciai,
10   le labbra screpolate[4] e sanguinanti, il naso spalmato di una pomata gialla che sembrava burro, le sopracciglia aggrottate[5] sulla fronte solcata e tempestosa, mio padre stava a leggere il giornale, senza pronunciare verbo: e bastava un nonnulla a farlo esplodere in una collera spaventosa. [...]

In montagna, quando non andava a fare ascensioni, o gite che duravano fino alla
15   sera, mio padre andava però, tutti i giorni a "camminare"; partiva, al mattino presto, vestito nel modo identico di quando partiva per le ascensioni, ma senza corda, ramponi o piccozza; se ne andava spesso da solo, perché noi e mia madre eravamo, a suo dire, "dei poltroni", dei "salami"; se ne andava con le mani dietro la schiena, col passo pesante delle sue scarpe chiodate, con la pipa fra i denti. Qualche volta, obbli-
20   gava mia madre a seguirlo; "Lidia! Lidia!" tuonava al mattino, "andiamo a camminare! Sennò t'impigrisci a star sempre sui prati!" Mia madre allora, docile, lo seguiva; di qualche passo più indietro, col suo bastoncello, il golf legato sui fianchi, e scrollando i ricciuti capelli grigi, che portava tagliati cortissimi, benché mio padre ce l'avesse molto con la moda dei capelli corti, tanto che le aveva fatto, il giorno che se
25   li era tagliati, una sfuriata da far venir giù la casa. "Ti sei di nuovo tagliati i capelli! Che asina che sei!" le diceva mio padre, ogni volta che lei tornava a casa dal parrucchiere. "Asino", voleva dire, nel linguaggio di mio padre, non un ignorante, ma uno che faceva villanie o sgarbi; noi suoi figli eravamo "degli asini" quando parlavamo poco o rispondevamo male.

(N. GINZBURG, *Lessico famigliare*, Einaudi, Torino, 1963)

1. punte di ferro da applicare alle scarpe da montagna ■ 2. bastone di legno che termina con una punta di metallo, usato per salire in montagna ■ 3. riflesso di luce ■ 4. che presenta piccole ferite o spaccature ■ 5. con le sopracciglia contratte in segno di inquietudine

a | COMPRENSIONE DEL TESTO

1. Informazioni specifiche

Il protagonista del brano è il padre della narratrice.

Di lui dite:

> a. *come si preparava alle gite in montagna;*
> b. *qual era il suo umore il giorno dopo le gite;*
> c. *con chi faceva le sue gite;*
> d. *che cosa rimproverava ai figli e alla moglie;*
> e. *cosa voleva dire la parola "asino" nel suo linguaggio.*

L'altro personaggio di cui si parla è la madre.

Di lei indicate:

> a. *come reagiva alle "sfuriate" del marito;*
> b. *qual era il suo aspetto e modo di vestire in montagna.*

b | ANALISI LESSICALE E LINGUISTICA

1. Polisemia

vai a pag. 24

a. Indicate con quale significato sono usate nel testo le parole seguenti:

1. **cacciare**   (r. 5): mandare via [a] - mettere dentro [b] - catturare animali [c] tirare fuori [d].

2. **guida**   (r. 7): azione del guidare [a] - libro di istruzioni [b] - chi mostra la via da seguire [c].

3. **verbo**   (r. 12): parola [a] - categoria grammaticale [b].

4. **passo**   (r. 19): brano [a] - andatura [b] - passaggio tra i monti [c] - movimento di danza o ballo [d].

5. **golf**   (r. 22): sport [a] - giacca di lana [b].

6. **portare**   (r. 23): indossare [a] - avere delle caratteristiche [b] - reggere [c] - causare [d] - accompagnare [e].

3

b. *Nelle seguenti frasi il verbo* **"cacciare"** *assume significati diversi, provate a sostituirlo con un sinonimo appropriato:*

1. Dove *hai cacciato* i miei occhiali?
2. *È stato cacciato* da tutte le scuole del paese.
3. È un sacco di tempo che non vedo tuo fratello. Dove *si è cacciato*?
4. Non è proprio il tipo che ama *cacciarsi* nei guai.
5. Dai, *caccia* i soldi! Oggi tocca a te pagare!
6. Solo in alcuni mesi dell'anno è consentito *cacciare*.
7. Disturbava il vicino di banco e allora il professore lo *ha cacciato* dall'aula.
8. A quella vista *ha cacciato* un urlo tremendo.
9. *Ho cacciato* le cose essenziali in valigia e sono partito in fretta.

2. Gruppi semantici

Cancellate da ogni lista la parola che per significato non appartiene alla stessa area semantica delle altre:

1. piccozza - martello - chiodi - corda - ramponi.
2. prato - parco - aiuola - campo - giardino.
3. labbra - naso - mano - orecchio - sopracciglia.
4. golf - pullover - cardigan - maglione.
5. scampagnata - camminata - gita - ascensione - passeggiata.
6. villania - sfuriata - sgarbo - malacreanza - scortesia.

3. Nomi sovrabbondanti

*Alcuni sostantivi maschili con terminazione "o" hanno due forme di plurale (**nomi sovrabbondanti**), una regolare con terminazione "**i**" ed un'altra, di genere femminile, con terminazione "**a**". Di solito il significato dei due plurali è diverso. Ad esempio, per la parola "**braccio**" il plurale "**braccia**" indica gli arti del corpo umano, mentre il plurale "**bracci**" indica le parti o diramazioni di un oggetto o di uno strumento: si hanno così i bracci della gru, della croce, di un fiume, ecc.*
*Hanno due forme di plurale con significato diverso le seguenti parole: **braccio, budello, cervello, cuoio, ciglio, corno, dito, filo, fondamento, gesto, grido, labbro, lenzuolo, membro, muro, osso, urlo.***
*Altre parole come: **filamento, ginocchio, sopracciglio**, hanno sì due plurali diversi in "i" e in "a", tuttavia il significato è lo stesso.*

➤ *Completate ora le seguenti frasi con la forma appropriata di plurale del nome sovrab-
bondante opportuno scegliendolo dall'elenco proposto nella scheda linguistica precedente:*

1. Il giorno dopo queste ascensioni, mio padre aveva .... screpolate e sanguinanti.
2. Di questa città possiamo ancora oggi ammirare .... costruite in epoca
   etrusca.
3. Molta gente si fermava a raccogliere i fiori lungo .... della strada.
4. Sono trenta minuti che parli di questo problema: sarà bene che ti decida a tirare ....
5. A due chilometri dal mare il fiume si divide in tre ....
6. .... del consiglio di amministrazione hanno partecipato all'inaugurazione della nuova filiale in corso Mazzini.
7. Molte donne usano il mascara per scurire ....
8. Se non riesci a risolvere un problema così semplice vuol proprio dire che non conosci
   .... della matematica.

4. Parole opache e parole trasparenti

Quando leggiamo un testo qualsiasi, soprattutto se in lingua straniera, capita di
incontrare parole nuove. Di queste parole alcune, anche se le vediamo per la prima
volta, riusciamo a capirle, per altre invece andiamo a scoprirne il significato in un
dizionario. Così se incontriamo, come nel testo della Ginzburg, la parola "ferraglia"
immaginiamo che abbia a che vedere con "ferro", oppure se ci imbattiamo in "scalatore" lo riconduciamo al verbo "scalare", e intuiamo che "scalatore è la persona
che 'scala' (sale) una montagna o una parete alta e ripida".
Parole come "ferraglia" e "scalatore" sono **parole trasparenti**, vale a dire parole il cui
significato è desumibile, in parte o in tutto, dal senso delle singole parti che le compongono. Sono parole trasparenti, le parole derivate (come *lavoratore, intrattabile,
computerizzato*, ecc.) e le parole composte (*capufficio, sopracciglia*, ...).
Viceversa, parole come "*padre*", "*madre*", "*piccozza*", "*salire*", ecc., sono **parole opache**, vale a dire parole non divisibili in parti che possano singolarmente suggerire un
significato. Le parole opache sono le parole primitive, parole, cioè, che non si sono
formate partendo da una parola già esistente nella lingua.

a. *Rileggete il testo della Ginzburg e riportate qui di seguito le parole "trasparenti" in
esso presenti:*

ferraglia,

_____

_____

_____

5

b. Per le seguenti parole derivate indicate il termine base da cui provengono:

1. Sfogliare   *foglio*
2. Triplice _____
3. Metallico _____
4. Spazioso _____
5. Allargare _____
6. Ingrassare _____
7. Appesantire _____
8. Cordata _____
9. Murare _____
10. Annebbiare _____

11. Screpolare _____
12. Oggettivo _____
13. Giornaliero _____
14. Imburrare _____
15. Inchiodare _____
16. Fiancheggiare _____
17. Inferriata _____
18. Infiorata _____
19. Scolorire _____
20. Arrabbiarsi _____

5. L'imperfetto

Il tempo verbale prevalente nel testo della Ginzburg che abbiamo letto è l'*imperfetto*. La scrittrice lo usa soprattutto per descrivere situazioni statiche nel passato o per raccontare azioni abituali. Nel primo caso l'imperfetto svolge una *funzione descrittiva*: serve ad indicare una condizione o uno stato che dura nel tempo passato preso in considerazione:

> *Il giorno dopo le ascensioni era intrattabile.*
> *Mio padre stava a leggere il giornale, senza pronunciare verbo.*
> *Portava i capelli tagliati cortissimi.*

Nel secondo caso l'imperfetto segnala che più azioni passate dello stesso tipo sono svolte con una certa regolarità e ad intervalli più o meno fissi:

> *A volte la sera ... ungeva .... poi si sentiva...*
> *Partiva per le ascensioni alle quattro del mattino, a volte solo, a volte ....*
> *Mio padre andava però tutti i giorni a camminare.*

➤ *Completate le seguenti frasi con la forma appropriata al passato del verbo fra parentesi ed indicate, dove usate l'imperfetto, se ha una funzione descrittiva o segnala un'azione abitudinaria:*

1. In quelle due stanze (viverci) _____ otto persone.

2. Carlo (scusarsi) _____ tutte le volte che (entrare) _____ in ritardo in classe.

3. Nella sua borsetta ci si (potere) _____ trovare di tutto: dai soldi agli arnesi per il trucco, dalle caramelle ai biglietti usati del treno, come pure matite e penne di colori diversi.

4. La ragazza (indossare) _____ un completo in gabardine, mentre il ragazzo che le (sedere) _____ accanto (portare) _____ semplicemente un jeans e una Tshirt chiara.

5. Spesse volte quel poveretto dopo la morte della moglie (tornare) _____ a casa ubriaco e la figlia lo (dovere) _____ aiutare a mettersi a letto.

6. Fino a due settimane fa, Nicola (fare) _____ colazione al bar dell'Università.

7. La ragazza (prendere) _____ i fogli e li (infilare) _____ in seno. (Parere) _____ impaurita e (avere) _____ gli occhi pieni di lacrime.

8. Ogni volta che (essere) _____ in ritardo (telefonare) _____ a casa per avvertire i suoi.

C | ANALISI TESTUALE

1. La descrizione

La descrizione è la rappresentazione con parole di paesaggi, ambienti, persone, oggetti ed epoche. Il lettore o l'ascoltatore ricostruisce nella propria mente sulla base degli indizi forniti dal testo l'immagine di quanto viene descritto. Nel testo della Ginzburg, ad esempio, abbiamo la descrizione del volto del padre così come si presenta la sera dopo un'ascensione in montagna: è rosso, le labbra screpolate e sanguinanti, il naso colorato di giallo da una pomata, le sopracciglia aggrottate e la fronte solcata da rughe profonde. Chi legge si costruisce mentalmente il volto di un uomo maturo con le caratteristiche fisiche evidenziate dalla scrittrice.

Una descrizione non è mai fine a se stessa, ma è sempre finalizzata ad una operazione comunicativa, che può essere di tipo informativo, come nei testi tecnici e scientifici, oppure di tipo connotativo quando si vuole rappresentare lo stato d'animo o il punto di vista su un personaggio, un ambiente o una cosa. I tratti fisici che la Ginzburg descrive servono a sottolineare il carattere severo e talora burbero del padre.

Nella descrizione è, spesso, importante l'ordine con cui i diversi elementi o tratti sono presentati: l'ordine contribuisce a dare efficacia al testo. Esso può seguire un criterio logico (quando si muove dal generale al particolare) oppure un criterio spaziale, quando si muove da un punto all'altro dello spazio, come ad esempio, da destra verso sinistra o viceversa, o dall'alto verso il basso. Nel testo che abbiamo preso in esame la descrizione del volto del padre è fatta secondo un ordine spaziale: dopo un cenno all'aspetto generale vengono descritti i tratti del volto movendo dal basso verso l'alto: labbra, naso, sopracciglia, fronte.

➤ *Completate il testo con gli indicatori spaziali necessari scegliendoli fra quelli qui indicati:*

> A destra - attraverso - da questa parte - dietro - in mezzo a - intorno a - qua - sopra - sull'alto - verso

La mia casa sorge, unica costruzione, ... (1) di un monticello ripido, ... (2) un terreno incolto e sparso di sassolini di lava. La facciata guarda .... (3) il paese, e ....(4) il fianco del monticello è rafforzato da una vecchia muraglia fatta di pezzi di roccia; .... (5) abita la lucertola turchina (che non si può incontrare altrove, in nessun altro luogo del mondo). .... (6), una scalinata di sassi e terra scende verso il piano carrozzabile.

.... (7) la casa, si stende una larga spianata, giù dalla quale il terreno diventa scosceso e impervio. E .... (8) una lunga frana si arriva a una spiaggetta in forma di triangolo, dalla sabbia nera. Non esiste nessun sentiero che porti a quella spiaggia; ma, a piedi nudi, è facile scendere a precipizio fra i sassi. Laggiù era attraccata una sola barca: era la mia. Si chiamava *Torpediniera delle Antille*.

La mia casa non dista molto da una piazzetta quasi cittadina (ricca, fra l'altro, di un monumento di marmo) e dalle fitte abitazioni del paese. Ma, nella mia memoria, è divenuta un luogo isolato, ... (9) cui la solitudine fa uno spazio enorme. Essa è là, malefica e meravigliosa, come un ragno d'oro che ha tessuto la sua tela iridescente .... (10) tutta l'isola.

(E. Morante, *L'isola di Arturo*)

---

d | PRODUZIONE ORALE O SCRITTA

1. Nel brano la scrittrice descrive i suoi genitori: indicate come vengono caratterizzati e quale rapporto si intuisce tra i due.

2. Raccontate una vostra vacanza o gita in montagna.

3. Ad un amico che di solito passa le vacanze al mare indicate alcune buone ragioni per seguirvi in una vacanza in montagna.

4. La maggior parte degli italiani preferisce passare le vacanze al mare. In numero minore sono quelli che scelgono la montagna o la campagna.

a. *Provate a realizzare un questionario per un'intervista da fare tra i vostri amici o compagni di corso, relativa a* **come** *e* **dove** *hanno trascorso le vacanze negli ultimi tre anni. In particolare il questionario dovrà prevedere domande riguardanti:*

- l'identità dell'intervistato;

- i luoghi in cui ha trascorso le vacanze negli ultimi tre anni;

- le persone insieme alla quali ha passato le vacanze;

- la durata delle vacanze;

- le particolari esperienze positive vissute durante le vacanze;

- i disagi o gli inconvenienti incontrati.

b. *Costruite quindi una tabella e riportate in essa i dati ottenuti.*

Profilo dell'autrice
NATALIA GINZBURG

Natalia Ginzburg è nata a Palermo il 14 luglio 1916 da una famiglia originaria di Trieste. Il padre, Giuseppe Levi, era un biologo di grande fama. Ha trascorso l'infanzia e l'adolescenza a Torino. Nel 1938 ha sposato Leone Ginzburg, uno dei fondatori della casa editrice Einaudi, slavista ed esponente di spicco dell'antifascismo. Quando il marito per ragioni politiche fu mandato al confino, lei lo seguì insieme ai due figli Carlo e Andrea. Nel 1942 ha pubblicato il suo primo romanzo *La strada che va in città* con uno pseudonimo, dato che le leggi razziali e le condanne penali dei familiari non permettevano l'uso del proprio cognome di origine ebraica. Dopo la morte del marito, avvenuta in carcere nel '44, Natalia ha peregrinato tra Roma e Firenze. Nel 1945 è tornata a Torino, dove era stata assunta come redattrice dell'Einaudi. Nel 1952, dopo aver sposato l'anglista Gabriele Baldini, si è trasferita a Roma dove ha continuato il suo lavoro nella locale sede dell'Einaudi.
In quegli anni l'attività di scrittrice è divenuta primaria: nel '57 è uscito *Valentino*, nel '61 *Le piccole virtù*, nel '62 *Le voci della sera*. Ma il vero successo è arrivato nel '63 con *Lessico famigliare*, ricostruzione autobiografica degli anni dell'adolescenza e della giovinezza della scrittrice. L'opera ha vinto il premio Strega ed ha garantito all'autrice quella adesione di pubblico che non l'ha più abbandonata, e che anzi si è rafforzata con le opere teatrali: *Ti ho sposato per allegria*, (1965), *La segretaria* (1967), *L'inserzione* (1968). Un altro grosso successo è stato il romanzo *Caro Michele* (1973).
Sul finire degli anni '70 la scrittrice ha ripreso il filo di quell'impegno politico e civile che aveva segnato in modo drammatico la sua giovinezza, ed è scesa in campo per numerose battaglia democratiche, culminate nel 1983 con l'elezione alla camera dei deputati come indipendente nelle liste del PCI.
Ma non per questo è venuta meno la sua attività letteraria. Nel '74 sono usciti i saggi di *Vita immaginaria*, seguiti da due racconti lunghi *Famiglia* e *Borghesia*, nel 1983 ha pubblicato *La famiglia Manzoni* e nell'84 *La città e la casa*. Nel 1988 un ritorno al teatro con *L'intervista*. Il suo ultimo libro non è un romanzo: un libro di cronaca, quasi un sofferto instant-book dedicato alla vicenda di una bambina filippina, Serena Cruz, tolta alla famiglia per una poco chiara vicenda di adozione: *Serena Cruz o la vera giustizia* (1990).
Natalia Ginzburg è morta a Roma l'8 ottobre 1991.

2. LA BELLA SCONOSCIUTA

Una sera mi trovavo in viaggio in una città straniera e lontana. Era l'ultimo giorno che passavo in Russia e mentre aspettavo il treno che doveva riportarmi in Italia e cenavo nel ristorante della stazione, notai, a un tavolo poco lontano dal mio, una bellissima e giovanissima donna sola. "Peccato, pensai, non la rivedrò mai più in vita mia. Fra poco un oscuro treno addormentato mi riporterà veloce verso il caldo cielo d'Italia, e mai più rivedrò i begli occhi e la fronte serena di questa donna che avrei tanto amata, se l'avessi incontrata prima."

Raggiunsi poi il mio posto nel vagone-letto, feci preparare la cuccetta e mi addormentai. Il giorno dopo, mentre mi recavo al vagone-ristorante, con altri viaggiatori, vidi con sorpresa la bellissima sconosciuta che leggeva in una cabina sola. Poi la intravvidi un momento alla stazione dove io cambiavo treno, ma tra la folla, la persi subito di vista; né del resto avrei potuto seguirla. Alla frontiera tedesca durante il controllo dei bagagli, chi mi trovo vicino? La bella sconosciuta. Purtroppo un asino di doganiere mi fece perdere tempo e non potei vedere verso quale binario andava. A Berlino cambiai nuovamente treno e quando andai a far colazione nel vagone-ristorante, chi vidi a una tavola in fondo? La bellissima sconosciuta. Ma lei non si accorse nemmeno di me. Nel suo scompartimento non c'era posto. Perciò, abbandonai la partita, immaginando che sarebbe scesa a una qualunque delle stazioni che toccavamo. A Firenze non pensavo più alla bella viaggiatrice, quando, sceso per comprare dei giornali, la vidi affacciata a un finestrino del mio stesso treno. In breve, la rividi, potete immaginare con che gioia, a Roma, che era la mia meta finale. "Qui - dissi - non mi sfugge". Prese un taxi, io ne presi un altro e la seguii. E immaginate la mia sorpresa, quando la vidi scendere al portone di casa mia. Feci le scale dietro di lei, con crescente meraviglia. E finalmente l'ignota si ferma, legge un nome su una porta e suona. Era la porta del mio appartamento. In breve: si trattava della figlia d'una compagna di collegio di mia madre, che veniva ospite nostra. L'ignota viaggiatrice intravista nella lontana stazione d'una città sperduta nella Russia, fugacemente apparsa in una sera di partenza, tra i mille passanti d'un paese dove non sarei più tornato, divenne mia moglie.

(A. CAMPANILE, *Se la luna mi porta fortuna*, Rizzoli, Milano, 1960)

1. Informazioni specifiche

a. Rispondete alle seguenti domande:

1. Che cosa della "sconosciuta" colpisce di più il narratore?
2. Quali nazioni e città sono nominate nel testo?
3. Cosa prova il narratore ogni volta che rivede la "sconosciuta".
4. Che cosa fa quando arriva a Roma?

b. Completate le seguenti informazioni:

1. Il narratore tornava da _____
2. Ha visto per la prima volta la sconosciuta in _____
3. Durante il viaggio l'ha rivista _____
4. Il narratore era diretto a _____
5. La signorina andava _____
6. La sconosciuta era figlia di _____
7. Il narratore si è poi sposato _____

2. Sintesi

➤ *Riesponete in modo sintetico il testo letto.*

b | ANALISI LESSICALE E LINGUISTICA

1. Campi semantici

Le parole che per il loro significato si riferiscono a tratti o caratteristiche di un mede-simo oggetto (o referente) costituiscono un **campo semantico**. Ad esempio, i ter-mini con cui si indicano i diversi strumenti o arnesi usati da un artigiano, formano un campo semantico, così come costituiscono distinti campi semantici le varie paro-le con le quali indichiamo dei sentimenti come la gioia, la paura, l'amore, ecc. Il ter-mine che prendiamo come punto di riferimento è il *termine guida*. Se, ad esempio, scegliamo la parola *nemico* come termine guida, individueremo come appartenen-ti al campo semantico di "nemico", parole come *ostile, guerra, ostilità, bellicoso, avversario,* ecc. Se il termine guida è *famiglia*, allora nel suo campo semantico potranno entrare parole come *padre, madre, figlio, filiale, paterno,* ecc.
Quanto più generale è il significato del termine guida tanto più ampio sarà il nume-ro delle parole che entrano a far parte del suo campo semantico.

> *Individuate e trascrivete le parole e le espressioni del testo che si collegano in base al significato a:*

- treno
- viaggio
- vedere

2. Prefissi

Per formare il contrario di alcuni aggettivi, nomi o verbi si usano dei prefissi. Fra questi sono frequenti "*in-*" e "*s-*". La "n" del prefisso "in-" quando si antepone a parole che cominciano per "l", "m", o "r" si assimila, vale a dire diventa uguale alla consonante che segue, quando invece precede le lettere "b" o "p" diventa "m".

Ess.:

in + regolare   ⟶   irregolare
in + leggibile   ⟶   illeggibile
in + possibile   ⟶   impossibile

> *Formate il contrario delle seguenti parole, premettendo il prefisso "in-" o "s-":*

Es.: conosciuto ⟵⟶ sconosciuto

1. contentabile _____	2. conveniente_____
3. corretto _____	4. contento _____
5. leso _____	6. pari _____
7. mortale _____	8. fiorire _____
9. gonfiare _____	10. legale _____
11. legare _____	12. fiducia _____
13. tollerante _____	14. transitivo _____
15. leale _____	16. respirabile _____

3. Le unità polirematiche

Le parole di una lingua non sono solo quelle che appaiono come unitarie per tradizione (*acqua, fuoco,*) o perché unite graficamente (*cassaforte, posacenere, colabrodo, grattacielo, ecc...*), ma anche quelle forme composite costituite da due o più lemmi che si scrivono separati ma che si comportano come un tutt'uno e si riferiscono ad un referente unico. Queste entità, o *unità lessicali superiori o "lessemi complessi"* sono denominate tecnicamente **unità polirematiche**. Sono unità polirematiche lessemi complessi costituiti da coppie di parole come *treno merci, vagone letto, pronto soccorso, divano letto, busta paga, monte premi, ecc.,* ma anche gruppi di tre parole come *cavallo di battaglia, chiavi in mano, usa e getta, a testa bassa,* ecc. Come si vede dagli esempi, le unità polirematiche possono essere formate da nome + aggettivo, nome + nome, nome + preposizione + nome, ecc.

Le unità polirematiche possono avere valore di sostantivo (il *vagone ristorante*), aggettivo (un appartamento *chiavi in mano*) o avverbio (lanciarsi a *testa bassa*). Nelle unità polirematiche

a. *l'ordine degli elementi è rigido*: es.: "camera oscura" e non "oscura camera";
b. *i costituenti non possono essere sostituiti da sinonimi o alterazioni* (es.: "cavallo di battaglia" e non già "cavallo di guerra" o "cavallino di battaglia")
c. *non è possibile inserire al loro interno un qualsiasi elemento lessicale* (es.: "busta paga", "una busta paga pesante" e non già "una busta pesante paga").

a. *Combinate una parola della lista A con una della lista B così da formare un'unità polirematica e spiegatene il senso:*

A	B	
1. busta	letto	_____
2. parco	guida	_____
3. squadra	chiave	_____
4. vagone	paga	_____
5. parola	macchine	_____
6. vacanze	stampa	_____
7. scuola	valori	_____
8. conferenza	campione	_____
9. borsa	studio	_____

b. *Anche con l'aiuto di un dizionario, indicate il significato delle seguenti unità polirematiche:*

1. Carro attrezzi
2. Lingua madre
3. Muro maestro
4. Cassa mutua
5. Chiesa madre
6. Albero maestro
7. Camera a gas
8. Ragazza madre
9. Camera d'aria
10. Metro cubo
11. Mettere a fuoco
12. Prima donna
13. Prendere corpo
14. Camera oscura
15. Altro mondo

c. *Completate le frasi che seguono utilizzando le unità polirematiche date nella scheda:*

a 360 gradi - a due piazze - alla pari - andata e ritorno - bassa stagione - carta semplice - compact disc - conto corrente - fare credito - prendere in giro - pro e contro - stato civile

1. La domanda può essere fatta in _____.
2. Se venite nel periodo di _____ potete risparmiare anche trecento euro.
3. Nella camera c'è soltanto un letto _____.
4. È uno molto tirchio, non _____ a nessuno.

5. Ha aperto un _____ presso la Banca Commerciale Italiana.
6. Francesca non spende niente per l'affitto perché vive in quella casa come ragazza
   _____.
7. Nella domanda di assunzione devi indicare anche lo _____.
8. I compagni di scuola lo _____ perché portava sempre la cravatta.
9. Per il compleanno gli abbiamo regalato un lettore di _____.
10. Se fai un biglietto di _____ spendi di meno.
11. Le indagini della polizia sono condotte _____.
12. Prima di prendere una decisione così importante valuta tutti i _____.

d. Nelle frasi che seguono correggete le espressioni polirematiche inesatte:

1. Il bambino passa molte ore davanti al televisore a guardare i cartoncini animati.
2. Sono pochi i negozianti che rilasciano la fiscale ricevuta.
3. Tutti la apprezzano perché nonostante il successo è rimasta una ragazza acqua e sa-
   ponetta.
4. Perché il brodo sia buono deve bollire a lento fuoco.
5. Al termine del convegno si è svolta una tavola vivace rotonda.
6. Nel nazionale parco degli Abruzzi si trovano ancora alcuni esemplari dell'orso marsicano.
7. Ha un giro degli affari di quasi due milioni di euro.

4. Preposizioni

➤ *Completate le frasi che seguono con le preposizioni convenienti:*

1. La ragazza si è affacciata .... finestrino per salutare l'amico rimasto .... piedi
   .... marciapiede.
2. Lei non si era accorta .... me.
3. Mi sono recato .... ufficio informazioni prima che chiudesse.
4. Franco si è avvicinato lentamente .... ragazza che era seduta .... panchina.
5. Ci siamo molto rallegrati .... notizia .... sua promozione.
6. Non mi fido .... chi promette molto.
7. Ormai non mi meraviglio più .... nulla.
8. La partita è andata .... onda sulla terza rete della RAI.
9. Ho preso .... affitto un piccolo appartamento .... equo canone.
10. Maria ha approfittato .... assenza dei genitori per invitare Gianni a casa.

5. Riformulazioni

➤ *Riscrivete le frasi che seguono sostituendo le espressioni o parole in corsivo con altre
equivalenti senza cambiare il senso della frase:*

1. Ma tra la folla, *la persi di vista.*
2. Poi la *intravvidi un momento* alla stazione.
3. Durante il controllo dei bagagli *mi trovo vicino* la bella sconosciuta.

4. Nel suo scompartimento non c'era posto. Perciò *abbandonai la partita*.
5. Roma era la mia *meta finale*.
6. Il giorno *dopo*, mentre *mi recavo* al vagone-ristorante, con altri viaggiatori, vidi con *sorpresa* la bellissima sconosciuta.

C | PRODUZIONE ORALE O SCRITTA

1. Descrivete un viaggio in treno dal nord al sud del vostro paese accennando a:
    a. città e paesi che si attraversano;
    b. paesaggi che si possono ammirare;
    c. usi e abitudini dei diversi luoghi.
2. Chiedete ad un vostro compagno di classe di descrivere il percorso per arrivare in treno alla sua città partendo dalla capitale del paese.
3. Lo scrittore così presenta il primo incontro con la "bella sconosciuta": "notai, ad un tavolo poco lontano dal mio, una bellissima e giovanissima donna sola". Lavorando di fantasia, provate ad inserire a questo punto del racconto una descrizione più precisa della donna, soffermandovi sul suo volto, sul suo portamento e sul suo abbigliamento.
4. Raccontate l'incontro con una persona che vi ha fatto esclamare: "Oh, se l'avessi conosciuta prima!!"
5. Seguite su una carta dell'Italia, che riporti la rete ferroviaria, il percorso seguito dalla "bella sconosciuta" per raggiungere Roma. E per alcune delle città che idealmente attraversate provate a dare quelle informazioni di carattere storico, culturale o turistico che conoscete.

Profilo dell'autore
ACHILLE CAMPANILE

Achille Campanile, pseudonimo di Gino Cornabò, è nato a Roma il 28 settembre 1900 ed è morto a Velletri il 4 gennaio 1977. Narratore, giornalista e commediografo. Umorista di inesauribile verve e indiscutibile indice di un gusto comico tra i maggiori della letteratura italiana contemporanea, è autore di numerose opere tra le quali vanno ricordate: *Ma cos'è quest'amore?* (1924), *Se la luna mi porta fortuna* (1927), *Agosto, moglie mia non ti conosco* (1930), *Il povero Piero* (1959), *Manuale di conversazione* (1973), *Gli asparagi e l'immortalità dell'anima* (1974), *Vite degli uomini illustri* (1975), *L'eroe* (1976).
Ha vinto due volte il Premio Viareggio, nel 1933 per *Cantilena all'angolo della strada* e nel 1973 per *Manuale di conversazione*. Nel 1976 ha vinto il Premio Bancarella per *L'eroe*.
I suoi romanzi e i suoi racconti strampalati e impietosi, scritti in una lingua un po' datata, offrono un campionario dei piccoli difetti dell'Italia e dei suo abitanti, una galleria di luoghi comuni verbali e di costume. Di lui Umberto Eco ha scritto che "era un maestro del Comico e del Comico ha saputo ripercorrere e reinventare tutte le situazioni".

3. LA "NUOVA" MADRE

Ci incamminammo tutti e tre lungo il molo, verso la piazzetta del porto. Sebbene impediti dalle valige, io e mio padre andavamo più svelti di lei. Essa camminava goffamente sui suoi tacchi alti, ai quali non pareva avvezza[1], e che la facevano inciampare ogni minuto.

5 Io, pensai, avrei preferito andare a piedi nudi, piuttosto che adattarmi a simili calzature da signora.

Fuori da quei tacchi alti, però, e delle sue scarpette nuove, la sposa non aveva proprio nulla di signorile; né di raro! Che cosa m'ero figurato, forse? Di veder arrivare, al fianco di mio padre, un qualche essere meraviglioso, che attestasse l'esi-
10 stenza della famosa specie femminile descritta nei libri? Questa napoletana, nei suoi abiti informi, consumati, non appariva molto diversa dalle solite pescatore e popolane di Procida. E m'era bastato, subito, un primo sguardo, per vedere che era brutta, non meno di tutte le altre donne.

Come le altre, era infagottata, aveva il viso bianco e ricolmo, gli occhi mori, e
15 i capelli (di cui lo scialle[2] che le avvolgeva la testa lasciava scoperta appena l'attaccatura), neri come le penne del corvo[3]. E non si sarebbe detto nemmeno che era una sposa: la sua persona sembrava già quella di una donna fatta, ma non così il suo viso dal quale io, benché inesperto di età femminili, riconobbi, per una intuizione immediata, ch'essa era quasi ancora una fanciulletta, di poco più
20 anziana di me. Ora, è vero che una femmina, a quindici-sedici anni (ché tanti lei doveva averne) è già cresciuta e grande; mentre che un maschio, a quattordici, è considerato ancora un ragazzino. Ma tuttavia, sempre più mi indignava la pretesa di mio padre: che io, pur senza contare gli altri motivi, potessi ammettere per madre una persona superiore a me di appena un paio d'anni, se non forse
25 meno!

Essa era di statura piuttosto alta, per una donna; e provai, anzi, vergogna e dispetto all'avvedermi[4] che era di parecchio più alta di me (questo, però, non è durato molto. Mi bastarono pochi mesi per raggiungerla. E alla fine, poi, quando son partito dall'isola, essa mi arrivava a mala pena al mento). [...]
30 Non ci voleva molto ad accorgersi che aveva una grande soggezione[5] di mio padre. Anche quando usava con lui certe maniere familiari che le erano spontanee (come poco prima, nel dargli la piccola stratta[6] alla giacca), lo faceva con aria esitante e un poco timorosa.

E mio padre, da parte sua, pur sembrando contento di portarsi a casa quella
35 donna, non le dava nessuna confidenza. Non li vedevo bisbigliare né scambiarsi abbracci o baci, come si sente dire che facciano i fidanzati, o gli sposi in viaggio di nozze. Questo mi fece piacere. Egli aveva la solita aria di arrogante[7] distacco: ed essa sedeva compostamente alquanto discosta da lui tenendo in

grembo la sua preziosa borsa, di cui stringeva la chiusura con tutte e dieci le
40   dita. Le sue mani erano piccole e ruvide, arrossate dai geloni[8] e notai che alla
sinistra portava un anellino d'oro: la fede di mio padre. Mio padre, invece, non
portava nessun anello.

(E. MORANTE, L'isola di Arturo, in Opere, Mondadori, Milano, 1988)

1. abituato ▪ 2. panno di lana o seta di forma quadrata con il quale le donne si coprono le spalle o la
testa ▪ 3. grosso uccello dalle piume nere e dal becco ricurvo e forte ▪ 4. accorgermi ▪ 5. sentimento
di timore e rispetto per qualcuno ▪ 6. tirata ▪ 7. superbo, presuntuoso ▪ 8. infiammazione alle mani
o ai piedi causata dal freddo

a | COMPRENSIONE DEL TESTO

1. Informazioni specifiche

➤ *Rispondete alle seguenti domande:*

1. Chi sono i protagonisti del racconto?
2. Chi è il narratore?
3. In quale isola si trovano i protagonisti?
4. Quale particolare della donna colpisce subito il ragazzo?
5. Su quali aspetti fisici della ragazza si sofferma l'attenzione del narratore?
6. Quanti anni dovrebbe avere la donna?
7. Quale pretesa del padre suscita indignazione nel ragazzo?
8. Che atteggiamento ha la giovane sposa nei confronti dello sposo? E da quali particolari lo si deduce?

2. Descrizione

Arturo descrive alcuni tratti fisici e comportamentali della sua giovane "matrigna", come i capelli, le mani e il modo di camminare.

➤ *Provate a descrivere con altre parole la giovane donna.*

3. Riassunto

➤ *Riesponete in modo sintetico il testo letto.*

1. La similitudine

Talvolta, per rendere più vivace la descrizione di oggetti o eventi, si ricorre a simi-litudini che, essendosi affermate nell'uso linguistico come "frasi fatte", riescono a suscitare l'effetto voluto. Nel testo della Morante, ad esempio, Arturo, ricorrendo ad immagini che gli provengono dall'ambiente culturale in cui vive, vede i capelli della "matrigna", "neri come le penne del corvo". Allo stesso modo, ad esempio, se si vuole descrivere il rossore causato in una persona da timidezza o vergogna, lo si potrebbe paragonare a qualsiasi oggetto di color rosso. In realtà ogni volta che si vuol trovare una similitudine immediatamente comprensibile si ricorre a quella ormai consolidata del peperone, e si dirà: *"rosso come un peperone"*. Altri casi di similitudini usuali sono: *"brutto come la fame, bello come un dio, sordo come una campana, bere come una spugna, forte come un toro"*, ecc.

➤ *Completate i seguenti paragoni con un termine di confronto che vi sembra appro-priato:*

1. Aveva i capelli biondi come _____
2. Il suo viso era bianco come _____
3. Portava un abito ampio che la rendeva simile a _____
4. Aveva due occhi piccoli e appuntiti come _____
5. Aveva il naso ricurvo come _____
6. Portava delle scarpe grosse come quelle di _____
7. Ha il cuore duro come _____
8. Camminava dritto come _____

vai a pag. 11

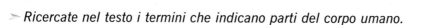

2. Campi semantici

➤ *Ricercate nel testo i termini che indicano parti del corpo umano.*

vai a pag. 370

3. Parole solidali

a. *Scrivete a fianco di ciascun aggettivo i nomi, tra quelli qui di seguito riportati, che per il loro significato possono combinarsi con esso:*

   es.: *fresco, può dirsi di: pane, aria, notizia, vernice, acqua....*

mano - mare - carta - tavolo - foglio - lana - uomo - sapore - modo - sasso

- ruvido: _____
- crespo: _____
- aspro: _____
- liscio: _____
- rozzo: _____
- levigato: _____

b. come sopra

> occhio - capelli - notte - legno - stanza - vetro -
> parola - discorso - acqua - voce - colore

- nero: _____
- moro: _____
- scuro: _____
- buio: _____
- opaco: _____
- castano: _____
- oscuro: _____

4. Opposti e contrari

Quando due parole esprimono due significati che sono fra loro non solo diversi, ma tali che l'uno esclude l'altro, sono comunemente dette "contrari" o "opposti". Così *alto* è il contrario di *basso*, *brutto* il contrario di *bello*, *facile* si contrappone a *difficile*, ecc. In realtà esistono almeno tre tipi di opposizione, indicati con termini come **antonimia**, **complementarità** e **inversione**.

Antonimi: indicano due punti estremi di una scala; ad esempio, *grande / piccolo, alto / basso, freddo caldo*, ecc. Trattandosi di una scala si possono avere dei gradi intermedi: più freddo, meno freddo, molto freddo, poco freddo, ecc., e per questo è possibile che tra i due estremi di una scala ci siano termini intermedi specifici, come *tiepido, fresco, gelido* (*gradazioni semantiche*).

Complementari: sono coppie di termini o di parole, di cui l'una esclude l'altra: es.: *vivo* e *morto*. Non è possibile alcuna graduazione tra i due, non si può essere poco o molto morti, o più morti (almeno quando il termine è usato nel suo senso proprio), e per questo non consentono comparazioni.
Altri esempi di termini complementari sono: *scapolo / sposato, pari / dispari, maschio / femmina, parlare / tacere*.

Inversi: sono invece i termini che indicano una stessa relazione ma vista da due prospettive opposte: si tratta di un rapporto di inversione o reciprocità. È ad esempio il caso di *vendere* e *comprare* che si riferiscono ad uno stesso evento ma visto dalla parte del commerciante e dell'acquirente. I termini inversi sono tali per cui l'uno presuppone l'altro: l'azione di vendere si realizza se c'è qualcuno che compra. Altri esempi di coppie di inversi sono: *dare / ricevere, marito / moglie, prima / dopo, padre / figlio*, ecc.

a. *Indicate se le seguenti coppie di parole opposte sono termini fra loro antonimi (A), complementari (C) o inversi (I):*

- svelto	lento		- opaco	lucido
- prestare	restituire		- vuoto	pieno
- nascere	morire		- maestro	allievo
- bianco	nero		- destra	sinistra
- arrivare	partire		- finire	cominciare
- legare	sciogliere		- ridere	piangere
- davanti	dietro		- calmo	agitato
- sopra	sotto		- vittoria	sconfitta
- chiudere	aprire		- suocera	nuora
- liscio	ruvido		- zio	nipote
- andata	ritorno		- imparare	insegnare
- feriale	festivo		- naturale	artificiale
- burbero	gentile		- nubile	sposata

b. *Riscrivete le frasi che seguono sostituendo le parole o le espressioni evidenziate con il loro contrario:*

1. Io e mio padre andavamo più **svelti** di lei.
2. Essa camminava **goffamente** sui suoi tacchi **alti**.
3. Io avrei preferito andare **a piedi nudi**.
4. Ed essa sedeva compostamente **discosta da** lui.
5. Le sue mani erano **piccole** e **ruvide**.
6. Riconobbi ch'essa era quasi ancora una fanciulletta di poco più **anziana** di me.

5. Comparativi

Gli aggettivi che precisano una qualità particolare di un nome, come ad esempio l'aspetto, la forma, la grandezza, il colore sono detti **aggettivi qualificativi**. La qualità espressa da un aggettivo qualificativo può essere graduata secondo una scala di intensità distinta in tre livelli o gradi:

	positivo
grado	comparativo
	superlativo

Con il **grado comparativo** si mette a confronto la qualità attribuita ad un elemento nominale (1° termine di paragone) con quella posseduta da un altro elemento (2° termine di paragone). Confrontare vuol dire stabilire se tra i due termini c'è uguaglianza o meno, o più precisamente individuare una delle tre possibili relazioni:

uguaglianza:	*La nuova moglie di mio padre era alta come me.*
maggioranza:	*La nuova moglie di mio padre era di poco **più anziana** di me.*
minoranza:	*La nuova moglie di mio padre era di poco **meno giovane di** me.*

Il secondo termine di paragone nei comparativi di disuguaglianza (maggioranza o minoranza) è introdotto da:

1. la **preposizione di**
   - quando si confrontano due termini determinati (persona, cosa o animale) in una sola qualità:

   > Es.: *Federico è più giovane di sua moglie.*
   > *La camera da letto è meno spaziosa della cucina.*

2. la **congiunzione che**
   a. quando il secondo termine è preceduto da una preposizione (confronto fra due modi o forme della stessa azione):

   > Es.: *Camminava meglio a piedi nudi* **che** *con le scarpe.*
   b. quando si confrontano due qualità presenti nello stesso soggetto:

   > Es.: *Era una ragazza più simpatica* **che** *bella.*
   > *È un'occasione più unica* **che** *rara.*
   c. quando si confrontano due azioni (o due verbi):

   > Es.: *Per chi impara una lingua straniera leggere un testo è più facile* **che** *scrivere un testo.*
   d. quando si confrontano due quantità indeterminate:

   > Es.: *C'erano più ragazze* **che** *ragazzi nella discoteca.*

3. la **preposizione a**
   solo con i due aggettivi "superiore" e "inferiore" usati nel loro significato comparativo:

   > Es.: *Non potevo accettare una persona superiore a me di appena un paio d'anni.*

Nei comparativi di uguaglianza il secondo termine del confronto è introdotto indifferentemente da **come** o da **quanto**:

> Es.: *Alla fine della corsa noi eravamo stanchi come voi.*
> *La sua macchina è veloce come quella di Marco.*
> *Dall'aspetto appariva tanto serio quanto preoccupato.*

a. *Costruite delle frasi stabilendo un confronto di disuguaglianza fra le seguenti coppie di termini:*

es.: mia madre - mio padre
Avevo **più** confidenza con mia madre **che** con mio padre.

1. Natale	- Pasqua	5. computer	- macchina da scrivere
2. Sicilia	- Sardegna	6. governo	- opposizione
3. treno	- macchina	7. telefono	- posta tradizionale
4. musica classica	- musica rock	8. primavera	- inverno

b. Inserite nelle frasi seguenti la congiunzione o preposizione necessaria ad introdurre il secondo termine di paragone.

1. Oggi mi sento molto più riposato _____ ieri.
2. Chi è più fortunato ____ lui? Ha vinto centomila euro al lotto con una puntata di un euro.
3. Trascorrere il tempo senza fare niente spesso è più faticoso _____ lavorare.
4. Nei giochi di abilità non era inferiore _____ nessuno.
5. È un prodotto più reclamizzato _____ efficace.
6. Lui è più interessato ai soldi _____ alle persone.
7. Sta quasi sempre con bambini più grandi _____ lei.
8. L'albero ormai è più alto _____ casa.

C | PRODUZIONE ORALE O SCRITTA

1. Arturo ha un istintivo atteggiamento di rifiuto verso la donna che ha preso il posto di sua madre, tanto che la stessa descrizione dell'aspetto esteriore di lei non appare né obiettiva né sincera. Rintracciate nel brano i passi in cui tale atteggiamento emerge e descrivetene il modo.
2. Provate a descrivere il rapporto tra il padre di Arturo e la sua giovane sposa.
3. Una latente ostilità caratterizza l'atteggiamento di Arturo: il giudizio negativo sulla matrigna viene esteso a tutte le altre donne. Molto diffuso è, oggi come ieri, fra alcuni uomini un atteggiamento di disprezzo più o meno velato verso le donne, sintomo di quella guerra tra i due sessi che il femminismo non è riuscito certo a vincere. Dite in che modo si manifesta in alcune persone di vostra conoscenza un simile atteggiamento.

Profilo dell'autore a pag. 254

4. ANGELICA

Don Calogero si avanzava con la mano tesa e inguantata verso la principessa: "Mia figlia chiede scusa: non era ancora del tutto pronta. Vostra Eccellenza sa come sono le femmine in queste occasioni", aggiunse esprimendo in termini quasi vernacoli[1] un pensiero di levità[2] parigina. "Ma sarà qui fra un attimo; da casa nostra sono due passi, come sapete."

L'attimo durò cinque minuti; poi la porta si aprì ed entrò Angelica. La prima impressione fu di abbagliata[3] sorpresa. I Salina rimasero col fiato in gola; Tancredi si sentì addirittura come gli pulsassero[4] le vene delle tempie. Sotto l'urto che ricevettero allora dall'impeto della sua bellezza, gli uomini rimasero incapaci di notare, analizzandola, i non pochi difetti che quella bellezza aveva; molte dovevano essere le persone che di questo lavorio critico non furono capaci mai. Era alta e ben fatta, in base a generosi criteri; la carnagione sua doveva possedere il sapore della crema fresca alla quale rassomigliava, la bocca infantile quello delle fragole. Sotto la massa dei capelli color di notte avvolti in soavi ondulazioni, gli occhi verdi albeggiavano[5] immoti come quelli delle statue e, com'essi, un po' crudeli. Procedeva lenta, facendo roteare intorno a sé la ampia gonna bianca e recava nella persona la pacatezza[6], l'invincibilità della donna di sicura bellezza. Molti mesi dopo soltanto si seppe che nel momento di quel suo ingresso vittorioso essa era stata sul punto di svenire per l'ansia.

Non si curò del Principe che correva verso di lei, oltrepassò Tancredi che le sorrideva trasognato[7]; dinanzi alla poltrona della Principessa la sua groppa[8] stupenda disegnò un lieve inchino, e questa forma di omaggio, inconsueta in Sicilia, le conferì un istante il fascino dell'esotismo in aggiunta a quello della bellezza paesana.

(G. TOMASI DI LAMPEDUSA, *Il Gattopardo*, Feltrinelli, Milano, 1958)

1. dialettali ■ 2. leggerezza ■ 3. intensa ■ 4. gli battessero ■ 5. splendevano ■ 6. tranquillità e serenità ■ 7. stupito, meravigliato ■ 8. schiena

1. Analisi e riflessione

1. Il ritardo di Angelica è, secondo voi, voluto?
2. Indicate le reazioni che suscita l'ingresso di Angelica tra gli ospiti "maschili".
3. Quali tratti dell'aspetto di Angelica evidenziano i paragoni con dolci e frutta?
4. Su quali altri particolari dell'aspetto di Angelica si sofferma la descrizione?
5. Spiegate il senso dell'espressione: "era ben fatta, in base a generosi criteri".
6. La descrizione si limita al solo aspetto fisico, oppure evidenzia degli elementi psicologici? Se sì, quali?
7. Perché, secondo voi, Angelica trascura gli altri ospiti e va a rendere omaggio prima di tutti alla principessa?

1. Riformulazioni

> Sostituite le parole in corsivo, che appartengono ad un registro formale e letterario, con sinonimi di uso più comune:

1. Don Calogero *si avanzava* con la mano tesa.
2. Espresse un pensiero di *levità* parigina.
3. *Recava* nella persona la pacatezza della donna sicura di sé.
4. Non si *curò* del Principe.
5. Questa forma di omaggio le *conferì* il fascino dell'esotismo.

2. Polisemia

Una caratteristica propria del sistema linguistico è la sua economicità, vale a dire la possibilità di fare riferimento ad un elevato numero di referenti e di esprimere un gran numero di concetti pur disponendo di un numero limitato di elementi.
A livello lessico-semantico ciò è reso possibile dalla **polisemia**. Con questo termine si indica la capacità di molte parole di esprimere più di un significato. E' il contesto in cui il termine è calato che aiuta ad individuare il senso con cui una parola è usata.

es.:

Ha fatto un esame **brillante**. ((aggettivo) = *magnifico, eccellente*)
Le ha regalato un magnifico **brillante**. ((sostantivo)= *pietra preziosa*)

➤ *Individuate per ciascuno dei seguenti gruppi di frasi l'aggettivo mancante ed indicate il significato che assume in ciascun contesto:*

a:
    1. Lei mi assicura che è proprio _____ questa insalata?
    2. Qui si sta veramente bene: senti che aria _____ !
    3. Attento, non sederti su quella panchina: la vernice è _____ .
    4. Nonostante l'esame sostenuto Silvia ha un aspetto _____ e riposato.

b:
    1. Ha fatto carriera ed ora prende un _____ stipendio.
    2. Hai fatto proprio una _____ figura! Dovresti vergognarti.
    3. Riscrivi tutto il compito in _____ copia.
    4. Marco ha fatto veramente un _____ esame.

c.
    1. Quando ha saputo quella notizia è rimasto a bocca _____ .
    2. Il giornale ha pubblicato una lettera _____ del professor Vinci.
    3. Quando è tornato a casa l'hanno accolto a braccia _____ .
    4. Questa edicola è sempre _____ , anche la domenica.

d.
    1. Il suo piatto _____ è il pasticcio di spinaci.
    2. È da stamattina che ho un _____ mal di testa.
    3. Alla borsa di Milano nell'ultimo mese si è registrata una _____ perdita nei titoli del comparto assicurativo.
    4. Nella notte c'è stata una _____ nevicata.

vai a pag. 370

3. Parole solidali

➤ *Scrivete accanto ad ogni nome indicante una parte del volto gli aggettivi che si possono usare per descriverla:*

> acuto - adunco - alto - aquilino - azzurro - basso - bianco - biondo - camuso - casta-
> no - corrugato - corto - grande - greco - lacrimoso - liscio - lungo - mosso - nero -
> ondulato - piccolo - penetrante - riccio - rosso - sereno - smarrito - sottile - spa-
> zioso - spento - storto - stretto - turbato - verde - vivo.

- occhi : _____

- naso : _____

- bocca : _____

- capelli: _____

- fronte : _____

➤ *Descrivete il volto di qualche vostro amico o compagno di corso utilizzando gli aggettivi sopra proposti.*

1. Parlate di una festa che avete organizzato o a cui avete partecipato, indicando:
   - l'occasione
   - il luogo
   - i preparativi
   - l'abbigliamento degli invitati
   - il menu

2. Scrivete una serie di biglietti di invito alla vostra festa di compleanno, diversi per livello e registro linguistico ma simili nel contenuto, alle seguenti persone:
   a. un amico (o amica)
   b. i nonni
   c. un professore
   d. il medico di famiglia
   e. il direttore dell'ufficio o dell'azienda dove lavorate o dove lavora vostro padre
   f. una persona che vi è molto cara

3. Quali sono, secondo voi, i "segreti" per la buona riuscita di una festa?

4. Ogni epoca ha avuto dei propri criteri per la valutazione della bellezza femminile. In base a quali criteri, secondo voi, oggi una donna è ritenuta bella?

5. Stabilire cosa sia la bellezza femminile può essere relativamente facile, più complicato è invece stabilire la bellezza maschile. Altri sono infatti i parametri presi in considerazione. Quali?

Questionario

Il ruolo della bellezza femminile

	Sì	No
1. Secondo voi la bellezza per una donna è un vantaggio?	❑	❑
2. Una donna bella		
- è più sicura di sé	❑	❑
- ha più facilità nelle relazioni	❑	❑
- ha più chance nel lavoro	❑	❑
- è più corteggiata e amata	❑	❑
- è invidiata dalle altre donne	❑	❑
- sopravvaluta la bellezza a scapito di altre qualità	❑	❑

- è presa meno sul serio nel lavoro ❏ ❏
- è amata solo per le sue qualità estetiche ❏ ❏
- intimidisce gli uomini ❏ ❏

3. È vero che la società oggi impone alle donne di
   essere belle? ❏ ❏

4. Per la donna la cura del proprio aspetto è più
   importante che per l'uomo? ❏ ❏

Profilo dell'autore
GIUSEPPE TOMASI DI LAMPEDUSA

Giuseppe Tomasi principe di Lampedusa nasce a Palermo il 23 dicembre 1896. La sua era
una famiglia di antica nobiltà, ormai in decadenza. Costretto dal padre si iscrive, alla facoltà
di Legge, ma nel 1915, allo scoppio della guerra, interrompe gli studi e si arruola come
volontario. Fatto prigioniero dagli austriaci riesce ad evadere e torna in Italia a piedi. Nel
periodo fra il 1920 e il 1940 conduce una vita intensa e allo stesso tempo spensierata:
compie numerosi viaggi in Europa, legge moltissimo, soprattutto libri di narrativa, poesia e
critica letteraria. Nel 1932 sposa a Riga, in Lettonia, Alessandra Wolff Stomersee (detta
Licy), figlia di un nobile lettone e di una cantante italiana. Dopo la seconda guerra mondiale
vive fra Palermo e Capo d'Orlando.
Nel 1954 inizia la stesura del *Gattopardo*, un romanzo a sfondo storico, ambientato nella
Sicilia del secondo ottocento, ricco di riferimenti alla tradizione familiare dei Lampedusa.
Nel giro di due anni completa *Il Gattopardo* e scrive *Ricordi d'infanzia*, un racconto breve
e un racconto lungo (*Lighea*), pubblicati postumi nel 1961 nel volume *I racconti*.
Il Gattopardo, ultimato nel 1956 viene rifiutato da diversi editori e viene pubblicato solo
nel 1958 dalla casa editrice Feltrinelli a cura di Giorgio Bassani, ottenendo l'anno
successivo il Premio Strega. Ma tutto questo lo scrittore non può vederlo: il 23 luglio 1957
Giuseppe Tomasi muore.
Oltre al *Gattopardo* e ai *Racconti* escono postume alcune opere saggistiche come: *Lezioni su
Stendhal* (1971), *Invito alle lettere francesi del Cinquecento* (1979) e *Letteratura inglese*
(1990-1991), frutto delle lezioni impartite privatamente ad un gruppo di giovani amici.
Il *Gattopardo* descrive una famiglia dell'aristocrazia siciliana nel momento in cui, con
l'unificazione politica dell'Italia, la Sicilia passa dal dominio borbonico al nuovo Stato italiano.
La vicenda ruota quasi interamente attorno ad un solo personaggio: il principe Fabrizio Salina,
personaggio contraddittorio e sublime, lucidissimo lettore del suo tempo. Egli è pienamente
consapevole della decadenza dell'aristocrazia ma anche facile profeta che vede dietro
l'apparente cambiamento e progresso l'immobilità del potere: cambiano solo le facce dei
padroni, per il resto tutto rimane come prima.

5. CHIOSSO: IL TERRORE DEGLI UFFICI

Di età sui cinquant'anni, scapolo, di forte corporatura, vestito di buoni panni e con in testa un feltro[1] color topo[2] che gli stava come un elmo[3], si presentava alle sue vittime con una borsa in mano, dove teneva i ferri del mestiere, cioè alcune matite nere, rosse e bleu, un temperamatite, il "cinquecodici", una

5 copia del regolamento giudiziario, la carta da lettere del Ministero e qualche mezza risma[4] di carta vergatina[5] o extra-strong[6].

La struttura mentale dell'ispettore Chiosso, per quanto apparisse misteriosa alle sue vittime che non capivano tanto rigore[7] e inflessibilità, era di una grande semplicità. Intelligente, volitivo[8], sano e addirittura possente di corpo, il Chiosso, nato

10 da famiglia abbiente[9] in una cittadina ligure, si era trovato, dopo aver compiuto i suoi studi di ragioneria, a dover iniziare una carriera. In altri tempi si sarebbe imbarcato come suo nonno, su qualche trabiccolo[10] per diventare, in capo a due o tre anni, capitano e padrone, perché era uomo di comando. Sicuro di sé e senza inclinazione per quelle passioni, come l'amore, che rammolliscono i caratteri e

15 infiacchiscono la mente.

Era fatto per il potere, un qualsiasi potere, fosse il governo di una nave o quello di un ufficio, nell'esercizio del quale non gli occorresse accettar compromessi o scendere a quelle meschinità che la maggior parte degli uomini accetta pur di fare la propria riuscita, anche modesta nel mondo. Come tutti i destinati al comando,

20 era un solitario, senza veri amici, senza famiglia, dopo che gli erano morti i genitori, e senza neppure fratelli o sorelle.

La nomina a ispettore aveva colmato in lui ogni vuoto di affetti e ogni necessità di rapporti umani. Aveva ormai un preciso compito, un fine nell'esistenza: errori da correggere, principi amministrativi e regole burocratiche da far rispettare e, *dulcis in*

25 *fundo*[11], uomini da perseguitare. Perché è indubitabile che il Chiosso godeva nello scoprire in fallo i funzionari. Il suo incarico, che svolgeva con grande diligenza, gli consentiva dei veri godimenti che non avrebbe confessato neppure a se stesso. Quando cominciava a subodorare[12] un'irregolarità, gli si accendeva lo sguardo e tutte le sue facoltà entravano in allarme, presentendo la gioia del momento in cui avreb-

30 be messo con le spalle al muro il malcapitato funzionario sul quale era calato come un falco.

Le sue vittime erano quasi sempre dei padri di famiglia, spesso in buona fede nei loro errori o perdonabili nelle loro collusioni[13] con l'ambiente dove esercitavano le funzioni giudiziarie: collusioni bonarie, amicizie più che altro,

35 che servivano a renderli beneficiari talvolta di modesti donativi o di alcune facilitazioni raramente configurabili come vere e proprie corruzioni di pubblico ufficiale. Ma Chiosso non conosceva pietà o casi speciali; dove c'era da colpire, colpiva. Non aveva mandato in prigione un ufficiale giudiziario facendolo prelevare in casa, mentre era a tavola con la famiglia?

40   Appena veniva a sapere che in un ufficio qualsiasi di quelli sottoposti alla sua sorveglianza c'era un funzionario eccezionale, un "primo della classe", apprezzato dai magistrati, dall'ambiente forense e dal pubblico, era come il cacciatore al quale viene segnalata la volpe o il cinghiale. Partiva subito con le sue armi in pronto, nella speranza di far caccia grossa.

45   Coi "maestri", come chiamava i dirigenti di cancelleria più accreditati[14], amava incrociare le armi, sicuro di arrivare a confonderli e a convincerli di errore, se non di malversazione o d'altri imbrogli. Le sue relazioni al Ministero riuscivano spesso a far riprendere severamente i dirigenti delle cancellerie e qualche volta addirittura ad ottenere la punizione, che poteva consistere in un trasferimento o in una

50 mancata promozione, con un guasto di carriera spesso irreparabile.

    Il suo faccione pareva bonario, ma gli occhi, piccoli e penetranti erano quelli di un vero inquisitore[15]. Aveva pancia come la gran parte degli uomini autorevoli, spalle spioventi[16] da scaricatore di porto. Agli angoli della bocca gli si disegnava una piega amara, che era il segno della sua inclinazione a far soffrire e anche una

55 certa arroganza[17], mal dissimulata da una affabilità[18] che a ben guardare non era altro che la condiscendenza[19] degli uomini superiori verso i comuni mortali.

               (P. CHIARA, *Viva Migliavacca ed altri 12 racconti*, Mondadori, Milano, 1982)

1. cappello di panno grosso e ruvido ▪ 2. coloro grigio chiaro ▪ 3. copricapo, generalmente metallico, che nelle antiche armature proteggeva la testa del soldato ▪ 4. pacco di fogli di carta riuniti a fascicoli di cinque ▪ 5. carta sottile per ottenere molte copie con la macchina da scrivere ▪ 6. carta spessa e resistente ▪ 7. durezza, severità ▪ 8. che ha o mostra una grande forza di volontà ▪ 9. benestante ▪ 10. mezzo di trasporto mal fatto e traballante ▪ 11. (trad.lett.: dolce in fondo) indica qualcosa di inatteso e di piacevole che capita all'ultimo momento ▪ 12. avere sentore di qualcosa di nascosto, sospettare ▪ 13. intesa o accordo segreto fra due o più persone per ingannare o frodare qualcuno o la giustizia ▪ 14. che godono di fiducia ▪ 15. chi indaga od esamina per conoscere la verità su fatti o persone ▪ 16. che sporgono o scendono verso il basso ▪ 17. atteggiamento insolente e presuntuoso ▪ 18. cordialità, cortesia ▪ 19. disposizione a comprendere e ad accettare la volontà e i desideri degli altri

1. Informazioni specifiche

➤ *Di Chiosso l'autore dà un ritratto ampio e particolareggiato con indicazione degli aspetti sia fisici che psicologici. Di lui indicate:*

    a. l'aspetto e le caratteristiche fisiche;
    b. i tratti psicologici;
    c. le vicende e i fatti della sua storia personale;
    d. i compiti che svolgeva come ispettore ministeriale.

2. Paragoni e similitudini

➤ *Per meglio illustrare un comportamento o una caratteristica del personaggio Chiosso, l'autore ricorre ad immagini e paragoni.*

➤ *Scrivete qui appresso le immagini e le similitudini usate nel testo dall'autore.*

_____

_____

_____

_____

_____

3. Sintesi

a. *Completate con le parole mancanti questo ritratto di Chiosso:*

    Chiosso era un uomo sulla _____, di corporatura forte e _____. Indossava abitualmente abiti _____, ed in testa aveva sempre un cappello _____. Girava negli uffici _____ e nelle procure sempre con una _____ in mano, dove teneva i suoi _____: alcune matite di diversi _____, un temperamatite, il "cinquecodici", la carta intestata del _____ e carta comune.

    Aveva un viso grande e _____, apparentemente _____, con gli occhi piccoli e _____, spalle larghe e _____, e una grossa pancia. Le _____ ai lati della bocca segnalavano la sua inclinazione all'_____ e a far soffrire gli altri.

Era un uomo _____ di sé, privo di _____, rigido e _____ con tutti, insomma uno fatto apposta per il _____ . E come tutte le persone _____ al comando era un solitario: scapolo, senza amici _____, da quando gli erano _____ i genitori era senza _____, e non aveva né sorelle né _____ .

Intelligente, _____ e deciso, svolgeva il suo incarico con _____, la sua più grande _____ era quella di scoprire gli errori, anche i più _____, degli altri, ma soprattutto delle persone _____ e ritenute brave.

b. Riesponete in modo sintetico il testo, trascurando i dati non fondamentali.

---

b | ANALISI LESSICALE E TESTUALE

vai a pag. 57

1. Sinonimi

➤ *Indicate per ciascuna delle seguenti parole alcuni sinonimi:*

1. volitivo   → _____
2. inclinazione → _____
3. subodorare → _____
4. accreditato → _____
5. riprendere → _____
6. spiovente → _____

2. Modi di dire

➤ *Spiegate, anche con l'aiuto del dizionario, il senso delle seguenti espressioni:*

vai a pag. 82

a. i ferri del mestiere
b. subodorare un'irregolarità
c. gli si accendeva lo sguardo
d. mettere qualcuno con le spalle al muro
e. incrociare le armi con qualcuno
f. scoprire in fallo
g. primo della classe
h. entrare in allarme

3. Polisemia

vai a pag. 24

> Spiegate quale significato assume la parola **relazione** nelle frasi
che seguono:

1. Le sue *relazioni* al Ministero riuscivano spesso a far riprendere severamente i dirigenti delle cancellerie.
2. Quando Carla è venuta a sapere della *relazione* di suo marito con la segretaria, lo ha lasciato.
3. Non capisco che *relazione* ci possa essere tra i due fatti.
4. Gianni si occupa delle pubbliche *relazioni* della società.
5. La *relazione* finale del convegno è stata tenuta dal professor Neri, docente di Tecnologia aziendale alla Bocconi di Milano.

vai a pag. 11

4. Campi semantici

> Le parole qui appresso indicate appartengono allo stesso campo semantico; completate le frasi seguenti con la parola che vi sembra più adatta:

> arringa, conferenza, dialogo, discorso, interrogatorio, predica, ramanzina, relazione, sproloquio.

1. Questa mattina in chiesa .... del prete sembrava che non finisse mai.
2. Dopo .... dell'avvocato della difesa la giuria si è ritirata per emettere il verdetto.
3. Ci siamo dovuti sorbire .... di mia zia su tutti i suoi malanni.
4. L'Accademia degli Originali organizza un ciclo di .... sull'ecologia.
5. Quando Paolo combina qualche guaio è sempre suo padre che gli fa la ....
6. Ci sono delle persone che non riescono a fare .... filato.
7. Molti dicono che la televisione ostacola .... nelle famiglie.
8. Dopo il giuramento di rito il testimone è stato sottoposto a un serrato .... da parte del giudice.
9. È stato invitato a un congresso per tenere una ....sull'uso del laser nella chirurgia oculistica.

5. Coerenza semantica

> Completate le seguenti frasi con quella parola di ogni coppia che vi sembra più adatta al contesto:

a. adatto / idoneo	b. prolungare / protrarre
c. previsione / prognosi	d. pronunciare / proferire
e. scapolo / celibe	

1a. Compilare la scheda con le proprie generalità: nome, cognome, data di nascita, stato civile (............ o nubile).
1b. Se fossi in te non mi fiderei di lui, è uno .... in cerca d'avventure.

2a. È vietato .... le visite ai malati oltre le diciannove.
2b. Stavo così bene in montagna, che avrei voluto .... le mie ferie.

3a. All'esame di concorso è stato dichiarato .... all'insegnamento di storia e filosofia nei licei.
3b. Mio zio sta cercando una nuova segretaria perché quella che ha non è .... al
tipo di lavoro che deve svolgere.

4a. Le squadre sono entrambe forti ed hanno le stesse possibilità di vincere: quindi è difficile fare una ....
4b. L'illustre infermo versa in condizioni gravissime e i medici si riservano la ....

5a. Quando parli al telefono devi .... chiaramente le parole.
5b. Non .... il nome di Dio invano.

6. La descrizione

vai a pag. 7

a. *Indicate quali oggetti o strumenti sono descritti nelle definizioni che seguono, scegliendoli fra quelli qui di seguito proposti:*

> ago - bilancia - bottiglia - bottone - campana - coltello - compasso - fiasco
> - flauto - forbice - matita - penna - tamburo - tromba - zappa

1. Strumento musicale a percussione costituito da una cassa rotonda in legno o metallo, coperta ai due lati da una membrana, di cui la superiore viene percossa da appo-
site bacchette.   [_____]
2. Strumento usato per disegnare circonferenze, formato da due aste collegate da uno
snodo, una delle quali porta una punta mentre l'altra porta uno strumento tracciante.
[_____]
3. Attrezzo agricolo usato per lavorare la terra, formato da una lama di ferro di forma e
dimensioni diverse fissata ad angolo ad un lungo manico di legno. [_____]
4. Piccolissimo strumento d'acciaio appuntito con un foro ovale ad un'estremità in cui si
inserisce il filo per cucire.   [_____]
5. Strumento usato per tagliare carta o stoffa, formato da due lame o coltelli d'acciaio
intrecciati e imperniati nel mezzo, forniti ad una estremità di anelli in cui si infilano le
dita.   [_____]
6. Strumento per scrivere di materiale vario, con una punta su cui passa l'inchiostro.
[_____]
7. Strumento per scrivere, disegnare o colorare costituito da una mina racchiusa in un
involucro di legno o metallo.   [_____]
8. Piccolo disco di materiale vario, piatto o convesso, talvolta rivestito di tessuto che, infi-
lato in un occhiello serve per unire le parti di un indumento o per ornare.
[_____]
9. Recipiente di vetro, per lo più rivestito di paglia o altro materiale, panciuto e con collo
lungo e stretto.   [_____]

1. Nel testo di Piero Chiara si ha la descrizione di un perfetto burocrate: severo, pignolo, maniaco dell'ordine, attaccato al lavoro. Vive per il suo lavoro e si identifica con le funzioni che svolge. Esistono ancora oggi tali personaggi? Vi è capitato di incontrarne qualcuno? Provate a descriverlo.

2. "Come tutti i destinati al comando era un solitario", così si dice di Chiosso. Come interpretate questa frase?

3. Le norme complicate e le lentezze burocratiche spesso spingono i cittadini a pagare pubblici impiegati per avere in tempi più brevi un documento o per accelerare una pratica.
   Cosa pensate di questo comportamento molto diffuso? Ritenete che sia giusta una inflessibilità, come quella di Chiosso, nei confronti di pubblici dipendenti che accettano soldi o regali per svolgere la loro attività?

4. La rivoluzione telematica ha fortemente semplificato i rapporti con la pubblica amministrazione. Ora, ad esempio, è possibile ottenere un certificato, o avere un'informazione su un servizio dell'amministrazione statale direttamente dal proprio computer di casa. Descrivete tutti i vantaggi che derivano ai cittadini dall'uso delle tecnologie telematiche.

5. Descrivete un oggetto a voi caro o familiare, come una foto, un dono ricevuto, la vostra stanza, un giocattolo, un vestito, una macchina, ecc.

6. Avete un appuntamento in un locale pubblico con una persona che non vi conosce. Descrivete il vostro aspetto e il vostro abbigliamento in modo da facilitare il riconoscimento.

PIERO CHIARA

Piero Chiara è nato a Luino, sul Lago Maggiore, il 23 marzo 1913. Da giovane ha lasciato presto la scuola per fare i più diversi mestieri; per un certo tempo ha vissuto anche in Francia, poi, ripresi gli studi, ha conseguito il diploma ed ha ottenuto subito un posto di cancelliere di pretura, prima in Friuli e poi a Milano. Per il suo atteggiamento antifascista, durante la guerra ha dovuto rifugiarsi in Svizzera.

Ha esordito come narratore piuttosto tardi, quasi a cinquant'anni, con il romanzo *Il piatto piange* (1962). E' stato subito un successo e allo stesso tempo la rivelazione di una vocazione tardiva, ma che da allora è diventata "torrentizia", come se quel primo romanzo avesse rotto la diga che tratteneva la copiosa quantità di storie, esperienze ed aneddoti che si sono riversati sui libri successivi. Dopo, infatti, quella prima opera sono usciti dalla sua penna, a getto continuo, nuovi racconti e storie, ambientate per lo più nell'Italia del nord ed in particolare nella zona dei laghi a lui nota fin dall'infanzia: *La spartizione* (1964), *Il balordo* (1967), *L'uovo al cianuro* (1969), *Il pretore di Cuvio* (1973), *La stanza del vescovo* (1976), *Il cappotto di astrakan* (1978), *Vedrò Singapore?* (1981), *Viva Migliavacca e altri 12 racconti* (1982), *Il capostazione di Casalino e altri 15 racconti*, (1986), ed infine *Di casa in casa, la vita* (1988), una raccolta di racconti scritti in epoche diverse uscita dopo la sua morte che era avvenuta a Varese il 31 dicembre 1986.

Il tema più frequente della narrativa di Piero Chiara è il conflitto, tipico di una piccola società provinciale, tra rispettabilità e abbandono agli istinti, da rimuovere o comunque rendere furtivi.

La fortuna di Chiara presso il pubblico è dovuta non solo alla sua facilità e felicità nel narrare, ma anche al fatto che il lettore scopre nei suoi libri un mondo che non sa di letteratura accademica, ma di esperienze semplicemente umane, concrete e vissute. Nel suo realismo, talora comico e parodistico, che allinea ai fatti la maschera della commedia umana, si mescolano linguaggi diversi, da quello cancelleresco all'aulico, dall'ironico al dialettale. Su tutto prevale "il divertimento di narrare confrontandosi con il lettore, proprio come succede al conversatore, al narratore "a voce", che calibra aneddoti e storie sulle reazioni di chi lo ascolta" (G. Vergani).

6. LO SBERLEFFO

A Napoli vige il "pernacchio". Questa è una parola del dialetto, un termine onoma-
topeico[1] dopo tutto e vagamente guerriero, che fa pensare all'urto di una sciabola[2] su
un gambale. In realtà il "pernacchio" non è che un congruo sberleffo[3], ottenuto
mediante specialissimi accostamenti delle labbra alle dita o al palmo o al dorso
5 della mano, con emissione di fiato che ha varia forza e varia durata, secondo i propositi dell'esecutore [...]
Ritengo che per sapere che cosa è un vero sberleffo, uno sberleffo aulico[4] e tuttavia moderno, personalissimo, innovatore e al tempo stesso rispettoso della tradizione, bisogna aver conosciuto don Pasquale Esposito. Era un uomo immenso,
10 alto e adiposo al punto che qualcuno disse di lui. "Si circonda da ogni lato". Era
sferico e taciturno; muto, letteralmente muto per chi non sapesse leggere nelle
luci e nelle ombre del suo volto di eunuco[5], largo e sidereo[6] come la luna. Don
Pasquale non capiva che bisogno ci fosse di ricorrere alla parola quando con
impercettibili movimenti, con avarissime contrazioni della faccia, e con sberleffi,
15 si poteva dir tutto. [...]
Don Pasquale Esposito era "figlio della Madonna", nel senso che della sua nascita non si sapeva nulla: aveva pochi giorni quando una sconosciuta lo depose sulla
"ruota" del convento[7] dell'Annunziata, tirò il cordone del campanello e con un fruscio di gonne e di pianto scomparve. A dieci anni fu richiesto da una ricca signo-
20 ra, che credette di identificare in lui il figlio illegittimo dal quale si era divisa proprio nel giorno in cui le monache[8] avevano raccolto il futuro fabbricante di fruste;
per qualche tempo costui visse negli agi, assaporando rari cibi e rari affetti; poi
successive indagini stabilirono che la donna si era sbagliata di bambino, il trova-
tello riguadagnò[9] l'ospizio e di là rivolse alla sorte, non ne dubito, il primo memo-
25 rabile sberleffo. Diventato uomo, l'Esposito dovette convincersi che non usufruiva
di nessuna speciale attitudine; quanto alla fortuna, che generalmente surroga[10]
l'ingegno, s'era già visto. Fu un pessimo barbiere, inabile nel radere guance e incapace di suonare strumenti a corda; una botteguccia di legna e carbone gli prese
fuoco in piena estate, quando cioè non era neppure il caso di utilizzarne un po' di
30 brace per riscaldarsi; nel "gioco delle tre carte", col quale, come gestore, ci si può
sempre rifare, donne e bambini lo imbrogliarono perché era di mano pesante;
come vetturino si affezionò al cavallo e per non svegliarlo rifiutava i rari ingaggi
che capitavano dopo lunghe ore di posteggio; infine, a trent'anni, fu sommerso
dall'adipe[11] benché si nutrisse quasi esclusivamente di foglie di lattuga, e fingen-
35 do di fabbricare fruste (al solo scopo di salvare le apparenze, o perché si sapesse
dove trovarlo) visse dei suoi impareggiabili sberleffi.
Individui di riguardo, talvolta anche rinomatissimi "guappi"[12], si affacciavano nella
bottega per dirgli:
"Veniamo a prendervi alle cinque in punto, c'è il discorso politico al Rione
40 Amedeo". Oppure:
"Possiamo contare su di voi, don Pasquale, per la lirica al Mercadante?"[13]

Lo portavano sul luogo in carrozza, preservandolo da ogni scossa, come si porta uno "Stradivario"[14] nella custodia. Un sostenitore di Porzio[15] nelle elezioni di quegli anni, avendo uno sberleffo di don Pasquale ridotto al silenzio il candidato avverso (la cui fazione fu la prima ad applaudire cavallerescamente colui che esprimeva con tanto vigore e con tanta virtù il suo dissenso), gli si inginocchiò davanti e gli baciò le mani. Ah gli sberleffi di don Pasquale Esposito, la loro gamma infinita, il loro registro e le loro modulazioni! Egli aveva lo sberleffo totale, di petto, squassante, che lacerava l'aria avventandosi sulla terra e sul mare; ma aveva altresì lo sberleffo sottile e variegato, di testa, lo sberleffo a proposito del quale si potrebbe scrivere, come per il canto dell'usignuolo: "Era un tema di tre note..." e continuare per due pagine; inoltre aveva lo sberleffo affermativo e quello negativo, lo sberleffo tragico e quello comico; aveva lo sberleffo eseguito con le sole labbra, più interiore e più lirico, remoto e denso, che liberava come un fluido la sua carica di emotività e di inespresso; aveva lo sberleffo che dichiara e lo sberleffo che allude; aveva lo sberleffo che enunzia per sommi capi e quello che minuziosamente racconta; aveva sberleffi sostantivanti e sberleffi aggettivanti, aveva lo sberleffo come si ha il genio, senza limiti di volontà e di rappresentazione.

(G. MAROTTA, *L'oro di Napoli*, Bompiani, Milano, 1947)

1. parola che nella sequenza dei fonemi riproduce un suono reale ■ 2. arma con lama ricurva e affilata ■ 3. gesto di scherno ■ 4. solenne e maestoso ■ 5. era il prigioniero che nell'antichità e nel mondo arabo veniva messo a guardia delle donne del sovrano e che per motivi di sicurezza veniva evirato ■ 6. pallido come le stelle ■ 7. era uno sportello attraverso il quale i conventi di clausura potevano ricevere doni dall'esterno. Talora, come in questo caso, passavano anche bambini abbandonati ■ 8. religiose che vivono in un convento. ■ 9. raggiunse, tornò a... ■ 10. prende il posto di... ■ 11. grasso ■ 12. persona arrogante e sfrontata ■ 13. teatro di Napoli ■ 14. violino costruito dal celebre liutaio di Cremona Antonio Stradivari (1643-1737) ■ 15. era un uomo politico napoletano degli inizi del secolo XX

1. Informazioni specifiche

> *Rispondete alle seguenti domande:*

1. Che cosa è, secondo l'autore, un "pernacchio"?
2. Cosa vuol dire "figlio della Madonna"?
3. Qual era l'attività ufficiale di Pasquale Esposito?
4. Quali altre attività provò a fare?
5. Contro chi sicuramente rivolse il suo primo pernacchio?
6. In quali occasioni e per quali ragioni Pasquale Esposito, virtuoso dello sberleffo, veniva chiamato?

2. Descrizione

> *Basandovi sugli elementi del testo provate a descrivere l'aspetto di Pasquale Esposito.*

3. Sintesi

> *Riesponete in modo sintetico il contenuto del testo letto.*

b | ANALISI LINGUISTICA E STILISTICA

vai a pag. 82

1. Modi di dire

> *Anche con l'aiuto del dizionario provate a spiegare il senso delle espressioni seguite in cui ricorre il termine "ruota":*

- seguire a ruota
- mettere un bastone fra le ruote
- parlare a ruota libera
- ungere le ruote
- essere l'ultima ruota del carro

2. Figure retoriche: anafora, antitesi, gradazione

Nell'ultima parte del brano Marotta descrive in modo vivace e colorito la ricca e varia gamma di sberleffi che don Pasquale Esposito riusciva a produrre. La descrizione è realizzata attraverso una successione di frasi simili nella disposizione degli elementi (parallelismo) e questa uniformità visiva e fonica è resa più varia dall'uso di figure retoriche come l'anafora, l'antitesi e la gradazione, che creano una particolare atmosfera di suggestione.

* **L'anafora**, o semplicemente *ripetizione*, consiste nell'iniziare con la stessa parola o con lo stesso gruppo di parole frasi o periodi successivi (o, in poesia, versi).

    Es.:

    Solo un pazzo poteva comportarsi così, *solo un* folle poteva dire simili cose..., *solo un* irresponsabile...

* **L'antitesi** consiste nell'accostamento di due parole o espressioni di significato opposto.

    Es.:

    Provava per lei un sentimento d'amore *tenero* e *violento*.

* **La gradazione** (o *climax*) consiste nella successione di parole o espressioni che, per il significato o per il ritmo creano un effetto di progressiva accumulazione o attenuazione.

    Es.:

    Sorpresa, stupore, paura e *angoscia*, questo lei provò nel sentire dopo tanto tempo la sua voce.

➤ *Analizzate il brano del testo dalla riga 48 alla fine, indicando le anafore, le antitesi e le gradazioni presenti.*

3. Il participio presente

Il **participio** è il modo verbale che, esprimendo il significato del verbo in funzione di attributo del nome, "partecipa" sia delle caratteristiche del verbo che di quelle del nome. Il *participio presente* usato come verbo ha valore attivo e corrisponde per significato ad una proposizione relativa che è contemporanea all'azione principale della frase.

Es.:

È una questione **riguardante** (= che riguarda) l'inquinamento atmosferico.

Ma il participio presente è usato soprattutto e quasi esclusivamente come aggettivo o come sostantivo.

Es.:

Ho letto un libro **divertente**. (agg.)
Questo vino è davvero **eccellente**. (agg.)
Ha ricevuto in regalo un anello con un grosso **brillante**. (sost.)

Numerose sono le parole che, originariamente participi presenti, sono usate solo come aggettivi o sostantivi; ad esempio sostantivi come: *cantante, studente, contribuente, emigrante, dirigente*, ecc., o aggettivi come *sorridente, splendente, arrogante, seducente, avvincente, importante, trasparente*, ecc.

Il participio presente con valore verbale resiste nella lingua burocratico-amministrativa, caratterizzata da uno stile ricercato e spesso aulico.

Es.:

Il professor Galli, **facente** funzione di rettore...
Gli immobili non **costituenti** beni strumentali...
Le imprese **fruenti** del regime di contabilità semplificata

a. *Completate le frasi con il participio presente dei verbi seguenti ed indicate se esso è usato come verbo, come aggettivo o come sostantivo:*

affluire - contare - convincere - esordire - fabbricare - mancare - mandare - provenire - sedurre - tendere

1. Don Pasquale Esposito ufficialmente era _____ di fruste.
2. Le lettere _____ di francobollo saranno tassate per un valore pari al doppio dell'affrancatura richiesta.
3. Ha portato degli argomenti così _____ che non potuto dirle di no.
4. Il Ticino è un _____ del Po.
5. Il treno _____ da Ancona viaggia con quindici minuti di ritardo.
6. Portava una camicia chiara _____ al rosa.
7. Preferisco pagare in _____ .
8. Nella squadra milanese c'erano ben quattro _____ .
9. Carlo non ha saputo resistere a quello sguardo _____ .
10. Tutti lo indicavano come _____ di quel delitto.

b. *Sostituite il participio presente con la corrispondente frase relativa:*

1. Sul lato sinistro del biglietto da diecimila lire c'era un ritratto raffigurante Maria Montessori.
2. In tutta la zona l'acqua sgorgante dai rubinetti era di color marrone.
3. Difficile è stabilire oggi le conseguenze derivanti in futuro da un simile comportamento irresponsabile.
4. Qualcuno aveva tolto il cartello recante la scritta "Pericolo di frana".
5. Gli odori provenienti dalla cucina mi hanno fatto venire l'acquolina in bocca.

c. Il participio presente italiano si riconosce dalla terminazione in <u>-ante</u>, <u>-ente</u> o <u>-iente</u>. Non tutte le parole però che hanno tali terminazioni sono dei participi presenti.

Cancellate dalla lista che segue quelle parole che non sono participi presenti:

sapiente - esponente - affascinante - fante - costante - utente - dolente - lattante - patente - prudente - sfollagente - importante - festante - furente - cosciente - brillante - evidente - dormiente - aggettivante - parente - bracciante - latente - fremente.

C | PRODUZIONE ORALE E SCRITTA

1. La comunicazione tra le persone può avvenire oltre che con le parole (codice verbale) anche attraverso i gesti, la mimica e gli atteggiamenti del corpo. Ogni cultura ha un proprio repertorio di gesti con significati e valori specifici. Talora uno stesso gesto o atteggiamento assume un significato diverso da una cultura all'altra, da un paese all'altro.

   a. Descrivete alcuni gesti e atteggiamenti che sono tipici della cultura del vostro Paese e spiegatene il valore sociale.

   b. Vi è mai capitato di essere stati fraintesi perché ad un vostro gesto è stato attribuito un significato diverso da quello che voi intendevate? Raccontate l'episodio!

2. Spiegate il significato che hanno in Italia i gesti qui sotto descritti, e dite se sono presenti anche nella vostra cultura e con quale significato.
   - strizzare l'occhio a qualcuno/a
   - battere le mani ad un concerto
   - fischiare durante uno spettacolo o una manifestazione
   - alzare ripetutamente le spalle
   - passare il dorso della mano sotto il mento
   - dare un colpo con la mano aperta sulle spalle di qualcuno
   - togliersi il cappello davanti a qualcuno
   - gonfiare le guance
   - arricciare il naso
   - alzare gli occhi al cielo
   - incrociare le dita di una mano
   - portarsi l'indice della mano davanti alla bocca

3. In italiano alcune parole ed espressioni considerate volgari e inappropriate a certi contesti sociali, vengono oggi sempre più frequentemente usate con una certa disinvoltura da persone di ogni ceto sociale e culturale.
   Come giudicate questo fenomeno? un segno di decadenza culturale o, al contrario, un rifiuto di tabù e pregiudizi arcaici?

GIUSEPPE MAROTTA

Molto prolifica l'opera del napoletano Giuseppe Marotta (1902-1963), scrittore e giornalista. Ha collaborato a diversi giornali, tra i quali "Il Corriere della sera" ed è autore di varie sceneggiature e soggetti cinematografici e testi teatrali. Pur vivendo quasi sempre lontano da Napoli, Marotta ha saputo trasformare la sua città d'origine in un luogo ideale estrosamente rivissuto. Le fonti della sua ispirazione restano i grandi autori della tradizione napoletana, Salvatore Di Giacomo e Matilde Serao, ma anche la storia e la cronaca della sua gente. Da queste fonti egli ha tratto non solo materia per l'ambientazione dei suoi racconti, ma ha derivato anche il suo atteggiamento e la sua visione del mondo. Della napoletanità Marotta ha colto gli aspetti nella loro contraddittorietà più rilevanti: l'esuberante vitalità e il lassismo rinunciatario, l'emotività mediterranea, la passionalità sanguigna, la fede nella vita e lo scetticismo e la pazienza rassegnata, la cordiale comunicatività e il senso della propria solitudine, il realismo e il buon senso popolare, la propensione per le idee semplici e i valori essenziali della vita.

La prima opera di Marotta è *Tutte a me* del 1932, che egli definiva romanzo umoristico costruito su un filone chiaramente autobiografico. Tuttavia, questa come le altre opere successive *Divorziamo per piacere, Mezzo miliardo* (1940) *La scure d'argento* (1941) manifestano una scarsa presa con la realtà e una adesione alla maniera di una letteratura d'evasione e risultano combinate con gli ingredienti dell'estro, dell'invenzione e dell'umorismo. L'opera che ha rivelato al grosso pubblico Marotta è *L'oro di Napoli* (1947), un'opera che restituendo una immagine autentica e non folcloristica di Napoli si inserisce in un certo modo nel filone della letteratura regionalistica, anche se in Marotta non si ritrovano quei caratteri di denuncia e di testimonianza sui problemi del meridione che si hanno in altre opere di quegli anni. I personaggi, i luoghi, gli ambienti e i colori di Napoli riemergono con freschezza dai ricordi e dalle memorie dello scrittore che in questi personaggi e luoghi si identifica.

L'anno dopo esce *San Gennaro non dice mai no* (1948), che è quasi la continuazione de *L'oro di Napoli:* l'affresco napoletano si arricchisce di altri personaggi, di altri colori e di altri ambienti.

Dopo questa felice prova Marotta, quasi liberandosi dell'etichetta di napoletanità, si butta su altri temi, attingendo dall'esperienza vissuta a Milano, la città divenuta sua patria di adozione. In *A Milano non fa freddo* (1949) protagonista continua ad essere ancora lo scrittore stesso. Molte sono le analogie con le opere napoletane precedenti: la rappresentazione della città, i personaggi come elementi di un mosaico, sia pure meno rutilante e vivace di quello di Napoli. La nota costante di quest'opera è rintracciabile nella particolare condizione sentimentale dell'immigrato e nel conseguente rapporto che si instaura tra lui e la città della sua "seconda nascita". Questa è anche la nota costante dei racconti delle altre due opere milanesi: *Mal di galleria* (1958) e *Le milanesi* (1962).

Vanno, infine, ricordate le altre opere che tornano ad ispirarsi al mondo napoletano: *Gli alunni del sole* (1952), *Gli alunni del tempo* (1960) e *Il teatrino del Pallonetto* (1965).

La prosa di Marotta è vivace, ricca di lucentezze, coloritamente varia e accuratamente elaborata. Il suo stile è immaginoso e spumeggiante, metaforicamente ricco, liricamente teso, mosso e commosso.

fiaba e mito

LA FIABA

La fiaba è un racconto fantastico, per lo più di origine popolare, in cui predomina l'elemento magico (incantesimi, fate, maghi, folletti) ed ha uno scopo ricreativo, pedagogico o poetico.

Dal punto di vista estetico-pedagogico, la fiaba si può definire un'avventura magica a lieto fine, condotta da protagonisti dotati di poteri straordinari che consentono loro di trionfare sulle forze avverse della natura o sulle malignità degli esseri viventi. Elementi strutturali frequenti nella fiaba sono l'extra-temporalità e l'extra-spazialità, cioè il suo svolgersi fuori del tempo storico e dello spazio reale.

Questi racconti, in apparenza ingenui e semplici, significano spesso qualcosa di molto profondo e vero e talora drammatico: la paura dell'ignoto, il desiderio di veder cambiate le cose sbagliate di questo mondo, l'eterna lotta tra bene e male, ecc. Per il contenuto, le fiabe presentano molto spesso caratteristiche comuni che si ritrovano anche a notevole distanza di tempo e di luogo. Ad esempio, nella fiaba il mondo si presenta alla rovescia: i poveri sono più astuti dei ricchi e riescono ad avere la meglio; i piccoli sono più forti dei grandi e riescono a prevalere, le forze della natura e gli animali si comportano come esseri umani pensanti e parlanti.

La fiaba non è, quindi, soltanto uno svago per bambini ma un patrimonio di saggezza popolare, in cui confluiscono le paure, le speranze e le ingenue spiegazioni del popolo messo di fronte ai grandi e ai piccoli problemi della vita.

Tra i racconti compresi in questa sezione troviamo qualche fiaba italiana. La prima è di Gianni Rodari, una fiaba diversa da quelle codificate dalla tradizione: manca, infatti, degli elementi magici e si colloca in un preciso tempo storico e in una località ben definita. Tuttavia della fiaba conserva il ritmo, l'atmosfera e una verità più profonda da insegnare.

Così come "fiaba moderna" può essere inteso il racconto di Calvino: *Il bosco sull'autostrada*, che ha come protagonisti personaggi reali, che possiamo incontrare ogni giorno e che vivono i nostri stessi problemi in quanto vivono come noi in una società industriale sviluppata.

sezione 2

1. IL POZZO DI CASCINA PIANA

A metà strada tra Saronno e Legnano, sulla riva di un grande bosco, c'era la Cascina* Piana, che comprendeva in tutto tre cortili. Ci vivevano undici famiglie. A Cascina Piana c'era un solo pozzo[1] per cavare l'acqua, ed era uno strano pozzo, perché la carrucola[2] per avvolgervi la corda c'era, ma non c'era né corda né cate-
5 na. Ognuna delle undici famiglie in casa, accanto al secchio[3], teneva appesa una corda, e chi andava ad attingere acqua la staccava, se l'avvolgeva al braccio e la portava al pozzo; e quando aveva fatto risalire il secchio staccava la corda dalla carrucola, e se la riportava gelosamente a casa. Un solo pozzo e undici corde. E se non ci credete, andate a informarvi e vi racconteranno, come hanno racconta-
10 to a me, che quelle undici famiglie non andavano d'accordo e si facevano conti-nuamente dispetti, e piuttosto che comprare insieme una bella catena, e fissarla alla carrucola perché potesse servire per tutti, avrebbero riempito il pozzo di terra e di erbacce.

Scoppiò la guerra, e gli uomini della Cascina Piana andarono sotto le armi racco-
15 mandando alle loro donne tante cose, e anche di non farsi rubare le corde.

Poi ci fu l'invasione tedesca, gli uomini erano lontani, le donne avevano paura, ma le undici corde stavano sempre al sicuro nelle undici case.

Un giorno un bambino della Cascina andò al bosco per raccogliere un fascio di legna e udì uscire un lamento da un cespuglio[4]. Era un partigiano ferito a una
20 gamba, e il bambino corse a chiamare sua madre. La donna era spaventata e si tor-ceva le mani, ma poi disse: "Lo porteremo a casa e lo terremo nascosto. Speriamo che qualcuno aiuti il tuo babbo se ne ha bisogno. Noi non sappiamo nemmeno dove sia, e se è ancora vivo".

Nascosero il partigiano nel granaio[5] e mandarono a chiamare il medico, dicendo
25 che era per la vecchia nonna. Le altre donne della Cascina però, avevano visto la nonna proprio quella mattina, sana come un galletto e indovinarono che c'era sotto qualcosa. Prima che fossero passate ventiquattr'ore tutta la Cascina seppe che c'era un partigiano ferito in quel granaio, e qualche vecchio contadino disse: "Se lo sanno i tedeschi verranno qui e ci ammazzeranno. Faremo tutti una brutta fine".
30 Ma le donne non ragionarono così. Pensarono ai loro uomini lontani e pensavano che anche loro, forse, erano feriti e dovevano nascondersi, e sospiravano. Il terzo giorno, una donna prese un salamino del maiale che aveva appena fatto macella-re, e lo portò alla Caterina, che era la donna che aveva nascosto il partigiano, e le disse: "Quel poveretto ha bisogno di rinforzarsi. Dategli questo salamino".
35 Dopo un po' arrivò un'altra donna con una bottiglia di vino, poi una terza con un sacchetto di farina gialla per la polenta[6] poi una quarta con un pezzo di lardo[7], e prima di sera tutte le donne della Cascina erano state a casa della Caterina, e ave-vano visto il partigiano e gli avevano portato i loro regali, asciugandosi una lagrima.

E per tutto il tempo che la ferita impiegò a rimarginarsi, tutte le undici famiglie
40 della Cascina trattarono il partigiano come se fosse un figlio loro, e non gli fecero mancare nulla.

Il partigiano guarì, uscì in cortile a prendere il sole, vide il pozzo senza corda e si meravigliò moltissimo. Le donne, arrossendo gli spiegarono che ogni famiglia aveva la sua corda ma non gli potevano dare una spiegazione soddisfacente. Avrebbero dovuto dirgli che erano nemiche tra loro, ma questo non era più vero, perché avevano sofferto insieme, e insieme avevano aiutato il partigiano. Dunque non lo sapevano ancora, ma erano diventate amiche e sorelle, e non c'era più ragione di tenere undici corde.

Allora decisero di comprare una catena coi soldi di tutte le famiglie e di attaccarla alla carrucola. E così fecero. E il partigiano cavò il primo secchio d'acqua, ed era come l'inaugurazione di un monumento.

La sera stessa il partigiano, completamente guarito, ripartì per la montagna.

(G. RODARI, Favole al telefono, Einaudi, Torino, 1962)

* Cascina è un insediamento agricolo tipico dell'Italia settentrionale, costituito da un complesso di costruzioni disposte intorno ad un grande cortile comprendente le abitazioni dei contadini, le stalle per gli animali, i magazzini per gli attrezzi agricoli e i locali per la lavorazione del latte o di altri prodotti della terra. ■ 1. buca più o meno profonda scavata nel terreno per attingere acqua ■ 2. disco scanalato sul quale scorre una corda o una catena ■ 3. recipiente a forma circolare di metallo o legno o plastica usato per prendere e portare l'acqua ■ 4. insieme di rami e pianticelle e non molto alte e aggrovigliate che partono da una stessa radice ■ 5. locale usato come deposito del grano ■ 6. piatto preparato con farina di mais ■ 7. grasso di maiale

a | COMPRENSIONE DEL TESTO

1. Informazioni specifiche

> *Rispondete alle seguenti domande:*

1. Dove si svolge la storia?
2. Chi ne sono i protagonisti?
3. Quale stranezza c'era alla Cascina?
4. Cosa raccomandano gli uomini alle donne prima di partire per la guerra?
5. Perché tutte le donne aiutano il partigiano?
6. Perché qualche vecchio contadino è contrario ad aiutare il partigiano?
7. Cosa insegna questa vicenda alle donne della Cascina?

2. Ricostruzione del testo

> La fiaba di Rodari, come ogni discorso, si compone di blocchi, o unità di informazione, che costituiscono l'ossatura del racconto. Alcuni di questi blocchi sono essenziali alla comprensione della storia e al suo sviluppo, altri sono periferici, servono cioè ad integrare le informazioni centrali, altri, infine, sono puramente marginali, vale a dire non necessari all'economia del racconto.

➤ *Riordinate i blocchi della storia che avete letto ed indicate per ciascuno se è* **essenziale**, **periferico** *o* **marginale**:

1. Ma le donne pensando ai loro mariti decisero di aiutare il partigiano. [ ]
2. Quando il partigiano guarì uscì nel cortile e vide il pozzo senza corda. [ ]
3. Il partigiano tirò su dal pozzo il primo secchio con la catena comune. [ ]
4. Gli uomini della Cascina partirono per la guerra. [ ]
5. La donna mandò a chiamare il medico. [ ]
6. A Cascina Piana vivevano undici famiglie. [ ]
7. Il partigiano, guarito, tornò a combattere in montagna. [ ]
8. Tutte portarono qualcosa da mangiare. [ ]
9. Un'altra ancora una bottiglia di vino. [ ]
10. Ogni famiglia aveva una corda e un secchio per attingere acqua dal pozzo. [ ]
11. Un giorno un bambino della Cascina incontrò nel bosco un partigiano ferito. [ ]
12. Una portò un salamino. [ ]
13. Senza saperlo le donne delle undici famiglie erano diventate amiche. [ ]
14. Le undici famiglie trattarono il partigiano come un loro figlio. [ ]
15. Comprarono allora tutte insieme una catena per attingere l'acqua dal pozzo. [ ]
16. Qualche vecchio contadino si preoccupò. [ ]
17. Cascina Piana aveva un solo pozzo dal quale attingevano acqua tutte le undici famiglie. [ ]
18. Questa storia è vera. [ ]
19. La mamma del bambino nascose il partigiano nel granaio. [ ]
20. Tutte le famiglie della cascina vennero a sapere del partigiano. [ ]
21. Gli uomini raccomandarono alle mogli di stare attente alle corde. [ ]
22. Scoppiò la guerra. [ ]
23. Le famiglie si facevano continuamente dei dispetti. [ ]
24. Un'altra, infine, portò un po' di farina di granturco per la polenta. [ ]
25. Un'altra un pezzo di lardo. [ ]

__/__	__/__	__/__	__/__	__/__	__/__	__/__	__/__	__/__
__/__	__/__	__/__	__/__	__/__	__/__	__/__	__/__	__/__
__/__	__/__	__/__	__/__	__/__	__/__	__/__	__/__	__/__
__/__	__/__	__/__	__/__	__/__	__/__	__/__	__/__	__/__

3. Sintesi

➤ *Riesponete in modo sintetico il contenuto della fiaba letta riportando le informazioni essenziali e periferiche individuate nell'esercizio precedente.*

vai a pag. 11

1. Campi semantici

a. Individuate nel testo letto i termini e le espressioni che hanno una qualche attinenza semantica con:

- pozzo
- cibo
- famiglia
- guerra

b. Con le parole che avete individuato per ogni campo semantico, formate qualche frase.

2. Parole derivate

Come si è detto nella nota a piè del testo, la Cascina comprende edifici e locali destinati alle persone, agli animali e agli attrezzi agricoli. I termini che designano i luoghi e gli spazi di una casa colonica destinati agli animali o alle cose derivano, in qualche caso, dal nome delle cose o degli oggetti o degli animali in essi raccolti o ricoverati. Così, il grano raccolto viene messo e conservato nel **granaio**, e il cane si trova, di solito, nel **canile**.

➤ *Abbinate i nomi di animali e cose della lista A con i corrispondenti termini della lista B che indicano i luoghi ad essi destinati:*

A	B	
1. fieno	a. stalla	_____
2. galline	b. conigliera	_____
3. maiali	c. pagliaio	_____
4. vino	d. ovile	_____
5. paglia	e. pollaio	_____
6. pecore	f. colombaia	_____
7. colombe	g. cantina	_____
8. mucca	h. fienile	_____
9. conigli	i. porcile	_____

3. L'articolo determinativo e indeterminativo

In italiano notiamo che davanti a quasi tutti i sostantivi (o nomi) c'è un articolo, o determinativo (**il** o **la**) o indeterminativo (**un** o **una**). La funzione dell'articolo è quella di meglio individuare un nome e inserirlo in un discorso o contesto linguistico. La scelta tra le due forme, in concreto, è determinata da due opposizioni:

      1. **classe <> membro**
      2. **noto   <> nuovo**

Osserviamo le seguenti frasi:

    1.a. ***Il*** *maiale è allevato per la qualità delle sue carni*
        (con "il" si indica la classe)
    1.b. *Nella stalla della cascina c'era **un** maiale*
        (con "un" si indica un singolo membro)
    2.a. *A Cascina piana c'era **un** pozzo per cavare l'acqua*
        (con "un" si introduce un termine nuovo nel testo)
    2.b. *Avrebbero riempito **il** pozzo di terra e erbacce*
        (con "il" si riprende un termine già citato prima)

Quando in un testo si nomina per la prima volta un nuovo elemento nominale lo si fa precedere dall'articolo indeterminativo (*un pozzo*), quando invece si fa riferimento ad un termine precedentemente introdotto, e quindi noto, si ricorre all'articolo determinativo. Nel testo di Rodari, ad esempio, incontriamo prima "un pozzo", "una corda", "un bambino", "un partigiano", e successivamente questi sono indicati con "il pozzo", "la corda", "il bambino", "il partigiano".

Ma noto non è solo ciò che è stato già nominato nel testo, ma anche ciò che si presuppone che il lettore o l'ascoltatore già conosce. Così, noti sono i termini che indicano cose o elementi che sono unici in natura (es.: *sole, luna, terra*) o che, come si capisce dal contesto, si riferiscono ad una cosa o persona specifica nota a chi ascolta o legge (es.: *E' arrivato **il** professore!*), o che indicano una classe, un tipo, una specie o una cosa astratta (*la virtù, la pazienza*) o una materia (*il grano, l'olio, l'oro*)

    Es.: *Il partigiano uscì in cortile a prendere **il** sole.*

Si usa ancora l'articolo determinativo per indicare un nome che si riferisce a qualcosa o a qualcuno determinato e ben individuabile. Questo, in genere, si ha quando il nome è accompagnato da un aggettivo possessivo, oppure da una determinazione come una frase relativa (*Mi è piaciuto **il** libro che mi hai prestato*), o un complemento del nome (*il figlio della Caterina*) o un aggettivo di relazione, vale a dire quando il nome è accompagnato da un altro elemento linguistico che seleziona un referente specifico tra i tanti cui il nome rimanda.

    Osservate i seguenti esempi:

    1. *Ogni famiglia aveva **una** corda*
    2. *Ogni famiglia aveva **la** sua corda*
    3. *Ogni famiglia usava **la** corda che aveva in casa*
    4. ***La*** *corda della Caterina era sempre legata al secchio.*

L'articolo indeterminativo, come si vede, si usa per indicare un termine indefinito, generico o ancora non noto. Tuttavia, qualche volta esso indica anche il tipo, la categoria e/o la classe, ed allora ha il senso di "ogni".

    5. *Il giovane è pieno di ideali*
    6. *Un giovane è pieno di ideali.*   (= ogni giovane)

a. Rileggete i paragrafi IV e V (dalla riga 18 alla riga 29) e spiegate perché è usato ora l'articolo determinativo e ora quello indeterminativo.

b. Reinserite nel brano che segue gli opportuni articoli e le preposizioni, semplici o articolate, mancanti:

_____ salotto che serviva da stanza d'aspetto per _____ clienti (di)____ dottor Pastone, deserto e luminoso, era immerso (in) _____ silenzio. S'aprì _____ porta e ____ cameriera introdusse _____ ometto pallido e tremulo, seguito (da) _____ donnone congestionato.

E si ritirò pianamente.

(in) _____ stanza c'era _____ silenzio uggioso. Nessun rumore s'udiva di là (da) _____ porta chiusa che immetteva (in) _____ gabinetto di consultazione, non _____ minimo segno di vita veniva dal resto (di) _____ casa, ch'era anche abitazione. Forse _____ bambini dei medici, in casa, non si muovono, non fiatano. Forse _____ moglie è sempre fuori.

_____ nuovi venuti si misero a sedere, dettero _____ occhiata distratta (a) _____ soliti quadri che sono appesi (a) _____ pareti di questi salotti. Sul tavolinetto c'erano _____ solite riviste vecchie che si trovano (in) _____ anticamere dei medici. _____ donnone ne prese una a caso e si mise a sfogliarla distrattamente.

(A. Campanile)

C | RITORNO AL TESTO

1. Punto di vista

Ogni narrazione presuppone un **"narratore"**. Il narratore è un artificio letterario creato dall'autore. In pratica è la voce che racconta la storia. Nei racconti e nelle storie giornalistiche il giornalista è narratore e autore della storia che racconta. Nei racconti letterari, invece, il narratore è semplicemente la "voce" che riferisce i fatti: la voce *narrante*.

Il narratore può raccontare i fatti secondo una prospettiva o un *punto di vista* particolare. Secondo il *punto di vista* assunto si può avere:

a. un **racconto non focalizzato**: il narratore rappresenta la coscienza dei personaggi, ne riporta i pensieri, il loro passato, come il loro presente e il loro futuro. Il narratore è esterno e viene definito onnisciente: ne sa più dei personaggi.

b. *un **racconto a focalizzazione interna***: il narratore è interno; adotta il punto di vista di uno dei personaggi e quindi ne sa quanto ne sa il personaggio di cui assume il punto di vista. La narrazione può essere fatta in prima o in terza persona, e la focalizzazione può essere fissa, se tutto è filtrato attraverso gli occhi del personaggio narrante, oppure variabile se il narratore assume il punto di vista ora di uno ora di un altro dei protagonisti della storia, oppure ancora può essere multipla quando assume via via i punti di vista dei vari personaggi.

c. *un **racconto a focalizzazione esterna***: il narratore adotta un punto di vista esterno ai personaggi, ma non è onnisciente, in pratica racconta e descrive quello che un qualsiasi osservatore esterno può vedere e notare. Di conseguenza lui sa meno di quanto può sapere qualsiasi personaggio.

1. *Il testo che segue è il racconto in prima persona del bambino che ha trovato il partigiano. Provate a completarlo con le parole mancanti (una sola parola per ogni spazio vuoto!):*

Mi chiamo Marco e vivo a Cascina Piana, un piccolo gruppo di case tra Saronno e Legnano. Qui ci vivono undici famiglie. Ora a Cascina Piana si vive tranquilli e tutte le famiglie vanno d'amore e d'_____ (1) tra loro, ma fino a qualche _____ (2) fa, le famiglie erano in guerra tra loro, litigavano spesso le une con le altre per i motivi più futili. Pensate, nel cortile c'era un _____ (3), ma non aveva la corda e il secchio perché le famiglie non si mettevano d'accordo per comprare una _____ (4) comune. Ognuna aveva la sua corda e il suo secchio per _____ (5) l'acqua.

Durante la guerra, quando _____ (6) appena sei anni, mentre, un giorno, giocavo _____ (7) al bosco, ho sentito venire da dietro un cespuglio dei _____ (8). Mi sono avvicinato e ho visto un giovane uomo _____ (9) ad una spalla. Mi sono spaventato, _____ (10) corso a casa e ho raccontato tutto a mia madre. Lei, pensando a mio padre lontano per la guerra, è andata subito _____ (11) il bosco. Io l'ho seguita. Arrivata al _____ (12), ha aiutato il giovane soldato ad alzarsi e l'ha accompagnato a _____ (13) nostra, passando per la porta di dietro, quella della cantina. Lo ha sistemato nel granaio, su un vecchio _____ (14), e mi ha detto di andare a _____ (15) il dottore. Il medico l'ha visitato e gli ha _____ (16) la ferita alla spalla. Per _____ (17) la ferita non era profonda, però il partigiano aveva perso molto _____ (18) ed era debole. Nello stesso giorno sono cominciate ad arrivare le donne delle altre famiglie; prima una poi un'altra, poi via via quasi tutte. Non so come, avevano _____ (19) del partigiano ferito e avevano pensato _____ (20) aiutarlo portandogli qualcosa da _____ (21): chi un salamino, chi un po' di lardo, chi della _____ (22) gialla, chi un po' di vino. E così per tutto il tempo della _____ (23) .

Quando il partigiano è _____ (24), è uscito nel cortile e ha visto il pozzo senza corda. Ha chiesto a mia madre come mai il pozzo non _____ (25) la corda, ma lei non sapeva che rispondere, non poteva _____ (26) che erano nemiche quando tutte insieme l'avevano aiutato a guarire. Lo stesso giorno, quando mia madre ha riferito alle altre _____ (27) la domanda che le aveva fatto il partigiano, hanno _____ (28) di comprare tutte insieme una catena. Il giorno dopo c'è stata come l'_____ (29) del pozzo e il partigia-no ha _____ (30) su il primo secchio d'acqua con la nuova catena. È stata una grande festa, perché finalmente era tornata la pace e l'armonia tra le famiglie di Cascina Piana.

2. *Tutte le donne delle altre famiglie andate a trovare il partigiano gli portarono qual-cosa. Ma la fiaba indica solo i regali di quattro di loro.*

   Provate voi a completare l'elenco:

   1ª donna: ⟶ un salamino di maiale

   2ª donna: ⟶ una bottiglia di vino.

   3ª donna: ⟶ un sacchetto di farina di granturco

   4ª donna: ⟶ un pezzo di lardo

   5ª donna: ⟶ _____

   6ª donna: ⟶ _____

   7ª donna: ⟶ _____

   8ª donna: ⟶ _____

   9ª donna: ⟶ _____

   10ª donna: ⟶ _____

1. La narrazione fantastica o fiabesca appare in declino. I bambini non ascoltano più fiabe dalla voce dei loro genitori o dei loro nonni: quasi nessuno oggi le sa o le sa raccontare. Ma c'è ancora bisogno della fiaba?

2. Le fiabe tradizionali, pur narrando fatti irreali, si riferiscono a realtà e modi di vita dell'epoca in cui sono nate. Di una fiaba della tradizione del vostro Paese indicate, ad esempio, tutti quegli oggetti di uso quotidiano, quelle attività, quei mestieri che si riferiscono ad una realtà ormai scomparsa.

3. Provate ad "inventare" una fiaba in cui siano presenti personaggi come l'eroe, l'antagonista, la persona o l'oggetto magico da ricercare, l'aiutante dell'eroe, ed eventi come la partenza e il ritorno dell'eroe, l'inganno o tranello, il salvataggio, la vittoria, la punizione e il lieto fine.

4. Spesso quando una sciagura o un grave dolore colpisce qualcuno nasce tra le persone vicine un sentimento di solidarietà.

   Raccontate un episodio in cui avete potuto constatare un'autentica solidarietà tra le persone.

5. Molte delle fiabe che si leggono o si ascoltano appartengono alla tradizione popolare e riflettono un mondo spesso molto antico e comunque diverso da quello di oggi: l'ambiente è quello contadino, le persone si spostano a piedi o su asini o cavalli, le case sono molto povere o sono regge, ecc.

   Provate a raccontare una fiaba della tradizione popolare del vostro paese, ambientandola però alla nostra epoca e al nostro mondo

Profilo dell'autore
GIANNI RODARI

Scrittore e giornalista, è nato ad Omegna (Novara) nel 1920, ed è morto a Roma nel 1980. Diplomatosi maestro nel 1938, si è dedicato al giornalismo. In seguito si è affermato come autore di libri di testo per bambini, che gli hanno valso, tra l'altro, il premio Andersen per la letteratura infantile. Ha rinnovato la fiaba tradizionale, mettendola in relazione con la realtà contemporanea. Le sue storie hanno, infatti, per protagonisti personaggi del mondo di oggi, gli ambienti e le esperienze sono quelli che anche un bambino della nostra epoca può conoscere e vivere. Per Rodari "la fiaba è il luogo di tutte le ipotesi: essa ci può dare delle chiavi per entrare nella realtà per strade nuove, può aiutare il bambino a conoscere il mondo".

Tra i molti libri scritti, di cui numerosi quelli tradotti in tante lingue, ricordiamo: *Le avventure di Cipollino* (1950), *La freccia azzurra* (1952), *Favole al telefono* (1960), *Filastrocche in cielo e in terra* (1960), *Il pianeta degli alberi di Natale* (1962) *Gip nel televisore* (1964), *Il libro degli errori* (1964), *Grammatica della fantasia* (1974), *C'era due volte il barone Lamberto* (1978), e postume *Il cane di Magonza* (1982) e *Storie di re Mida* (1983).

2. IL BOSCO SULL'AUTOSTRADA

Il freddo ha mille forme e mille modi di muoversi nel mondo: sul mare corre come una mandra di cavalli, sulle campagne si getta come uno sciame di locuste[1], nelle città come lama di coltello taglia le vie e infila le fessure delle case non riscaldate. A casa di Marcovaldo quella sera erano finiti gli ultimi stecchi[2], e la famiglia, tutta incappottata, guardava nella stufa impallidire le braci[3], e dalle loro bocche le nuvolette salire ad ogni respiro. Non dicevano più niente; le nuvolette parlavano per loro: la moglie le cacciava lunghe lunghe come sospiri, i figlioli le soffiavano assorti come bolle di sapone, e Marcovaldo le sbuffava[4] verso l'alto a scatti come lampi di genio che subito svaniscono.

Alla fine Marcovaldo si decise: - Vado per legna; chissà che non ne trovi -. Si cacciò quattro o cinque giornali tra la giacca e la camicia a fare da corazza[5] contro i colpi d'aria, si nascose sotto il cappotto una lunga sega[6] dentata, e così uscì nella notte, seguito dai lunghi sguardi speranzosi dei familiari, mandando fruscii cartacei ad ogni passo e con la sega che ogni tanto gli spuntava dal bavero[7].

Andare per legna in città: una parola! Marcovaldo si diresse subito verso un pezzetto di giardino pubblico che c'era tra due vie. Tutto era deserto. Marcovaldo studiava le nude piante a una a una pensando alla famiglia che lo aspettava battendo i denti...

Il piccolo Michelino, battendo i denti, leggeva un libro di fiabe, preso in prestito alla bibliotechina della scuola. Il libro parlava di un bambino figlio di un tagliaalegna, che usciva con l'accetta[8], per far legna nel bosco. - Ecco dove bisogna andare, - disse Michelino, - nel bosco! Lì sì che c'è la legna! - Nato e cresciuto in città, non aveva mai visto un bosco neanche di lontano. Detto fatto, combinò coi fratelli: uno prese un'accetta, uno un gancio[9], uno una corda, salutarono la mamma e andarono in cerca di un bosco.

Camminavano per la città illuminata dai lampioni[10] e non vedevano che case: di boschi, neanche l'ombra. Così giunsero dove finivano le case della città e la strada diventava un'autostrada.

Ai lati dell'autostrada, i bambini videro il bosco: una folta vegetazione di strani alberi copriva la vista della pianura. Avevano i tronchi[11] fini fini, diritti o obliqui; e chiome piatte e estese, dalle più strane forme e dai più strani colori, quando un'auto passando le illuminava coi fanali[12]. Rami a forma di dentifricio, di faccia, di formaggio, di mano, di rasoio, di bottiglia, di mucca, di pneumatico, costellati da un fogliame di lettere dell'alfabeto.

"Evviva! - disse Michelino, - questo è il bosco"!

E i fratelli guardavano incantati la luna spuntare tra quelle strane ombre: - "Com'è bello...".

Michelino li richiamò subito allo scopo per cui erano venuti lì: la legna. Così abbatterono un alberello a forma di fiore di primula gialla, lo fecero in pezzi e lo portarono a casa.

Marcovaldo tornava col suo magro carico di rami umidi, e trovò la stufa accesa.

"Dove l'avete preso?" esclamò indicando i resti del cartello pubblicitario che, essendo di legno compensato[13], era bruciato molto in fretta.

"Nel bosco!" fecero i bambini.

45 "E che bosco?"

"Quello dell'autostrada. Ce n'è pieno!"

Visto che era così semplice, e che c'era di nuovo bisogno di legna, tanto valeva seguire l'esempio dei bambini. Marcovaldo tornò a uscire con la sua sega, e andò sull'autostrada.

50 L'agente Astolfo della polizia stradale era un po' corto di vista, e la notte, correndo in moto per il suo servizio, avrebbe avuto bisogno degli occhiali; ma non lo diceva, per paura d'averne un danno nella sua carriera.

Quella sera, viene denunciato il fatto che sull'autostrada un branco di monelli[14] stava buttando giù i cartelloni pubblicitari. L'agente Astolfo parte d'ispezione.

55 Ai lati della strada la selva di strane figure ammonitrici e gesticolanti[15] accompagna Astolfo, che le scruta ad una ad una, strabuzzando[16] gli occhi miopi. Ecco che, al lume del fanale della moto, sorprende un monellaccio arrampicato su un cartello. Astolfo frena: "Ehi! che fai lì, tu? Salta giù subito!" Quello non si muove e gli fa la lingua. Astolfo si avvicina e vede che è la réclame di un formaggino, con un bam-

60 boccione che si lecca le labbra. "Già, già", fa Astolfo, e riparte a gran carriera[17].

Dopo un po', nell'ombra di un gran cartellone, illumina una trista faccia spaventata. "Alto la'! Non cercate di scappare!" - Ma nessuno scappa: è un viso umano dolorante dipinto in mezzo a un piede tutto calli[18]: la réclame di un callifugo. "Oh, scusi", dice Astolfo, e corre via.

65 Il cartellone di una compressa contro l'emicrania era una gigantesca testa d'uomo, con le mani sugli occhi dal dolore. Astolfo passa, e il fanale illumina Marcovaldo arrampicato[19] in cima, che con la sua sega cerca di tagliarsene una fetta. Abbagliato dalla luce, Marcovaldo si fa piccolo piccolo e resta lì immobile, aggrappato a un orecchio del testone, con la sega che è già arrivata a mezza fronte.

70 Astolfo studia bene, dice: "Ah, sì: compresse Stappa! Un cartellone efficace! Ben trovato! Quell'omino lassù con quella sega significa l'emicrania che taglia in due la testa! L'ho subito capito!" E se ne riparte soddisfatto.

Tutto è silenzio e gelo. Marcovaldo dà un sospiro di sollievo, si riassesta sullo scomodo trespolo[20] e riprende il suo lavoro. Nel cielo illuminato dalla luna si propaga lo

75 smorzato gracchiare della sega contro il legno.

(I. CALVINO, *Marcovaldo,* Einaudi, Torino, 1963)

1. cavalletta ■ 2. ramoscelli secchi ■ 3. carboni che ardono senza produrre fiamma ■ 4. soffiare forte ■ 5. armatura in ferro o legno che protegge il corpo ■ 6. strumento a lama dentata per tagliare il legno ■ 7. colletto della giacca o del cappotto ■ 8. arma o arnese tagliente per spaccare la legna ■ 9. arnese di metallo per afferrare, appendere o collegare ■ 10. fanale per illuminare le strade ■ 11. la parte aerea dell'albero da cui partono i rami ■ 12. apparecchio che serve ad illuminare ■ 13. legno formato da sottili fogli incollati fra loro ■ 14. ragazzo di strada, vivace e discolo ■ 15. che fanno gesti ■ 16. spalancare gli occhi ■ 17. a gran velocità ■ 18. indurimento della pelle di forma rotonda che si produce sulle mani o sui piedi ■ 19. salito ■ 20. arnese formato da un piano sorretto da tre o quattro piedi che si allargano verso il basso

1. Informazioni specifiche

a. Completate la griglia che segue indicando:

   a. i personaggi del racconto
   b. i luoghi in cui si svolge la vicenda
   c. i prodotti pubblicizzati dai cartelloni
   d. gli oggetti usati dai personaggi

---

personaggi: ....

luoghi: ....

prodotti: ....

oggetti: ....

---

b. Rispondete alle seguenti domande:

1. Qual è il segno più evidente del freddo in casa di Marcovaldo?
2. Cosa pensa di fare Marcovaldo per riscaldare la casa?
3. Quale idea viene in mente a Michelino mentre legge un libro di fiabe?
4. Cosa sono, in realtà, gli alberi che i bambini vedono?
5. Perché l'agente Astolfo non distingue bene le figure?
6. Come interpreta Astolfo la pubblicità delle compresse contro l'emicrania?

2. Sintesi

➤ *Riassumete il testo letto passando per i seguenti punti:*
   freddo ovunque / andare per legna / sega nascosta sotto il cappotto / Michelino e il libro di fiabe / il bosco / i bambini alla ricerca della legna / gli strani "alberi" dell'autostrada / stufa accesa / l'ispezione dell'agente Astolfo / lume del fanale / moto / la réclame del formaggino / la réclame di un callifugo / la réclame delle compresse contro l'emicrania / lo spavento di Marcovaldo.

1. Gruppi semantici

➤ *Cancellate dai seguenti gruppi di parole quella che per significato non ha attinenza con le altre:*

a. foglia - capigliatura - ramo - tronco - chioma

b. mandria - sciame - folla - branco

c. pianta - selva - bosco - foresta - macchia

d. brace - fuoco - cenere - tizzone - gas

e. giacca - stivale - cappotto - camicia

f. fanale - faro - occhiali - lampione

2. Coerenza semantica

➤ *Indicate a quale altro termine si collegano, dal punto di vista semantico, le parole ed espressioni del testo qui di seguito evidenziate:*

a. (r. 5) **braci**   si collega semanticamente a: → *stufa*

b. (r. 6) **respiro**   »   → _____

c. (r. 14) **bavero**   »   → _____

d. (r. 17) **le nude piante**   »   → _____

e. (r. 20) **bibliotechina**   »   → _____

f. (r. 29) **vegetazione**   »   → _____

g. (r. 50) **agente**   »   → _____

h. (r. 51) **occhiali**   »   → _____

3. Corrispondenze semantiche

➤ *Collegate nelle diverse colonne le parole che hanno un'attinenza semantica tra di loro:*

	a	b	c		
1.	**libro**	cefalea	ansare	a.	libro - volume - tomo
2.	rasoio	bavero	mal di testa	b.	_____
3.	lettera	accetta	analisi	c.	_____
4.	sega	**volume**	capsula	d.	_____
5.	soffiare	spalancare	slogan	e.	_____
6.	giacca	occhiali	**tomo**	f.	_____
7.	compressa	lama	doppio petto	g.	_____
8.	vista	controllo	ottico	h.	_____
9.	réclame	pillola	osservare	i.	_____
10.	emicrania	sbuffare	barba	l.	_____
11.	strabuzzare	pubblicità	ascia	m.	_____
12.	ispezione	alfabeto	consonante	n.	_____

4. Sinonimia e polisemia

Nel primo paragrafo l'autore evidenzia come il freddo nella casa di Marcovaldo fosse segnalato, tra l'altro, dalle nuvolette di fumo che uscivano dalle bocche dei personaggi. Ma i componenti della famiglia non "buttano fuori " le nuvole allo stesso modo . Lo scrittore ricorre a verbi diversi per segnalare queste diversità: la moglie "le cacciava", i figlioli le "soffiavano come bolle di sapone", e Marcovaldo "le sbuffava verso l'alto".

Cacciare, **soffiare**, **sbuffare** sono in pratica usati come "sinonimi, nel senso che individuano , in pratica, la stessa azione, o se vogliamo, si presentano con un tratto semantico principale comune, quello di "buttare fuori l'aria dalla bocca".

Eppure in altri contesti non potremmo usare questi tre verbi come sinonimi, perché i loro significati sono diversi. Nell'uso concreto della lingua le unità lessicali infatti si caratterizzano per il prevalere di uno degli elementi di significato (tratti semantici) che costituiscono il significato globale della parola stessa. Questo meccanismo è alla base del fenomeno della polisemia, o presenza di più significati per una stessa parola.

Ad esempio, cacciare vuol dire, *inseguire una preda, mandare via qualcuno, mettere dentro, nascondersi,* ecc., e soffiare oltre a significare *l'emissione di fiato dalla bocca con una certa forza,* indica anche *dire, parlare in segreto, mandare via,* e *portare via, togliere e rubare.*

> Provate ad inserire nelle frasi che seguono la forma più appropriata dei verbi "soffiare", "cacciare" e "sbuffare":

1. Il bambino _____ sulla minestra per raffreddarla.
2. Erano due ore che lei stava al telefono e il marito che l'aspettava per uscire _____ come un treno in corsa.
3. Ad un certo punto uno degli aggressori _____ dalla tasca posteriore dei calzoni un coltello.

4. I ragazzi dietro arrancavano _____ su per la salita.

5. Alla vista di un topo sotto il lavandino Carla _____ un urlo disperato.

6. La tramontana _____ da nord verso sud.

7. Chissà dove si _____ Marco: due minuti fa era qui ed ora non si vede più.

8. Gli _____ nell'orecchio un terribile sospetto sul suo migliore amico.

9. Il professore ha scoperto che uno studente copiava il compito da un libro ed allora lo _____ dall'aula.

10. Nella ressa sull'autobus gli _____ il portafogli.

5. Nomi collettivi

I nomi si suddividono in diversi modi: in relazione ai *referenti* (oggetti) che designano possono essere **concreti** o **astratti**, **propri** o **comuni**. Possono designare singoli referenti (**nome individuale**) o anche un insieme omogeneo di persone o animali o cose della stessa specie (**nome collettivo**). Così i termini *sciame*, *mandria* e *branco* che abbiamo incontrato nel testo di Calvino sono "collettivi", in quanto indicano un gruppo o un insieme di animali: *sciame* è un insieme di insetti come api e vespe, *mandria* (o mandra) è un insieme di animali domestici di grossa stazza, *branco* indica un insieme numeroso di animali allo stato selvatico o brado.
Il nome collettivo ha la caratteristica di essere di numero singolare pur riferendosi ad una pluralità di individui.

a. *Completate le definizioni con una delle parole suggerite nella tabella seguente:*

arcipelago - banda - clero - flotta - giuria - gregge - pineta - risma - scolaresca - stormo

1. Il _____ è un insieme di pecore.

2. Una _____ è costituita da tantissimi pini.

3. Una _____ è un gruppo di alunni della stessa scuola.

4. Una _____ è formata da un insieme di suonatori.

5. Un insieme di isole costituisce un _____ .

6. La totalità dei preti costituisce il _____ .

7. Una _____ è un insieme di giudici o persone giudicanti.

8. Una _____ è formata da circa 500 fogli di carta.

9. Tanti uccelli della stessa specie formano uno _____ .

10. Un insieme di navi formano una _____ .

b. *Completate, anche con l'aiuto del dizionario, le frasi seguenti con l'opportuno nome collettivo:*

1. All'arrivo della maestra tutta la _____ ha smesso di fare chiasso.
2. L'_____ della nave Ausonia è rimasto a bordo per tutto il tempo necessario allo scarico delle merci.
3. Dopo una lunga discussione la _____ del festival di Venezia ha premiato il film di Salvatores.
4. La _____ del Napoli ha superato per tre a due l'Inter.
5. L'_____ del teatro alla Scala ha tenuto un concerto al teatro Verdi di Parma.
6. Un _____ di lupi affamati è stato avvistato nella periferia della città.

6. Nomi alterati

Aggiungendo alla radice di una parola un suffisso si ottiene una nuova parola che ha un significato diverso rispetto alla parola d'origine: la parola è o "derivata" o "alterata". L'alterazione è un tipo di suffissazione mediante il quale il significato e la natura della parola base non cambia se non per alcuni aspetti marginali, come la dimensione, la qualità o la valutazione. Si hanno così alterati diminutivi, accrescitivi, vezzeggiativi e spregiativi o peggiorativi. I suffissi più comuni usati per alterare una parola sono: **-ino**, **-ello**, **-uccio**, **-one**, **-otto**, **-acchio**, **-accio**, **-astro**, ecc.
Non sempre, tuttavia, tali suffissi modificano semplicemente una parola base: spesso (anche perché in certi casi l'originario valore alterato si è perduto) danno luogo a nuove parole dal significato completamente diverso: ad esempio, *gradino* non è diminutivo di grado, come *postino* non è un piccolo posto, e *copertone* non indica una grossa coperta.

a. *Ricercate nel testo letto le parole alterate ed indicate la parola base da cui derivano:*

parola alterata	parola base
1.	....
2.	....
3.	....
4.	....
5.	....

b. *Indicate se nelle seguenti frasi le parole in corsivo sono alterate (a) o no (n):*

1. I bambini abbatterono un *alberello*.
2. Vuoi chiudere il *finestrino*? Entra troppa aria.
3. Michelino ha preso in prestito un libro di fiabe dalla *bibliotechina* della scuola.
4. Hanno fatto un pic-nic nel *boschetto* vicino al fiume.

5. Oggi Michelino è venuto a scuola senza *cartella*.
6. Passa la giornata o a leggere *fumetti* o a guardare *cartoni* animati alla TV.
7. Bisogna cambiare la *lampadina*: è fulminata.
8. Nella sua *borsetta* trovi di tutto: dal *rossetto* alle *mollette* per capelli, dagli *specchietti* ai *pettinini*, dalle *lamette* da barba alle *bottigliette* di profumo.
9. Quando le è nato il bambino, le hanno regalato una *copertina* per la culla.
10. La *copertina* dell'Espresso di questa settimana mi pare un po' scandalistica.
11. Il *cartellone* era la pubblicità di un *formaggino*: vi era raffigurato un bamboccione che si leccava le labbra.
12. Non ho fame: però un *pezzettino* di torta lo prendo volentieri.

C | PRODUZIONE ORALE O SCRITTA

IL TESTO PUBBLICITARIO

Il tipo di testo sicuramente più diffuso, ascoltato o letto, è il testo **pubblicitario**. La realtà del mondo di oggi è pervasa da messaggi pubblicitari che ci giungono in qualsiasi momento della giornata attraverso i più diversi mezzi della comunicazione sia in forma di suoni che di immagini.

Il testo pubblicitario è solitamente espresso in una lingua dalle caratteristiche e dai tratti più vari ed originali. Attinge tanto dal linguaggio comune come dalle diverse varietà linguistiche settoriali, come dai diversi registri e livelli linguistici: ora è una lingua semplice e piana, ora ricercata e accurata, ora tecnica o scientifica.

La funzione linguistica prevalente è quella *direttiva* o *imperativa*: deve convincere qualcuno a fare qualche cosa, cioè ad acquistare un certo prodotto. Per questo il testo pubblicitario è costituito o si conclude con uno slogan, vale a dire con una breve frase destinata a colpire l'immaginazione e ad essere ricordata.

Per far colpo sul pubblico o per persuaderlo si ricorre a vari procedimenti e strategie come quella di dare informazioni solo apparentemente obiettive o tecniche, o enfatizzare od esaltare le caratteristiche e le proprietà benefiche del prodotto, o fare leva sulle aspirazioni e desideri anche inconsci del pubblico richiamando certe idee-forza come il successo, la bellezza, la ricchezza, la forza, il potere, il fascino, il prestigio, ecc. La pubblicità arriva a stravolgere la lingua attraverso l'uso di forme linguistiche strane o nuove.

La pubblicità ricorre, infatti, ai più arditi accorgimenti e accostamenti linguistici che interessano i diversi livelli della lingua: la grafia, il lessico e la morfosintassi. Frequenti sono le grafie anomale: ad esempio:

> *Snakkiamoci una FIESTA snak.*
> *Dillo anche tu "melacompro la Vespa"*

Innovazioni ardite si verificano in ambito morfosintattico: si possono citare a titolo esemplificativo i seguenti messaggi:

> *Le vacanze sono più vacanze con COCA-COLA.*
> *Lacca xx fissa morbido morbido.*

Anomalie sintattiche e lessicali spesso si presentano insieme, come nei seguenti messaggi:

Le sardomobili si rubano l'aria. Respira "chi vespa"
Le sardomobili urlano clacson: sussurra "chi boxer";

qui le automobili sono indicate come "sardomobili", vale a dire piccole scatole in cui le persone sono chiuse e separate come le sardine in una scatola. Le automobili inquinano e sporcano l'aria, fanno rumore, mentre i motocicli (Vespa e Boxer) permettono di respirare l'aria aperta e non fanno rumore.

A livello lessicale si ha il maggior numero di innovazioni: moltissime sono le parole create dai pubblicitari: queste sono costruite o accostando parole esistenti o utilizzando in modo improprio i meccanismi di derivazione e suffissazione della lingua. Per fortuna la gran parte di queste parole dura il tempo di una stagione "pubblicitaria"!

Ecco qualche curioso esempio:

sardomobili, amarevole, uvamaro, digestimola, ammazzasete, puliziotto, impappatarsi, croccarsi, comodosa, risparmiosa, ecc.

La lingua pubblicitaria deve convincere e per questo attinge a piene mani dall'arte della retorica. Tra le figure retoriche usate dalle pubblicità troviamo:

- **la metafora** - o paragone abbreviato; ad es.:
  Accendi la tua serata con un grande scotch.

- **l'allusione** - cioè il riferimento a espressioni o detti famosi o proverbi: ad es.:
  Non avrai altro Jesus all'infuori di me.
  Incredibile ma Whurer.

- **l'allitterazione**, che consiste nel ritmico ripetersi di suoni o sillabe, come ad es.:
  Fiesta ti tenta tre volte tanto

- **la similitudine**, cioè un paragone esteso; ad es.:
  La tua pelle è come un fiore: dissetala con CUPRA magra!

- **l'eufemismo**, che consiste nel dire con parole meno crude ed esplicite qualcosa di spiacevole o non gradito, per cui, ad esempio, "le rughe" su un volto sono "gli inutili segni del tempo", o il sudore è indicato come "traspirazione eccessiva" e "la stitichezza" è indicata come "intestino pigro";

- **la metonimia**, che consiste nell'uso di una parola al posto di un'altra a cui è semanticamente contigua; per esempio indicare la causa al posto dell'effetto, come nei messaggi:

  Un prodotto ricco di sole
  Ducros: la passione del gusto

- **il bisticcio**, che consiste nell'accostamento di termini simili nella forma ma diversi per significato; es.:

  Non bucate il bucato!

- **l'antitesi**, che consiste nell'usare all'interno dello stesso messaggio termini o espressioni di significato opposto; es.:

  XIRXI: la grande industria dei piccoli elettrodomestici.

- **l'assonanza e la rima**; es.:

  BALENO e lavoro meno.

ecc.

1. Invenzione e interpretazione

a. Create dei messaggi pubblicitari per:

- una schiuma da bagno
- un vino italiano
- un profumo maschile
- una località della riviera ligure
- una salsa di pomodoro
- una ditta di scarpe italiane.

b. Provate a individuare il prodotto pubblicizzato dai seguenti messaggi:

1. Uno. Tra mille passioni, la passione guida.
2. Per una bocca sana ed un alito fresco la soluzione c'è: è AGLIODENT.
3. Nutri il tuo bambino con un prodotto sano e nutriente, ricco di ingredienti naturali: farina, latte uova e tante vitamine. Nutrilo con CEREAL!
4. I capelli grassi sono il tuo problema? Ti preoccupa la forfora? I laboratori Progen hanno creato per te un prodotto a base di vitamine, cheratina e principi attivi naturali, ...
5. Un profumo che ti prende, il sapore genuino d'altri tempi: tutta frutta da spalmare, in tanti gusti a piacere: prezioso dono di natura da portare ogni giorno sulla tavola.
6. Unto sulle piastrelle. Grasso sui fornelli. Macchie sul pavimento. Basta con tutto questo. Ora c'è LINDOR!
7. Naso chiuso? CALYPTOL apre.
   CALYPTOL decongestiona come coadiuvante le prime vie respiratorie in caso di riniti, faringiti, laringiti. CALYPTOL agisce in virtù dei suoi componenti naturali: essenze di pino, di timo, di rosmarino, eucaliptolo e terpineolo.
8. Smettiamola di travestirci. Parliamo invece di quei valori che piace sempre portare addosso. Parliamo di comfort e taglio impeccabile; di uno stile personale fatto di sobrietà e buon gusto; di morbidezza dei tessuti e qualità delle finiture.
9. Visto che a scuola si deve andare meglio andarci con un SORRISO! Con un sorriso la vita è più allegra, meglio ancora se il sorriso è MKB! Giovane e dinamico nella linea e nelle colorazioni, SORRISO MKB corre silenzioso in barba alla noia e al traffico cittadino. Il suo affidabile motore macina chilometri e chilometri senza affaticarsi, con consumi e tassi di inquinamento ridottissimi.

2. Figure retoriche

➤ *Indicate le figure retoriche (antitesi, iperbole, metafora, metonimia, allusione, ecc.) presenti nei seguenti messaggi pubblicitari:*

1. ESSO: metti un tigre nel motore.
2. Timberland. Sotto qualsiasi cielo, sopra qualsiasi terra.
3. Artemide: il lume della ragione.
4. Datevi all'ittica. Il pesce aguzza l'ingegno.
5. DULUX-EL. Grande perché piccola.
6. All'origine di un grande vino frizzante c'è una calma assoluta.
7. Videoregistratori Philips: basta un tasto.
8. Marbella Sprint: più bella fuori più ricca dentro.

3. Analisi della stampa periodica

> Se hai in casa un giornale o una rivista italiana, osserva gli inserti e le pagine di pubblicità, e completa la scheda che segue indicando il prodotto pubblicizzato, le idee-forza contenute, il pubblico cui è destinato il messaggio, le immagini che evocano e le figure retoriche o giochi di parole presenti:

Messaggio	prodotto pubblicizzato	Idea - forza	Destinatario	....

4. Il ruolo della pubblicità

> Indicate i mezzi e gli espedienti di cui si serve la pubblicità per attirare e persuadere il pubblico dei consumatori.

Profilo dell'autore a pag. 400

3. ANCHE I TRENI BEVONO

Nella mia fantasia infantile, i treni erano una cosa illustre, potente, piena di nobiltà; come accade dei veri nobili, i treni mi si presentavano con i segni di una antica potenza. I treni erano solenni, dignitosi, non erano macchine frettolose e distratte. Andare in treno era un'esperienza da re; c'erano vagoni di rappresentanza,

5 vagoni reali, vagoni presidenziali. C'era tutta una iconografia[1], passava un treno sobrio e lussuoso, e un signore dal finestrino salutava gente nelle stazioni di passaggio; una volta i bambini venivano portati a vedere i treni, e dalle locomotive traevano profonde emozioni, il vagone letto faceva loro giurare di diventare cittadini integerrimi.

10 Che cosa è successo ai treni? La mia impressione è che si siano messi a bere, che abbiano storie con ballerine, che siano finiti in quartieri e in compagnie indecorose. Esattamente quello che fanno i rampolli[2] di nobile famiglia quando hanno deciso di andare in malora[3]. Mi rattrista vedere questi grossi, importanti signori dello spazio comportarsi in modo sciatto, lievemente losco. I treni indossano vesti-

15 ti stirati male, hanno sempre una sigaretta da pochi soldi sull'orlo del labbro, hanno i berretti tipo Chicago e puzzano. Ahimè, un treno che puzza è uno spettacolo diseducativo; nessun bambino che a scuola prende bei voti vedrebbe con gioia un treno con quest'aria sfacciata e sgraziata; un bambino così guarderebbe il treno con giusto corruccio[4] e se fosse una bambina a modo, arrossirebbe e si metterebbe a

20 piangere.

Secondo me, è un problema psicologico; i treni soffrono di una depressione insinuante, una depressione da nobile umiliato, appunto quell'avvilimento che spinge al bere. Non è impossibile che i treni siano stati duramente feriti dalla comparsa degli aerei. Gli aerei sono giovani, non hanno storia, si son fatti un nome in guer-

25 ra, sono vocianti[5], litigiosi, fracassoni[6], maneschi[7]; girano il mondo, fanno la bella vita. I treni girano di stazione in stazione e si sentono superati. Gli aerei non si fermano ad Arezzo, a Parma, a Frosinone; i treni non hanno più il minuto piacere di andare in cerca della minuscola periferica stazione dove una volta erano un avvenimento. Ma l'aereo, per quanto prestigioso, seducente, suvvia, è un amorazzo che

30 comincia e finisce subito. Non ci sono mazzi di fiori per l'aereo; il treno era, potrebbe essere una esperienza solida, forte, qualcosa di cui parlare ai nipoti. Diciamo il vero, una vita senza treni che vita sarebbe?

(G. MANGANELLI, in *"Il Messaggero"*, 22 gennaio 1989)

1. serie di immagini relative ad un certo soggetto o argomento; in questo caso relative ai treni ■ 2. erede, figlio ■ 3. rovina ■ 4. sentimento di dolore e di ira o sdegno per qualcuno o qualcosa ■ 5. che parla ad alta voce ■ 6. che fa molto rumore ■ 7. che usa le mani per colpire qualcuno, violento

1. Informazioni specifiche

> *Rispondete alle seguenti domande:*

1. Come ricorda lo scrittore i treni della sua infanzia?
2. Che cosa può essere successo ai treni, oggi? Come lo spiega l'autore?
3. Come viene descritto il "comportamento" dei treni di oggi?
4. Insomma, di che cosa soffrono i treni?
5. Quale opinione degli aerei ha lo scrittore?
6. In che cosa consiste il fascino del treno secondo Manganelli?
7. Quali città italiane sono nominate nel testo? In quale parte dell'Italia si trovano? Nord, centro, sud, isole?

2. Informazioni generali

> *Il testo, in base alle considerazioni dell'autore, è distinto in tre parti: una introduzione, una parte centrale con delle ipotesi e delle considerazioni finali.*
> *Formulate per ciascuna una frase riassuntiva.*

3. Sintesi

> *Provate a riesprimere il contenuto del testo seguendo un percorso inverso, partendo cioè dalle considerazioni finali dell'autore circa la superiorità e il fascino dei treni rispetto agli aerei.*

vai a pag. 11

1. Campi semantici

> *Individuate e trascrivete i termini o le espressioni che hanno una relazione semantica con la parola "treno".*

2. Connotazione e denotazione

Le parole possono essere usate sia nel loro significato proprio (*significato referenziale*) sia con un senso affettivo, valutativo o evocativo. Nel primo caso si parla di **denotazione**, nel secondo di **connotazione**.
Il testo di Manganelli, ad esempio, descrive l'aspetto dei treni di oggi in confronto con i treni di "una volta" con toni ed espressioni che rivelano un atteggiamento di partecipazione affettiva. Qui le parole sono usate in funzione connotativa: attraverso allusioni e riferimenti ad altre realtà e ad immagini diverse, esse evocano o richiamano nel lettore sensazioni ed emozioni particolari. Ad esempio la parola "storie" (r. 11) è qui usata nel senso di *relazioni amorose proibite*, vale a dire con una connotazione negativa.

La connotazione è, quindi, un meccanismo linguistico mediante il quale una parola o una espressione è marcata da una valutazione positiva o negativa o è dotata di un significato evocativo, cioè di un significato che riporta alla memoria di chi ascolta o legge ambiti culturali o sociali diversi. Così, sempre dal testo di Manganelli, il termine "amorazzo" (r. 29) ha la stessa denotazione di "amore", ma è connotato negativamente, e la parola "rampollo" (r. 12) rispetto ad "erede" richiama alla memoria "il figlio di una famiglia nobile ed importante".

Denotazione e connotazione mettono in luce alcuni aspetti del significato, come la sinonimia; infatti, parole fra loro sinonime divergono per la loro connotazione: ad esempio, *topo* e *sorcio*, *gatto* e *micio*, *poliziotto* e *sbirro*, *trattoria* e *taverna*, ecc.

a. *Individuate nel testo letto le espressioni e le immagini che si riferiscono ai:*

1. treni di ieri: _____

   _____

2. treni di oggi: _____

   _____

b. *Indicate se nelle seguenti frasi le parole e le espressioni in corsivo sono usate in funzione denotativa o connotativa:*

1. Per il compleanno sua madre le ha preparato un pranzo *coi fiocchi*.
2. Ieri sera sono andato a vedere "La traviata", ma sono rimasto deluso perché quel *cane* di tenore ha rovinato l'opera.
3. I signori Bianchi hanno comprato una piccola *casa* nella periferia nord della città.
4. Sono stato a trovare la famiglia di Gianni: vive proprio in un *tugurio*.
5. Trascorre quasi tutte le sere in una *bettola* e quando torna a casa è sempre *sbronzo*.
6. *Poveraccio*, l'hanno lasciato *crepare in quella baracca*, solo come un *cane*.
7. In queste cose non mi posso sbagliare: ho un *sesto senso*.
8. Nonostante tutto portava indosso quei suoi *quattro stracci* con una certa dignità, quasi con fierezza.

c. *Per le seguenti frasi sostituite la parola in corsivo usata con valore connotativo negativo con una più neutra scegliendola fra quelle proposte nel riquadro:*

> bocca - errore - faccia - guardia del corpo - idea - macchina - nubile - piangere - poliziotto - quadro - religioso - ribrezzo - rompere - scrupoloso - stanco - vestire

1. I vicini che la vedono andare in chiesa tutte le mattine, dicono che Luisa è una donna *bigotta*.
2. Hai speso tutti quei soldi per una simile *crosta*?
3. E' rimasta *zitella* per non lasciare sua madre da sola.
4. Se ti rivedo un'altra volta dare fastidio alla mia fidanzata ti *spacco* il *muso*.
5. Puoi stare tranquillo con Carlo: nel suo lavoro è molto *pignolo*.
6. Come *ti sei conciato*? non siamo mica a carnevale!
7. Dovunque andasse era sempre accompagnato da due *gorilla*.
8. Hai avuto proprio una bella *pensata*.
9. Il bambino *frignava* e la mamma per farlo smettere gli ha dato dei biscotti.
10. Dove l'hai comprato questo *catorcio*? Sei proprio sicuro che cammina?
11. E tu, chiudi il *becco*!

12. Dai, scappiamo, stanno arrivando gli *sbirri*.
13. Non l'ho mangiato perché mi faceva *schifo*.
14. Il suo discorso era pieno di *strafalcioni*.
15. Non fa niente tutto il giorno, eppure dice continuamente di essere *stracco*.

vai a pag. 24

3. Polisemia

a. *Indicate con un segno (x) il significato con cui sono usate nel testo letto le parole che seguono:*

1. **reale** (r. 5): vero - proprio del re - sincero - naturale
2. **profondo** (r. 8): la parte più interna - intenso, molto sentito - difficile da capire - che si addentra verticalmente verso il basso
3. **voto** (r. 17): promessa - espressione della propria volontà in una elezione - giudizio di merito a scuola - desiderio
4. **aria** (r. 18): elemento che costituisce l'atmosfera - situazione - melodia - aspetto, apparenza
5. **giusto** (r. 19): legittimo - vero - appropriato - esatto
6. **depressione** (r. 21): avvallamento - crisi economica - avvilimento e tristezza
7. **minuto** (r. 27): piccolo - curato nei particolari - momento, istante - unità di tempo della durata di 60 secondi

b. *Con uno dei significati "diversi" delle parole sopra elencate formate delle frasi.*

4. Sinonimi

L'autore parlando dei treni li definisce *"frettolosi e distratti"*. In altri termini, per ampliare un concetto, accosta due aggettivi di significato simile (sinonimi o quasi sinonimi): *"frettoloso"*, infatti, sta ad indicare o una persona che avendo poco tempo va di fretta o qualcosa fatta in fretta; *"distratto"*, invece, indica qualcuno che assorto nei propri pensieri non si accorge di ciò che gli succede intorno. Uniti, i due aggettivi rafforzano l'immagine che l'autore vuol dare dei treni.

Aiutandovi anche con il dizionario, indicate le sfumature di significato che distinguono le seguenti coppie di aggettivi:

1. sciatto - sgraziato
2. litigiosi - maneschi
3. solido - stabile
4. scontroso - introverso
5. sfacciato - invadente
6. equivoco - losco
7. depresso - demoralizzato
8. umiliato - abbattuto
9. superato - obsoleto
10. illustre - famoso
11. dignitoso - decoroso
12. frettoloso - precipitoso

5. Modi di dire

vai a pag. 82

a. *Spiegate il senso delle seguenti espressioni usate nel testo:*

- essere a modo: _____
- andare in malora: _____

- farsi un nome: _____
- fare una bella vita: _____
- avere storie con qualcuna: _____

b. *come sopra:*
   - uscire dai binari: _____
   - essere su un binario morto: _____
   - arrivare con l'ultimo treno: _____
   - sbuffare come una locomotiva: _____

C | PRODUZIONE ORALE O SCRITTA

1. Siete d'accordo con le considerazioni dell'autore a proposito dei treni e degli aerei?
2. Come sono i servizi ferroviari nel vostro paese?
3. Una vostra amica è fidanzata con un ragazzo che ha ottenuto una borsa di studio per un corso di perfezionamento negli Stati Uniti della durata di due anni. Il ragazzo ha chiesto alla vostra amica di seguirlo, ma lei non sa cosa fare. È davvero disperata, perché ha una paura matta di volare e sa che se il fidanzato, molto sensibile al fascino femminile, va da solo, si dimenticherà presto di lei. Chiede a voi un consiglio.
4. Per tornare a casa dopo un concerto avete preso il treno. È stata un'esperienza terribile: carrozze molto affollate, sporcizia dappertutto, ritardi nella partenza, personale ferroviario scortese. Decidete allora di denunciare il tutto: scrivete una lettera ad un giornale raccontando cosa avete visto e subìto.

Profilo dell'autore
GIORGIO MANGANELLI

E' nato a Milano il 15 novembre 1922 ed è morto a Roma il 28 maggio 1990. Scrittore e critico letterario d'avanguardia è approdato alla narrativa con *Hilarotragoedia* (1964), un lungo monologo sulla condizione umana, analizzata, capovolta e straziata. Un libro che si fa leggere sia per la carica spietata di dissacrazione di valori e pseudovalori sia per la continua invenzione lessicale e sintattica e di immagini che produce pagine dense e mosse. Caratteristiche queste che si ritrovano un po' in tutta la sua produzione. Le parole di Manganelli sono il frutto di una consumata arte combinatoria: la sua realtà è il lessico, che lo scrittore lavora con puntiglio, ma anche con la raffinata delicatezza di un miniaturista. Nella sua pagina realismo e assurdo si combinano in una originale miscela.
  Della sua produzione successiva vanno ricordati: *Nuovo commento* (1969), *Lunario dell'orfano sannita* (1983). Originale è *Centuria* (1979), un'opera in cui sono come riuniti cento romanzi (senza titolo, solo numerati da uno a cento) che sono in realtà cento possibili romanzi, in quanto si tratta di cento "trame" il cui svolgimento o sviluppo dovrà essere realizzato dallo stesso lettore. Del 1977 è *Pinocchio un libro parallelo* che costituisce un modo originale di ripercorrere la storia del famoso burattino di legno creato da Carlo Collodi. Tra le opere più recenti vanno ricordate: *Antologia personale, Improvvisi* e *Laboriose inezie*. Dopo la sua morte è uscito il volume *La palude definitiva* (1991).

4. I SETTE MESSAGGERI

Partito ad esplorare il regno di mio padre, di giorno in giorno vado allontanando-mi dalla città e le notizie che mi giungono si fanno sempre più rare. [...]

Mi misi in viaggio che avevo già più di trent'anni, troppo tardi forse. Gli amici, i familiari stessi, deridevano il mio progetto come inutile dispendio[1] degli anni miglio-
5 ri della vita. Pochi in realtà dei miei fedeli acconsentirono a partire.

Sebbene spensierato -ben più di quanto sia ora!- mi preoccupai di poter comuni-care, durante il viaggio con i miei cari, e fra i cavalieri della scorta[2] scelsi i sette migliori, che mi servissero da messaggeri.

Credevo, inconsapevole, che averne sette fosse addirittura un'esagerazione. Con
10 l'andar del tempo mi accorsi al contrario che erano ridicolmente pochi; e sì che nes-suno di essi è mai caduto malato, né è incappato[3] nei briganti, né ha sfiancato[4] le cavalcature. Tutti e sette mi hanno servito con una tenacia e una devozione che dif-ficilmente riuscirò mai a ricompensare. Per distinguerli facilmente imposi loro nomi con le iniziali alfabeticamente progressive: Alessandro, Bartolomeo, Caio,
15 Domenico, Ettore, Federico, Gregorio.

Non uso alla lontananza dalla mia casa, vi spedii il primo, Alessandro, fin dalla sera del secondo giorno di viaggio, quando avevamo percorso già un'ottantina di leghe[5]. La sera dopo, per assicurarmi la continuità delle comunicazioni inviai il secondo, poi il terzo, poi il quarto, consecutivamente, fino all'ottava sera di viaggio,
20 in cui partì Gregorio. Il primo non era ancora tornato.

Ci raggiunse la decima sera, mentre stavamo disponendo il campo per la notte, in una valle disabitata. Seppi da Alessandro che la sua rapidità era stata inferiore al previsto; avevo pensato che, procedendo isolato, in sella ad un ottimo destriero[6], egli potesse percorrere, nel medesimo tempo una distanza due volte la nostra; invece
25 aveva potuto solamente una volta e mezza; in una giornata, mentre noi avanzava-mo di quaranta leghe, lui ne divorava sessanta, ma non più.

Così fu degli altri. Bartolomeo, partito per la città alla terza sera di viaggio, ci rag-giunse alla quindicesima; Caio partito alla quarta, alla ventesima solo fu di ritorno. Ben presto constatai che bastava moltiplicare per cinque i giorni fin lì impiegati per
30 sapere quando il messaggero ci avrebbe ripresi.

Allontanandoci sempre di più dalla capitale, l'itinerario dei messi si faceva ogni volta più lungo. Dopo cinquanta giorni di cammino l'intervallo fra un arrivo e l'altro dei messaggeri cominciò a spaziarsi sensibilmente; mentre prima me ne vedevo arrivare al campo uno ogni cinque giorni questo intervallo divenne di venticinque;
35 la voce della mia città diveniva in tal modo sempre più fioca; intere settimane pas-savano senza che io ne avessi alcuna notizia.

Trascorsi che furono sei mesi - già avevamo varcato i monti Fasani - l'intervallo fra un arrivo e l'altro dei messaggeri aumentò a ben quattro mesi. Essi mi recavano ormai notizie lontane: le buste mi giungevano gualcite[7], talora con macchie di umido
40 per le notti trascorse all'addiaccio[8] da chi me le portava. [...]

Avanti, avanti! Vagabondi incontrati per le pianure mi dicevano che i confini non erano lontani. Io incitavo i miei uomini a non posare, spegnevo gli accenti scorag-giati che si facevano sulle loro labbra. Erano già passati quattro anni dalla mia par-

tenza; che lunga fatica. La capitale, la mia casa, mio padre, si erano fatti stranamente remoti, quasi non ci credevo. Ben venti mesi di silenzio e di solitudine inter-
correvano ora fra le successive comparse dei messaggeri. Mi portavano curiose lettere ingiallite dal tempo e in esse trovavo nomi dimenticati, modi di dire a me insoliti, sentimenti che non riuscivo a capire. Il mattino successivo, dopo una sola notte
di riposo, mentre noi ci rimettevamo in cammino, il messo partiva nella direzione
opposta, recando alla città le lettere che da parecchio tempo io avevo apprestate[9].

Ma otto anni e mezzo sono trascorsi. Stasera cenavo da solo nella mia tenda quando è entrato Domenico, che riusciva ancora a sorridere benché stravolto dalla fatica. Da quasi sette anni non lo rivedevo. Per tutto questo periodo lunghissimo egli
non aveva fatto che correre, attraverso praterie, boschi e deserti, cambiando chissà
quante volte cavalcatura, per portarmi quel pacco di buste che finora non ho avuto
voglia di aprire. Egli è già andato a dormire e ripartirà domani stesso all'alba.

Ripartirà per l'ultima volta. Sul taccuino ho calcolato che, se tutto andrà bene, io continuando il cammino come ho fatto finora e lui il suo, non potrò rivedere Domenico che
fra trentaquattro anni. Io allora ne avrò settantadue. Ma comincio a sentirmi stanco ed
è probabile che la morte mi coglierà prima. Così non lo potrò mai più rivedere.

Fra trentaquattro anni (prima anzi, molto prima) Domenico scorgerà inaspettata-
mente i fuochi del mio accampamento e si domanderà perché mai nel frattempo, io
abbia fatto così poco cammino. Come stasera il buon messaggero entrerà nella mia
tenda con le lettere ingiallite dagli anni, cariche di assurde notizie di un tempo già
sepolto; ma si fermerà sulla soglia, vedendomi immobile disteso sul giaciglio[10], due soldati ai fianchi con le torce, morto.

Eppure, va, Domenico, e non dirmi che sono crudele! Porta il mio ultimo saluto alla
città dove io sono nato. Tu sei il superstite legame con il mondo che un tempo fu anche
mio. I più recenti messaggi mi hanno fatto sapere che molte cose sono cambiate, che
mio padre è morto, che la Corona è passata a mio fratello maggiore, che mi considerano perduto, che hanno costruito alti palazzi di pietra là dove prima erano le querce
sotto cui andavo solitamente a giocare. Ma è pur sempre la mia vecchia patria.

Tu sei l'ultimo legame con loro, Domenico. Il quinto messaggero, Ettore, che mi rag-
giungerà, Dio volendo, fra un anno e otto mesi, non potrà ripartire perché non farebbe più in tempo a tornare. Dopo di te il silenzio, o Domenico, a meno che finalmente
io non trovi i sospirati confini. Ma quanto più procedo, più vado convincendomi che
non esiste frontiera.

Non esiste, io sospetto, frontiera, almeno nel senso che noi siamo abituati a pensare. Non ci sono muraglie di separazione, né valli divisorie, né montagne che chiu-
dano il passo. Probabilmente varcherò il limite senza accorgermene neppure, e con-
tinuerò ad andare avanti, ignaro. [...]

Una speranza nuova mi trarrà domattina ancora più avanti, verso quelle montagne inesplorate che le ombre della notte stanno occultando. Ancora una volta io
leverò il campo, mentre Domenico scomparirà all'orizzonte dalla parte opposta, per
recare alla città lontanissima l'inutile mio messaggio.

(D. BUZZATI, *Sessanta racconti*, Mondadori, Milano, 1968)

---

1. spreco, sforzo inutile ■ 2. soldati addetti alla difesa e protezione durante il viaggio di un convoglio ■ 3. imbattersi, incontrare casualmente ■ 4. stancare ■ 5. unità di misura di lunghezza usata in passato in diversi paesi ■ 6. cavallo ■ 7. lo stesso che sgualcite, vale a dire spie-
gazzate e piene di grinze ■ 8. all'aperto ■ 9. preparate ■ 10. letto improvvisato

1. Informazioni specifiche

a. Rispondete alle seguenti domande:

1. Perché il principe decide di abbandonare la sua casa.
2. Quanti anni ha quando racconta questo suo viaggio?
3. Come fa il principe a calcolare il giorno del ritorno di ciascun messaggero?
4. Perché invia i messaggeri nella sua città natale?
5. Chi è l'ultimo messaggero a partire? Perché dopo di lui il principe non invia più nessuno?
6. Qual è lo stato d'animo del principe mentre scrive questa sua cronaca del viaggio?

b. Seguendo il criterio indicato nel testo per calcolare la data di ritorno di ciascun messaggero, completate la tabella seguente:

Messaggero	1 partenza	ritorno	2 partenza	ritorno
Alessandro	2° giorno	10° giorno	11° giorno	55° giorno
Bartolomeo				
Caio				
Domenico				
Ettore				
Federico				
Gregorio				

2. Sintesi

➤ *Completate con le parole opportune la seguente sintesi del brano letto:*

Un principe si mise in viaggio insieme alla sua _____ per esplorare e conoscere i _____ del suo regno. Tra i cavalieri che lo accompagnavano _____ scelse sette, i più valorosi e forti, perché _____ nella capitale i suoi messaggi e gli riportassero notizie della sua _____ e dei suoi cari. Per distinguerli facilmente diede _____ nomi che iniziavano con lettere _____ progressive. E così a partire dal _____ giorno, iniziò l'invio dei _____ verso la capitale. Man mano che si allontanavano dalla città gli arrivi erano sempre più _____: all'inizio l'_____ era di giorni, poi divenne di _____ e infine di anni.

Dopo otto anni e mezzo dalla _____ il principe inviò Domenico, che sarebbe _____ l'ultimo messaggero perché, dai calcoli fatti, sarebbe _____ solo dopo trentaquattro anni. E per quella _____ probabilmente il principe non _____ stato più vivo: forse _____ senza nemmeno vedere i confini del _____, oppure li avrebbe attraversati senza _____. Tuttavia, anche se ormai _____ continuò il viaggio verso l'ignoto, _____ non più interessato a quanto _____ nella capitale, volle mantenere comunque _____ con la sua patria.

3. *Fabula* e intreccio

Narrare vuol dire raccontare una storia, ossia esporre una serie di avvenimenti o azioni che si susseguono nel tempo e sono collegati fra loro da precisi rapporti. I racconti esplicitano il modo in cui le persone organizzano mentalmente gli eventi, in una successione logica, emotiva o cronologica.

L'ordine in cui i fatti sono raccontati in un testo, orale o scritto, è detto **"intreccio"**. Tale ordine non è mai casuale, ma corrisponde sempre alla scelta dell'autore di ottenere un certo effetto. L'ordine degli eventi dell'intreccio può corrispondere all'ordine cronologico reale, oppure, come avviene più spesso, si discosta sensibilmente dall'ordine reale, e presenta salti in avanti o indietro, o si dilunga con descrizioni, digressioni o riflessioni.

La sequenza reale dei fatti nella "storia" è detta, invece, **"fabula"**. Il lettore, nel leggere il racconto, ricostruisce la reale sequenza logica e cronologica degli eventi andando al di là del modo in cui sono proposti a livello di narrazione. La *fabula*, quindi, è il livello della "storia", mentre l'intreccio è il piano del racconto. Ad esempio, il racconto di Buzzati, I *sette messaggeri*, inizia da un momento presente (...*vado allontanandomi*...) per poi tornare indietro nel tempo a rievocare quanto è successo molto tempo prima (nel linguaggio del cinema lo chiameremmo *flash back*) e precisamente il momento in cui il principe ha lasciato la sua casa per trovare i confini del regno. I tempi e le sequenze della narrazione sono, quindi, diversi dal tempo della "fabula", cioè della sequenza logico-temporale della storia.

> *Ricostruite l'ordine temporale della "fabula" a partire dall'evento più lontano, per arrivare, attraverso i fatti più vicini, prima al presente e poi al futuro.*
> *Vi diamo qui di seguito gli indicatori temporali presenti nel testo; indicate la riga in cui compaiono e l'avvenimento che in esso accade:*

1. otto anni e mezzo prima   [r. 51]   Partenza del principe dalla città natale.

2. la sera del secondo giorno   [r. ___]   _____

3. la sera dopo   [r. ___]   _____

4. la quarta sera   [r. ___]   _____

5. l'ottava sera	[r. ___]	_____
6. la decima sera	[r. ___]	_____
7. la quindicesima sera	[r. ___]	_____
8. la ventesima	[r. ___]	_____
9. dopo cinquanta giorni	[r. ___]	_____
10. trascorsi sei mesi	[r. ___]	_____
11. da quasi sette anni	[r. ___]	_____
12. da quattro anni	[r. ___]	_____
13. stasera	[r. ___]	_____
14. domattina	[r. ___]	_____
15. fra un anno e otto mesi	[r. ___]	_____
16. fra trentaquattro anni	[r. ___]	_____

➤ *Ora confrontate l'ordine cronologico reale con l'ordine in cui i fatti sono narrati. Quali differenze si notano?*

_____

_____

b | ANALISI LINGUISTICA E TESTUALE

1. Coesione testuale

➤ *Per gli elementi evidenziati indicate a quali termini o informazioni fanno riferimento:*

1. "gli amici deridevano il mio progetto". (r. 4)   *Di quale progetto si tratta?*
2. "Credevo che averne sette fosse..." (r. 9)   *A chi si riferisce il "ne"?*
3. "senza che io ne avessi alcuna notizia" (r. 36)   *Notizia di chi o di che?*
4. "Quasi non ci credevo" (r. 45)   *Non credevo a che cosa?*
5. "Ma otto anni e mezzo sono trascorsi."(r. 51)   *Da quando?*
6. "Così non lo potrò più rivedere" (r. 61)   *A chi si riferisce il "lo"?*

2. Numeri cardinali

> I numeri ricorrono di frequente in molte espressioni e modi di dire della lingua e nei proverbi. Ad esempio, per indicare un grosso sforzo fisico si usa dire: "Sudare sette camicie", oppure per fissare un incontro riservato si dice: "Vediamoci a *quattr'occhi*".

a. *Anche con l'aiuto del dizionario, completate le frasi seguenti con il numerale opportuno così da formare dei modi di dire:*

1. Alla conferenza erano presenti i soliti _____ gatti.
2. Se il direttore non ci ascolta qui succede un _____ .
3. Ha tanta paura dei ladri che tutte le sere chiude la porta a _____ chiavi.
4. Prendo solo _____ dita di vino.
5. Mi pare che questa tua proposta sia _____ miglia lontana dal risolvere il problema.
6. Non c'è due senza _____ .
7. Sono talmente innamorato che vorrei gridarlo ai _____ venti.
8. Nei confronti dei figli non è bene avere _____ pesi e _____ misure.
9. Quando si tratta di aiutare un amico si fa in _____ .
10. Di nuovo, buon compleanno! e _____ di questi giorni!

b. *Indicate almeno cinque espressioni idiomatiche della vostra lingua madre che contengano un numero e spiegatele in italiano.*

3. Parole derivate

Diverse sono le parole che derivano da numeri, come *duetto, trio, quartetto, cinquina, sestina,* ecc. Inoltre ci sono parole composte che hanno come primo elemento una forma derivata da un numerale (*tri-, quadri-, quinque- cinqu-,* ecc.). Si tratta per lo più di termini indicanti oggetti o concetti che presentano un numero definito di parti o di elementi. Così **"trifoglio"** indica un'erba che presenta foglie raggruppate a tre a tre, **"trimestre"** indica un periodo di tre mesi, mentre **"triennio"** un periodo di tre anni, **"biennio"** indica due anni, e **"quadriennio"** quattro anni. Allo stesso modo un sistema di governo che si regge su un'alleanza di tre partiti è indicato come **"tripartitico"**, se su quattro **"quadripartitico"**, ecc.

➤ *Indicate, anche con l'aiuto di un dizionario, il termine con cui si indica:*

1. una pubblicazione che esce ogni tre mesi: _____
2. un complesso musicale di quattro strumenti: _____
3. una strofa di poesia di tre versi: _____
4. una nave con quattro ordini di remi: _____
5. una figura geometrica con tre lati: _____
6. un periodo di sette giorni: _____
7. un veicolo a tre ruote: _____
8. una serie di cinque numeri nel gioco della tombola: _____
9. un periodo lungo sei mesi: _____
10. un verso di undici sillabe: _____

4. Passato e trapassato

Nel racconto di Buzzati si incontrano un po' tutti i tempi verbali dell'italiano: il presente, i diversi tempi del passato e il futuro. L'io narrante comincia descrivendo al presente la situazione in cui vive nel momento in cui redige la cronaca; poi passa a rievocare fatti lontani, ed usa i diversi tempi del passato con prevalenza del passato remoto; alla fine si proietta verso il futuro ed immagina ciò che accadrà nei giorni successivi.

Il passato remoto è il tempo verbale che viene usato per indicare eventi o stati del passato che non hanno più alcun rapporto con il presente. Per questo è frequente nei testi narrativi (romanzi, racconti, novelle, fiabe) e nei testi di storia.

Il trapassato remoto (nel testo di Buzzati c'è un esempio) esprime un'azione immediatamente precedente un evento o fatto espresso al passato remoto e si usa esclusivamente in frasi subordinate temporali.

es.:

Appena fu uscito di casa, si accorse di aver dimenticato le chiavi.

Il trapassato prossimo si usa per esprimere un evento o una condizione al passato che precede un altro evento o stato anch'esso accaduto nel passato.

es.:

*Disse che suo figlio **era uscito** da appena cinque minuti.*
*Non si è fatto vivo perché **aveva lasciato** in un'altra giacca il numero di telefono.*

a. *Individuate nel testo di Buzzati i verbi al passato remoto e al trapassato, e riscriveteli secondo l'ordine reale in cui gli eventi si sono succeduti nella realtà.*

b. *Riscrivete le frasi che seguono al passato remoto o al trapassato (prossimo o remoto):*

1. Angela tornerà quando tutto questo trambusto si sarà concluso.
2. Si siede al suo posto e comincia a mangiare.
3. Dice che nessuno dei compagni ha sospettato di nulla.
4. Patrizia dovrebbe tornare a casa prima delle otto.
5. Fingeva di esser d'accordo con loro e a parole accondiscendeva a tutte le loro richieste.
6. Non ha fatto in tempo a dire una parola che subito quel tipo lo ha coperto di insulti ed improperi.
7. Così il ragazzo ha avuto la possibilità di conoscere un giornalista tanto famoso.

5. I verbi aspettuali

I **verbi aspettuali**, detti anche ausiliari del tempo, sono quei verbi che possono essere uniti ad un altro verbo di modo indefinito (infinito o gerundio) per precisare un **aspetto** dell'azione (*momentaneo, durativo, imminente...*). Proprio perché accompagnano altri verbi vengono anche detti, da alcuni grammatici, **verbi fraseologici.**
I verbi aspettuali che si uniscono all'infinito del verbo che accompagnano e con cui formano un'unità sintattica sono seguiti da una preposizione (**a**, **di** o **per**).
I verbi aspettuali più frequenti, raggruppati in funzione dell'aspetto, sono quelli che indicano:

a. *imminenza di un'azione:*

stare per...	→ *Stavo per rivelare tutto, quando lui mi ha fatto cenno di tacere.*
accingersi a...	→ *Mi accingevo a godermi la confusione di Teresa.*

b. *inizio di un'azione (aspetto ingressivo)*

cominciare a...	→ *Prese sul tavolo un libro e cominciò a leggere.*
mettersi a...	→ *Appena lo vide si mise a ridere.*
prendere a...	→ *Ad un certo punto ha preso a dire che lui era stanco e non voleva sapere nulla di quello che era successo.*
iniziare a...	→ *Il Porcacci inizia a versare il vino riempiendo i bicchieri fino all'orlo.*

c. *svolgimento di un'azione (aspetto progressivo)*

stare + gerundio	→ *Le ombre della notte stanno occultando la montagna.*
stare + a+ inf.	→ *Mspadre stava a leggere il giornale.*
andare + gerundio	→ *Di giorno in giorno vado allontanandomi dalla città.*
venire + gerundio	→ *Mario viene dicendo che tutto era previsto.*

d. *continuità di un'azione (aspetto durativo)*

continuare a...	→ *Continua a lavorare anche dopo l'orario stabilito.*
seguitare a...	→ *Seguitava ad andare sotto le sue finestre per incontrarla.*
insistere a(nel) ...	→ *Insisto nel ribadire che questo comportamento non è accettabile.*

e. *conclusione di un'azione (aspetto conclusivo)*

finire di...	→ *Ho finito di lavorare all sette del pomeriggio.*
cessare di...	→ *Ha cessato di vivere all'alba del nuovo anno.*
smettere di...	→ *Luca ha smesso di fumare perché si sentiva male.*

a. **Completate le frasi seguenti con l'opportuno verbo aspettuale al tempo e modo appropriato:**

1. Quella sera viene denunciato il fatto che sull'autostrada un branco di monelli .... buttando giù i cartelloni pubblicitari.

2. Ma quanto più vado avanti, più .... convincendomi che non esiste frontiera.

3. Lo trovarono nudo nelle mani di un infermiere che lo ...... incerottando e pennellando con la tintura di iodio.

4. Quando .... a intuire un'irregolarità, gli si accendeva lo sguardo.

5. Dopo cinquanta giorni di cammino l'intervallo fra un arrivo e l'altro dei messaggeri .... a spaziarsi sensibilmente.

6. .... allora per entrare nel garage quanto sentii chiamarmi da Fulvia.

7. Prima ancora che la barzelletta finisse, Angela .... a ridere a crepapelle.

8. Appena ha saputo la notizia della vittoria di sua sorella nello slalom ..... a piangere dalla gioia.

b. Indicate se l'aspetto delle azioni espresse nelle frasi che seguono è di imminenza, oppure incoativo, progressivo, durativo o conclusivo:

1. Stanno arrivando gli invitati: porta subito gli aperitivi in tavola! [_____]
2. Andava dicendo che non ne sapeva nulla. [_____]
3. Smettetela di fare tutto questo baccano indiavolato. [_____]
4. Per tutto il tempo ha continuato a masticare la gomma americana.
   [_____]
5. Stavo per andar via, dicendo che rinunciavo al taglio. [_____]
6. Quando comincia a parlare non la finisce più. [_____]
7. Nella piazza cominciarono a diffondersi le note di "Fratelli d'Italia". [_____]
8. Invano cercai di avere qualche briciola dell'eredità che il giovane si apprestava a dilapidare. [_____]

c. Nelle seguenti frasi inserite, se occorre, l'opportuna preposizione che unisce il verbo servile, aspettuale o causativo all'infinito:

1. Se continui _____ parlare solo tu come faccio ____ dire la mia idea su questo problema?
2. Mi preparavo _____ uscire dall'aula quando Maria mi ha chiamata e mi ha fatto
   _____ vedere gli appunti della lezione.
3. Stavo _____ prendere l'ascensore quando è andata via la corrente elettrica.
4. Appena ha finito _____ parlare al telefono, la segretaria ha cominciato _____
   scrivere qualcosa al computer.
5. Si erano messi _____ sfottermi per via delle scarpe, e allora io... .
6. Se continui _____ correre in questo modo con la macchina, prima o poi finisci
   _____ avere un incidente.

➤ *Discussione sul testo e sulle tematiche ad esso collegate:*

1. La vicenda del racconto di Buzzati è priva di indicazioni di tempo e di luogo. E ciò le conferisce un carattere simbolico e fantastico. Dite cosa simboleggia, secondo voi, il viaggio e cosa rappresentano i sette messaggeri.

2. Analizzando i diversi temi de *I sette messaggeri*, provate a dare una vostra personale interpretazione del racconto rispondendo ai seguenti quesiti:

   a. *Per quale scopo il principe si mette in cammino?*
   b. *Perché per lui è importante comunicare con la città natale?*

c. *Perché assegna ad ogni messaggero un nome?*
d. *Perché il principe non giunge mai ai confini?*
e. *Come si evolvono nel tempo i contatti con la città?*
f. *Che cosa del paesaggio cambia durante il viaggio?*
g. *Perché, accortosi di aver sbagliato le previsioni, il principe non torna indietro?*
h. *Con quale stato d'animo prosegue il viaggio?*
i. *La conclusione del racconto lascia aperta una porta alla speranza?*

3. Presente e passato formano un tutt'uno nella memoria del principe. Individuate nel testo i passaggi dal presente al passato e viceversa.

4. Nostalgia, speranza e disillusione sono i sentimenti che attraversano l'animo del principe mentre redige questa sua cronaca del viaggio.
   Indicate in quali parti del testo emergono questi diversi sentimenti.

5. Nel racconto abbiamo ora un tono riflessivo, ora realistico, ora fantastico. Individuate questi diversi toni.

Profilo dell'autore
DINO BUZZATI

E' nato a Belluno il 16 ottobre 1906 ed è morto a Milano il 28 gennaio 1972. Giovanissimo e non ancora laureato, ha cominciato a lavorare al "Corriere della Sera", di cui è stato poi sempre collaboratore, prima per la cronaca, poi per i reportage e i racconti della terza pagina. La sua produzione letteraria oscilla tra realtà e allucinazione: Buzzati costruisce atmosfere spesso magiche e surreali a cui la scrittura si adatta con mezzi raffinati e convincenti.
La sua opera più famosa è *Il deserto dei tartari* (1940): il romanzo dell'attesa snervante del Grande Evento, che alla fine sfuma nel nulla; così accade al tenente Giovanni Drogo destinato a una sperduta guarnigione di frontiera, dove rimane come prigioniero di un sogno di gloria che mai arriva. *Il deserto dei tartari* è una parabola pessimistica della vita concepita come inutile e vuota attesa di qualcosa che non arriva, e nell'attesa gli entusiasmi si raffreddano ed i giorni passano lentamente nella rassegnata accettazione della morte.
Un'atmosfera surreale percorre anche la gran parte dei racconti de *I sette messaggeri* (1942). A questi segue la deliziosa favola de *La famosa invasione degli orsi in Sicilia*. Più realistici e di sapore cronachistico sono invece i racconti di *Paura alla Scala* (1949). Del 1950 è la raccolta di "confessioni e divagazioni diaristiche" di *In quel preciso momento*. Altre raccolte di racconti sono: *Il crollo della Baliverna* (1954) e *Sessanta racconti* (1958).
Attorno ad uno dei rarissimi personaggi femminili di tutta la sua produzione, si muove il romanzo di *Un amore*: si tratta di una ragazza-squillo di cui si innamora follemente un professionista maturo. Il romanzo, all'uscita, sconcertò il pubblico dei benpensanti e di una parte della critica, che lo considerò un tradimento della vera ispirazione buzzatiana ed una concessione alla moda del "lolitismo". In realtà in *Un amore* si ripropone in chiave diversa il tema presente nel *Deserto dei tartari*: lo scenario è cambiato, al posto del deserto c'è una moderna città ghetto e l'attesa struggente e l'angoscia della realtà sono qui risolti nell'ossessione amorosa, ultima carta da giocare per allontanare lo spettro della morte.
Nel 1966 è uscita un'altra raccolta: *Il colombre*, quasi un "*Deserto dei tartari*" in pillole", secondo la definizione dell'autore stesso. L'ultima opera importante di Buzzati è *Il Poema a fumetti* (1969), che realizza un felice connubio tra espressione verbale ed espressione grafica.

5. IL BUON VENTO*

Circa dodici anni fa avevo messo su per mio divertimento una specie di gabinetto di chimica, ove mi appassionavo a tentare esperienze col segreto proposito di
trovare la sostanza di contatto tra il mondo fisico e il mondo spirituale. Un giorno,
d'improvviso, me la trovai tra mano, quella sostanza: fu, ognuno lo capisce, l'inven-
5   zione più miracolosa che possa immaginarsi. Era una polverina, che raccolta nel
cavo¹ della mano non seppi giudicare se fosse calda o fredda: era impalpabile² e
imponderabile³, pure anche a occhi chiusi la mia mano la percepiva; era incolore e
visibilissima. Mi dava, il tenerla a quel modo, una specie di ebbrezza⁴: è da notare
che l'ebbrezza è appunto la condizione intermedia, e come di contatto, tra la sen-
10 sazione d'una realtà fisica e lo stato d'animo puramente immaginativo.

Tale era quella sostanza, come subito intuii e come potei riconoscere in breve, quel
giorno stesso per caso, lungo una serie di fenomeni oltremodo curiosi che intorno a
me si produssero, e che voglio raccontare per vedere chi ci crede.

15 Era d'estate, in un piccolo paese pieno di sole, che sta in mezzo a una pianura d'Italia.

Chiusa la polvere in una cartina la misi nel portafogli. In questo atto m'accorsi che
non avevo più danaro; ne cercai invano in tutte le mie tasche. Io non avevo ancora
capito quali potessero essere gli effetti della virtù di quella polvere, immaginai rapidamente una serie di esperienze costose per riconoscerli. Era mezzogiorno. Mi si
20 imponevano dunque due problemi di natura finanziaria: trovare il danaro per andare a pranzo e quello per fare le esperienze. Il secondo assorbiva il primo. Uscii di
casa, nel sole, con la mia polvere in tasca. Le strade erano vuote. I miei passi risuo-
navano sui lastrici⁵ battuti dalla fiamma del cielo.

Pensavo. In paese conoscevo due uomini ricchi: Bartolo e Baldo. Sapevo che
25 Bartolo andava qualche volta alla trattoria dello Sperone Ardente, di cui Baldo era
proprietario. Vi andai. Il padrone non c'era, era andato alla sua vigna; ma, o fortuna, c'era Bartolo, con la moglie (una grassona) e la figlia (una magretta). Stava ter-
minando di pranzare. Lo affrontai subito:

Cercavo di lei, signor Bartolo, per associarla a una mia impresa. Ho scoperto una
30 polvere prodigiosa. Non so ancora a che cosa serva. [...] Mi occorre ch'ella mi som-
ministri venticinquemila lire per le esperienze conclusive. Ci conto.

Bartolo s'affrettò a trangugiare⁶ precipitosamente, quasi da ingozzarsi⁷, la pèsca
che stava sbucciando.

"Signor Massimo - mi rispose - lei non sa che io sono povero. Io non posso som-
35 ministrarle nemmeno venticinque centesimi. Le giuro che nel farle questo rifiuto il
cuore mi sanguina".

Sostò⁸. Lo guardai. Mi guardava, onde⁹ una grande timidezza mi prese, e abbas-
sai lo sguardo.

E scorsi che sul suo petto, dalla sua parte sinistra, sotto la tasca del fazzoletto,
40 sulla tela bianca del vestito c'era una piccola macchia rossa. Pensavo d'insistere. Ma
mi avvidi che la macchiolina era fresca, e s'allargava. Stavo allora per avvertirlo,
quando egli riprese a parlare:

"Il cuore mi sanguina - ripeté - non ho più quattrini... e sa dove li ho buttati tutti? In un anno di cure, di cure per mia moglie e mia figlia".

45 Fe[10] un cenno dietro le spalle. Perché le due donne, moglie grassa e figlia magra, s'erano ritirate in un angolo, un angolo quasi buio della sala, e là stavano zitte. "Ho fatto fare una gran cura dimagrante a mia moglie, e una gran cura ingrassante a mia figlia; e con questo bel risultato: mia moglie è una botte e mia figlia un'acciuga[11]. Arrivederla, signor Massimo. Andiamo, donne."

50 Si voltò a loro, ma non c'erano più. Non si meravigliò. Brontolava:
"Saranno andate a casa a prepararmi il caffè".

Uscì barcollando, senza più voltarsi scomparve. Io allibito[12] ficcai lo sguardo in quell'angolo buio della sala. C'era una botte. Un brivido rapido mi scivolò dai piedi alla fronte. Osai fare due passi verso quella cosa, mi fermai, così da lontano mi chi-
55 nai un poco guardando laggiù. E ai piedi della botte c'era una piccola acciuga mise-revole, salata.

Sua moglie e sua figlia.

Arretrai[13]. Caddi a sedere sulla sedia davanti al tavolino. Il cameriere stava rien-trando dalla cucina e si piantò ritto in faccia a me.
60 Ebbi la forza di mormorare:
"Un pezzo di formaggio, un bicchiere di vino".

Me li portò. Tacevo. [...]
"Quando torna il vostro padrone? Debbo parlargli".
"E' andato alla vigna[14]: tornerà verso sera".
65 Dopo una sosta, con un sorriso ossequioso[15]: "Il signore deve perdonarmi se senza volerlo ho sentito qualche parola della sua conversazione con il signor Bartolo.

Se al signore occorre danaro, mi permetta di dirle che fa male a rivolgersi a quei tipi lì. Le consiglierei piuttosto il commendatore".
"Quello che sta in fondo alla piazza? Come si chiama?"
70 "Appunto. Si chiama... oh non ricordo. Aspetti. Il nome ce l'ho sulla punta della lingua".
"Bravo. Mostratemi la lingua".
"Che dice?"
"Mostrate, subito".
75 Ero così imperioso[16], che lui ubbidì. Cacciò fuori la lingua. M'accostai, lessi forte: "COM- MEN- DA- TOR BAR-BA".
"Appunto! Come lo sa?"
"L'avevate sulla punta della lingua".
"Il signore ha voglia di scherzare. Il commendatore ha fatto due o tre affari grossi,
80 e ha la cassa ben fornita".
"Grazie del consiglio. Arrivederci".

Facevo l'atto d'alzarmi. Il cameriere m'interruppe: "Se il signore volesse regolare il conticino...".

Io ebbi un'idea grandiosa. Estraggo il portafogli, e impugnandolo, fisso con ener-
85 gia il cameriere. Egli aspettava. Io gli gridai:
"Siete un asino".

(M. BONTEMPELLI, *Racconti e Romanzi,* Mondadori, Milano, 1961)

* Il brano qui proposto è solo una parte dell'intero racconto di M. Bontempelli. Il titolo fa riferimento all'espressione "*Qual buon vento ti porta*" usata dal protagonista nella parte finale del racconto, qui non riportata.

1. la cavità che si forma piegando le dita della mano verso l'interno ■ 2. che non si riesce ad afferrare con le mani ■ 3. che non ha peso ■ 4. lo stato di euforia tipico di chi è ubriaco ■ 5. pietre usate per la pavimentazione di strade ■ 6. mandare direttamente giù per la gola e in fretta un cibo ■ 7. mangiare grandi quantità di cibo in modo quasi animalesco ■ 8. fermarsi ■ 9. perciò ■ 10. sta per "fece" ■ 11. piccolo pesce che si consuma fresco o sotto olio o sale. Qui indica una persona molto magra ■ 12. diventato bianco per la paura ■ 13. andare indietro ■ 14. terreno coltivato a vite ■ 15. rispettoso ■ 16. deciso e autoritario

a | COMPRENSIONE DEL TESTO

1. Informazioni specifiche

➤ *Rispondete alle seguenti domande:*

1. Dove accade il fatto narrato?
2. Qual era il potere della polverina scoperta dal narratore?
3. Per quale motivo egli cerca i due uomini più ricchi del paese?
4. Come reagisce alla sua proposta il signor Bartolo?
5. Che cosa suggerisce il cameriere?

2. Sintesi

a. *Come già detto in nota, (*) il titolo fa riferimento a tutto il racconto, di cui quella che avete letto è solo una parte.*

   Suggerite un titolo appropriato al brano proposto.

b. *Riesponete in breve il testo letto, utilizzando le parole e le espressioni seguenti:*

> gabinetto di chimica - polverina - stato di ebbrezza - mettere nel portafogli la polverina - due problemi - Bartolo e Baldo - trattoria dello Sperone Ardente - conversazione con il signor Bartolo - richiesta di un prestito - botte e acciuga - arrivo del cameriere - pranzo - commendator Barba - conto da pagare.

1. Modi di dire

Il potere magico della polverina scoperta dal protagonista narrante del racconto di Bontempelli consiste nel concretizzare il senso letterale dei modi di dire, con esiti ovviamente buffi, divertenti o grotteschi.

I **modi di dire**, o *espressioni idiomatiche*, sono locuzioni di una lingua o di un dialetto caratterizzate da una forma fissa ed un significato convenzionale generalmente diverso da quello letterale. Il senso del modo di dire, infatti, non è ricavabile dalla somma o combinazione dei significati delle parole che lo costituiscono, ma è quello che per convenzione si è affermato. Quando, ad esempio, un personaggio del racconto dice: *"Il cuore mi sanguina"* non vuol indicare che gli esce il sangue dal petto, ma semplicemente che è molto dispiaciuto di non poter accontentare il suo interlocutore.

Il significato di un modo di dire si basa spesso su analogie, su immagini fantasiose, è frutto di metafore e corrispondenze che si perdono nella storia delle singole espressioni. Molte di queste espressioni, in origine, avevano un significato letterale, collegato ad una situazione o ad un fatto o ad un personaggio determinato. Tale significato con il tempo si è perduto ed è stato sostituito da un altro che presentava una certa relazione con quello originario. Ad esempio, l'espressione *"essere al verde"*, oggi significa essere rimasto senza soldi, ma inizialmente indicava che la candela, la cui parte inferiore era colorata in verde o ricoperta di carta verde, stava ormai per finire e bisognava sostituirla.

I modi di dire traggono la loro origine nella tradizione, nel linguaggio poetico, nella storia, nei valori sociali e nella cultura di un popolo. Si hanno così modi di dire di origine religiosa (*"portare la croce"*), espressioni che si riferiscono al mondo agricolo (*"mettere il carro davanti ai buoi"*), alla mitologia (*"il tallone di Achille"*), allo sport (*"gettare la spugna"*, *"salvarsi in corner"*), a fatti storici (*"andare a Canossa"*), alla vita domestica (*"cadere dalla padella nella brace"*), al teatro (*"rimanere dietro le quinte"*), ecc.

a. *Abbinate il "modo di dire" della colonna **A** al corrispondente significato della colonna **B**:*

A	B
1. Nascere con la camicia	a. *Avventurarsi in un'impresa rischiosa*
2. Mangiare la foglia	b. *Fingere di non capire*
3. Dare carta bianca	c. *Premunirsi in vista di un pericolo*
4. Fare orecchi da mercante	d. *Essere fortunati*
5. Scherzare col fuoco	e. *Affrontare con decisione un problema*
6. Andarci coi piedi di piombo	f. *Capire l'inganno o l'imbroglio che è sotto*
7. Mettere le mani avanti	g. *Rischiare*
8. Fare il passo più lungo della gamba	h. *Essere cauti*
9. Prendere il toro per le corna	i. *Lasciare piena libertà d'azione*

b. *Nelle frasi che seguono ci sono parole usate in senso figurato: costruite con esse frasi in cui vengano usate con il loro significato proprio:*

1. Ai piedi della botte c'era una piccola acciuga.
2. Il pianista è stato salutato da uno scroscio di applausi.
3. Le tariffe autostradali sono sempre più salate.
4. Questa proprio non la bevo!
5. E' una persona che semina zizzania.
6. Le sue tristi storie mi buttano a terra!

c. *Le parole indicanti parti del corpo sono spesso usate in senso figurato. Nelle frasi che seguono inserite il termine appropriato, scegliendolo fra quelli proposti nella tabella che segue, poi spiegatene il significato:*

> arteria - capello - cervello - cuore - dito - fianco - lingua - mano - palmo - polso - spalla

1. Suo padre è un uomo di ....
2. L'autostrada del Sole è la più importante .... italiana.
3. La fuga dei .... è un fenomeno che interessa il nostro paese da diverso tempo.
4. Mi ha telefonato nel .... della notte.
5. Quasi quasi berrei un .... di vino.
6. È un tipo molto ostinato, non si sposta di un ..*DITO*........ .
7. Ha esordito in teatro come .... di Eduardo De Filippo.
8. Il suo comportamento presta il .... a molte critiche.
9. Stravede per suo figlio: lo porta sempre su un .... di mano.
10. La polizia lo ha colto con le ....nel sacco e lo ha arrestato.
11. Voglio dirti chiaramente quello che penso di te, senza peli sulla ....

2. Il suffisso "-bile"

> Di norma, dai verbi si possono derivare degli aggettivi indicanti la possibilità di realizzare l'azione designata dal verbo, aggiungendo alla radice verbale il suffisso "**-bile**". Così l'aggettivo *fattibile* vuol dire "che può esser fatto", *correggibile*, "che può esser corretto". Premettendo, poi, all'aggettivo così derivato il prefisso "in-" (o le sue modificazioni fonologiche) si ottiene l'aggettivo che indica l'impossibilità di realizzare l'azione. Quindi, *incorreggibile* significa, "che non può essere corretto", *inguardabile*, "che non può essere guardato".

➤ *Scrivete l'aggettivo con cui si indica una persona o una cosa che:*

- non può essere toccata: _____
- non può essere accontentata: _____
- non può essere sopportata: _____

- non può essere controllata: _____
- non può essere compresa: _____
- non può essere descritta: _____
- non può essere narrata: _____
- non può essere separata: _____
- non può essere deformata: _____
- non può essere perdonata: _____
- non può essere flessa: _____
- non può essere spiegata: _____

3. L'ambiguità linguistica

Un fenomeno curioso ed anche interessante del linguaggio è l'**ambiguità**. Ambiguo è un messaggio o una parola che può essere interpretata in modi diversi e talora fra loro opposti. All'origine di molti casi di ambiguità c'è l'**omonimia** e l'**omofonia**, vale a dire, il fatto che molte parole, che pur si scrivono e si pronunciano allo stesso modo, hanno significati diversi (*ambiguità lessicale*). La diversità di significato si deve alla diversa origine delle parole omonime; ad esempio la parola "fiera" è l'esito di due parole latine diverse: *fera* che significava *feroce* e *feria* che indicava il "giorno sacro" in cui si tenevano i mercati. Parole omonime sono, ad esempio, *lira*, che indica sia uno strumento musicale sia una moneta, *riso*, che indica sia l'atto del ridere sia un cereale, *pianto* che indica il piangere ma è anche presente indicativo di piantare, ecc.

Frasi come:
"*Una vecchia legge la regola*"
"*Una vecchia porta la sbarra*"

sono tipici esempi di **ambiguità sintattica** determinata dal diverso valore morfologico assunto da alcune parole: "vecchia" può essere aggettivo o sostantivo, "legge" e "porta" possono essere verbi o sostantivi, "la" può essere articolo o pronome clitico accusativo, "regola" e "sbarra" possono essere nomi o verbi, per cui la prima frase può essere parafrasata in due modi:
"*Un'anziana donna sta leggendo la regola*",
oppure
"*Una certa cosa è regolata da una legge di molti anni fa*"

Per capire frasi del genere occorre contestualizzarle in qualche modo o essere a conoscenza dei dati e delle informazioni note agli interlocutori. Sarà possibile, allora, riportare in superficie il senso profondo di una frase.

Il contesto comunicativo e situazionale consente, tuttavia, di capire una frase che in superficie si presenta ambigua. Ad esempio, una frase come: *No, non ho una lira*, può essere, a seconda del contesto, interpretata come mancanza di denaro oppure come mancanza dello strumento musicale.

Ambiguità semantico-lessicale si ha quando una parola può essere interpretata sia in senso letterale che in quello figurato. Dire che "Federico ha preso un granchio" può far pensare che Federico ha pescato un granchio (crostaceo marino), ma anche che ha commesso un errore grossolano. Un'altra forma di ambiguità è quella che deriva dalla particolare disposizione di certe parole nella frase (**ambiguità sintattica**). Così una informazione del tipo: "*Ho visto mangiare un pollo*" può significare sia che "Ho visto qualcuno che mangiava un pollo", come "Ho visto un pollo che mangiava". Talora qualche marito, parlando di sé, dice: "Sono sposato con una figlia", intendendo dire: "Sono sposato ed ho una figlia": ma la struttura superficiale della frase potrebbe legittimamente essere intesa che la moglie del signore è ovviamente figlia di qualcuno. Altro esempio di ambiguità morfosintattica:

> *Il nipotino è stato trovato dalla nonna.*

Può essere parafrasato:

> a. *Hanno trovato il nipotino a casa della nonna.*
> b. *La nonna ha trovato il nipotino.*

Qui, l'ambiguità è determinata dalla diversa funzione della preposizione "da".

a. *Riconoscete la struttura ambigua delle frasi che seguono. Indicate il tipo di ambiguità e i significati possibili, e per ciascun significato scrivete delle parafrasi non ambigue:*

1. Passeggiava con una dama sotto braccio.
2. Questo piano è magnifico.
3. Anche tu conosci lo spagnolo?
4. Ha mangiato un dolce al porto.
5. Sono d'accordo: è il momento di piantarla.
6. Hai registrato quella partita?
7. Luigi ha rincorso il ladro con il cane.
8. Luisa è una signora da poco.
9. C'era una vecchia coperta di lana.
10. Anche il vecchio forte è caduto.
11. Non hanno più riso.
12. L'espresso arriva sempre in ritardo
13. Manifesto per la pace.
14. Hai visto il regalo di Francesca?
15. La ricerca di Michele fu particolarmente difficile.
16. Finalmente Carla e Laura sono riuscite ad aprire l'ombrello da sole!

b. *Individuate, per ogni coppia di definizioni, il termine omonimo che viene definito, scegliendolo dalla lista qui di seguito proposta:*

> borsa - bugia - calcio - china - lira - miglio - mozzo -
> pensione - raggio - saggio

1.a. moneta italiana in vigore prima dell'euro
 b. strumento musicale a corde

_____

2.a. fascio di luce
 b. distanza di un punto qualsiasi della circonferenza dal centro

_____

3.a. colpo che si dà con il piede
  b. elemento chimico con simbolo Ca

_____

4.a. piccolo candeliere
  b. affermazione falsa

_____

5.a. ragazzo che svolge i servizi più semplici su una nave
  b. parte centrale di una ruota

_____

6.a. terreno scosceso
  b. la polvere e il succo estratto dall'omonima pianta con cui si fanno colori,
   medicinali o bevande

_____

7.a. rendita vitalizia assegnata a persone anziane o invalide
  b. albergo o abitazione privata che fornisce a pagamento vitto e alloggio

_____

8.a. mercato ufficiale in cui si contrattano titoli, azioni, monete, ecc...
  b. contenitore di forma e materiale diverso in cui si mettono oggetti personali

_____

9.a. unità di misura di lunghezza
  b. pianta graminacea

_____

10.a. persona che agisce con accortezza, giudizio e prudenza
  b. ricerca o studio su un problema, avvenimento o personaggio

_____

4. Parole omografe

Ci sono parole che pur scrivendosi nello stesso modo si differenziano o per la posizione o per il tipo di accento tonico. Al primo gruppo appartengono parole come *càpito* (pres. del verbo capitare) e *capìto* (part. pass. di capire), e *capitò* (pass. remoto di capitare). Al secondo gruppo appartiene un numero più ridotto di parole che si distinguono per il fatto che la vocale tonica (e ed o) ha un diverso accento fonico (grave " ` " o acuto " ´ "), come ad esempio le parole *bótte* (grande contenitore per liquidi) e *bòtte* (percosse).

➤ *Eccovi una lista di coppie di frasi che contengono parole omografe. Segnate sulla vocale interessata il tipo di accento richiesto:*

1. Mia moglie è una *botte* e mia figlia un'acciuga.

   – E' un violento: quasi tutte le sere gonfia sua moglie di *botte*.

2. Bartolo s'affrettò a trangugiare precipitosamente la *pesca* che stava mangiando.

   – Baldo è andato a *pesca* stamattina.

3. Non te la prendere! Sono cose che *capitano*.

   – Il *capitano* ha dato l'ordine di fermarsi.

4. Come? sei *ancora* qui?

   – La nave ha gettato l'*ancora*.

5. Mi pare che i Rossi *abitino* in viale D'Azeglio.

   – Carino! Dove l'hai trovato questo *abitino*?

6. Faccio *subito* e vengo da te.

   – Sono io che ho *subito* il torto.

7. Qual è il *seguito* della storia che abbiamo letto?

   – Ho *seguito* tutto il suo discorso con interesse.

8. E' una persona di saldi *principi* morali.

   – Ormai i *principi* si incontrano solo nelle fiabe.

PRIMA DI TUTTO

1. Quali significati potrebbe avere il racconto fantastico di Bontempelli?

2. Avrete sicuramente intuito quale fosse il potere magico della polverina. Quali conseguenze avrà avuto sul povero cameriere quel: "Siete un asino"? Provate a costruire la possibile conclusione della storia.

3. Costruite qualche breve storia in cui alcuni dei seguenti modi di dire siano interpretati alla lettera:

   - rompere il ghiaccio
   - mettere la mano sul fuoco
   - avere le mani bucate
   - nuotare nell'oro
   - cadere dalle nuvole
   - avere la pelle d'oca
   - spaccare il minuto
   - dare un colpo di telefono

4. Quale figura di scienziato emerge, secondo voi, da questo racconto?

5. Oggi la scienza avanza anche grazie a sperimentazioni di ogni tipo, le cui conseguenze sono a volte incontrollabili e pericolose. Che ne pensate in proposito?

MASSIMO BONTEMPELLI

Massimo Bontempelli nacque a Como nel 1878. In gioventù si accostò prima alla poesia del Carducci, poi al movimento futurista. In seguito si fece promotore, attraverso la rivista Novecento da lui fondata nel 1926 insieme a Curzio Malaparte, di un movimento che si propose di rinnovare la cultura italiana mediante un'apertura alla cultura europea. Dal 1930 fu accademico d'Italia. Dopo la seconda guerra mondiale si ritirò a vita appartata, a Roma, dove morì nel 1960.

Sul finire della prima guerra mondiale, già quarantenne, Bontempelli scrisse due romanzi. *La vita intensa* (1920) e *La vita operosa* (1921), che sembrano essere quanto di più geniale l'avanguardia letteraria italiana abbia realizzato: i mutamenti sociali economici e culturali del tempo vengono ridicolizzati in una sorta di commedia umana. Lo sfondo è Milano con il cabaret, il jazz, le gonne corte, la disinvoltura sessuale, il cinema. la voglia di vivere un po' da maledetti, la voglia di inventarsi nuovi lavori e nuovi ideali politici.

Tra le sue opere successive vanno ricordate *La donna dei miei sogni e altre storie d'oggi* (1925), *Vita e morte di Adria e dei suoi figli* (1930), *Gente nel tempo* (1937), *Giro del sole* (1941) ed infine i racconti de *L'amante fedele* (1953). Caratteristica dell'opera di Bontempelli è la lucidità della scrittura, capace di avvolgere gli oggetti in un'atmosfera "metafisica", che ricorda quella delle pittura di De Chirico. La sua è un arte che sa evidenziare, attraverso il gioco dell'intelligenza e dell'ironia, il dato fantastico e irreale delle vicende quotidiane.

Nelle sue numerose opere di narrativa egli riuscì effettivamente a creare suggestioni inquietanti, nelle quali il dato reale si carica di una componente di magia e sortilegio.

Altrettanti motivi di interesse offrono sia i suoi lavori teatrali - *Nostra Dea* (1925), *Minnie la candida* (1927), *Cenerentola* (1942), *Venezia salva* (1949) -, che i suoi saggi critici, in special modo quelli su Leopardi, Verga, D'Annunzio e Pirandello, raccolti in *Introduzioni e discorsi* (1944).

6. L'AUTOMOBBILE E ER SOMARO

- Rottadecollo![1] - disse un somarello
ner vedé un'Automobbile a benzina -
3   Indove passi tu nasce un macello!
Hai sbudellato[2] un cane, una gallina,
un porco, un'oca, un pollo...
6   Povere bestie! Che carneficina!
Che sfragello[3] che fai! Rottadecollo!
- Nun fiottà[4] tanto, faccia d'impunito![5]
9   - rispose inviperita l'Automobbile -
Se vede che la porvere e lo sbuffo[6]
de lo stantuffo[7] t'hanno intontonito![8]
12   Nun sai che quann'io corro ciò la forza
de cento e più cavalli? E che te credi
che chi vô fa carriera se fa scrupolo
15   de quelli che trova fra li piedi?
Io corro e me n'infischio[9], e nun permetto
che 'na bestiaccia ignobbile
18   s'azzardi[10] de mancamme de rispetto!
E ner di' ste parole l'Automobbile
ce messe drento tanto mai calore
21   che er motore, infocato, je scoppiò.
Allora cambiò tono. Dice : - E mo'?
Chi mi rimorchierà fino ar deposito?
24   Amico mio, tu capiti a proposito,
tu solo poi sarvà la situazzione...
- Vengo - je disse er Ciuccio - e me consolo
27   che cento e più cavalli a l'occasione
hanno bisogno d'un Somaro solo!

(TRILUSSA, *Tutte le poesie,* Mondadori, Milano, 1953)

1. Rompicollo, nome con cui il somaro si rivolge all'automobile per indicare la gran velocità ■ 2. ammazzato ■ 3. strage ■ 4. piangere, lamentarsi ■ 5. sfacciato ■ 6. vapore ■ 7 pistone ■ 8. stupidito ■ 9. mi disinteresso, non m'importa ■ 10. osi

1. Informazioni specifiche

➤ *Rispondete alle seguenti domande:*

a. Cosa rimprovera il somarello all'automobile?

b. Qual è la risposta dell'automobile?

c. Di che cosa si vanta l'automobile?

d. E che cosa gli capita poi?

e. Che atteggiamento assume allora l'automobile nei confronti del somaro?

f. Qual è la conclusione del somaro?

2. Traduzione

➤ *Completate il testo che segue con la forma italiana corrispondente delle parole dialettali presenti nel testo di Trilussa:*

- Rompicollo! - disse un somarello / .... un'.................... a benzina - / .... passi tu nasce un macello! / Hai sbudellato un cane, una gallina, / un porco, un'oca, un pollo... / Povere bestie! Che carneficina! / Che .... che fai! ....! / - .... tanto, faccia d'impunito! / - rispose inviperita l'........................- / .... vede che la .... e lo sbuffo / .... stantuffo t'hanno ....! / .... sai che .... io corro .... la forza / .... cento e più cavalli? E che .... credi / che chi .... carriera .... fa scrupolo / ...... quelli che trova fra .... piedi? / Io corro e me n'infischio, e .... permetto / che .... bestiaccia .... / s'azzardi .... rispetto!

E .... parole l'................. / .... tanto mai calore / che .... motore, infocato, ... scoppiò. / Allora cambiò tono. Dice : -E ....? / Chi mi rimorchierà fino .... deposito? / Amico mio, tu capiti a proposito, / tu solo .... la .... / - Vengo- .... disse ...... Ciuccio - e .... consolo / che cento e più cavalli ....'occasione / hanno bisogno d'un Somaro solo!

➤ *Ora che avete completato la versione italiana della poesia di Trilussa, sapreste indicare quali categorie di parole differiscono dall'italiano e per quali aspetti?*

1. Dal dialetto alla lingua standard

a. Il dialetto romanesco

Il dialetto che si parla a Roma e nella sua regione, il Lazio, differisce dall'italiano standard per alcuni tratti soprattutto di carattere fonetico. Tra questi i più evidenti, che riscontriamo anche nella poesia di Trilussa che abbiamo letto, sono:

a. l'assimilazione di certe consonanti (d, t o b se precedute da n, m o l): es.: *quanno* per quando, *annà* per andare, *gamma* per gamba, *callo* per caldo, ecc.

b. la trasformazione di "b" in "v": es.: *vocca* per bocca, *vraccio* per braccio, ecc.

c. la trasformazione in "e" della vocale "i" dei pronomi personali: es.: *me* per mi, *te* per ti, *vacce* per vacci, *famme* per fammi...

d. la trasformazione della "l" in "r" quando è seguita da un'altra consonante: es.: *sordato* per soldato, *sarvo* per salvo, *carza* per calza, ecc.

e. il raddoppiamento di consonanti come "b" e "g": es.: *automobbile* per automobile, *cuggino* per cugino, *subbito* per subito, *abbile* per abile, *raggione* per ragione, ecc. e dall'altro lato la "r" doppia viene pronunciata come semplice: es.: *tera* per terra, *guera* per guerra, ecc.

f. la soppressione della sillaba finale dei verbi all'infinito e anche di alcune altre parole: es.: *magnà* per mangiare, *vedé* per vedere.

➤ *Tenendo conto delle caratteristiche del dialetto romanesco descritte nella scheda, provate a sostituite le parole in dialetto romano (o romanesco) delle frasi seguenti con le corrispondenti in italiano standard:*

1. Ah regà, famme vedè che sta a succede.
2. Fermete qua, er mi cuggino abbita da ste parti.
3. Nun me fa arabbia, sennò so dolori!
4. Accenne a tivvù, sta pe' commincia a partita de la Roma.
5. Hai raggione tu, me so sbajato, quillo nun capisce gnente.
6. Ndo' annamo a magnà, stasera?

b. Prestiti dialettali

Un ricco "serbatoio lessicale" per la lingua italiana è rappresentato dai molti dialetti che si parlano nella penisola. Soprattutto dopo l'unità politica il contributo dei vari dialetti alla lingua nazionale è stato notevole, grazie ai sempre maggiori contatti tra cittadini di regioni diverse.

Molto ricco è il frasario e il lessico romanesco passato nel patrimonio lessicale italiano. Molte sono, infatti, le parole di uso comune che derivano dal dialetto romanesco, come ad esempio:

> *fasullo, inghippo, bustarella, caciara, pennichella, malloppo, scarpinata, sbronza, fregarsene, scapicollarsi, ecc.*

Molte sono anche le espressioni entrate nell'italiano comune provenienti dal dialetto romanesco:

> *tirare a campare, schiaffare dentro, sputare l'osso, lasciar perdere, buona notte al secchio, ecc.*

➤ *Anche con l'aiuto del dizionario, provate a completare le frasi che seguono con le parole o espressioni citate nella scheda:*

1. Ha bevuto un bicchiere di vino dietro l'altro ed è tornato a casa con una bella ....
2. Ragazzi, basta, smettetela di fare tutta questa ....: io sono stanco morto e vorrei tanto farmi una ....
3. I carabinieri, avvertiti dal gioielliere, hanno sorpreso il malvivente ancora con il .... in mano e lo ....
4. L'impiegato gli ha fatto capire chiaramente che se voleva la licenza di costruzione doveva dare una .... all'ingegnere capo del Comune.
5. Appena è finita la lezione, Gianni .... giù per le scale, è scivolato e si è rotto una gamba.
6. Quando suo padre gli ha detto che se non avesse superato l'esame non l'avrebbe portato al mare, Luca ha risposto che .... niente.
7. La rocca si trova nella parte alta della città e per arrivare fin lassù abbiamo fatto una bella ....

vai a pag. 82

2. Modi di dire

La parola **collo** ricorre in molte espressioni idiomatiche dell'italiano.

➤ *Conoscete il significato di quelle qui sotto riportate?*

a. correre a rotta di collo: _____

b. cadere fra capo e collo: _____

c. piegare il collo: _____

d. trovarsi nei guai fino al collo: _____

e. essere con la corda al collo: _____

f. prendere qualcuno per il collo: _____

3. La preposizione "a"

In espressioni come "automobile a benzina" o "treno a vapore" la preposizione "**a**" viene usata per unire due termini, dei quali il secondo specifica il primo indicando lo strumento o il mezzo grazie al quale il mezzo indicato dal primo termine funziona. Infatti, "*automobile a benzina*" indica un'automobile che usa come combustibile la benzina e quindi si distingue dalle automobili che funzionano a gas o a nafta.

** Collegate i sostantivi della lista **A** con quelli della lista **B** così da ottenere espressioni di uso comune:*

A	B	
- barca	legna	_____
- ferro	vela	_____
- pentola	fiato	_____
- stufa	pile	_____
- lampada	vapore	_____
- lume	pressione	_____
- strumento	gas	_____
- penna	petrolio	_____
- orologio	sfera	_____

C | PRODUZIONE ORALE O SCRITTA

1. Che cosa rappresentano l'automobile e il somaro della poesia di Trilussa?

2. Come le antiche favole di Esopo anche questa di Trilussa ha una sua "morale". Qual è?

3. Molto spesso le perfette e sofisticate macchine o mezzi che la moderna tecnologia mette a nostra disposizione si bloccano o non funzionano bene, ed allora siamo costretti a ricorrere agli strumenti e ai mezzi di "una volta".
Raccontate un episodio in cui vi siete trovati in una situazione simile.

Profilo dell'autore
TRILUSSA (Carlo Alberto Salustri)

Trilussa (pseudonimo di Carlo Alberto Salustri), nato a Roma nel 1871, cominciò da giovanissimo a scrivere poesia, all'inizio in italiano e poco dopo in dialetto romanesco. Esordì nel 1889 con *Stelle de Roma*, una raccolta di poesie nella quale già si affermavano le sue caratteristiche satiriche ed elegiache.
Attraverso varie raccolte, come ad esempio *Quaranta sonetti romaneschi*, (1895), *Favole romane* (1901), *Caffè concerto* (1901), *Ommini e bestie* (1908), *Cento favole* (1934) Trilussa si conquistò un posto rilevante nell'ambito della poesia dialettale.
I fatti di cronaca, stemperati nella saggezza della tradizione romanesca, fornirono il materiale del discorso favolistico in cui Trilussa raggiunse il massimo della espressività.
La personalizzazione di un mondo animale fra i più originali e gustosi dà alle sue favole una autonomia narrativa che prescinde dalla morale che suggeriscono. Per questo più che favole le poesie di Trilussa possono essere viste come satire di uno che coglie nella realtà fatti e discorsi che muovono più al riso che al disprezzo o al sarcasmo.
Il metro e la rima sono essenziali nella sua poesia, che molto si affida alla recitazione.
Trilussa morì a Roma nel 1950.

I dialetti italiani

Se percorriamo l'Italia dal Nord al Sud ci imbattiamo in modi di parlare, in pronunce, in accenti, in strutture grammaticali e parole che variano non solo da una regione all'altra, ma spesso da un paese a quello vicino. L'Italia, dal punto di vista linguistico, si caratterizza per una grande varietà di lingue parlate che si aggiungono e si distinguono dalla lingua nazionale: sono i **dialetti**.

Nati dalla trasformazione del latino parlato, i dialetti italiani sono delle vere e proprie lingue con una loro storia, una loro struttura grammaticale, un loro lessico e una loro espressività. Dialetti e lingua nazionale si equivalgono pienamente sul piano del valore linguistico, nel senso che sono sistemi adatti a svolgere in modo adeguato gli scopi comunicativi di una comunità di parlanti. Le differenze significative tra lingua nazionale e dialetto non sono di natura linguistica ma di ordine geografico, storico e culturale.

Rispetto alla lingua nazionale *il dialetto è limitato sul piano geografico*. In Italia i limiti territoriali sono così ristretti da determinare un alto numero di dialetti. All'interno di una stessa regione troviamo, spesso, diversi dialetti. Ad esempio, in Sardegna si distinguono dialetti sardi settentrionali (il gallurese e il sassarese) e dialetti sardi meridionali (il logudorese e il campidanese). Rispetto alla lingua nazionale *il dialetto ha un uso limitato sul piano sociale e culturale, e non è sottoposto ad una regolamentazione normativa* da parte di autori di grammatiche e di vocabolari. Per via di queste differenze il dialetto non ha la stessa importanza "politica", la stessa valenza d'uso e lo stesso prestigio culturale di cui gode invece la lingua nazionale.

Non va dimenticato che quella che indichiamo come lingua italiana era in origine uno dei tanti dialetti parlati in Italia, il dialetto fiorentino, che per ragioni storiche, politiche e culturali ha finito per prevalere sugli altri fino a divenire, prima, la lingua dei diversi popoli che abitavano la penisola italiana, poi di tutta la nazione. In mancanza di una unità politica, i letterati e gli uomini di cultura, alla ricerca di una lingua comune, attribuirono alla lingua fiorentina il primato fra le lingue d'Italia, per ragioni soprattutto culturali e letterarie: in fiorentino, infatti, erano state scritte le opere letterarie più prestigiose del Trecento: la *Divina Commedia* di Dante, il *Canzoniere* di Francesco Petrarca e il *Decameron* di Giovanni Boccaccio, che costituiscono i tre primi grandi capolavori della storia letteraria italiana.

Osservando più in dettaglio la distribuzione dei dialetti nella penisola, si nota una grossa divisione in due gruppi dei dialetti italiani, lungo una linea ideale che va da La Spezia a Rimini: da una parte i dialetti settentrionali e dall'altra i dialetti centro-meridionali.

I dialetti settentrionali vanno divisi in dialetti *gallo-italici e dialetti veneti*. I primi sono parlati nel territorio nord-ovest dell'Italia settentrionale e risentono del sostrato celtico: sono i dialetti *piemontese, lombardo, ligure* ed *emiliano-romagnolo*, i secondi comprendono il *veneziano, il veronese, il padovano-vicentino, il trevigiano-feltrino-bellunese, il triestino* e il *veneto-giuliano*. Tra le principali caratteristiche dei dialetti settentrionali si può citare la mancanza di consonanti doppie (tera, gata...), la presenza di vocali *"turbate"*[1] (lüna, füm...) i molti suoni nasali, la perdita di molte vocali e consonanti specialmente finali: *caval* (cavallo), *dmân* (domani), ecc.

---

1. In fonologia turbata è la vocale che presenta una combinazione di caratteri propri di vocali diverse: per es. ü, che richiede la posizione della lingua propria della *i* e la posizione delle labbra propria della *u*.

Anche per i dialetti centro-meridionali occorre distinguere tra le varietà toscane, i dialetti dell'Italia centrale (mediani), quelli meridionali intermedi e i meridionali estremi. I dialetti toscani coincidono, grosso modo, con le province della regione toscana: abbiamo così il *fiorentino*, il *pisano*, il *lucchese*, il *senese*, il *grossetano* e l'*aretino*.

I dialetti mediani comprendono la varietà *umbra*, quella *laziale* e quella *marchigiana settentrionale*. I meridionali intermedi comprendono il *marchigiano meridionale*, l'*abruzzese molisano*, il *campano*, il *pugliese*, il *lucano*, il *calabrese settentrionale*. I meridionali estremi sono costituiti dal *calabrese meridionale*, dal *salentino* o pugliese meridionale e il *siciliano*.

A questa classificazione bisogna aggiungere altre due varietà linguistiche che presentano dal punto di vista fonologico, lessicale e sintattico una fisionomia del tutto particolare che le fa considerare dei sistemi linguistici a sé stanti, allo stesso modo delle lingue romanze autonome. Sono i cosiddetti *dialetti sardi* (*gallurese, sassarese, logudorese e campidanese*) e i *dialetti ladini*, parlati in alcune valli delle Alpi e del Friuli.

Il frazionamento linguistico italiano è il risultato di un lungo e vario processo storico e politico che ha visto il succedersi di invasioni di gruppi etnici e linguistici diversi nella penisola italiana. Al sostrato latino, pur esso già frammentato, si aggiunsero in epoche diverse gli influssi delle lingue delle popolazioni che si stabilirono in Italia.

La situazione dei dialetti dell'Italia attuale non è comunque quella che si aveva una cinquantina o più anni fa. La progressiva italianizzazione della penisola ha significato anche il lento regredire, e, in alcune zone, addirittura la scomparsa dei dialetti. L'insegnamento scolastico obbligatorio imposto fin dagli inizi dell'unificazione politica italiana (1870), le migrazioni interne, l'espansione delle grandi città, lo sviluppo industriale, il servizio militare obbligatorio hanno contribuito notevolmente alla diffusione della lingua nazionale. Nei tempi più recenti, soprattutto dopo la seconda Guerra Mondiale sono stati i *mass-media*, - giornali e settimanali, ma soprattutto radio, cinema e televisione, - a trasformare linguisticamente l'Italia: una trasformazione che ha interessato anche i dialetti che hanno perso la loro fisionomia originale e si sono connotati sempre più come varietà italiane, dando vita a quelli che vengono comunemente indicati come "italiani regionali", vale a dire varietà dell'italiano che presentano soprattutto a livello fonologico (pronunzia e intonazione o accento) tratti di origine dialettale.

I dialetti sono e sono stati una miniera per la lingua italiana: parole ed espressioni di largo uso hanno un'origine nei dialetti. Molti dei proverbi che usiamo, manifestazione di una saggezza popolare che si tramanda nel tempo, hanno come fonte i vari dialetti. E attraverso i proverbi sopravvive anche la lingua popolare. Ecco qui di seguito alcuni proverbi nella forma dialettale che assumono nelle diverse regioni:

- **No mette bocca dove no te tocca.** (Liguria)
  Non metter bocca dove non ti tocca

- **A boca sarà a i intra gnune musche.** (Piemonte)
  In bocca chiusa non entrano mosche.

- **Scampa vecc chi cura pussé el stomegh che la bocca.** (Lombardia)
  Vive vecchio chi cura più lo stomaco che la bocca.

- **Chi ha l'amer in baca, an pol spuder doulz.** (Emilia)
  Chi ha l'amaro in bocca non può sputare dolce.

- **Chi g'à amar en boca, no pol spudar dolz.** (Veneto)
  Chi ha l'amaro in bocca non può sputare dolce.

- **A ciaval donat no si ciale in bocie.** (Friuli)
  A caval donato non si guarda in bocca.

- **Bocca onta n disse mà male.** (Umbria)
  Bocca unta (comprata) non disse mai male.

- **Bocca vonta en diss me' mel.** (Marche)
  Bocca unta non disse mai male.

- **Làrigu 'e vucca e strittu 'e piettu.** (Calabria)
  Largo di bocca, ma stretto di petto (generoso solo a parole).

- **Li muri nun 'ànnu oricchi e séntinu, nun hanno vucca e pàrranu.** (Sicilia)
  I muri non hanno orecchi e sentono, non hanno bocca e parlano.

- **Nessuna bucca narrat sa sua culpa.** (Sardegna)
  Nessuna bocca dice la sua colpa.

lavorare stanca

La società non è semplicemente un insieme di individui, ma anche di gruppi distinti ed organizzati in gruppi e classi sociali, per cui un individuo è definito oltre che come persona anche come membro di un gruppo sociale: egli è operaio, impiegato, libero professionista, sacerdote, casalinga, disoccupato, ecc. Ognuno, insomma rappresenta un mondo a parte, complesso e articolato, in continua evoluzione e con proprie problematiche.

I brani riuniti in questa sezione costituiscono alcuni esempi di esperienze nel mondo del lavoro, molto diverse fra loro ma unite da difficoltà e problemi analoghi.

Ad aprire la sezione è un brano di Lalla Romano, in cui con straordinaria lucidità e immediatezza una madre racconta l'esperienza vissuta dal figlio, che stanco della vita di studente vuole realizzarsi facendo l'operaio.

Non facile l'avventura della dottoressa, protagonista del breve racconto di Mino Milani: una donna è chiamata a curare un malato grave in una sperduta cascina, e si sente rifiutata perché donna.

Ed ancora, chi avrebbe mai immaginato che dietro quell'aspetto pallido e quelle mani tremanti si nascondesse un bravo ed esperto barbiere come pochi se ne trovano? Questo è in sintesi il tema del racconto di Carmelo Ciccia.

Giovanni Arpino racconta, in un'atmosfera densa di suspense, la disavventura vissuta da una ragazza che fa la baby-sitter.

Certo il lavoro può essere fonte di angoscianti preoccupazioni, specie quando tanti indizi ti dicono che stai per perderlo. Luciano Bianciardi, nel brano tratto da *La vita agra*, descrive la penosa situazione di un impiegato che riceve la lettera di licenziamento, ed è costretto a tristi pellegrinaggi alla ditta per ottenere centellinata una modesta liquidazione. Oppure può essere fonte di noia: quanto sarebbe meglio, ad esempio, in una bella mattinata di primavera andarsene a spasso, come sogna il signor Mario, protagonista del racconto di Parise. Peccato che la coscienza, in forma di baco da seta, ci ricorda che il lavoro è un dovere impostoci dalla natura.

Di giornalismo ci parla un noto ed affermato professionista: Piero Ottone che ci racconta come la sua passione per il giornalismo sia nata da un "fatale" incontro con un famoso giornalista.

La sezione si chiude con un testo di Saviane che racconta la vicenda di un maturo signore che desideroso di fare l'imprenditore finisce impantanato nelle sabbie mobili della burocrazia.

sezione 3

1. UNO STRANO OPERAIO

Sempre quell'autunno dichiarò che voleva fare l'operaio. Non sembrava una cosa aliena[1] dai suoi gusti né dalle sue possibilità. Suo padre si occupò subito di trovargli un posto dove potesse entrare in prova. Mi trovavo da mia madre e fui informata della conclusione.

5   "P.[2] è stato oggi da quell'amico di Biz. che ha un'officina di apparecchiature elettriche. Lunedì mattina alle otto dovrà presentarsi in officina: sarà affidato al capo officina per un primo addestramento meccanico".

"Se non è questa la sua strada, non so proprio più quale potrebbe essere".

"Se avrà buona volontà potrebbe incamminarsi bene, anche se non è quella la
10   strada che noi avremmo preferito".

"Che Dio ci aiuti".

Ritornai quel lunedì. La tuta da operaio lui ce l'aveva da un pezzo[3]. Tutto era non solo vero, ma naturale, logico; eppure la mia impressione era di irrealtà, di sogno (residui di pregiudizio sociale?).

15   Rientrò per colazione e disse che il giorno dopo intendeva mangiare con gli altri. La sera gli domandammo del lavoro. Era molto elementare, disse, lui sapeva fare ben altro. L'indomani non venne per colazione, e la sera gli domandammo cosa aveva mangiato. Un cartoccio di pasta come gli altri, comprato alla rosticceria. Era giusto che volesse fare come gli altri. Disse con orgoglio tranquillo che nessuno dei
20   compagni aveva sospettato che lui non fosse uno di loro. Questa vittoria e forse la stanchezza gli davano un'aria straordinariamente adulta. Infatti aveva consumato un'esperienza, vale a dire era invecchiato.

La terza sera appariva stremato[4]. Sedette senza parola davanti alla sua minestra. Non osavo parlare e nemmeno guardarlo. Guardavo le sue mani, che tremavano
25   reggendo il cucchiaio. Quando lo guardai in faccia vidi il suo occhio spaventosamente rosso. L'aveva ferito una scheggia[5]. Avrebbe potuto accecarsi, ma in fondo quello era soltanto un simbolo. La cosa grave era un'altra.

Il capo officina l'aveva anche lui scambiato per un vero apprendista operaio, vero nel senso di figlio di operai, perché lui sul lavoro e nei modi era come gli altri.
30   Saputo dal suo padrone chi lui era, lo investì:

"Lei perché ha deciso di fare l'operaio?"

"Perché mi piace".

"Ah sì? Ma lo sa lei che noi invece siamo operai perché non possiamo fare altro? Lei ha studiato, e continui a studiare, altrimenti i denari che suo padre ha speso per
35   lei sono sprecati".

Il capo officina aveva creduto che fosse un capriccio di studente annoiato, un gesto snob[6], e si era sentito offeso. Non poteva capire che era stata da parte di lui una sfida a se stesso, non agli altri. Si era sentito offeso, mentre in realtà aveva offeso, umiliato lui. Lui non aveva reagito. Non per paura, né per dignità; ma perché aveva ricono-
40   sciuto che il capo officina aveva ragione. Il suo discorso era vero: nel nostro mondo.

Fu ammalato per diversi giorni; aveva la febbre, e poi dovette curarsi l'occhio.

Della cosa non si parlò più. A differenza di altre sue storie questa non ha mai fatto ridere, nemmeno dopo tanto tempo. C'era stata la sua sofferenza; e sullo sfondo quella dei lavoratori.

(L. ROMANO, *Le parole tra noi leggère*, Einaudi, Torino, 1969)

1. estranea ■ 2. sta per Piero, nome del protagonista del romanzo ■ 3. da molto tempo ■ 4. molto stanco ■ 5. pezzo o frammento di legno, pietra o ferro o altro materiale che si stacca da un corpo ■ 6. che mostra atteggiamenti o gusti tipici di ceti o ambienti ritenuti più elevati

a | COMPRENSIONE DEL TESTO

1. Informazioni specifiche

➤ *Rispondete alle seguenti domande:*

1. Chi racconta questo episodio?
2. Dove ha trovato lavoro Piero?
3. Perché vuole fare l'operaio?
4. Quanto tempo dura la sua esperienza di operaio?
5. Che cosa "di grave" gli è accaduto il terzo giorno?
6. Perché il capo officina si sente offeso dalla scelta di Piero?
7. Come reagisce Piero alle osservazioni del capo officina?

2. Analisi e valutazione

a. *In questa pagina la madre non racconta semplicemente un episodio significativo della vita di suo figlio, ma annota alcune impressioni e considerazioni. Dite quali!*

b. *Evidenziate ora:*
   - *come interpreta il capo officina la scelta di Piero;*
   - *quale significato ha avuto questa esperienza per Piero.*

3. Sintesi

a. *Focalizzazione o punto di vista*

> Il testo di Lalla Romano ha come voce narrante la madre, che essendo anche uno dei protagonisti coinvolti nella vicenda, racconta in prima persona (*io narrante*). Nel rispondere il contenuto del testo il lettore può assumere la stessa prospettiva del narratore oppure la propria di lettore o anche quella di uno dei diversi protagonisti del racconto.

➤ *Riesponete il testo letto continuando gli inizi di racconto che vi proponiamo in cui si assume il punto di vista (a) di Piero e (b) del capo officina:*

a. *Ero stanco e insoddisfatto della mia vita da studente, avevo la sensazione di essere inutile e per questo ho pensato che lavorare e soprattutto lavorare come operaio mi avrebbe fatto sentire più utile e anche più libero perché indipendente dai miei. Così un giorno ne ho parlato con...*
(ora continuate voi!)

b. *Non è facile la vita dell'operaio oggi: alzarsi tutte le mattine all'alba, lavorare otto, nove ore al giorno, fare tanti sacrifici per tirare avanti... e se poi ti capita di essere preso in giro da uno studentello qualsiasi, bè, allora non lo sopporti proprio. Un lunedì mattina mi vedo affidare in prova un ragazzo che...*
(ora continuate voi!)

b | ANALISI LESSICALE E LINGUISTICA

1. Coesione testuale

> Le varie parti di un testo sono collegate tra di loro da singole parole o espressioni che si riferiscono a parole o concetti già espressi o che verranno espressi dopo.

➤ *Indicate a quale elemento o informazione rimanda il termine generale messo in evidenza:*

1. "Mi trovavo da mia madre e fui informata della *conclusione*". (r. 3-4) Di quale "conclusione" si tratta?
2. "*Tutto* era non solo vero, ma naturale, logico" (r. 12-13) A cosa si riferisce "tutto"?
3. "Disse che il giorno dopo intendeva mangiare con *gli altri*". (r. 15) Chi sono gli "altri"?
4. "*Questa vittoria* e forse la stanchezza gli davano un'aria adulta". (r. 20-21) Di quale "vittoria" si tratta?
5. "*La cosa grave* era un'altra." (r. 27) Di quale "cosa grave" si parla?
6. "Il suo discorso era vero: nel nostro *mondo*" (r. 40) A quale "mondo" si fa riferimento?
7. "Della *cosa* non si parlò più" (r. 42) Di che "cosa" non si sarebbe più parlato?

vai a pag. 24

2. Polisemia

➤ *Indicate con quale significato sono usate nel testo letto le parole seguenti:*

- *dichiarare* (r. 1):   manifestare ❑ - spiegare ❑ - dire ❑
- *gusto* (r. 2):   voglia ❑ - piacere ❑ - attitudine ❑
- *aria* (r. 21):   aspetto ❑ - atmosfera ❑ - brano musicale ❑

- *scambiare* (r. 28):   discorrere, conversare ☐ - confondere una persona con un'altra ☐
                        barattare, fare uno scambio ☐
- *capriccio* (r. 36):   infatuazione amorosa ☐ - bizza ☐ - progetto, idea bizzarra ☐
- *investire* (r. 30):   assalire con parole ☐ - impegnare capitali ☐ - urtare contro
                        qualcuno ☐

3. Iperonimi

Le parole e i loro significati non sono unità sparse, isolate, autonome; ma entità reciprocamente connesse da una serie di rapporti interni al sistema di cui fanno parte. In ogni lingua ci sono parole dal significato così ampio o generico da includerne altre: ad esempio, *veicolo* ingloba nel suo significato parole come *automobile, autobus, treno, tram*, ecc., mentre il termine *agrume* comprende *arancia, pompelmo, limone, mandarino*, ecc.
Le parole il cui significato include quello di altre parole sono dette **iperonimi**, mentre quelle il cui significato è più specifico e contenuto in quello di altre si dicono **iponimi**. I concetti di iperonimo e iponimo sono fra loro correlati, cambia solo l'ottica di riferimento: più generica quella dei primi e più precisa quella dei secondi.
Nella comunicazione verbale la scelta di un termine è in relazione all'esigenza di essere più generici o più precisi. Ad esempio, se si parla genericamente dell'arredamento di una camera si potrà usare un termine come *mobile*, mentre se si parla con un mobiliere o con un falegname si specificherà l'*armadio*, il *comò*, la *specchiera*, ecc.

a. *Sottolineate, in ogni gruppo, la parola che è iperonimo delle altre:*

1. cugino, nipote, zio, parente, nonno, fratello
2. sandalo, calzatura, zoccolo, pantofola, stivale
3. casa, scuola, chiesa, municipio, edificio, museo
4. artista, drammaturgo, pittore, poeta, scultore
5. gatto, leone, tigre, leopardo, pantera, felino
6. felino, equino, ovino, animale, bovino, suino

b. *Scrivete il termine iperonimo per ciascuno dei seguenti gruppi di parole:*

1. camicia - tuta - cappotto - sciarpa - gonna   [_INDUMENTO._]
2. pasta - riso - carne - uova - latte   [_ALIMENTO_]
3. medico - ingegnere - notaio - avvocato   [_PROFESSION_]
4. grano - mais - segale - avena - orzo   [_cereali_]
5. mosca - zanzara - libellula - farfalla   [_____]
6. gioia - affetto - paura - entusiasmo   [_____]

4. Iponimi

➤ *Indicate per ognuna delle seguenti parole almeno un'altra che abbia un significato di minore ampiezza (iponimo):*

1. macchina _____
2. alimento _____
3. moneta _____
4. gesto _____
5. virtù _____
6. strumento _____
7. elettrodomestico _____
8. passione _____
9. pasto _____
10. giorno _____

5. Famiglia di parole

> Le parole affini per significato e origine costituiscono una **famiglia**. L'aspetto più evidente di una famiglia di parole è la comune radice, vale a dire un gruppo di lettere presenti in ciascuna parola del gruppo, portatore di quei tratti di significato di base presente in tutte. Tuttavia, per molti gruppi di parole nel corso della storia la comune radice si è modificata in alcune parole derivate, sicché diventa talora difficile ritrovare l'elemento comune; ad es.: *fochista, focolare, fucile,* e *focaccia* appartengono alla stessa famiglia di *fuoco*.
> Così alla famiglia della parola "lavoro" appartengono parole come *laboratorio, laborioso, lavoratore, lavorante, lavorazione, laburismo,* ecc.

➤ *Completate le seguenti frasi con parole appartenenti alla famiglia di "lavoro":*

1. Nei giorni della campagna elettorale in città si notava un ___lavorio___ febbrile.
2. Di lui possiamo dire tante cose, di certo però non che è un _____ instancabile.
3. È una cucina molto buona, ma molto ___elaborata___ e quindi difficile.
4. È un giovane molto _____ : va premiato.
5. Ad Arezzo c'è un'industria di ___lavorazione___ dell'oro molto importante.
6. Carlo passa l'intera giornata nel suo _____ di ceramica.
7. Chi non _____ non mangi!
8. La giornata _____ di un impiegato è di sei ore.
9. L'aspirazione di molti giovani è trovare un _____ fisso.
10. Il partito _____ inglese ha avuto un discreto successo elettorale.

6. Tempi verbali: il presente indicativo

➤ *Riscrivete al presente le seguenti frasi:*

1. Era giusto che volesse fare come gli altri.
2. Suo padre si occupò di trovargli un posto dove potesse entrare in prova.
3. La sera gli domandammo cosa aveva mangiato.
4. Sedette senza parola davanti alla sua minestra.
5. Fu ammalato per diversi giorni; aveva la febbre e poi dovette curarsi l'occhio.

A. Svolgete qualcuno dei seguenti soggetti:

1. Autorealizzazione, mezzo per sopravvivere, dovere sociale: cosa significa per voi il lavoro.

2. Avete svolto un qualsiasi lavoro durante il periodo degli studi? Parlate di questa esperienza.

3. Un problema molto grave della moderna società industriale è quello del lavoro che manca. Il livello di disoccupazione nella società italiana supera il 12% della popolazione attiva e tra i giovani, soprattutto al Sud dell'Italia, supera il 30%. A fronte di simili livelli di disoccupazione troviamo anche una rilevante quota di offerte di lavoro non soddisfatte. Aziende piccole e grandi del Nord Italia non riescono a trovare operai, specializzati e non.

   Fare l'operaio non piaceva e meno ancora piace ai giovani di oggi, soprattutto a quelli che hanno un titolo di studio. Ma perché non piace fare l'operaio?

4. Leggete la seguente lettera inviata ad un giornale e provate a dare una risposta alle domande che pone:

> Da circa sei mesi la ditta in cui lavoro sta cercando due giovani "operai" da addestrare come operatori di torni automatici: dopo decine di annunci di ogni tipo non si è presentato nessuno, da quei pochi a cui abbiamo proposto verbalmente la cosa nel caso potesse interessare, ci siamo sentiti rispondere in maniera tanto commiserevole, neanche avessimo chiesto soldi in prestito. Un amico contadino (ne esistono ancora) mi dice sempre, tutti beviamo il latte ma nessuno vuole più mungere una mucca. Che mondo stiamo costruendo in cui si paga per diventare nani o ballerine, ma non si riesce a trovare un infermiere, un saldatore, un tornitore, un bravo collaboratore a due milioni al mese? Non è che il mondo dell'immagine (dovrebbe essere informazione ma non la fa) sta creando solo zombi?

B. Questionario sul lavoro

a. Rispondete in modo sincero al questionario che segue. Alle domande di cui ai punti 3, 4, 5 e 6 indicate con un numero da 1 a 6 il grado di preferenza della risposta o situazione presa in considerazione.

1. Avendo la possibilità di scegliere un lavoro, preferisci:
   - a. un lavoro autonomo
   - b. un lavoro dipendente part-time
   - c. un lavoro dipendente a tempo pieno

2. Preferisci lavorare
   - a. nel settore pubblico
   - b. nel settore privato

3. Quali situazioni possono migliorare la qualità del lavoro?
    a. poter contare su servizi pubblici efficienti
    b. più servizi di supporto ai lavoratori
    c. orari di lavoro flessibili
    d. poter interrompere il lavoro quando i figli sono piccoli
    e. poter andare in pensione ancora giovani
    f. poter svolgere il proprio lavoro da casa

4. Nel lavoro, secondo te, sono importanti:
    a. il guadagno
    b. l'ambiente di lavoro
    c. il prestigio sociale
    d. i rapporti con i colleghi
    e. l'assenza di fatica fisica
    f. le possibilità di carriera
    g. la soddisfazione personale
    h. l'indipendenza e l'autonomia
    i. l'utilità sociale
    l. la possibilità di fare nuove esperienze

5. Per aver un lavoro soddisfacente saresti disposto a
    a. sacrificare gli impegni familiari
    b. viaggiare spesso
    c. guadagnare di meno
    d. fare orari scomodi
    e. trasferirti lontano da casa
    f. rinunciare ad avere figli
    g. interrompere gli studi

6. Secondo te, lo stipendio deve essere commisurato
    a. ai risultati conseguiti o beni prodotti
    b. al numero delle ore impiegate
    c. al titolo di studio
    d. all'impegno fisico o intellettuale richiesto
    e. alla responsabilità assunta
    f. all'età
    g. al sesso

b. *Motiva oralmente o per iscritto le risposte date al questionario.*

c. *Confronta le tue risposte con quelle degli altri studenti del corso e chiedi loro di motivare le loro preferenze.*

LALLA ROMANO

Lalla (Graziella) **Romano** nasce a Demonte, in provincia di Cuneo, l'11 novembre 1906. Studia a Torino, dove si laurea in Lettere. I suoi interessi si alternano tra la storia dell'arte e la letteratura; la storia dell'arte è sembrata per un certo tempo avere il sopravvento, unita com'era all'esercizio della pittura. Il periodo torinese è anche quello delle amicizie profonde, degli accostamenti all'amore, delle prime riflessioni politiche.

Dopo la laurea, la Romano insegna storia dell'arte e lettere, prima a Cuneo poi a Torino. La sua vita in questo periodo è umanamente intensa, dato che a Cuneo sposa quello che sarà il suo compagno di vita per oltre cinquant'anni, in una unione sempre viva che verrà ricordata in uno dei suoi libri più alti: *Nei mari estremi* (1987). Nel '43, a seguito del bombardamento di Torino torna come sfollata a Cuneo. Nel 1947 lascia definitivamente Cuneo per Milano, che diviene da allora la sua residenza. È a Milano che Lalla diventa scrittrice e abbandona l'insegnamento nella scuola media (1959).

A trentaquattro anni pubblica il suo primo libro: *Fiore* (1941): una raccolta di poesie, quasi una storia d'amore in versi, che anticipa qualcuno dei temi dell'opera della Romano, come quello del paesaggio "vissuto" e del sogno.

E sogni sono, infatti, i racconti di *Metamorfosi* (1951), il primo libro in prosa. Due anni dopo, nel 1953, esce il primo romanzo *Maria*, un esempio di romanzo in prima persona non coincidente con la protagonista. Qui la prospettiva è quella della narratrice, ma al centro della prospettiva sta la protagonista, Maria, una domestica che porta nella nuova realtà sociale in cui lavora tutta la ricchezza umana del mondo contadino da cui proviene, con un tenace attaccamento ai valori e agli affetti familiari.

Tetto murato, uscito nel 1957, è uno dei libri più intriganti e difficili di Lalla Romano. Paolo, un intellettuale impegnato nella Resistenza, e sua moglie Ada si nascondono nella casa di due loro amici per sfuggire alla polizia fascista. A poco a poco tra le due coppie, si sviluppano delle simpatie incrociate, delle vere "affinità elettive", che restano però sulla soglia del vissuto, nei sogni, nei pensieri, nelle parole, tanto che alla fine della guerra le due coppie si separano per sempre.

L'uomo che parlava solo (1961) è un lungo soliloquio di un uomo che scava nella propria memoria alla ricerca della causa del proprio fallimento. Affini per certi aspetti sono *La penombra che abbiamo attraversato* (1964) e la seconda parte de *La villeggiante* poi ripubblicata con il titolo *Pralève* (1978). Si tratta di due opere che descrivono un ritorno ai luoghi del passato, all'infanzia.

In prima persona è il libro più celebre di Lalla Romano, *Le parole tra noi leggère* (1969). L'io narrante è due volte implicato: come partecipe delle vicende narrate e come interprete delle vicende stesse. Qui una madre ripercorre, attraverso flash, memorie e immagini, le fasi della crescita e della formazione del figlio dalla nascita al matrimonio e al suo primo lavoro letterario, insomma fino a oltre i trent'anni. E' l'analisi di un rapporto tra madre e figlio rivissuto attraverso l'ottica particolare della madre che si interroga sul proprio ruolo, una madre che cerca di "leggere" il figlio, un figlio difficile, anticonformista e tendenzialmente asociale e ribelle all'insegnamento familiare e scolastico. Il libro per le tematiche che affrontava (difficoltà di educare un figlio, educazione permissiva o no) ha conosciuto un grande successo, anche perché il suo personaggio, senza volerlo, aveva anticipato alcuni atteggiamenti dei ragazzi di quasi una generazione dopo, quella del '68.

Della sua produzione successiva vanno ricordati *L'ospite* (1973), *Inseparabile* (1981), due libri che hanno per protagonista il nipote della scrittrice, Emiliano, prima bambino di otto mesi, poi adolescente, e *Una giovinezza inventata* (1979) che è l'unico romanzo veramente autobiografico di una scrittrice che ha sempre usato materiali autobiografici per realizzare i suoi libri.

Lalla Romano è morta a Milano il 26 giugno 2001.

2. VISITA A SORPRESA

L'automobile, una vecchia Topolino[1] inzaccherata[2], arrivò a notte, verso le undici, sobbalzando sulla strada piena di pozzanghere e di fango. Pioveva a dirotto. Le due donne in attesa uscirono dall'androne[3]: una teneva un grosso ombrello, l'altra una lanterna. Quando i fari dell'automobile si spensero, non vi fu che quella luce. Non c'erano lampade, all'ingresso della grande cascina, nel fondo della Bassa padana.

"Finalmente", disse una delle donne; l'altra aggiunse, con risentimento: "non respira quasi più, lo sa dottore?". Lo sportello s'aprì, e venne la risposta: "Adesso vediamo".

Seguirono di colpo immobilità e silenzio.

"E il dottore?".

"Dov'è il dottore, perché non è venuto?"

Le due donne parlarono insieme, e insieme si ritrassero[4]. La ragazza restò sotto la pioggia, che in un attimo le intrise[5] i capelli.

"E il dottore?" ripeté una delle donne. La ragazza la guardò: "Il dottore sono io", rispose.

"Come sarebbe, il dottore sono io?" echeggiò l'altra donna.

"Sostituisco io il dottor Armani. Chi sta male?".

"Nostro fratello", disse una donna; e l'altra insistette: "Ma perché non è venuto il dottore?".

"Il dottore..." cominciò la ragazza. Tacque. Non devo perdere il coraggio, si disse. Sapeva che sarebbe stata dura: non s'era mai visto un medico donna, da quelle parti; anzi, da quarant'anni non s'era mai visto altro medico che il dottor Armani.

S'aprì in quel momento una finestra, e dal buio venne una voce forte, d'uomo impaziente: "E allora? Che cosa facciamo lì? C'è o non c'è 'sto dottore?".

"No!", replicò dura una delle donne.

La ragazza disse ferma: "Sono qui", e s'avviò, ma dovette fermarsi sotto l'androne, perché nessuno l'aveva seguita. Rumore di usci aperti e richiusi, di passi frettolosi su scale di legno; una porta s'aprì, e l'uomo che aveva chiamato poco prima dalla finestra, si fece avanti, anche lui con una lucerna: "Ma si può sapere - domandò aspro - che cosa è successo?". E alla ragazza: "Chi è lei?".

"Dice che è il dottore", rispose una delle due donne. L'uomo tacque per un attimo; poi: "E il dottor Armani?" chiese.

"Sono la sostituta. Dov'è il malato?".

L'uomo esitò, poi accennò col pollice: "Di qui - disse - di sopra".

Edema polmonare[6]. Ne era assolutamente certa. Sapeva benissimo che cosa fare e aveva tutto nella valigetta. La aprì; depose due fiale[7] sul comodino; stava per trarre la siringa dal tubo di vetro, quando una delle donne si fece impetuosamente avanti: "Ma cosa vuol fare"; e l'altra: "Guardi, è meglio che vada via: abbiamo già mandato a chiamare il dottore dell'altro paese, qui vicino". E così dicendo aprì la porta.

Nel silenzio che seguì non si udì che il rantolo[8] del malato. La ragazza non si mosse. Sentiva un tremore profondo, intimo. Non ce l'avrebbe fatta. Il coraggio le svaniva inesorabilmente. Fine dell'avventura. Mormorò: "Speriamo che arrivi in
45 tempo... Tra un po' quest'uomo muore".

Nulla. Un minuto, ancora, e la ragazza a testa china rimise le sue cose nella valigetta. Non poteva fare altro, doveva arrendersi. Nessuno poteva obbligarla a...

Qualcosa le scattò dentro. Alzò la faccia pallida e tesa. C'era qualcosa, invece, che la obbligava; i sei anni di studio, la laurea in medicina, la voglia di lavorare, ecco
50 cos'era! Esclamò: "Fuori! Fuori tutti!". E poiché l'uomo e le due donne la guardavano immobili e stupefatti, ripeté gridando: "Fuori tutti!"

Vinse. L'uomo fece segno di sì, e mormorò: "Sì, giusto. Andiamo fuori. Faccia quello che va fatto, dottore".

(M. MILANI, in "Corriere della Sera", 26 febbr. 1990)

1. auto utilitaria della FIAT, costruita in serie a partire dal 1936; così chiamata per le piccole dimensioni ■ 2. sporca di fango ■ 3. ingresso di un edificio ■ 4. si tirarono indietro ■ 5. le bagnò completamente i capelli ■ 6. malattia provocata da un accumulo di liquido nei polmoni ■ 7. piccolo recipiente di vetro usato per contenere farmaci o profumi ■ 8. respiro difficoltoso di un malato

a | COMPRENSIONE DEL TESTO

1. Informazioni specifiche

1. *Relativamente al fatto di cui si parla nel racconto indicate:*
   a. dove si svolge;
   b. quando;
   c. chi ne sono i protagonisti.

2. *Spiegate la reazione degli abitanti della cascina alla vista del nuovo medico.*

3. *Illustrate le reazioni e lo stato d'animo della dottoressa di fronte a quella "strana" accoglienza e dite quali riflessioni e motivazioni hanno determinato la sua scelta finale.*

2. Sintesi

➤ *Rielaborando i punti sopra esposti, ricostruite l'episodio letto.*

1. Coesione testuale

> La coesione in un testo è assicurata dalla rete di relazioni che collegano le diverse parti, e questa è realizzata da alcuni termini che rimandano a ciò che è stato detto prima o verrà detto successivamente.

a. *Indicate a quale altro elemento fanno riferimento i termini messi in evidenza attraverso le domande:*

1. (r. 4) "Quando i fari dell'automobile si spensero, non vi fu che **quella luce**". Quale luce?
2. (r. 8) "**Lo** sa dottore?" Che cosa deve sapere il dottore?
3. (r. 22-23) "Non s'era mai visto un medico donna, **da quelle parti**". Di quali parti si tratta?
4. (r. 36) "**Ne** era assolutamente certa". Di che cosa?
5. (r. 48) "C'era **qualcosa**, invece, che l'obbligava:" Che cosa era?

b. *Indicate almeno altri cinque elementi linguistici che nel testo di M. Milani hanno una funzione coesiva, cioè di rimando ad informazioni o dati presenti in altre parti del testo.*

2. Coerenza semantica

> Un testo è tale per la fitta rete di significati che collega fra loro le parole, e fa sì che il senso di una parola si precisi nel contesto, cioè in relazione a quanto già espresso o a quanto si esprimerà. Per questo molte parole per il loro significato rimandano o presuppongono altre parole. Se dico: "Il Parlamento ha varato una nuova legge che regolamenta la caccia", "*Parlamento*" e "*legge*" si corrispondono sul piano semantico, in quanto la legge presuppone un organo dello Stato, il Parlamento, che ha come compito specifico quello di fare le leggi.

➤ *Individuate a quali altre parole presenti nel testo rimandano per significato le seguenti:*

1. inzaccherata (r. 1)   → _____
2. ombrello (r. 3)   → _____
3. buio (r. 24)   → _____
4. androne (r. 27)   → _____
5. siringa (r. 38)   → _____
6. rantolo (r. 42)   → _____

3. Gruppi semantici

> Cancellate da ogni gruppo di parole quella che per significato è diversa dalle altre:

1. malattia - malanno - malore - pazienza - morbo - disturbo
2. malato - afflitto - infermo - paziente - sofferente - degente
3. ospizio - clinica - ospedale - nosocomio - sanatorio
4. farmaco - medicazione - medicinale - medicamento - cura
5. visita - controllo - esame - analisi - diagnosi
6. dolore - disgusto - sofferenza - patimento

4. Enfasi

L'enfasi è un procedimento linguistico con il quale uno o più elementi di una frase vengono posti in rilievo rispetto agli altri. Un modo di enfatizzazione frequentemente usato consiste nello spostare in avanti o indietro (*dislocazione*) un componente dell'enunciato rispetto all'ordine abituale, non marcato. L'elemento posto in rilievo diviene il **tema** dell'enunciato. Tale spostamento può interessare sia il soggetto, come l'oggetto o un complemento qualsiasi della frase. Nel brano di Milani, la dottoressa nel presentarsi dice: "Il dottore sono io"; mettendo in posizione iniziale il termine "dottore" ribadisce, tra lo stupore dei presenti, come questa sia la sua professione e qualifica. La frase normale "Io sono il dottore" non avrebbe avuto la stessa forza persuasiva. Quando è il complemento oggetto o altro complemento ad essere spostato, questo viene ripreso attraverso un pronome (*sostituente anaforico*):
>   es.: **Il medico**, l'abbiamo già chiamato.

> Riscrivete le frasi che seguono evidenziando con un cambiamento di posto il termine in corsivo:

1. *Io* sostituisco il dottor Armani.
2. Non capisco *queste cose.*
3. Era assolutamente certa *di quello che doveva fare.*
4. Sono stato l'anno scorso *a Milano.*
5. Non penso affatto *ad uscire con lui.*
6. Giovanna ha ricamato *quella tovaglia.*
7. Ho detto *a Paola* di aspettarmi al bar.
8. Mio zio per il compleanno mi ha regalato *l'orologio.*

5. Riformulazioni.

> Riscrivete le frasi che seguono sostituendo le parole o espressioni in corsivo con una equivalente senza modificare il senso della frase:

1. *Pioveva a dirotto.*
2. Le due donne *in attesa* uscirono dall'*androne.*

3. Come sarebbe, il dottore sono io?" *echeggiò* l'altra donna.
4. Ma si può sapere - domandò *aspro* - che cosa è successo?"
5. Faccia quello che *va fatto*, dottore.

6. La frase interrogativa

L'interrogativa è la frase con la quale si chiedono informazioni su persone, cose od eventi non noti. Quando la domanda interessa un dato singolo di una informazione (*interrogativa parziale*) l'interrogativa sarà introdotta da un pronome o aggettivo o avverbio interrogativo come *perché?, come?, chi?, dove?, quando?, con che?*, ecc. Quando la domanda è relativa ad un intero evento o stato di cui si vuol sapere se ha avuto luogo o meno (*interrogativa totale*), allora la domanda non è introdotta da alcun pronome o avverbio ma il punto interrogativo alla fine della frase in un testo scritto o l'intonazione segnalano la domanda. Si tratta di domande a risposta aperta, quelle a cui si risponde con un "sì" o con un "no".

Es.:

   Hai visto Gianni? Avete spento tutte le luci?

➤ *Partendo dalle seguenti informazioni, costruite delle frasi interrogative che focalizzino l'elemento evidenziato dal corsivo:*

1. Il medico arrivò *di notte* con una vecchia Topolino, *verso le undici.*
2. Le due donne in attesa uscirono *dall'androne.*
3. Tutti alla Cascina si meravigliarono *che il medico fosse una donna.*
4. *Nostro fratello* sta male.
5. Un uomo si fece avanti, anche lui *con una lucerna.*
6. Il malato è *in camera sua.*
7. Il malato soffre *di edema polmonare.*
8. *I sei anni di studio, la laurea in medicina, la voglia di lavorare* obbligavano la ragazza ad intervenire subito.

7. Tempi verbali

➤ *Completate il testo che segue inserendo i verbi qui di seguito suggeriti nella forma opportuna:*

> Alterare - attribuire - avere - comparire - diagnosticare -
> esserci - formarsi - indicare - insorgere - provocare -
> risolvere - rivestire - sanguinare - significare - soffrire

Chi ...... [1] di problemi digestivi .... [2] genericamente i propri disturbi a una gastrite. In realtà la gastrite è una malattia ben precisa che può .... [3] solo con l'endoscopia e la radiografia. Gastrite ..... [4] esattamente infiammazione dello stomaco, ed .... [5] la presenza di un'alterazione della mucosa che .... [6] questo organo.

La gastrite può essere di due tipi: acuta e cronica. Nella gastrite acuta .... [7] delle piccole erosioni della mucosa, che possono .... [8], mentre in quella cronica vi è un'irritazione meno accentuata ma più diffusa. In entrambi i casi le lesioni .... [9] proprio dagli acidi presenti nello stomaco.

I fattori che possono .... [10] le barriere del muco sono diversi: in primo luogo i farmaci, soprattutto l'aspirina e gli antidolorifici, ma anche gli antibiotici, i cortisonici e poi l'alcol. Una certa importanza .... [11] anche il fumo e alcuni cibi come il pesce e i frutti di mare. Molte volte però alla base di una gastrite .... [12] solo stimoli emotivi e uno stato di stress; in altre circostanze .... [13] nel corso di altre affezioni (malattie infettive, interventi chirurgici, malattie epatiche). La gastrite acuta ha sintomi particolarmente intensi: nausea, vomito, dolori e bruciori allo stomaco, a volte febbre; si .... [14] in qualche giorno, a meno che non .... [15] sangue nel vomito.

C | PRODUZIONE ORALE O SCRITTA

1. Sulla base delle vostre impressioni provate a descrivere i sentimenti e i pensieri che hanno attraversato la mente della ragazza protagonista del racconto di M. Milani.

2. Nonostante i notevoli progressi nel costume e nella cultura permangono ancora nella società moderna e in molti paesi rigide divisioni nel lavoro tra uomini e donne. Analizzate come questo fenomeno si manifesta nel vostro paese e spiegatene le cause.

3. Lo sviluppo tecnologico e le scoperte scientifiche hanno cambiato molte attività e professioni. Anche quella del medico è in parte mutata, soprattutto nel tipo di relazioni con i pazienti. Sulla base delle vostre esperienze e conoscenze dirette o indirette, dite come è cambiato il rapporto tra medico e paziente nella realtà in cui vivete.

4. Forse di recente siete stati malati o avete accusato qualche malore. Descrivete i sintomi di tale malessere ed indicate le cure seguite e quali medicine avete preso.

IL LINGUAGGIO DELLA SCIENZA

Tra le lingue speciali, o linguaggi settoriali, occupa un notevole rilievo, anche per la sua diffusione nella lingua comune, il linguaggio scientifico.

Quella scientifica, più di ogni altra lingua speciale, si caratterizza per l'oggettività e l'impersonalità (o distacco) con cui descrive e spiega i fatti e i fenomeni, per l'uso di un lessico specialistico che comprende tanto parole che non vengono usate nel linguaggio comune, quanto parole che, pur appartenendo al linguaggio comune, vengono usate con un diverso significato. Il lessico scientifico, inoltre, si distingue per la sua estrema precisione: le parole hanno un significato unico e neutro, vale a dire indicano sempre e solo una cosa e non trasmettono valori o giudizi (pura funzione denotativa). Le parole della scienza sono quindi dei termini scientifici.

Il linguaggio scientifico è rigidamente fissato dagli specialisti, e i suoi termini hanno spesso una diffusione internazionale e possono essere tradotti in tutte le lingue senza provocare ambiguità d'interpretazione.

A titolo esemplificativo eccovi una scheda con alcune parole della medicina largamente diffuse anche nel linguaggio quotidiano.

1. Le parole della medicina

---

1. Medicinali

a. *in base alla forma e all'aspetto:*

capsula - compressa - crema - gocce - pastiglia (pasticca) - pillola - pomata - sciroppo

b. *in base alla funzione*

analgesico - antibiotico - antiinfiammatorio - antinfluenzale - antireumatico - anticoncezionale - cardiotonico - collirio - diuretico - lassativo - ricostituente - sedativo - tranquillante - vitamina

2. Medici

allergologo - anestesista - angiologo - cardiologo - chirurgo - dentista - dermatologo - dietologo - internista - medico generico - oculista - oncologo - ortopedico - otorino - pediatra - psichiatra - psicoanalista - psicologo - psicoterapeuta - radiologo - urologo

3. Malattie

allergia - appendicite - arteriosclerosi - artrite - artrosi - asma - bronchite - calcolosi - cancro - carie - cefalea - colite - diabete - eczema - emicrania - epatite - eritema - ernia - flebite - gastrite - gengivite - infarto - influenza - morbillo - osteoporosi - otite - raffreddore - reumatismi - rosolia - scarlattina - sinusite - tonsillite - tumore - varicella

---

➤ *Provate, ora, a tradurre nella vostra lingua madre i termini medici sopra elencati.*

2. E tu come stai?

1. Avverti dolori e senso di peso allo stomaco?
   - [ ] A   Sì   (2 punti)
   - [ ] B   No   (0 punti)
   - [ ] C   Qualche volta   (1 punto)

2. Sono presenti anche bruciori e acidità?
   - [ ] A   Sì   (2 punti)
   - [ ] B   No   (0 punti)
   - [ ] C   A volte sì   (1 punto)

3. Compaiono sempre alla stessa ora?
   - [ ] A   Sì, dopo i pasti   (2 punti)
   - [ ] B   Non hanno ore precise (1 punto)
   - [ ] C   Al mattino a digiuno (0 punti)

4. In che posizione li avverti?
   - [ ] A   Nella parte superiore dell'addome   (2 punti)
   - [ ] B   Diffuso sull'addome   (1 punto)
   - [ ] C   Senza sede precisa   (0 punti)

5. Hai spesso episodi di vomito?
   - [ ] A   Sì   (1 punto)
   - [ ] B   No   (0 punti)
   - [ ] C   Sento molta nausea   (2 punti)

6. Digerisci sempre senza problemi?
   - [ ] A   Sì   (0 punti)
   - [ ] B   No, ho difficoltà   (2 punti)
   - [ ] C   Fatico con certi cibi (1 punto)

7. I disturbi si verificano occasionalmente?
   - [ ] A   No, durano da tempo   (2 punti)
   - [ ] B   Sì, durano pochi giorni (0 punti)
   - [ ] C   Vanno e vengono   (1 punto)

8. Bevi molto caffè e molte bevande alcoliche?
   - [ ] A   Sì   (2 punti)
   - [ ] B   No   (0 punti)
   - [ ] C   A volte esagero   (1 punto)

9. Ti trovi in un periodo di stress particolare?
   - [ ] A   Sì   (2 punti)
   - [ ] B   No   (0 punti)
   - [ ] C   Sono un po' stanco   (1 punto)

10. Stai prendendo dei farmaci?
    - [ ] A   Sì, per i dolori   (2 punti)
    - [ ] B   No   (0 punti)
    - [ ] C   Sì, per altri disturbi (1 punto)

LE SOLUZIONI

* **SOPRA 15 PUNTI** - E' indubbio che il tuo stomaco ha qualcosa che non va. I tuoi disturbi potrebbero essere la spia, se non di una gastrite vera propria, di un'altra malattia del sistema digestivo, oppure essere semplicemente l'espressione di un periodo di stress particolarmente intenso. E' quindi necessario che ti rivolga subito al tuo medico per le cure opportune.

* **TRA 11 E 15 PUNTI** - Non hai disturbi particolarmente gravi, tali da far pensare a una gastrite, ma pur sempre fastidiosi. Senti comunque il medico, perché la gastrite è una malattia insidiosa sia per i sintomi sia per le conseguenze che ne possono derivare.

* **SOTTO i 10 PUNTI** - Hai uno stomaco di ferro e non soffri certo di una gastrite. Se i sintomi che avverti solo occasionalmente diventassero più frequenti o persistenti, allora devi consultare il tuo medico.

Profilo dell'autore
MINO MILANI

Mino Milani è nato a Pavia nel 1928. Scrittore, giornalista, divulgatore storico e sceneggiatore per fumetti. Come scrittore è autore di libri per ragazzi, di opere di storia e di romanzi. Tra questi ultimi ricordiamo *Selina*, tradotto in film dal regista Carlo Lizzani, *Fantasma d'amore* (1979), dal quale Dino Risi ha tratto l'omonimo film che ha avuto come protagonista Marcello Mastroianni, *Le isole della paura* (1982), *Romanzo militare* (1988), e nel 1989 è uscito presso l'editore Rizzoli *L'uomo giusto*.
Autore di libri per ragazzi tra cui i volumi dedicati a Tommy River e le avventure di Martin Cooper. Ha collaborato con i più importanti disegnatori italiani (Pratt, Manara, Toppi, Micheluzzi), scrivendo le sceneggiature delle loro migliori creazioni.
Tra le sue opere di storia vanno ricordate, in particolare: *La repressione dell'ultimo brigantaggio nelle Calabrie, Storia di Pavia: primo millennio, e Il movimento garibaldino in Lombardia*. Giornalista, ha tenuto per anni una rubrica sulla "Domenica del Corriere" dal titolo *La realtà romanzesca*, un viaggio nel quotidiano imprevedibile. Tra il 1977 e il 1978 ha diretto "La Provincia Pavese".

3. IL NUOVO BARBIERE

Entrai velocemente nel salone, con la precisa intenzione di liberarmi della mia capigliatura, anche perché il caldo afoso mi rendeva più pesante la testa.

Il barbiere era seduto su una sedia bassa, piegato su un tavolinetto e immerso nella lettura di un giornalino a fumetti. Il mio barbiere, piuttosto anziano, era solito fare queste letture: aveva parecchio tempo libero, perché, trovandosi il suo locale in periferia, era frequentato più che altro da persone anziane, sempre rare, a cui piaceva chiacchierare e leggiucchiare.

"Barba e capelli!" gridai dopo aver salutato, con un'irruenza[1] che esprimeva anche l'impazienza.

Destato dalla mia presenza e dalla mia voce, il barbiere si alzò. Mi accorsi subito che non era il mio barbiere ma uno nuovo. In quella posizione, con quel solito camice e con quegli occhiali, nonché per una certa simile fisionomia, non lo avevo riconosciuto prima. Se avessi saputo di non trovare il mio barbiere, al quale ero abituato da anni, non sarei andato lì: avrei atteso il suo ritorno oppure mi sarei scelto un altro barbiere. Ma ormai ero lì e certo non potevo dire che rinunciavo al taglio. Così, dietro un suo bonario invito accompagnato da un largo gesto della mano, mi accomodai sulla poltrona, osservando quell'uomo.

Mi accorsi subito che il nuovo barbiere era... un vecchio barbiere. Se definivo anziano il mio, questo avrei dovuto definirlo decrepito[2]. E dovetti sbalordirmi[3] ancor più, quando m'informò che il barbiere titolare era andato a fare la stagione in montagna, lasciando come sostituto[4] lui, cioè il padre. Mi sbalordì questa affermazione in quanto che non avrei mai pensato che il mio barbiere a quell'età potesse avere il padre ancora vivente.

Nello studio che feci di quell'uomo, la prima cosa che mi colpì fu l'estremo pallore[5]. Certamente era ammalato: poteva crollare a terra da un minuto all'altro, e magari poi avrei passato dei guai con la giustizia per testimonianze, interrogatori, accuse, ecc.

Successivamente mi colpì il tremito della sua bocca, che mi confermò l'opinione sulla gravità di quella malattia. Guardandolo attentamente sulla bocca, avevo l'impressione che stesse per esalare[6] l'ultimo respiro. Non capivo come quell'incosciente di un figlio avesse lasciato un moribondo a sostituirlo. Perché non aveva chiuso bottega, invece di mettere in pericolo la vita dei clienti, oltre che quella di suo padre? Infine mi terrorizzò il tremito delle sue mani. Non capivo come avrebbe potuto maneggiare strumenti così delicati e (nelle sue mani) pericolosi. Stavo per andar via, dicendo che rinunciavo al taglio, ma poi ebbi pietà di quel povero vecchio, che certamente si sarebbe sentito inutile, se io avessi fatto quel gesto, e avrebbe trascorso più tristemente gli ultimi suoi giorni. Allora mi sottoposi al supplizio, raccomandandogli di farmi solo la sfumatura[7], visto che a me piace diventare capellone.

Il nuovo barbiere si mise al lavoro e io cominciai a raccomandarmi a tutti i santi del paradiso. Sospettavo qualche ferita, qualche sconcio[8], se mi avesse fatto "le scale", come avrei potuto presentarmi al lavoro o in giro? Ma pazienza: sarei andato da un altro barbiere, pregandolo di assestare[9] le linee, col rischio di vedere rimpicciolita troppo la, mia capigliatura e la mia figura abituale.

Il lavoro procedeva lentamente. I movimenti di quell'uomo erano lenti e misurati. Sembrava che egli dovesse meditare prima di compiere un gesto. Non vedevo l'ora
45 che passassero quei minuti e che io potessi uscire vivo, sano e libero da quell'incubo[10], anche se un po' sconciato. Chiesi un giornale per distrarmi, ma quel barbiere era talmente povero che non aveva nessun altro giornale che quel fumetto diabolico. Così fui costretto ad assistere a quello scempio[11].

Finalmente arrivò il momento del rasoio. Gli vidi brandire[12] quell'arma e fui preso
50 dal panico[13]. Con voce rauca gridai "No!". Il barbiere rimase un momento come incantato: con una mano teneva il rasoio e con l'altra mi stringeva la testa. Lo osservai in questo atteggiamento; e poi convinto che il mio sacrificio dovesse essere consumato fino all'ultimo, aggiunsi: "No, non mi stringa la testa così forte, se no mi fa male." Lui mormorò: "Mi scusi, è lei che tira la testa dalla parte opposta. Se lei allon-
55 tana la testa, come faccio a raderla?" Sembrava un medico che volesse convincere un malato capriccioso o pauroso; e mi convinse. Abbozzai un sorriso, il sorriso della morte e ne ricevetti uno di ricambio. Intanto chiesi la grazia a sant'Antonio e gli promisi che gli avrei acceso un cero nella chiesa più vicina.

Da quel momento il nuovo barbiere fu il padrone assoluto di me, della mia vita e
60 della mia morte. Il sangue delle vene mi defluiva[14] verso il basso o il centro, comunque lontano dal cervello. Non so se fossi più pallido del barbiere. Non sentivo bene; e quando il mio torturatore mi chiedeva qualcosa, dicevo sempre sì, desiderando soltanto di andar via il più presto possibile.

All'improvviso sentii dirmi: "Pronto, signore!" Non mi parve vero. Il taglio era fini-
65 to. La tortura era finita. Ero sano. Ero vivo. Ero libero. Cominciai a distendermi.

Indugiai[15] a guardarmi negli specchi che il brav'uomo mi girava intorno per farmi ammirare il suo capolavoro. Ferite non ne avevo; e il taglio dei capelli... mica male... Era durato un'eternità, ma era presentabile, anzi era buono...

"Perfetto!" dissi con una doppia soddisfazione.
70 Lo pagai doppio. Nel ricevere il denaro, egli mi sorrise; e i nostri sguardi si incontrarono. Sembrava che volesse esprimermi gratitudine e soddisfazione. Alla sua età e nelle sue condizioni è difficile che un taglio riesca così. Certamente lui era uno di quei vecchi artigiani, divenuti maestri nella loro arte. Ho capito che, anche se era vecchio, il mestiere lo conosceva, e come! Era un vecchio leone. Chissà come sarà
75 stato contento di essere ancora utile a qualche cosa!

(liber. tratto da C. CICCIA, *Storie paesane*)

1. slancio impetuoso e travolgente ■ 2. molto vecchio ■ 3. stupirmi, provare meraviglia ■ 4. al suo posto ■ 5. colore bianco del viso ■ 6. emettere ■ 7. taglio graduato dei capelli sulla nuca ■ 8. cosa fatta male ■ 9. mettere a posto ■ 10. sogno terribile o angoscioso che lascia un senso di paura o terrore ■ 11. grave rovina ■ 12. tenere in mano, detto di un'arma ■ 13. paura fortissima, improvvisa e irrazionale, individuale o collettiva ■ 14. scorrere in basso ■ 15. mi fermai per un po'

1. Informazioni specifiche

1. Indicate il luogo e i protagonisti della vicenda narrata.
2. Descrivete la figura del vecchio barbiere.
3. Descrivete i diversi stati d'animo del cliente.
4. Indicate quali pericoli il cliente teme di correre.

2. Campi semantici

➤ *Rintracciate nel testo e trascrivete i termini con cui viene indicato :*

- il nuovo barbiere
- il suo lavoro
- gli stati d'animo del cliente

3. Sintesi

➤ *Riesponete in modo sintetico il testo letto.*

b | ANALISI LESSICALE E LINGUISTICA

vai a pag. 82

1. Modi di dire

➤ *Spiegate, anche con l'aiuto del dizionario, il significato delle seguenti espressioni idiomatiche usate nel testo letto:*

a. fare la stagione
b. raccomandarsi a tutti i santi del paradiso
c. fare "le scale"
d. essere un vecchio leone
e. chiudere bottega

2. Gradazioni semantiche

➤ *Disponete in ordine crescente, in relazione all'età o all'intensità, le parole di ciascun gruppo:*

1. vecchio - anziano - decrepito - attempato - adulto
2. giovane - adolescente - bambino - ragazzo - fanciullo.
3. paura - angoscia - terrore - spavento - timore - panico
4. impaziente - focoso - irruente - violento - nervoso - collerico
5. caldo - tiepido -bollente - torrido - rovente
6. freddo - gelido - gelato - rigido
7. sbalordire - meravigliare -terrorizzare - stupire - strabiliare
8. macello - sconcio - massacro - scempio

3. Aggettivi

L'aggettivo di qualità ha una posizione mobile rispetto al nome, cioè può precedere o seguire il nome a cui si rapporta. La collocazione prima o dopo il nome fa assumere all'aggettivo una connotazione particolare. Infatti, se si trova dopo il nome, ha un valore restrittivo, cioè attribuisce al nome qualità e caratteristiche che si vogliono evidenziare; se, invece, precede il nome, assume un valore descrittivo, in quanto aggiunge al nome una qualità accessoria.

Es.:

È tornato a visitare la *città vecchia* (= la parte vecchia della città)
È tornato a trovare i *vecchi amici* (= gli amici di un tempo)

Alcuni aggettivi, come "bravo", "buono", "alto", "grande", "forte", ecc., uniti a certi nomi assumono un significato metaforico o formano con essi un'*unità semantica* tale da dare origine ad espressioni stereotipate. In tali casi l'aggettivo è posto o solo prima o solo dopo il nome cui si riferisce.

Ad esempio, se dico "*Mario è un brav'uomo*" voglio dire che è onesto e corretto, mentre se dico che "*è un uomo bravo*" intendo sottolineare semplicemente una sua particolare abilità.

Sono invece espressioni rigide:

grosso modo (più o meno)
alto medioevo (l'età più antica del medioevo)
taglia forte (una misura d'abito per persona di grossa corporatura)

in queste espressioni non è possibile cambiare la collocazione dell'aggettivo; si avrebbe una espressione priva di senso.

Infine, alcuni aggettivi di qualità che indicano forma, colore o materia si collocano di norma dopo il nome.

Es.:

Portava una gonna *verde*.
Ha comprato delle mensole *rettangolari*.

a. *Delle seguenti coppie di espressioni evidenziate il diverso significato che assumono a seconda che l'aggettivo sia anteposto o posposto al nome.*

- un grand'uomo   - *un uomo grande*
- una nuova macchina   - *una macchina nuova*
- diverse persone   - *persone diverse*
- una certa notizia   - *una notizia certa*
- un semplice problema   - *un problema semplice*
- un alto magistrato   - *un magistrato alto*

b. *In ciascuna delle seguenti frasi inserite al posto opportuno uno degli aggettivi indicati:*

ampio - divertente - grave - originale - rosso - sano - sinistro - ultimo

1. Il terremoto ha provocato danni in tutta la zona.
2. Ha bevuto una bottiglia di vino.
3. Una piccola compagnia teatrale ha offerto gratuitamente uno spettacolo a tutto il paese.
4. Ha lasciato di sé un'impronta.
5. I Renzi sono andati ad abitare in un palazzo vicino alla riva del Tevere.
6. Sono arrivati ad un accordo dopo una discussione.
7. Hai saputo le notizie sul suo trasferimento?
8. Ha mangiato da solo un cocomero.

4. La frase interrogativa

➤ *Trasformate le seguenti frasi interrogative da dirette in indirette e viceversa:*

1. Non capivo come quell'incosciente di un figlio avesse lasciato un moribondo a sostituirlo.
2. Perché non aveva chiuso bottega?
3. Non capivo come avrebbe potuto maneggiare strumenti così delicati e pericolosi.
4. Se lei allontana la testa, come faccio a raderla?

C   PRODUZIONE ORALE O SCRITTA

1. Nella moderna società industriale il lavoro artigianale va lentamente scomparendo. Descrivete questo fenomeno così come si manifesta nel vostro paese, individuandone, se le conoscete, le cause.
2. Accanto a mestieri che scompaiono, ne nascono di nuovi. Descrivete alcuni dei vecchi e dei nuovi mestieri.
3. Un incontro con una persona anziana che ricordate con una certa emozione.

4. Nella prima pagina de *Il grande gioco*, una lunga lettera che Piero Ottone scrive ai suoi nipotini, l'autore dice: "Ho vissuto la mia giornata, ho conquistato uno stato d'animo di grande tranquillità. E ho raggiunto una stagione che ritengo, da un certo punto di vista, la più bella, la più affascinante, nel lungo viaggio dell'essere umano. Cominciamo col chiamarla col suo nome. Oggi si dice la terza età, la quarta età. Che sciocchezza: vecchiaia è termine virile, dignitoso. Chi è vecchio deve essere fiero di essere vecchio. E di portare con sé esperienza, saggezza, equilibrio".

Come si vede, Ottone afferma con soddisfazione e orgoglio il suo essere vecchio e rifiuta la mania di chiamare la vecchiaia con altri termini. Nel commentare le parole di Ottone, dite perché attorno ai termini "vecchio" e "vecchiaia" c'è una sorta di tabù che porta ad evitarli.

Questionario

La terza età

- In Italia l'età pensionabile oscilla fra i 60 (in genere per le donne) e i 65 anni (per gli uomini). A quale età si va in pensione nel vostro paese?

- In Italia per motivi di salute si può andare in pensione anche prima dei 60 anni. È possibile anche nel vostro paese?

- L'entità della maggior parte delle pensioni sociali in Italia è piuttosto modesta, pari circa a un terzo di uno stipendio medio-basso. Com'è la situazione nel vostro paese?

- A causa delle modeste pensioni molti italiani stipulano contratti con assicurazioni private per integrare la pensione. Esiste anche nel vostro paese questo fenomeno? E in che misura?

- In molte città italiane sono sorte università per anziani (Università della terza età). C'è qualcosa di analogo nel vostro paese?

- In alcune città e piccoli centri gli anziani vengono impegnati in attività di carattere sociale, come la vigilanza davanti alle scuole elementari e medie, l'assistenza ai malati, la cura del verde pubblico, ecc. E nel vostro paese...?

4. LA RAGAZZA DEL SABATO SERA

La stanza le stava intorno apparentemente ordinata, con scaffali di libri, due tavoli, tappeti. A una prima occhiata, poteva anche sembrare bella. Solo l'abitudine a scrutarla riusciva a scoprirne il segreto disordine, le frange lise[1] dei tappeti, i buchi e le ombre lasciati sui muri dai quadri spostati, un alberino rinsecchito nel suo vaso
5 e tuttavia ancora lì, insostituibile. E poi una macchia sul divano, e un portacenere con vecchi mozziconi ormai incollati sul fondo.

E' lei che non va, giudicava la ragazza rodendosi[2] nel fondo della sua poltrona, mordendosi l'unghia, certo che è lei, solo lei, quella donna, neppure sa rendersi conto della fortuna che le è capitata... Quel tavolo, per esempio: è il tavolo dove lui
10 lavora, con mucchi di carte, riviste d'ingegneria, e glielo lasciano abbandonato che fa vergogna... Non gli porta rispetto, quella, ecco com'è.

Lentamente si accorse di quanto quella donna, quegli occhi azzurri sbiaditi, l'irritassero[3], ben più in là della paura che la sua stessa presenza poteva iniettarle nel corpo. Ricreandosela davanti intera, all'improvviso e con un violento sforzo di volontà, la vide distratta, egoista, soltanto preoccupata di sé, sprezzante di tutto ciò che
15 le girava attorno.

... E poi è sempre lui che si raccomanda davvero per la bambina, ricordò in un lampo benevolo, lei dice sì e no due parole, mentre lui è buono, gentile, si preoccupa... Davvero non si merita un uomo così. E poi bevono. Lui: sta bene, forse alla
20 sera è stanco, e al sabato avrà magari voglia di lasciarsi andare. Ma lei: un bicchiere via l'altro. Si sente e si vede. Ogni volta devo aprire la finestra, questo vermut lascia un odore che fa venire il voltastomaco.

Lui se ne infischia[4], è chiaro. E' beneducato e cerca di comportarsi bene, di non darlo a vedere, ma non la può soffrire. Quando tornano a casa: la ucciderebbe, lo
25 capisce chiunque. Forse è solo quella povera bambina che li tiene ancora insieme. Chissà a chi assomiglia, dei due. Le bambine di solito assomigliano ai padri. E lui dev'essere un angelo, come padre... Dio mio, perché non ho coraggio? [...]

Si trovò un libro aperto in mano senza averlo scelto consapevolmente. Sfogliò, richiuse, riprese a sfogliare senza leggere finché due pagine stancamente ricaddero
30 da sole lasciando in vista un breve rettangolo di cartone.

Era la fotografia di un ragazzo, biondo, imbronciato[5], con un vestito alla marinara da cui spuntavano scarpe di vernice nera e guanti bianchi.

Restò a studiarla senza curiosità, finché di colpo avvertì che era lui, appena più che bambino. Allora, lentamente arrossendo, cominciò a scrutare la fotografia cen-
35 timetro dopo centimetro, quel ciuffo[6] biondo, quella posa intimidita e gelata dal fotografo, il bordo dei guanti di filo appena rovesciato. Dietro, nessuna data, solo un pallido scarabocchio[7] d'inchiostro.

Non osò pensare: l'ha lasciata qui perché io la vedessi.

La ripose nel libro, accuratamente allineandolo sul tavolo con gli altri. Si sentì stu-
40 pida, senza risorse[8], con quei vent'anni ridicoli che non le davano niente, neppure il coraggio di buttarsi via.

Adesso telefona, ricapitolò. Come al solito adesso telefona per chiedermi come va, e io non saprò dirgli un bel niente. Avesse almeno lui il coraggio di cominciare.

Il telefono era lì sul tavolo, e sapeva che entro cinque minuti avrebbe suonato. L'ebbe subito in mano al primo squillo.

45 "Va bene? Come va?" già domandava ridacchiando la voce lontana.

Ubriaco. Come al solito, capì Anna.

La voce schiumava, coperta da uno spesso gorgoglio[9] estraneo.

"Non sento niente" diceva: "Perché sta zitta? Non ha messo su un disco? La pupa non si sveglia, lo sa... Si tenga di buonumore. Tra una mezzora arriviamo."

50 "Sì, certo, grazie" rispose la ragazza.

"Bene. Sì. Bene" insisteva la voce, ridendo e tuttavia impacciata[10].

Non dovrebbe bere così, adesso glielo dico. Invece rimase zitta, aspettando, sentendo caldo all'orecchio e nella mano il telefono ingolfato[11] da quel gorgoglio.

"Allora: a tra poco" tossì la voce.

55 "Sì, grazie" le riuscì soltanto di rispondere.

Non combinerai mai niente nella vita, brutta cretina, si insultò posando l'apparecchio.

Incapace di sedersi, prese ad andare su e giù, dagli scaffali dei libri al divano, dalla finestra alla porta.

Non esalava rumore da quella casa, e dalla strada appena il fruscìo[12] di auto lon-
60 tane.

Finché le parve di udire come una specie di fioco[13] lamento, ma chissà dove perduto.

Restò ferma in ascolto. Sì, quel lamento arrivava dolcissimo, attraverso i muri.

Aprì una porta e l'udì, appena appena più distinto. Proprio un gatto. Le parve
65 anche di sentir raspare[14] contro il legno di un uscio, laggiù.

Purché non svegli la bambina, si disse cercando la luce nel corridoio. Tastando lungo il muro scoprì l'interruttore e subito il corridoio le si aprì davanti con poche porte a destra e a sinistra.

Ora il gatto non si lamentava più, forse intimorito dal passo sconosciuto che gli
70 procedeva incontro.

Aprì una porta, ma era la stanza da letto. I due letti separati tagliavano la stanza incredibilmente in disordine, con mucchi di libri per terra, e cataste[15] di giornali, l'armadio spalancato e confuso, un tavolo ingombro di scatole, tubetti, bottiglie di medicinali.

75 Rimase immobile a guardare, stupefatta, non osando avanzare un piede. Richiuse poi lentamente, come per sfuggire a quel disordine, e subito tentò un'altra porta. Il gatto in un balzo fu nel corridoio, sparendo in soffice corsa.

Oltre la porta era una luce rosa velata. Anna si sporse e vide la stanza della bambina. Il debole lume allargava macchie chiare e scure sulle pareti coperte da dieci-
80 ne di grandi e piccole e addirittura minuscole fotografie, tutte di lei, bionda e gracile con due ciuffetti sulla fronte, stupita e appena schiusa[16] a un sorriso nella foto più grande e lucida. Tutt'attorno, a un metro da terra, correva un ripiano[17] greve[18] di giocattoli, bambole, scatoline, l'uno all'altro stretto.

Nel letto la bambina dormiva, al riparo della luce. Ma una guancia rossa e lustra[19]
85 sporgeva oltre il risvolto[20] del lenzuolo, e Anna mosse a guardarla.

Toccò il cuscino, premendolo appena un poco, e di colpo, nel vuoto improvviso delle piume, la testa della bambola si rovesciò, rigida, meccanicamente le palpebre si spalancarono sui vividi occhi di porcellana.

Appena la mano si ritrasse impaurita, per il nuovo sobbalzo la testa di gesso ripie-
90 gò, le lunghe ciglia coprirono gli occhi, e nella luce apparve solo, nettissimo, quel
cuore delle labbra troppo dipinte.

S'accorse di tremare, lasciando la stanza, e avvertì la pellicola di sudore che già
l'appiccicava all'abito. Si rintanò nella poltrona, non riuscendo a dominare l'assurdo
95 spavento.

(G. ARPINO, *Un gran mare di gente,* Rizzoli, Milano 1981)

1. consumate ■ 2. consumarsi dentro di sé per problemi e preoccupazioni, tormentarsi ■ 3. dare
fastidio ■ 4. non curarsi affatto di qualcosa o qualcuno ■ 5. che esprime nel viso risentimento o
cattivo umore ■ 6. ciocca di capelli ■ 7. segno grafico o scritta illeggibile ■ 8. mezzo che ci aiuta
in caso di necessità o bisogno ■ 9. rumore prodotto da un liquido che scorre ■ 10. imbarazzata
■ 11. riempito ■ 12. rumore lieve prodotto da tessuti o foglie o carte che si muovono ■ 13. debole, tenue ■ 14. grattare con le unghie o le zampe (detto di animali) ■ 15. mucchi di cose messe
una sopra l'altra ■ 16. aperto ■ 17. piano di uno scaffale o libreria ■ 18. pesante ■ 19. lucida
■ 20. parte di stoffa ripiegata verso l'esterno

a | COMPRENSIONE DEL TESTO

1. Informazioni specifiche

> *Rispondete alle seguenti domande:*

1. Il racconto si apre con la descrizione di una stanza della casa dove la ragazza il sabato lavora come baby-sitter. Come viene descritta?
2. La ragazza fa delle riflessioni sulla padrona di casa e su suo marito. Che atteggiamento ha verso i due?
3. Quale attività svolge il padrone di casa? Da quali elementi si capisce?
4. Che cosa scopre la ragazza in un libro preso a caso?
5. "Lui" telefona alla baby-sitter. Che cosa le dice?
6. Come è descritta la sua voce al telefono?
7. Per quale motivo la ragazza ad un certo punto va nel corridoio?

2. Interpretazione del testo

1. Seguendo il filo dei pensieri e delle considerazioni della ragazza, ricostruite il rapporto
che intercorre tra i due coniugi.
2. In alcune parti del racconto si intuisce un certo "interesse" della ragazza nei confronti
del padrone di casa. Rintracciate nel testo i passi che lo fanno capire.
3. Molti indizi suggeriscono alla ragazza che c'è qualcosa di strano in quella casa. Quali
sono, secondo voi?

3. Sintesi

* *Riesponete il testo seguendo l'ordine cronologico dei fatti.*

1. Il ritmo del testo narrativo

Il ritmo di un racconto è dato dalla varia disposizione delle sequenze che lo compongono. In una narrazione l'autore espone fatti, descrive luoghi, riporta discorsi, fa delle considerazioni, imponendo al racconto ora delle accelerazioni, ora dei rallentamenti, ora delle pause.

Il tempo della storia può quindi essere compresso o dilatato nella narrazione attraverso tecniche come l'*ellissi*, il *sommario*, la *pausa* e la *scena*.

L'**ellissi** si ha quando il narratore omette alcuni fatti o episodi e compie salti in avanti nel tempo della storia.

Il **sommario** si ha quando il narratore riassume in poche righe fatti ed eventi di durata più o meno ampia. Il ritmo della narrazione subisce un'improvvisa accelerazione.

La **pausa** si ottiene quando il narratore commenta un fatto, oppure descrive un ambiente o un personaggio (ritratto fisico o psicologico). In questo caso il racconto subisce un evidente rallentamento.

La **scena**, invece, è caratterizzata dai dialoghi e dalle battute dei personaggi. Qui il tempo e il ritmo della storia e della narrazione coincidono.

Le varie sequenze sia per la tecnica che per il contenuto o tema si distinguono in **sequenze narrative** o *dinamiche*, con le quali viene portata avanti la storia, in **sequenze descrittive** o *statiche*, in **sequenze riflessive** nelle quali vengono riportati i pensieri, le opinioni o le riflessioni dei personaggi, e in **sequenze dialogiche** con le quali si riportano i discorsi.

Il racconto di Arpino, che abbiamo letto, ha un ritmo piuttosto lento: i fatti narrati, o se vogliamo, le sequenze dinamiche sono relativamente poche. L'azione è costituita dagli spostamenti della ragazza nella casa, mentre una grande parte del racconto è occupata dalla descrizione degli ambienti (la stanza del soggiorno e le camere da letto) e dai pensieri e dalle riflessioni della ragazza.

➤ *Suddividete il testo di Arpino nelle sue sequenze descrittive, narrative, riflessive e dialogiche, e completate la scheda che segue:*

A. sequenze descrittive:

1. (r. 1-6): Descrizione della stanza di soggiorno (scaffali, tavoli, tappeti, pareti...)

2. ....

3. ....

4. ....

5. ....

B. sequenze narrative:

1. (r. 28-30) La ragazza prende e sfoglia un libro.

2. ....

3. ....

4. ....

5. ....

6. ....

7. ....

C. sequenze riflessive:

1. (r. 7-11) Giudizi e opinioni sulla padrona di casa

2. ....

3. ....

4. ....

D. sequenze dialogiche:

1. ....

2. ....

2. Discorso indiretto libero

La storia è raccontata da un narratore esterno, in terza persona, ma in alcune parti il punto di vista da esterno (quello del narratore) si fa interno, e la vicenda allora è vista con gli occhi della ragazza. Il punto di vista interno trova la sua realizzazione sul piano sintattico e stilistico nella forma del *discorso indiretto libero*. In questo caso, ad esempio, le riflessioni e i pensieri della ragazza sono riportati liberamente senza alcuna dipendenza sintattica, come continuazione della narrazione.

➤ Individuate nel racconto le parti in discorso indiretto libero e riscrivetele nella forma del discorso indiretto "legato", vale a dire facendo dipendere sintatticamente i discorsi da verbi reggenti dichiarativi, tipo *pensare, dire, riflettere, considerare*, ecc.

Es.:

(r. 7-9) La ragazza rodendosi nel fondo della sua poltrona, mordendosi l'unghia, giudicava che fosse la moglie che non andava, lei, solo lei quella donna che neppure sapeva rendersi conto della fortuna che le era capitata.

3. Coesione testuale

> La coesione in un testo è assicurata dalla rete di relazioni che collegano le diverse parti, e questa è realizzata da alcuni termini che rimandano a ciò che è stato detto prima o verrà detto successivamente.

> *Per gli elementi evidenziati indicate a quali termini o informazioni fanno riferimento:*

1. *"riusciva a scoprirne il segreto disordine"* (r. 3). A chi si riferisce il *"ne"*?
2. *"glielo lasciano abbandonato che fa vergogna"* (r. 10-11). Che cosa e a chi lasciano?
3. *"Cerca di non darlo a vedere"* (r. 23-24). A che si riferisce *"lo"*?
4. *"Non gli porta rispetto quella"* (r. 11). Chi è *"quella"*?
5. *"La ripose nel libro, accuratamente allineandolo sul tavolo con gli altri"* (r. 39). Che cosa ripose nel libro?

vai a pag. 108

4. Coerenza semantica

> *Indicate a quale altra parola o espressione si collegano dal punto di vista del significato le parole o espressioni seguenti:*

1. (r. 6) *"vecchi mozziconi"* si collega a: → ....
2. (r. 15) *"preoccupata di sé"* rimanda a: → ....
3. (r. 20-21) *"un bicchiere via l'altro"* si collega a: → ....
4. (r. 28-29) *"sfogliò, richiuse..."* si collega a: → ....
5. (r. 35) *"quella posa"* si collega a: → ....
6. (r. 44) *"al primo squillo"* si collega a: → ....
7. (r. 67) *"scoprì l'interruttore"* si collega a: → ....
8. (r. 71) *"i due letti separati"* si collega a: → ....
9. (r. 87) *"piume"* si collega a: → ....

5. Parole composte

> Una delle risorse di una lingua per la creazione di nuove parole è costituita dalla "composizione". Il meccanismo è molto semplice: si uniscono in una sola parola due parole esistenti. Molte lingue, come ad esempio il tedesco o l'inglese, ricorrono a questo meccanismo più frequentemente dell'italiano.
> Ad es.:
>
>   "Fatto a mano" in tedesco è: *Handarbeit*
>   in inglese è: *Handmade*
>
> Le combinazioni da cui può risultare un nome composto sono diverse. Si può avere:
> nome + nome   *caposquadra, pescecane, agopuntura, ecc.*
> aggettivo + nome   *piattaforma, falsariga, gentiluomo, ecc.*
> verbo + nome   *portacenere, asciugamano, lavastoviglie, ecc.*

verbo + verbo	parapiglia, saliscendi, giravolta, ecc.
avverbio + nome	sottoscala, soprabito, sottovoce, ecc.
avverbio + aggettivo	beneducato, benemerito, malintenzionato, ecc.
preposizione + nome	senzatetto, ecc.

Di norma i composti si formano rispettando le regole di costruzione sintattica, per cui solo alcune delle combinazioni, in teoria possibili, sono di fatto realizzate. Ad esempio, mentre è normale formare una nuova parola combinando un verbo ed un nome (predicato + oggetto), non è possibile fare una parola composta da verbo + aggettivo.

Le combinazioni di due parole appartenenti a categorie diverse dà, più frequentemente, come esito un nome. Tuttavia, se il secondo termine della parola composta è un verbo, il termine derivato sarà un verbo (maledire, sottoporre), e se la combinazione è fra due aggettivi l'esito sarà un aggettivo (dolceamaro).

Una delle composizioni più produttive nell'italiano contemporaneo è costituita da verbo + nome. Di solito il nome costituisce l'oggetto del verbo: ad es.: il portalettere è colui che porta le lettere (=postino). Il termine risultante dalla combinazione di verbo + nome può designare un agente (portalettere) o uno strumento (cavatappi, tritacarne) o entrambi (lavapiatti, portabagagli).

a. *Per le seguenti parole composte indicate la categoria grammaticale dei due elementi che le compongono e la categoria della parola composta risultante:*

	1° termine	2° termine	esito
es.: buonumore	aggettivo	sostantivo	sostantivo
1. voltastomaco:			
2. beneducato:			
3. bagnasciuga:			
4. attaccabrighe:			
5. francobollo:			
6. porcospino:			
7. nullatenente:			
8. arcobaleno:			
9. segnalibro:			
10. cassapanca:			
11. manomettere:			
12. sottoporre:			
13. bassorilievo:			
14. terraferma:			
15. sordomuto:			
16. mappamondo:			

b. *Combinate una parola del gruppo A con una del gruppo B sì da formare un nome composto:*

A	B		
capo	- rilievo	1.	**capoluogo**
spazza	- scatole	2.	
terra	- forte	3.	
apri	- porto	4.	
cassa	- fulmine	5.	
aspira	- neve	6.	
basso	- **luogo**	7.	
passa	- cotta	8.	
para	- polvere	9.	

c. *Per i seguenti composti verbo + nome indicate se designano un agente, uno strumento o entrambi:*

| es: | cavadenti | *agente* | cavatappi | *strumento* |

1.	portaborse	→	10.	tirapiedi	→
2.	portaombrelli	→	11.	cavapietre	→
3.	prendisole	→	12.	lavavetri	→
4.	strizzacervelli	→	13.	portachiavi	→
5.	lustrascarpe	→	14.	taglialegna	→
6.	videolettore	→	15.	portavoce	→
7.	scioglilingua	→	16.	guardaroba	→
8.	stendibiancheria	→	17.	passacarte	→
9.	trovarobe	→	18.	portapacchi	→

d. *Formate dei nomi composti premettendo ai seguenti sostantivi le preposizioni:* **anti, dopo, senza, sotto:**

1. scuola	**doposcuola**	7. tetto	
2. gelo		8. droga	
3. banco		9. gamba	
4. pasto		10. occhio	
5. fascismo		11. barba	
6. costo		12. furto	

6. Complemento predicativo

A volte il predicato (o verbo) di una frase è accompagnato da un aggettivo o da un sostantivo che ne completa il significato, ma si riferisce o al soggetto o all'oggetto con il quale si accorda morfologicamente.

Nel testo di Arpino, ad esempio, abbiamo letto:

1. Invece (lei) rimase **zitta** (r. 52)
2. ...e il tavolo dove lui lavora (...) glielo lasciano **abbandonato** (r. 10)

Nel 1° esempio "zitta" completa il senso di rimanere aggiungendo una modalità al senso generale del verbo, ma naturalmente riguarda il soggetto, "lei"; nel 2° esempio, "*abbandonato*" riferito al tavolo completa il senso del verbo "lasciare".

Nel primo caso abbiamo un complemento predicativo del soggetto, nel secondo un predicativo dell'oggetto.

I predicativi del soggetto si hanno con i verbi cosiddetti **copulativi**, come *sembrare, parere, diventare, apparire, nascere, crescere, rimanere, restare, sentirsi, farsi*, ecc.

I predicativi dell'oggetto si hanno con i verbi **effettivi** (come *rendere, ridurre, fare, far diventare...*), **appellativi** (come *chiamare, definire...*), **estimativi** (come *giudicare, ritenere, trovare, considerare ...*) e i verbi del "vedere".

Il complemento predicativo dell'oggetto può anche essere introdotto da preposizioni, avverbi o locuzioni preposizionali del tipo *per, da, a, come, in qualità di*, ecc.

Ess.:

Lo hanno assunto *come cuoco*.
Scusi, l'avevo scambiata *per un mio amico*.

➤ *Individuate e sottolineate nelle frasi che seguono il complemento predicativo ed indicate se si riferisce al soggetto o all'oggetto:*

1. Restò ferma in ascolto.
2. Ricreandosela davanti intera, [...] la vide distratta, egoista.
3. Rimase immobile a guardare, stupefatta, non osando avanzare un piede.
4. Il caldo afoso mi rendeva più pesante la testa.
5. Se definivo anziano il mio, questo avrei dovuto definirlo decrepito.
6. Il barbiere titolare era andato a fare la stagione in montagna, lasciando come sostituto lui, cioè il padre.
7. Ebbi pietà di quel povero vecchio che certamente si sarebbe sentito inutile, se io avessi fatto quel gesto.
8. La terza sera lui appariva stremato.
9. Il capo officina l'aveva scambiato per un vero apprendista operaio.
10. La ragazza disse ferma: "Sono qui".
11. A Firenze, sceso per comprare dei giornali, la rividi affacciata a un finestrino del mio stesso treno.
12. E i fratelli guardavano incantati la luna spuntare tra quelle strane ombre.
13. I più recenti messaggi mi hanno fatto sapere che molte cose sono cambiate, che mi considerano perduto.
14. Decide di continuare a portare queste pantofole spaiate per solidarietà con il suo compagno di sventura ignoto, per tener viva questa complementarità così rara.
15. E lui dev'essere un angelo, come padre.

➤ *Discussione sul testo e sulle tematiche ad esso collegate*

1. La ragazza, tornata a casa, scrive una lettera a un'amica per raccontarle la sua avventura. Quale sarà il suo contenuto?

2. Come spiegate lo *"strano"* comportamento della coppia protagonista del racconto?

3. Indicate quali sono, a vostro giudizio, i problemi che incontra una coppia di oggi.

4. Se vi foste trovate o trovati nella situazione di Anna, la baby-sitter protagonista di questa "strana" avventura, come avreste reagito?
   - Sareste scappate/i di corsa da quella casa?
   - Avreste atteso l'arrivo dei coniugi per chiedere spiegazioni?
   - Avreste fatto finta di nulla per mantenere il posto di lavoro?
   - Avreste telefonato a qualcuno? A chi?

5. La parte conclusiva del racconto di Arpino non è stata riportata in questo testo. Cosa pensate che abbia fatto Anna dopo che si è ripresa dallo spavento seguito a quella scoperta?

Profilo dell'autore
GIOVANNI ARPINO

Nato a Pola nel 1927, Giovanni Arpino si è formato come scrittore a Torino, città in cui è vissuto per la gran parte della sua vita. La sua narrativa ha moduli stilistici diversi: ora predilige atmosfere e ritmi picareschi, ora sottolinea la disarmonia tra l'uomo e la realtà sociale. Una costante ansia di indagine sociologica e di rifiuto del compromesso percorre gran parte della sua produzione, sia che si soffermi sul chiuso duetto di un rapporto vietato, come in *La suora giovane* (1959), sia che affronti i pregiudizi e le contraddizioni di una mentalità collettiva, come in *Delitto d'onore* (1961). Altre opere della sua vasta produzione narrativa da ricordare sono: *Una nuvola d'ira* (1962), *L'ombra delle colline* (1964), *Il buio e il miele* (1969), *Randagio è l'eroe* (1972), *Primo quarto di luna* (1976), *Il fratello italiano* (1980). Arpino ha scritto anche libri per ragazzi, come *Rafè e Micropiede* (1959), *L'assalto al treno e altre storie* (1966) e soprattutto *Le mille e una Italia* (1960), dove descrive le avventure di un ragazzo siciliano che attraversa l'intera Italia per raggiungere il padre che lavora al traforo del monte Bianco.
A questa prolifica attività narrativa Arpino ha accompagnato un'intensa attività giornalistica, soprattutto nel settore dello sport calcistico: dal 1969 ha lavorato come cronista sportivo prima per "La Stampa" di Torino poi per "Il Giornale Nuovo" di Montanelli. Allo sport ha dedicato anche un libro, *Azzurro tenebra*, dove racconta le sue vicissitudini di inviato ai campionati mondiali di calcio del 1974.
La trappola amorosa è il suo ultimo romanzo, consegnato alle stampe pochi giorni prima della morte, avvenuta a Torino nel dicembre del 1987. Giovanni Arpino è autore anche di commedie: *L'uomo del bluff*, portato in scena da Tino Buazzelli, uno dei grandi attori del teatro italiano (1968), *La riabilitazione* (1968) e *Donna amata dolcissima* (1969).
Quello presentato qui è un racconto pieno di ironia e malinconia, come del resto era il mondo contadino e borghese, cui l'autore si era ispirato in quello che resta il suo capolavoro: *La suora giovane*.

5. QUANDO SI È LICENZIATI

Tutto comincia il giorno che ti cambiano stanza, col pretesto dello spazio te ne danno una piccola da dividere con altra persona; e il tavolo tuo sarà sempre più basso, più stretto, più scomodo, e piazzato dietro la porta, sì che, entrando, un ospite veda subito il tuo collega, ma non te.

5   O addirittura può accaderti di restare senza locale, senza scrivania, senza sedia: ciò avviene in genere approfittando dei traslochi. Infatti, quando una ditta cambia sede, si noterà sempre un'affannosa corsa alla stanza migliore, più appariscente, più centrale, meglio arredata. Chi nel bailamme[1] è riuscito ad arraffare[2] una stanza tutta per sé, di solito viene immediatamente premiato con un aumento di sti-
10 pendio e di autorità. Chi invece, per sua incuria e pigrizia[3], resta senza nemmeno la sedia, viene subito licenziato. L'ho visto fare più volte, questo scherzo, e volendo potrei citare nomi e dati precisi.

   A me accadde, sempre dopo la fine delle vacanze (il settembre è il mese tipico dei licenziamenti) d'essere messo alla scelta fra un sottoscala e un terzo di stan-
15 zuccia, con tavolo dietro la porta, e orientato in modo che entrando, il vetro smerigliato[4] andava a sbattere contro lo spigolo[5] e si rompeva fragorosamente, e questo diventava un altro elemento negativo, che preludeva[6] al licenziamento.

   Ma poi, se proprio non sei ottuso[7], te ne accorgi perché cambia anche l'aria attorno a te: i colleghi perdono man mano ogni consistenza fisica, sono gli stes-
20 si, ma paiono vuotarsi della loro sostanza spirituale. Ti guardano, ma pare che non ti vedano, non sorridono più, mutano anche voce, hai l'impressione che non siano più uomini, ma pesci. [...]

   La lettera di licenziamento, tutto sommato, è una liberazione, perché ti annulla definitivamente e ti lascia libero di reincarnarti[8] altrove. "Tu avrai già capito per-
25 ché ti ho fatto chiamare", dice il dirigente, e non aggiunge altro. Raccogli le tue robe, sfili[9] davanti a porte chiuse, da dove non viene né una voce né un suono, non incontri nemmeno la telefonista, nessuno per le scale, anche il portiere ha abbandonato il suo abitacolo a vetri, e ti ritrovi nel turbinio[10] della strada. Voltando l'angolo prendi una gran spallata da un camminatore frettoloso, che oltre tutto si
30 volta a guardarti male.

   Il giorno dopo dovetti tornare su per la liquidazione[11], e un collega mi disse:"Ah, ciao, ma tu sei sempre qui?" E poi vidi due segretarie che disinfettavano[12] il mio tavolo. Certe lettere personali dimenticate in un cassetto le avevano già bruciate. In amministrazione spiegarono che, per il mio bene, i quattrini della liquidazione
35 avevano deciso di darmeli a rate. "Altrimenti li finisci subito. È meglio così: continui a prendere per sei mesi il tuo regolare stipendio, e intanto hai tempo di trovarti un'altra occupazione".

   Così alla fine del mese ero lì in amministrazione, con tutte le donne secche dietro il bancone a battere sulle calcolatrici e a riportare i numeri da un foglio all'al-
40 tro, senza alzare gli occhi né dirmi: "Desidera?". Io mi vergognavo di dover chiedere quei soldi, avrei avuto voglia, se non fosse stato per il gran bisogno, di andar-

mene senza dire nulla, anche perché le amministratrici, quando a colpi di tosse io riuscivo a farmi notare, mi dicevano: "Scusi sa, ma non potrebbe ripassare domani? Oggi siamo rimaste sprovviste di contante".

45 E ogni mese cresceva la mia vergogna, perché col passare delle settimane si dimenticavano sempre di più il mio nome, e ogni volta dovevo ripetere chi ero, e perché venivo e a che titolo mi spettavano i quattrini. E poi le amministratrici dovevano andare a consultare la pratica, e telefonare di sopra se i soldi mi spettassero davvero, e poi dicevano: "Sì, è giusto. Ma oggi siamo sprovviste di contante. Potrebbe ripassare domani?".

50 A volte mi capitava di incontrare un collega, in circolazione anche lui per chiedere soldi. "Ah, sei sempre qui, tu?" E intanto mi andavo cercando un'altra occupazione.

Ma non è facile quando ti hanno buttato fuori da un posto trovarne subito un altro.

55

(L. BIANCIARDI, *La vita agra*, Rizzoli, Milano, 1962)

1. confusione ■ 2. prendere con sveltezza tutto quello che capita ■ 3. trascuratezza e mancanza di voglia di fare ■ 4. reso traslucido, opaco ■ 5. angolo - 6. preannunciava ■ 7. stupido ■ 8. rinascere a nuova vita ■ 9. passi ■ 10. movimento continuo e rapido ■ 11. somma di denaro che viene data al lavoratore alla fine del rapporto di lavoro, tale somma è commisurata al tempo in cui uno ha lavorato per una determinata società o impresa ■ 12. pulire distruggendo i germi di possibili malattie

a COMPRENSIONE DEL TESTO

1. Informazioni specifiche

➤ *Rispondete alle seguenti domande:*

1. Da quali elementi il protagonista-narrante capisce che il suo licenziamento è prossimo?
2. Com'è l'atmosfera intorno a lui nei giorni che precedono il licenziamento?
3. In quale periodo e in quale occasione sono più frequenti i licenziamenti?
4. Perché la lettera di licenziamento è accolta come una liberazione?
5. Chi incontra il narratore quando lascia definitivamente il suo posto di lavoro?
6. Come viene accolto ogni volta che torna a ritirare la rata della liquidazione?
7. Che cosa prova ogni volta?

2. Sintesi

➤ *Riesponete sinteticamente il testo letto.*

1. Il narratore descrive alcuni particolari relativi all'ufficio e al tavolo dell'impiegato da licenziare. Che cosa vuole mettere in evidenza con queste notazioni?

2. Il giorno del licenziamento la ditta sembra deserta: non c'è nessuno per i corridoi, per le scale e nemmeno in portineria. Coincidenze strane? È qualcosa di voluto? O è solo un'impressione del protagonista?

3. Il testo è caratterizzato dal passaggio continuo dalla prima alla seconda persona singolare:
   a. che valore hanno queste due forme?
   b. in che modo le due forme diversificano le informazioni?

1. Campi semantici

vai a pag. 11

➤ *Dividete le parole seguenti in cinque campi semantici, indicando per ciascuno il termine guida:*

---
artigiano - contante - denaro - deposito - impiegato - impiego - incasso - lavoratore - lavoro - liquidazione - mansione - occupazione - operaio - operazione bancaria - paga - prelievo - quattrini - retribuzione - riscossione - salariato - salario - soldi - spiccioli - stipendio - ufficio - versamento.
---

1. _____
2. _____
3. _____
4. _____
5. _____

vai a pag. 24

2. Polisemia

➤ *Indicate quale termine corrisponde a ciascuna delle seguenti serie di definizioni. Tutte le parole da individuare sono presenti nel testo di Bianciardi:*

<table>
<tr><td rowspan="1">Esempio</td><td>(a) somma che viene data dal datore di lavoro al lavoratore al termine del rapporto di lavoro (b) vendita al pubblico di merce a prezzo ribassato
[liquidazione]</td></tr>
</table>

1. (a) sostanza semplice - (b) parte costitutiva di un tutto - (c) ambiente adatto alla vita degli animali e delle piante [_____]

2. (a) non aguzzo, non tagliente - (b) lento, tardo a capire - (c) angolo maggiore di 90 gradi [_____]

3. (a) togliere ciò che è inserito in qualcosa - (b) tirare via qualcosa che è in mezzo ad altre - (c) togliere i fili - (d) procedere in fila [_____]

4. (a) sedile per una persona - (b) spazio disponibile - (c) spazio destinato ad un uso specifico - (d) luogo dove si esercita un lavoro dipendente - (e) luogo, località [_____]

5. (a) chi dà ospitalità - (b) chi riceve ospitalità [_____]

6. (a) ciò che respiriamo - (b) aspetto, apparenza - (c) motivo musicale [_____]

7. (a) stampa - (b) effetto prodotto sui sensi - (c) idea basata su elementi non determinati né determinabili [_____]

3. Forma impersonale

La forma impersonale si usa, di norma, per esprimere eventi, fatti, azioni o stati di cui non possiamo o non vogliamo indicare il soggetto reale. Spesso si ricorre a questa forma quando si vuole, in un certo senso, "spersonalizzare" un concetto o generalizzare una esperienza personale.

La forma impersonale più frequente in italiano si realizza con la particella pronominale "si" premessa al verbo alla terza persona singolare.

L'italiano dispone, però, di altri mezzi linguistici per costruire la forma impersonale. Uno di questi è il ricorso al "tu", come si vede nel testo di Bianciardi.

La forma impersonale al "tu" è usuale soprattutto nella lingua parlata.

a. Riscrivete i seguenti passi nella forma impersonale con la particella "si":

1. "Se proprio non sei stupido, te ne accorgi perché cambia l'aria attorno".

_____

2. Raccogli le tue cose, sfili davanti a porte chiuse, da dove non viene né una voce né un suono, non incontri nemmeno la telefonista".

_____

3. "E ti ritrovi nel turbinio della strada. Voltando l'angolo prendi una gran spallata da un passante frettoloso".

_____

4. "Ma non è facile quando ti hanno buttato fuori da un posto trovarne subito un altro".

_____

b. Riscrivete le frasi impersonali seguenti nella forma "personale" del "tu":

1. Quando si guida non ci si deve distrarre parlando con chi sta accanto.

   _____

2. Quando si spedisce un telegramma si cerca di risparmiare scrivendo solo le parole indispensabili.

   _____

3. Si può perdere la pazienza quando si discute a lungo sempre dello stesso argomento.

   _____

4. Si va spesso a teatro più per sfoggiare l'ultimo abito acquistato che per ascoltare la musica.

   _____

5. Se si sale sul campanile di Giotto si può ammirare tutta Firenze.

   _____

4. I connettivi di discorso

La coesione di un testo è assicurata anche dalla presenza di elementi linguistici come congiunzioni, avverbi, locuzioni avverbiali e di altro genere che legano e collegano fra loro le diverse parti del testo. Questi elementi sono i **connettivi**, detti così proprio perché "connettono" o collegano le parti o i blocchi del testo. I connettivi possono agire

(a) in una prospettiva testuale, come indicatori di schemi formali che segnalano in modo esplicito il tipo di rapporto logico che intercorre fra le parti del testo;

(b) in una prospettiva scrittore-lettore o parlante-ascoltatore, come organizzatori retorici vale a dire mezzi che rispondono alle strategie compositive e cognitive di chi scrive o parla.
Secondo il significato o rapporto logico che evidenziano i connettivi si distinguono in:

a. **copulativi** o **aggiuntivi**, che consentono di aggiungere ad un segmento di un testo un altro, come *e, anche, inoltre, per di più, di nuovo, ancora, pure, in più*, ecc.
   es.:
   e il tavolo tuo sarà sempre più basso.

b. **esplicativi**, che spiegano quanto è stato detto nel blocco precedente; come *cioè, ossia, vale a dire, per esempio, per meglio dire, per esempio, in altre parole, in altri termini*, ecc.
   es.:
   Non sono d'accordo con te, **o meglio** ho delle riserve sulla tua proposta.

c. **disgiuntivi**, che escludono una delle due parti di testo collegate; come *o, oppure*,
   es.:
   O addirittura può accaderti... (r. 5)

d. **avversativi**, che instaurano un rapporto di contrasto tra due segmenti di testo; come *ma, però, tuttavia, bensì, invece, per altro...*

es.:

> **Ma** poi, se proprio non sei ottuso, te ne accorgi. (r. 18)

e. **concessivi**, che indicano un rapporto di opposizione tra due segmenti del testo senza che tuttavia tale opposizione impedisca l'effettuarsi dell'evento principale; come *benché, sebbene, quantunque, anche se, nonostante, pur...*

es.:

> **Sebbene** stanco, continuò a lavorare.

f. **temporali**, che segnalano un rapporto cronologico tra parti del testo; come *quando, mentre, prima che, dopo che, intanto, nel frattempo, quindi, intanto, nel frattempo, prima, poi, in seguito, sempre, subito, nello stesso tempo,* ecc.

es.:

> **intanto** mi andavo cercando un'altra occupazione. (r. 52)

g. **causali**, che instaurano un rapporto di causa-effetto tra parti del testo, come *perché, poiché, giacché, dal momento che, dato che...*

es.:

> la lettera è una liberazione **perché** ti annulla definitivamente. (r. 24)

h. **finali**, che sottolineano il rapporto di fine di un segmento del testo rispetto ad un altro, come: *per, affinché, perché, nell'intento di, allo scopo di...*

es.:

> Sono venuto **per** ritirare lo stipendio.

i. **conclusivi**, che segnalano la logica conseguenza di quanto detto nel segmento di testo precedente, come: *quindi, allora, infatti,...*

es.:

> **infatti** si noterà sempre un'affannosa corsa alla stanza migliore. (r. 6-7)

Secondo la funzione che svolgono i connettivi possono anche essere classificati come:

connettivi di ordine, quelli che mettono in evidenza il passaggio da una parte all'altra del testo *(anzitutto, poi, infine, da una parte... dall'altra, in primo (secondo, terzo) luogo...)*

connettivi di atteggiamento *(finalmente, purtroppo, senza dubbio, una buona volta...)*

connettivi di argomentazione *(infatti, eppure, perciò, al contrario, invece, quindi, mentre...)*

connettivi locali, quelli che segnalano relazioni di spazio *(davanti, dietro, sopra, sotto, a destra, a sinistra, oltre, presso...).*

a. Ripercorrete il testo di Bianciardi e completate la scheda seguente con i connettivi che incontrate suddividendoli secondo il tipo e le funzioni:

aggiuntivi	
avversativi	
disgiuntivi	
temporali	
causali	
conclusivi	
di ordine	
consecutivi	

b. Completate le frasi che seguono con l'opportuno connettivo scegliendolo fra quelli qui di seguito proposti:

altrimenti - anche se - anzi - finché - ma - mentre - perché - perciò - quando

1. Si era sentito offeso, ... in realtà aveva offeso, umiliato lui.
2. Ho mal di gola, ... rimango a casa.
3. Ho capito che, ... era vecchio, il mestiere lo conosceva, e come!
4. Lei ha studiato, e continui a studiare, ... i denari che suo padre ha speso per lei sono sprecati.
5. .... venne l'ora di scendere, il signor Cafasso non spuntò.
6. Il lavoro era durato un'eternità, ... era presentabile, ... era buono.
7. Restò a studiarlo senza curiosità, ... di colpo avvertì chi era lui.
8. L'ha lasciata qui ..perché.. la vedessi.

d PRODUZIONE ORALE O SCRITTA

1. Immaginandovi nella situazione di un lavoratore licenziato, descrivete i sentimenti che prova, i progetti che fa per l'avvenire, le impressioni che ha della realtà intorno.

2. Siete alla ricerca di un posto di lavoro: scrivete una richiesta di assunzione alla direzione del personale di una importante compagnia industriale, indicando gli studi che avete fatto, le vostre attitudini, il tipo di lavoro che vi piacerebbe svolgere ed, eventualmente, le richieste economiche.

3. Il fenomeno della disoccupazione è presente in misura più o meno grave in quasi tutte le moderne società industriali. Indicate come si manifesta questo fenomeno nel vostro paese, quali sono le cause e le conseguenze sul piano sociale.

4. "I soldi non danno la felicità" afferma un detto popolare italiano, e subito molti si affrettano ad aggiungere che senza soldi non si è felici. Il denaro oggi è molto importante: senza di esso nelle moderne società non si può vivere.
Che cosa rappresenta per voi il denaro? Che rapporto avete con esso? Vi piace averlo per poterne disporre quando occorre? vi piace spenderlo? vi piace accumularlo? riuscite a farne a meno senza problemi?

e | STORIA DI PAROLE

Soldi denari e quattrini

Quante parole per indicare i soldi! Soldi, denari, quattrini, moneta, banconote, spiccioli, grana, scudi, lire, baiocchi, e oggi anche euro.
Tante parole diverse per un mezzo di scambio che è alla base del nostro sistema economico.
Il significato delle tante parole è in fondo lo stesso. Nel testo che abbiamo letto, ad esempio, l'autore usa indifferentemente con lo stesso significato le parole "quattrini" e "soldi". Se il significato di base è comune, diversa e varia è la storia che ha originato tutte queste parole.
Qualcuno, ad esempio, potrebbe chiedersi da dove deriva la parola *moneta*. In questo caso, occorre risalire nel tempo ed arrivare agli antichi romani, e più precisamente alla divinità di Giunone Moneta o Giunone Ammonitrice (*moneta*, viene appunto dal verbo latino *monere*, che significa "ammonire, consigliare"). Nel tempio, una volta dedicato alla dea Giunone Moneta, si stabilì la Zecca romana, l'ufficio statale che coniava le monete. Il termine "moneta" passò così a designare la zecca e successivamente il denaro che vi si coniava.
Tra le monete romane ce n'era una di dieci assi: era il *nummus denarius*, o più semplicemente *denarius*. Da qui è venuto il denaro (o danaro).
Origine simile ha avuto anche il *quattrino*, che era appunto una monetina del valore di quattro denari.
Di origine latina è anche la parola *soldo*. Essa deriva dall'aggettivo *solidus* che significa duro, massiccio. D'oro massiccio (*nummus solidus*) era appunto la moneta che nel III secolo d.C. fece coniare l'imperatore Costantino. Il *nummus solidus*, diventato nella lingua popolare semplicemente *soldus*, fu successivamente coniato in argento e poi in altre leghe, perdendo sempre più valore, diventando la moneta più usata, i nostri spiccioli, le monete, i soldi di piccolo valore.

LUCIANO BIANCIARDI

Luciano Bianciardi è nato a Grosseto il 14 dicembre 1922 e morto a Roma il 14 novembre 1971. Laureatosi alla Scuola Normale di Pisa, ha insegnato nelle scuole pubbliche, ma per un breve periodo. Il suo esordio nella narrativa risale al 1957 con *Il lavoro culturale*, un pamphlet ironico sul comportamento di molti intellettuali negli anni '50. Prima di allora aveva svolto soprattutto attività giornalistica e aveva scritto, tra l'altro, in collaborazione con Carlo Cassola, *I minatori della Maremma* (1956), un'inchiesta sulle condizioni di vita e lavoro nelle miniere.

Nel 1954 approda a Milano, ci arriva "piuttosto sventatamente", per lavorare e tirare in barca quattro soldi: era stato assunto dalla neonata casa editrice Feltrinelli. Dopo aver lavorato per due anni come interno alla Feltrinelli, si licenzia e diventa traduttore lavorando in casa: sono anni di miseria, in cui fatica come un forzato - traduce 120 libri-, scrive in proprio solo di domenica: romanzi, racconti, saggi e articoli.

A Milano, nel 1962 esce il suo libro più famoso, quello che ha incontrato il maggior consenso presso la critica: *La vita agra*; un romanzo che, in una trama grottesca e paradossale, affronta il tema delle alienazioni e delle frustrazioni dell'individuo nella moderna società industriale. Qui, in una visione anarchico-individualista sono descritti il contrasto tra metropoli e provincia, l'avvento dell'industria culturale che ha determinato la fine dell'autonomia e dell'impegno dell'intellettuale, l'alienazione prodotta dalla soggezione dell'uomo al feticcio economico, dalla massificazione e dai ritmi della civiltà industriale.

"*La vita agra* è il romanzo della contestazione feroce e del rancore beffardo, dell'ironia toscana e plebea, della demistificazione di ogni miracolo balordo, ma è soprattutto la nevrosi di un uomo che rivivendo i suoi traumi più violenti, rivede il proprio fallimento nella dolorosa realtà di esperienze che lasceranno un segno profondo" (M. C. Angelini).

Il successo, tuttavia, non lo interessa: di fondo Bianciardi è un irriducibile, un insofferente che non si riconosce in niente di quello che ha intorno, non accetta di fare l'apocalittico integrato o l'arrabbiato da salotto. Con sintesi efficace, Arpino lo ha definito "l'ultimo bohèmien, seduto sulle macerie di un romanticismo perduto".

L'interesse per il Risorgimento italiano e in particolare per Garibaldi, sono all'origine di romanzi storici come: *Da Quarto a Torino* (1960), *La battaglia soda* (1964), *Daghela avanti un passo* (1969) e *Aprire il fuoco* (1969).

6. BACO DA SETA

Yepou

Il signor Mario lavora in una ditta da più di dieci anni. E' sposato ed ha due bambini. Siccome è primavera, il signor Mario, invece di lavorare, guarda fuori dalla finestra e pensa: "Come sarebbe bello, con una giornata come questa, fare una scampagnata! Distendersi in un bel prato, guardare il cielo pieno di farfalle,
5 ascoltare i grilli e masticare un filo d'erba. Come sarebbe bello essere quella farfalla e poter volare, quei grilli e poter cantare: come sarebbe bello vivere come vivono tutti gli altri insetti nascosti in questo prato!" E così pensando il signor Mario perde tutta la mattina e metà del pomeriggio. Pensa di essere un cavallo, un cane, una farfalla, un grillo, una cicala o meglio ancora una formica che all'in-
10 verno ha da mangiare mentre la cicala muore di fame. Nel pomeriggio, mentre pensa a tutte queste cose senza aver combinato un bel niente di tutto l'urgente lavoro che sta sulla scrivania, gli pare di sentire un fruscio e guarda verso la porta. Non c'è nessuno. Il fruscio si fa sentire ancora una volta e finalmente, ecco, ecco davanti a lui sulla scrivania proprio uno di quegli insetti a cui ha pensato fino a
15 quel momento. Un baco da seta! Da dove viene? Il signor Mario si stropiccia[1] gli occhi, incredulo, ma figuriamoci fin dove arriva il suo stupore quando il baco da seta comincia a parlare.

"Non credere di poter fare tanto il furbo" dice sorridendo il baco da seta, "e di poter sfuggire. Non tanto ai controlli della ditta e a quei poveretti che ancora si
20 illudono che tu sia dei loro e faccia il tuo dovere, ma al controllo infinitamente più vasto della natura, a cui non sfugge nulla. Pensando a me tu credi che io non faccia niente tutto il giorno e che non lavori, come tutti, anzi più di tutti e più di te che perdi il tempo a guardare le nuvole. Ricordati che io lavoro sempre, mi cibo per poter lavorare e mi accoppio perché altri dopo di me possano produrre la seta.
25 Anzi, scommetto che già in questo momento ti è sorto il dubbio di trovarti in una posizione poco chiara, non solo rispetto alla ditta e al dottor Max[2], ma principalmente di fronte alla natura. Infatti tu, caro mio, non produci un bel nulla. Sei un parassita[3], ma tu, come uomo, non lo puoi essere e devi produrre. Cosa produci tu? Su, rispondi."
30 Preso alle strette[4] il signor Mario non risponde subito e cerca di darsi tempo, ma il baco torna alla carica con un piccolo getto di bava[5] dorata.

"E allora?"

Il signor Mario pensa: "Cosa vuole questo qui? Io sono un uomo, non un baco da seta", e risponde:
35 "Veramente, io, a lei, non ho da rendere conto[6] di nulla e poi sono un uomo e lei un baco da seta. Dunque fili la sua seta e mi lasci tranquillo."

Il baco da seta si mette a ridere:

"E cosa vuol dire se sei un uomo? Ragione di più per lavorare e non distrarsi. Non mi distraggo io, quando faccio il bozzolo[7], che pure sono un baco, tanto più
40 tu che sei un uomo e possiedi coscienza morale."

"Ma insomma, tante storie perché è una bella giornata" dice il signor Mario.

"Appunto. Proprio perché è una bella giornata e in questa bella giornata api, farfalle, formiche e milioni di altri insetti e animali lavorano, anche tu devi lavorare e non
distrarti. Solo così sarai come loro e come loro obbedirai alle leggi della natura."

45   "A me piacerebbe fare una gita, invece di lavorare" dice il signor Mario.

"E noi, facciamo gite noi? Tu che ci invidi tanto pensi che noi facciamo gite?
Pensaci un momento. Se ti dico che lavoro tutto il giorno."

"Allora voi non vi divertite mai?"

"Sì, ma a lavorare. Quando uno di noi non lavora è morto. Tutti devono essere

50 utili a qualche cosa. Questo è il disegno della natura. Per questo dico che tu, oggi,
sei un fannullone."

Il signor Mario ci pensa un po' su, infine alza gli occhi dalla scrivania: il baco
da seta è sparito. Allora il signor Mario guarda il cielo fuori dalla finestra, riconosce che quanto il baco da seta ha detto è la pura verità e si vergogna di non aver

55 fatto niente tutta la giornata. Così, tutto contento, comincia a lavorare.

(G. PARISE, *Il padrone*, Mondadori, Milano, 1987)

1. passare la mano o le dita sugli occhi ■ 2. è il giovane padrone dell'azienda dove lavora il
protagonista del romanzo di Parise ■ 3. chi vive sfruttando il lavoro degli altri ■ 4. costretto
a... ■ 5. qui indica il filo di seta che produce il baco. ■ 6. spiegare, giustificarsi. ■ 7. involucro di protezione formato dai fili di seta prodotti dal baco

a | COMPRENSIONE DEL TESTO

1. Informazioni specifiche

> *Costruite le possibili domande relative alle seguenti informazioni:*

1. Sogna ad occhi aperti di fare una scampagnata e di sdraiarsi in un prato ad osservare il cielo e gli insetti.
2. Nel pomeriggio, mentre fantastica, gli appare sulla scrivania un baco da seta.
3. Incredulo si stropiccia gli occhi.
4. Il signor Mario non potrà mai sfuggire al vasto controllo della natura.
5. Il baco da seta lo accusa di essere un fannullone ed un parassita.
6. Porta come esempio se stesso che non smette mai di lavorare.
7. Replica che non deve dare spiegazioni a nessuno e tanto meno ad un baco da seta,
   e che quindi non lo deve importunare.
8. Il signor Mario rimane convinto dalle idee del baco da seta e riprende a lavorare con
   entusiasmo.

2. Sintesi

> *Rielaborando le informazioni dell'esercizio precedente ed integrandole opportuna-
> mente, risponete il contenuto del brano di Goffredo Parise.*

1. Gruppi semantici

* *Per ciascuno dei seguenti gruppi di parole indicate il termine generale (iperonimo) che per significato li include:*

a. mosca - formica - moscerino - baco - farfalla   _____

b. seta - lana - cotone - lino   _____

c. sarto - fabbro - calzolaio - falegname   _____

d. asparago - melanzana - carota - carciofo   _____

e. scrivania - comò - cassapanca - scaffale   _____

f. frullatore - spremiagrumi - aspirapolvere - tritacarne - macinacaffè   _____

2. Coesione testuale

> La coesione in un testo è assicurata dalla rete di relazioni che collegano le diverse parti, e questa è realizzata da alcuni termini che rimandano a ciò che è stato detto prima o verrà detto successivamente.

➤ *Indicate a quale altro elemento o informazione fanno riferimento i termini messi in evidenza attraverso le domande:*

1. "Mi accoppio perché altri dopo di me possano produrre la seta" (r. 24). Chi sono gli altri?
2. "Tu, come uomo, non lo puoi essere" (r. 28) Che cosa non può essere?
3. "Solo così sarai come loro". (r. 44) Come chi?
4. "Questo è il disegno della natura." (r. 50) Di quale disegno si tratta?
5. "Il signor Mario ci pensa un po' su". (r. 52) A cosa pensa?

3. Preposizioni

➤ *Completate le frasi che seguono con l'opportuna preposizione:*

1. Le rondini si cibano _____ insetti.
2. Quando ti decidi _____ cominciare la cura dimagrante?
3. Sono pochi quelli che riescono _____ smettere _____ fumare definitivamente.
4. Diceva sempre che era una donna impossibile e poi ha finito _____ sposarla.
5. Puoi darmi una mano? Non mi riesce _____ far ripartire la macchina.
6. La direzione centrale ha deciso _____ chiudere la filiale di Corso Marconi.
7. Suo padre non voleva che lei si mettesse _____ quel ragazzo.
8. Si tratta _____ un lavoro interessante e anche ben pagato.
9. Quando il baco da seta se ne è andato il signor Mario si è messo _____ lavorare.

4. Parole composte

Una particolare forma di combinazione di parole è quella che si realizza collegando due sostantivi mediante la preposizione **"da"**. Per indicare, infatti, determinati oggetti (per lo più artefatti) o anche animali si ricorre a una combinazione di parole, in cui la prima designa qualcosa che serve o è destinata o finalizzata alla seconda. Così, *scarpe da tennis* designa un tipo di scarpe che si usano per giocare a tennis; *tazza da caffè* è una tazza dalla forma e dimensione adatta a contenere il caffè, *cane da caccia* indica il cane addestrato e impiegato per cacciare altri animali. Questo meccanismo non è generalizzabile, ma funziona per un numero limitato di parole fissato dall'uso.

➤ *Unite mediante la preposizione "da" una parola del primo gruppo con una del secondo, così da formare delle "parole composte" e spiegatene il significato:*

A.	abito - auto - baco - borsa - camera - cane - carta - cucina - ferro - occhiali - ragazza - sala - tuta - uva - vino

B.	caccia - campo - corsa - lettere - letto - marito - meccanico - pasto - pranzo - sera - seta - sole - stiro - tavola - viaggio

5. Forma perifrastica: da + infinito

Un modo per esprimere la necessità o il dovere di compiere un'azione è rappresentato dalla combinazione dei verbi **"avere"** o **"essere"** seguiti dalla preposizione **"da"** con un **verbo all'infinito**. Con *"avere"* la struttura ha valore attivo, con *"essere"* ha valore passivo.

Osservate!

1.a. Mario **deve lavorare** tutto il giorno.
1.b. Mario **ha da lavorare** tutto il giorno

2.a. Il lavoro **deve essere finito** in giornata.
2.b. Il lavoro **è da finire** in giornata.

➤ *Trasformate le seguenti frasi con il verbo "dovere" nelle corrispondenti con la forma perifrastica "avere o essere + da + infinito":*

1. Io non devo rendere conto di nulla a nessuno.
2. E' un film molto bello, credimi: deve essere visto.
3. Dobbiamo risolvere un problema spinoso.
4. Qualcuno dovrà pure pagare il conto.
5. Una proposta del genere deve essere rifiutata.
6. Un disegno così bello deve essere incorniciato.

6. Discorso diretto e indiretto

> *Trasformate in discorso indiretto le seguenti frasi:*

1. Il signor Mario pensa: "Cosa vuole questo qui? Io sono un uomo, non un baco da seta".
2. E risponde: "Veramente, io a lui non ho da rendere conto di nulla. Dunque fili la sua seta e mi lasci tranquillo".
3. Il baco da seta replicò: "E cosa vuol dire se sei un uomo?"
4. "Non credere di poter fare tanto il furbo" dice sorridendo il baco da seta, "e di poter sfuggire."

C | PRODUZIONE ORALE O SCRITTA

1. Quale morale si può ricavare dal racconto letto? Dite se siete d'accordo, argomentando la vostra posizione.

2. Lo sviluppo tecnologico e industriale ha alterato l'equilibrio naturale che regola la vita sulla terra. Dite quali ne sono le conseguenze e quali i possibili rimedi.

3. Spesso lamentiamo che un servizio pubblico non funziona perché le persone addette ad un determinato compito non lavorano come e quanto dovrebbero.
   Raccontate un episodio in cui vi siete imbattuti in qualcuno che non svolgeva il proprio lavoro.

4. C'è un'attività o un mestiere che ritenete inutile per la società? Quale? Perché?

GOFFREDO PARISE

Nasce a Vicenza l'8 dicembre 1929. Frequenta all'università le facoltà di matematica, filosofia e medicina, senza prendere nessuna delle tre lauree. Per qualche anno fa il pittore, ma quando alla Biennale di Venezia vede l'opera di Chagall decide di smettere. Gettati i pennelli, prende la penna.

Del 1950 è il suo primo romanzo, *Il ragazzo morto e le comete*: è una storia del primo dopoguerra che ha per protagonisti dei poveri ragazzi abbandonati, alla ricerca di una forma di sopravvivenza, in condizioni disumane, ma capaci di trovare, in ogni momento della loro quotidianità e della loro fantasia, sempre nuove ragioni per continuare a vivere.

Del '52 è la sua seconda opera: *La grande vacanza*.

Dopo un periodo di lavoro come giornalista presso l'"Alto Adige", si trasferisce a Milano per lavorare alla casa editrice Garzanti.

Nel 1954 esce *Il prete bello*, che è il suo libro di maggior successo. Il romanzo è ambientato a Vicenza, e racconta le avventure di un gruppo di ragazzi che vivono in un quartiere popolare della città. I giovani protagonisti sfruttano abilmente l'ambiguo rapporto che lega il parroco, don Gastone, e alcune zitelle, segretamente innamorate del "bel prete".

Dopo *Fidanzamento* (1956) e *Amore e fervore (Atti impuri)* (1959), due romanzi che sono nella scia del precedente, ma che nello stesso tempo si aprono a nuovi orizzonti, Parise affronta con *Il padrone* (1965) i problemi collegati alle modificazioni sociali e antropologiche del nostro tempo. E' l'epoca in cui si sviluppa l'etica del neocapitalismo, del consumismo, della fabbrica. L'efficientismo lombardo ha un vago aspetto "religioso", alluso, tra l'altro, attraverso i nomi dati al padrone, Max (Massimo-Giove) e al padre di questo, Saturno. Si propone un tipo di padrone che da una parte appare fragile e pieno di dubbi e remore, e dall'altra non trascura di asservire tutti in forme e modi tali che l'asservimento non appaia tale.

Alcuni dei temi de *Il padrone* ritornano nei racconti de *Il crematorio di Vienna* (1969). Intanto, Parise collabora a diversi giornali come "Il Resto del Carlino" e "Il Corriere d'Informazione".

Nel 1961 si era trasferito a Roma, dove ha conosciuto Carlo Emilio Gadda e dove ha iniziato anche la sua attività nel cinema come sceneggiatore di alcuni film. Nel 1963 si era separato dalla moglie che aveva sposato nel 1957. A distanza di dieci anni l'uno dall'altro, escono *Sillabario n. 1* (1972), e *Sillabario n. 2* (1982), due raccolte di racconti che costituiscono allo stesso tempo la sintesi e la conclusione di tutta l'opera in prosa di Parise. Goffredo Parise muore a Treviso il 31 agosto 1986.

7. IL MESTIERE DI GIORNALISTA

Avevo diciotto anni quando un'amica che allora mi pareva anziana, Lisel Hentzen, mi chiese se volevo essere presentato a un giornalista. Facevo l'ultimo anno di liceo, e non sapevo ancora che cosa mi sarebbe piaciuto fare nella vita; la possibilità di conoscere un giornalista già affermato mi attraeva, e risposi di sì.

5 Lisel mi procurò allora un appuntamento con Massimo Caputo.

Caputo lavorava alla Gazzetta del Popolo, che era in quegli anni un giornale importante, stampato a Torino. Una mattina presi dunque il treno, e andai a Torino. Il viaggio durò varie ore. Alle cinque del pomeriggio entrai nell'ufficio di un signore che aveva una quarantina di anni, e che fece subito su di me una gran-

10 de impressione: era gentile e sicuro di sé, usava il "lei" invece del "voi", aveva una misurata[1], discreta eleganza nell'aspetto e nelle maniere.

Gli dissi che non sapevo che cosa volevo fare; aspiravo a svolgere un'attività che mi permettesse di viaggiare, di incontrare persone interessanti; chiedevo un consiglio. Caputo impiegò la prima mezz'ora del colloquio a illustrarmi gli svantaggi del

15 giornalismo (è un mestiere grigio[2] se non si eccelle[3], d'altra parte è difficile eccellere, non si diventa ricchi, si è guardati con diffidenza...), poi aggiunse che, una volta finita la guerra, ci sarebbe stato bisogno di giovani capaci di andare all'estero per diventare corrispondenti da Londra, da Berlino o da Mosca, perché avremmo pur dovuto riprendere i contatti col mondo; con un po' di fortuna potevo esse-

20 re uno di quelli, e mi propose di scrivere qualche cosa, qualsiasi cosa e di mandargliela. Forse anch'io avevo fatto un'impressione non proprio cattiva su di lui. Da parte mia, alla fine del colloquio, avevo fermamente deciso: sarei diventato giornalista. Ricordo la data di quell'incontro per me fatale[4]: era il 6 maggio 1942.

Ripresi il treno, tornai a Stazzano; il convoglio avanzava lentamente nella notte,

25 si fermava alle stazioni oscurate[5], a tutte le stazioni, Moncalieri, Villanova, Asti, Felizzano, e io, seduto nell'angolo dello scompartimento buio e deserto, sognavo di partire su ben altri convogli[6], per ben altre città.

Finalmente sapevo cosa volevo fare nella vita; avevo qualcosa da sognare. Quel viaggio da Torino a Stazzano, in una notte del tempo di guerra, fu uno dei più belli

30 che io abbia mai fatto.

Poi, nel giro di pochi anni, partii davvero per Londra, e cominciai una carriera che si svolse, più o meno, secondo le speranze di quella magica notte, anche se la realtà non è mai precisamente quella che si era sognata. Adesso sono in grado di esporre qualche riflessione su un mestiere che, se tornassi indietro, tornerei a

35 fare, senza esitazione[7]. Che cos'è il giornalismo? Come si diventa giornalisti? Come ci si comporta quando lo si è diventati? In quel colloquio, Caputo mi aveva detto: il giornalismo altro non è che spiegare alla gente, con chiarezza, quel che è accaduto. Ma, prima di spiegare agli altri gli avvenimenti, dobbiamo conoscerli; il giornalista, prima di informare gli altri, deve informare se stesso.

40 Molti anni più tardi, in un giornale tedesco, lessi una definizione curiosa: il giornalista di successo è colui che sa far parlare la gente. La definizione, lì per lì, mi

sembrò riduttiva. Far parlare la gente: basta così poco? Poi, riflettendo, mi sono convinto che l'essenza[8] del giornalismo è proprio quella. Per indurre[9] l'interlocutore a parlare, ad aprirsi, a rivelare i propri pensieri, sia che ci si trovi di fronte a un
45 sovrano, a un dittatore, a un genio, o a un misero fellah egiziano, bisogna avere uno sconfinato interesse per i propri simili, sentire simpatia e ispirarla; bisogna che la gente ti piaccia, *you must like people*, per usare la frase degli americani; e bisogna sapere ascoltare e scomparire, cioè dimenticare se stessi, per immedesimarsi nelle vicende altrui; cedere agli altri la ribalta[10] e rimanere dietro le quinte[11].
50 Ascoltare e non parlare: il giornalista, il vero giornalista è uno spettatore, non un attore.

(P. OTTONE, *Il buon giornale*, Longanesi, Milano, 1987)

1. equilibrata ■ 2. triste ■ 3. essere superiore, emergere ■ 4. decisivo ■ 5. durante la guerra le stazioni venivano lasciate al buio nelle ore notturne, come difesa dai bombardamenti ■ 6. mezzi di trasporto ■ 7. incertezza ■ 8. elemento più importante ■ 9. spingere qualcuno a fare qualche cosa ■ 10. parte anteriore del palcoscenico ■ 11. elementi mobili posti ai lati del palcoscenico dai quali escono gli attori

a | COMPRENSIONE DEL TESTO

1. Informazioni specifiche

➤ *Rispondete alle seguenti domande:*

1. In quale occasione Piero Ottone cominciò a interessarsi al giornalismo?
2. Quali erano a quel tempo le sue aspirazioni?
3. In quali circostanze incontrò Massimo Caputo?
4. In quale data Piero Ottone decise che avrebbe fatto il giornalista?
5. Quali svantaggi del mestiere di giornalista vengono evidenziati da Caputo?
6. "Il giornalista di successo è colui che sa far parlare la gente." Qual è il senso di questa definizione?

2. Analisi dei contenuti

a. *Nel testo ci sono riferimenti ad eventi e situazioni relative al periodo della Seconda Guerra Mondiale. Sapreste indicarli?*

b. *Come spiegate nella descrizione della figura di Massimo Caputo la sottolineatura che lui usava il 'lei' invece del 'voi'?*

1. Polisemia

vai a pag. 11

> *Con quale significato sono usati nel testo i seguenti aggettivi? Individuatelo fra i tre proposti:*

1. *affermato* (r. 4) → sostenuto [a] confermato [b] conosciuto [c]
2. *misurata* (r. 11) → calcolata [a] regolata [b] equilibrata [c]
3. *discreta* (r. 11) → buona [a] moderata [b] più che sufficiente [c]
4. *fatale* (r. 23) → mortale [a] affascinante [b] inevitabile [c]
5. *curiosa* (r. 41) → desiderosa di conoscere [a] originale [b] indiscreta [c]

2. Preposizioni

> *Completate le seguenti frasi con le preposizioni convenienti:*

1. Massimo Caputo, direttore della Gazzetta del Popolo di Torino, propose .... Piero Ottone ...... scrivere un articolo e .... mandarglielo.
2. ..... parte sua, il ragazzo, ... fine ..... colloquio, aveva deciso ...... fare il giornalista.
3. Oggi, dopo molte esperienze, il giornalista si sente ...... grado ...... esporre riflessioni ..... un mestiere che, se tornasse indietro, rifarebbe comunque.
4. Un buon giornalista deve dimenticare se stesso ...... immedesimarsi .... vicende altrui.
5. ..... giro ..... pochi anni, il suo sogno si avverò e partì ...... città lontane.
6. Piero Ottone, ... ragazzo, aspirava .... svolgere un'attività che gli permettesse .... viaggiare.
7. Seduto ..... angolo ..... scompartimento ..... treno, sognava ..... partire ..... ben altre città.
8. Il ragazzo ebbe l'opportunità ..... conoscere un giornalista affermato: Massimo Caputo.
9. Gli disse che, finita la guerra, ci sarebbe stato bisogno .... giovani capaci, disposti ..... andare ..... estero ..... fare i corrispondenti.

3. Riorganizzazione di informazioni

> *Ordinate le frasi dell'esercizio precedente in modo da ricostruire gli avvenimenti narrati nel testo originale.*

vai a pag. 82

4. Modi di dire

> *Provate a spiegare, con l'aiuto del dizionario, il senso figurato delle seguenti espressioni derivate dal linguaggio teatrale:*

1. cedere agli altri la ribalta: ....
2. rimanere dietro le quinte: ....
3. fare la prima donna: .... ESSERE LA PROTAGONISTA
4. far calare il sipario: .... LET END SOMETHING
5. salire alla ribalta: .... TO BECOME FAMOUS
6. avere una parte secondaria: SECONDARY ROLE
7. gettare la maschera: .... FARE' REVEAL REAL IDENTITY
8. fare tragedie: .... MAKE TRAGEDIES ↑ NEGATIVE REACTION

5. Parole derivate

"Indurre" significa persuadere, spingere qualcuno a fare qualcosa, trascinare. Questo verbo è composto dal prefisso "in" (= dentro, verso) e dal verbo latino "ducere" (= condurre) ridotto alla forma base "-durre".
Con alcuni prefissi uniti alla forma base "-durre" si possono formare verbi diversi come: **ad**durre - **con**durre - **de**durre - **pro**durre - **ri**durre - **se**durre - **tra**durre, ecc.

> *Completate le frasi che seguono con la forma coniugata dei verbi in "-durre", sopra riportati:*

1. È un uomo che .... una vita troppo sregolata: non vivrà a lungo.
2. Da quanto hai detto si può .... che difficilmente Mario aderirà a questa iniziativa.
3. Nessuno ha creduto ai motivi che hai .... per giustificarti.
4. Si è lasciato .... dalle sue dolci parole.
5. Guarda come mi hanno .... la macchina per rubarmi la radio!
6. In Toscana si .... alcuni dei migliori vini italiani.

6. La nominalizzazione

Una caratteristica particolare del linguaggio giornalistico è la **nominalizzazione**. Si tratta del meccanismo linguistico che permette di trasformare verbi o gruppi verbali nel sostantivo corrispondente. Questo uso è frequente in particolare nei titoli giornalistici; l'esigenza di essere concisi ed immediati porta a preferire le forme nominali a quelle verbali.
Ad esempio, il titolo:

"Per i soldati l'attesa del grande ritorno"
corrisponde a: "I soldati attendono il grande ritorno", e così il titolo:

"Protesta dei direttori per il contratto dei giornalisti"
sta per: "I direttori protestano per il contratto dei giornalisti", e un titolo come:

"Indagine del Ministero delle Finanze sulle denunce dei redditi"
significa: "Il Ministero delle Finanze indaga sulle denunce dei redditi".

Come appare anche dagli esempi il meccanismo tipico della nominalizzazione è la **derivazione**. Alla radice del verbo (o di una sua forma, talora modificata per ragioni storiche o fonologiche) viene aggiunto un suffisso (-*ione*, -*ura*, -*tore*, -*nte*, ecc.). Si formano così sia nomi indicanti l'azione corrispondente al verbo, come ad esempio, *osservazione* (da osservare), *bevuta* (da bere), *dormita* (da dormire), ecc., sia nomi indicanti la persona che fa l'azione espressa dal verbo, come in *osservatore, bevitore, evasore, uccisore,* ecc.
Da osservare che il nome o l'espressione nominale derivata conserva inalterato il significato proprio del verbo.
Ad esempio:

L'acquisto di una moto da parte di Carlo
conserva il significato della frase d'origine: Carlo ha acquistato una moto.

a. *Completate il seguente schema inserendo, ove occorre, o il verbo o il nome dell'azione o il nome dell'agente:*

	verbo	nome d'azione	nome d'agente
1.	**leggere**	**lettura**	**lettore**
2.	_____	scrittura	_____
3.	correre	_____	_____
4.	_____	direzione	_____
5.	criticare	_CRITICA_	_____
6.	_____	_____	fuggiasco
7.	_____	vittoria	_____
8.	_____	_____	litigante
9.	costruire	_____	_____
10.	_____	assistenza	_____
11.	redigere	_____	~~REDIGENTE~~ REDATTORE
12.	_____	_____	correttore
13.	vendere	_____	_____
14.	_____	persuasione	_____
15.	cuocere	_____	_____

b. Trasformate in espressioni nominali i predicati verbali in corsivo delle frasi seguenti:

1. Le consideravo un elemento essenziale *per coinvolgere* lettori lontani migliaia di chilometri.

   _____

2. *Una volta finita* la guerra, ci sarebbe stato bisogno di giovani capaci di andare all'estero.

   _____

3. Quando *sono arrivato* tutti si sono meravigliati.

   _____

4. Lo incontrai mentre *uscivo* dal bar.

   _____

5. Franca non sopporta che suo padre la *rimproveri* in pubblico.

   _____

6. L'ho detto solo per *scherzare*.

   _____

7. L'atteggiamento intransigente della Confindustria ha spinto i sindacati a *interrompere* le trattative.

   _____

8. Quel giorno andò in ufficio solo per *dimettersi*.

   _____

c. *Trasformate le seguenti frasi in espressioni nominali, facendo attenzione che in italiano l'agente nelle frasi nominalizzate derivate da un verbo transitivo è introdotto dalla locuzione prepositiva* **da parte di**:

es.:

> L'uomo ha conquistato la luna.
>
> *La conquista della luna da parte dell'uomo.*

1. Il presidente del C.O.N.I ha premiato gli atleti migliori.
2. Patrizia ha invitato i colleghi per festeggiare la promozione.
3. La polizia ha catturato un pericoloso evaso.
4. Il meccanico ha riparato la macchina di Giovanna.
5. I giornali hanno pubblicato la notizia del furto.
6. Il direttore ha convocato tutti i redattori del giornale.
7. Cinque ragazzi sono evasi dal carcere minorile servendosi delle lenzuola.
8. L'arbitro ha espulso il terzino a dieci minuti dal termine della partita.
9. Il Presidente della Repubblica ha inaugurato la mostra dedicata a Raffaello.
10. Il sindaco si è dimesso nella tarda serata di ieri.

7. Completamento di un testo

➤ *Completate il testo che segue con le parole mancanti scegliendole dalla tabella di seguito proposta:*

Il giornale e il suo pubblico

La chiave di successo di un giornale sta nel rapporto che riesce a stabilire con il lettore. Di conseguenza il problema va esaminato dal punto [1] _____ del pubblico. E' fuori dubbio che il pubblico non è tutto uguale. Ci sono [2] _____ colti, ben preparati, che seguono con interesse i temi più impegnati: politica, economia, sociologia, arti e letteratura. E ci sono lettori frivoli e superficiali, con una [3] _____ scolastica un po' sommaria, che quando leggono articoli [4] _____ si annoiano, ma si appassionano agli argomenti leggeri, alle notizie di cronaca, ai cosiddetti pettegolezzi: storie di cattivi, mondo dello spettacolo, principesse infedeli, adulterii coi giocatori di rugby.

Nei paesi anglosassoni, in Germania, in Francia, la stampa [5] _____, perché ogni giornale ha cercato il suo pubblico: si è messo cioè a parlare il linguaggio più adatto per stabilire un [6] _____ con una particolare categoria di lettori. Si sono così [7] _____, nel tempo, diversi tipi di giornale: giornali di qualità e stampa popolare.

In Italia, invece, i giornali sono nati [8] _____ della serietà: articoli ponderosi, collaboratori dotti, temi di alta cultura. Poi, [9] _____ del tempo, la natura dei nostri quotidiani è cambiata, le loro pagine si sono aperte sempre più agli [10] _____ di cronaca nera, alle indiscrezioni, ai pettegolezzi.

Ne consegue che nelle pagine dei quotidiani italiani si trova di tutto, e tutto è presentato allo stesso modo, con [11] _____ vistosi e altisonanti: dal breve saggio sul presidenzialismo e dalla dissertazione sulla musica dodecafonica fino alle imprese del "mostro" di Firenze. Così si [12] _____ di accontentare, con lo stesso quotidiano, tutte le categorie di pubblico. Col risultato che non [13] _____ accontenta nessuno. Un giornale, per stabilire un [14] _____ col pubblico, deve avere un suo linguaggio, una sua fisionomia, una sua personalità. Non può essere un ibrido fra generi diversi.

(lib. rielab. da P. Ottone, "Il Venerdì di La Repubblica" del 29 marzo 1996)

	A	B	C	D
1.	di vista	di osservazione	di ottica	di riferimento
2.	giornalisti	scrittori	autori	lettori
3.	preparazione	disposizione	tradizione	situazione
4.	esosi	astrusi	capricciosi	estrosi
5.	si è differenziata	si è allontanata	si è divisa	si è separata
6.	orientamento	dialogo	pettegolezzo	diverbio
7.	allineati	disposti	sottolineati	delineati
8.	all'etichetta	all'insegna	all'ombra	alla maniera
9.	col passare	passando	al passare	nel passare
10.	argomenti	fatti	spettacoli	annunci
11.	colori	caratteri	articoli	titoli
12.	prova	mette	finisce	cerca
13.	gliene	li	se ne	si
14.	accordo	rapporto	parallelo	appuntamento

C | PRODUZIONE ORALE O SCRITTA

1. Piero Ottone ricorda con estrema precisione le circostanze e la data in cui ha deciso di fare il giornalista. Nella vita di ognuno c'è un fatto o un avvenimento che resta vivo nella memoria per il suo significato e importanza, forse perché ha rappresentato una svolta decisiva e significativa. C'è una data o un avvenimento importante per la vostra vita? Quale? Perché è importante?

2. Quando si pensa al lavoro del giornalista si pensa non solo al prestigio e alla funzione importante nella moderna società ma ai doveri necessari per svolgere un "mestiere" che è e deve essere soprattutto al servizio della verità e della società. Se doveste indicare un decalogo per il buon giornalista quali regole dareste?

3. Commentate la frase: "Il giornalista, il vero giornalista, è uno spettatore non un attore".

4 A volte con poche parole un giornale può rovinare la reputazione, la carriera o la vita di una persona. Esprimete il vostro punto di vista in proposito, raccontando, magari, un fatto di cui siete a conoscenza.

5. Il cittadino ha il diritto di essere informato; ma a volte le notizie vengono manipolate. Dite come si può garantire un'informazione completa e veritiera.

6. Un ragazzo pone ad un giornalista questo quesito: "Ho sedici anni e un chiodo fisso: fare il giornalista. Ho un amico che invece vuol fare il fotoreporter perché sostiene che oggi le storie del mondo si documentano meglio con l'obiettivo. Chiediamo a lei un parere".
   Provate voi a dargli una risposta.

7. Nella "società delle immagini", come viene anche definita la nostra società, c'è sempre meno attenzione alla "parola" soprattutto scritta: non solo la televisione ma anche i giornali e i settimanali danno sempre più spazio alle immagini e meno ai testi. Esprimete delle vostre riflessioni in proposito, riportando esempi dalla vostra esperienza diretta.

d | SCHEDA DI LINGUISTICA

I TESTI DEL GIORNALE

Il giornale è un particolare tipo di testo formato di articoli, che possono a loro volta essere considerati dei testi diversi fra loro e collegati solo dal fatto che si riferiscono ad eventi accaduti il giorno prima o nei giorni precedenti.
Il più diffuso testo giornalistico è la **cronaca**.
La **cronaca** è un testo in cui sono raccontati i fatti o gli avvenimenti successi il giorno o i giorni precedenti. Di solito la cronaca ha una struttura fissa che prevede un prologo, in cui si anticipano gli elementi più importanti dell'avvenimento, uno svolgimento, in cui viene narrato in modo dettagliato il fatto e una conclusione o epilogo che riporta la fine o le conseguenze del fatto.
In relazione al genere di fatti raccontati la cronaca si distingue in **cronaca nera**, quando riporta gli avvenimenti drammatici, tragici o delittuosi, **cronaca rosa**, quando riporta le notizie relative ad eventi lieti, **cronaca sportiva**, quando racconta i fatti dello sport. Un'ulteriore distinzione della cronaca è quella basata su parametri geografici: si ha allora la *cronaca cittadina*, quella *regionale* e quella *nazionale*.

Altri tipi di testi presenti nel giornale sono:
- il **commento**: è un articolo che non riporta le notizie, ma dà delle valutazioni o interpretazioni dei fatti accaduti.
- il **fondo** o **editoriale**: è un commento generale su un determinato problema o su una situazione di interesse generale. Solitamente il fondo si trova nella prima pagina e rappresenta l'orientamento del giornale.

- il **pastone**: designa l'articolo in cui si riassume e si commenta la giornata politica interna o anche l'articolo redatto con la raccolta di più notizie, politiche e di cronaca, così da offrire un quadro generale di avvenimenti dalle caratteristiche simili.
- l'**intervista**: è un testo che riporta il colloquio di un giornalista con un personaggio noto o importante, o del mondo della politica, o della cultura, o dell'economia, o dello spettacolo o dello sport.
- l'**inchiesta**: è l'articolo o la serie di articoli che espongono il risultato di indagini e ricerche su fatti, temi o problemi di pubblico interesse.
- il **reportage**: indica un servizio dettagliato su un avvenimento, redatto da un inviato speciale (o reporter). Il reportage è solitamente accompagnato da una documentazione fotografica.

1. Redazione di una cronaca

Immagina di essere un giornalista. Il tuo giornale ti manda alla periferia della città dove è avvenuta una rapina ad una banca. Ti rechi sul posto, interroghi qualche impiegato e alcune persone che hanno assistito al fatto e anche un commissario di polizia. Prendi alcuni rapidi appunti sul tuo taccuino, poi, tornato in redazione, scrivi l'articolo che apparirà il giorno dopo sul giornale.

Questi sono gli appunti che hai preso in base alle informazioni fornite da:

il cassiere: *un uomo di circa un metro e 75, calzamaglia sulla testa - accento veneto, pistola - ha preso tutti i contanti del cassetto e della cassaforte - dietro di lui vicino alla porta un altro uomo con una specie di mitraglietta*

un impiegato: *ore 14,50 - apertura pomeridiana - quattro banditi - forse gente del posto - molto giovani e sicuri di sé - bottino: circa novanta milioni: l'incasso di tre supermercati - forse avevano seguito il furgone portavalori*

una donna: *cambiare un assegno - impiegata di un vicino ufficio finanziario - tornava a casa dopo l'orario di lavoro - grande spavento - si è dovuta sdraiare come gli altri due clienti presenti in quel momento*

un uomo: *una BMV bianca davanti alla banca con il motore acceso - al posto di guida un uomo incappucciato - pochissimo traffico a quell'ora*

il commissario di polizia: *dinamica simile a quella di un'altra rapina di una settimana prima a 30 chilometri - ci sono degli indizi - sospetti su due pregiudicati della zona.*

* *Ora, rielaborando gli appunti con altri elementi che ricordi, scrivi l'articolo per il giornale.*

3. Redazione di un questionario

> *Provate a fare un'indagine tra i vostri amici o compagni di corso relativamente a quanti e quali giornali o settimanali o mensili si leggono in famiglia.*

Sulla base dei dati raccolti completate la tabella seguente:

Tipo di periodico	informazioni generali	informazioni locali	informazioni economiche	informazioni sportive	informazioni culturali
Quotidiano					
Settimanale					
Mensile					
Altro					

numero intervistati: _____

Profilo dell'autore
PIERO OTTONE

Piero Ottone, pseudonimo di Pierleone Mignanego, è nato a Genova nel 1924. Giornalista e manager editoriale, è una delle figure di spicco del mondo dell'informazione italiana. Iniziata la sua professione da giovanissimo come cronista al "Corriere della Liguria", è passato poi a "La Gazzetta del Popolo" (1945), di cui è stato corrispondente da Londra e da Bonn, poi al "Corriere della Sera" (1955), divenendo primo corrispondente italiano da Mosca. Direttore de "Il Secolo XIX" dal 1968, nel 1972 è passato alla guida del "Corriere della Sera" che ha tenuto fino al 1977. E' quindi entrato nel Consiglio di Amministrazione de "La Repubblica" ed ha avuto numerosi incarichi all'interno del gruppo editoriale della Mondadori.
Tra i suoi numerosi scritti si ricordano: *Gli industriali si confessano*, (1965) *Fanfani* (1966), *La nuova Russia* (1967), *De Gasperi* (1968), *Intervista sul giornalismo italiano* (1978), *La scienza della miseria spiegata al popolo* (1980), *Giornale di bordo* (1982), *Le regole del gioco* (1984), *Il gioco dei potenti* (1985), *Il buon giornale* (1987), *Affari & morale* (1988), *L'aliseo portoghese* (1989) *La guerra della rosa* (1990), *Naufragio* (1993), *Saremo colonia?* (1997), *Vizi & virtù* (1998), *Il grande gioco. Lettera ai nipoti* (2000).

8. LE GRIDA URBANISTICHE[1]

"Eccomi" si affacciò dalla stanza il segretario del segretario del Comune. "Sono subito da lei." Il volto simpatico, gioviale, di quelli che hanno mille cose da fare, che tuttavia lo sfiorano soltanto. Perché sono cose importantissime, naturalmente, la cui importanza sovrasta la stessa sua persona, vittima e padreterno insieme. Piroettò[2] nella stanza, mandò un sorriso di compiacimento a colui che aspettava, tocchettò[3] qualche cosa sul tavolo e tornò via di nuovo inviando un sorriso protettivo.

Il neo costruttore, seduto diligentemente al di là del tavolo, aspettava. Per lui era una visita decisiva, tanto decisiva che non misurava il correre dei minuti e delle mezz'ore di attesa tra qui e, prima, in anticamera.

Finalmente il segretario del segretario rientrò, da un'altra porta questa volta, si avvicinò veloce alla scrivania e vi sedette con la modestia più incondizionata, di quella appunto che per essere senza condizioni pare nemmeno essere modestia. Disse: "Dunque lei ha deciso di fare il costruttore. E bravo. In questo momento di scarsità imprenditoriale c'è bisogno di gente come lei".

"Sì, sì" approvò il maturo signore al di là del tavolo. "Come le avrà detto il commendatore, ho realizzato un capitaletto dalla vendita di certi beni, e seguendo anche il consiglio del nostro amico ho pensato di mettermi a costruire. Non ho fatto società a responsabilità limitata[4] come mi suggerivano, io voglio cose pulite, e quanto alla responsabilità me la voglio assumere tutta. Niente anticipi in banca, niente interessi passivi, e con una sana amministrazione..."

"Capisco, capisco" interruppe il segretario del segretario, il mento appoggiato al palmo destro, il gomito a metà del tavolo guardando il suo interlocutore con la simpatia del potente. "E così vorrebbe da me dei consigli su quale ramo incominciare."

"Proprio così" assentì l'altro.

"Beh, in questo momento, penso che converrebbe entrare nel giro degli appalti[5] della centosessantasette."

"Della cento.... che?

"Della centosessantasette, la vecchia legge sull'urbanistica economica e popolare."

"Come?" fece l'altro. "Non c'è adesso la nuova legge sulla casa?"

"Sì, sì," approvò il segretario "la ottocentosessantacinque, ma se si dovesse aspettare a fare le cose seguendo quella legge se ne riparlerebbe fra dieci anni."

"Ma se la vecchia legge è stata abrogata?"

"Non del tutto, non del tutto: integrata diciamo. Per esempio è stato abolito l'articolo sedici col quale il proprietario del terreno poteva chiedere di costruire in proprio, ma se lei trova un proprietario che abbia già ottenuto l'assegnazione, per l'articolo trentacinque, anzi trentasei della legge ottocentosessantacinque, lei è in grado di acquistare il terreno a un prezzo conveniente, sempre che il Comune accetti di volturarle[6] le licenze."

"Il Comune è lei" concluse l'altro senza piaggeria[7].

"Eh, no - ribatté il segretario del segretario. "Qui bisogna vedere come intende l'amministrazione interpretare la legge".

"Allora - propose il neo costruttore - lasciamo stare gli affari convenienti, mi dica dove c'è da costruire con tutto in regola e soprattutto con una legge sola."

"In questo momento trovare una licenza edilizia è difficilissimo, quelle poche se le tengono strette vendendo carissimo il terreno. Non so se le convenga iniziare con una esposizione[8] tanto grave. Oppure bisognerebbe andare in qualche Comune dove ancora si applica la duecentonovantuno o addirittura la legge ponte."[9]

"Io voglio costruire qui, nella mia città."

"Ma noi siamo soggetti alla duecentonovantuno anzi non siamo soggetti alla duecentonovantuno in quanto il nostro Comune è negli elenchi del Decreto Ministeriale 27 luglio 1971 che lo escludono."

"Scusi - interruppe il neo costruttore. "Io ho intrapreso questo mestiere proprio perché dai giornali mi sembrava di aver capito che la legge sulla casa incrementerà l'edilizia."

"Certo, certo - convenne l'altro con sussiego[10]. "Bisogna però conoscere bene le maglie della legge che è appena uscita, neanche io se volessi saprei..." e si interruppe gli occhi rivolti al viso di fronte a lui, sinceramente smarriti.

"E io allora?"

"Senta il suo avvocato."

"Io non ho avvocati."

"Per fare il costruttore ne avrà bisogno."

"Perché?"

"Per le leggi, per le interpretazioni delle leggi urbanistiche, l'urbanistica moderna..." si interruppe. "Non ci orizzontiamo noi in questo succedersi di leggi. Ne impariamo una, cominciamo faticosamente ad applicarla, ne esce un'altra."

"Ma allora" insisté l'altro.

"Allora bisogna andare da uno specialista, da un avvocato che faccia solo questo, e ce ne sono pochi e quei pochi occupatissimi."

"Ma allora..." concluse l'altro. Mentre il segretario interpretò a modo suo e ribatté: "Provi, provi ad andare da uno specialista, hanno tanti sostituti, in tanti forse riescono a capire subito le interferenze dei vari istituti giuridici, vede ad esempio l'ultima legge ha istituito il CER." Girò gli occhi sul tavolo, trasse da un mucchio di libri una gazzetta ufficiale[11] e cominciò a leggere. Borbottò affrettatamente l'articolo uno, due, tre, della legge sulla casa, saltando molti paragrafi. Finalmente arrivò al capoverso che cominciava con:

"Il CIPE" e qui recitò chiaramente il testo della legge "previo esame in seduta comune con la commissione consultiva interregionale prevista dall'articolo nove della legge 7 febbraio 1967, n. 48, eccetera, eccetera. Le Regioni, ecco vede c'entrano anche le Regioni, approvano eccetera e ne danno comunicazione al CER."

"Il CER" ricominciò a leggere con voce puntualizzante "entro i limiti dell'attribuzione dei fondi assegnati a ciascuna regione quale risulta dal piano approvato dal CIPE, tenendo conto dei prevedibili tempi di esecuzione dei programmi formulati dalle Regioni stesse e del decreto del Ministro per il tesoro previsto dall'ultimo comma del successivo articolo 5..." Il segretario del segretario levò gli occhi soddisfatti dalla lettura verso il suo interlocutore.

90   Non c'era più. Alzatosi furtivamente mentre l'impiegato del Comune snocciola-va[12] articoli, il maturo signore se l'era svignata dalla ottocentosessantacinque, la duecentonovantuno, la centosessantasette, e quando uscì dai corridoi del Municipio verso l'atrio si tastò involontariamente il portafoglio, non perché temes-se di essere borseggiato[13] ma in un gesto archetipo[14] quasi a constatare, soddi-
95   sfatto, che il gruzzolo[15] era al sicuro dall'intrico pauroso delle grida urbanistiche.

(G. SAVIANE, *Di profilo si nasce*, Mondadori, Milano, 1982)

1. editto o legge che nel passato le autorità esponevano o facevano "gridare" dai banditori ■ 2. muo-versi girando su se stessi e saltellando ■ 3. derivato dal verbo toccare, indica l'azione di chi tocca appena le cose qua e là (non registrato dai dizionari) ■ 4. società i cui soci sono responsabili nei limi-ti delle quote versate ■ 5. contratto con cui uno si impegna a compiere un lavoro o a fornire un ser-vizio ricevendo un compenso ■ 6. trascrivere il passaggio di proprietà di un immobile (casa o terre-no) ■ 7. adulazione, cortigianeria ■ 8. investimento di denaro ■ 9. legge che somiglia a quella precedente e anticipa quella definitiva; legge provvisoria ■ 10. contegno o atteggiamento sostenuto di chi si dà importanza ■ 11. pubblicazione che riporta i testi delle leggi e dei decreti dello Stato ■ 12. dire una cosa dietro l'altra ■ 13. derubato della borsa o del portafogli ■ 14. primordiale, primo esempio ■ 15. somma di denaro accumulata

a | COMPRENSIONE DEL TESTO

1. Informazioni specifiche

➤ *Rispondete alle seguenti domande:*

1. Dove si svolge il fatto? Chi ne sono i protagonisti?
2. In che modo vuole investire il capitale realizzato il "maturo signore"?
3. Che cosa vorrebbe avere dal segretario del segretario comunale?
4. Perché questo "signore" vuole impegnarsi nell'edilizia?
5. Quali difficoltà il segretario del segretario prospetta all'aspirante costruttore?
6. Che cosa fa, alla fine, il "maturo signore"?

2. Sintesi

➤ *Il brano che segue è una sintesi del testo introduttivo: completatelo con le parole mancanti:*

Un maturo signore ha pensato di _____ i risparmi di tutta una vita nell'
_____ . E' andato perciò in _____ per avere dei consigli dal segretario

del _____ sul modo più semplice per avere una _____ di costruzione. Quando finalmente, dopo una lunga _____, il segretario arriva, il maturo _____ espone il suo _____ e le sue intenzioni di fare tutto rispettando le _____. Ed allora il segretario _____ ad illustrare quali e quante leggi _____ l'edilizia. E' un vero _____ di leggi, leggine, decreti, ordinanze e circolari ministeriali. Il poveruomo _____ come sopraffatto da tante difficoltà, ed allora, di _____, mentre il segretario è tutto preso nella _____ delle leggi, se la svigna. Nell'uscire porta _____ la mano al portafogli per _____ che il gruzzolo che aveva risparmiato _____ ancora lì.

vai a pag. 24

b | ANALISI LESSICALE E LINGUISTICA

1. Polisemia

➤ *Indicate con quale significato sono usate nel testo letto le parole seguenti:*

1. *maturo* (r. 16) - sviluppato completamente [a] -attempato [b] - che ha raggiunto la maturità intellettiva [c]

2. *realizzare* (r. 17) - guadagnare [a] - rendere effettivo [b] - segnare un goal [c]

3. *interesse* (r. 21) - tornaconto [a] - attrazione verso qualcuno o qualcosa [b] - somma pattuita in percentuale a chi presta denaro ad un privato o lo deposita in banca [c]

4. *sana* (r. 21) - buona [a] - in salute [b] - intera [c]

5. *ramo* (r. 24) - parte di albero o pianta [a] - settore [b] - parte di una disciplina [c]

6. *licenza* (r. 46) - permesso [a] - diploma [b] - eccessiva libertà [c] - congedo [d]

7. *esposizione* (r. 48) - mostra [a] - orientazione topografica [b] - relazione scritta o orale [c] - investimento o spesa [d]

8. *maglia* (r. 59) - indumento [a] - intreccio di fili [b] - spazio vuoto in una rete o (fig.) in una legge [c]

9. *recitare* (r. 79) - leggere [a] - interpretare una parte [b] - ripetere [c] - declamare [d]

10. *attribuzione* (r. 84) - assegnazione [a] - facoltà e poteri di qualcuno [b]

2. Linguaggi settoriali: la burolingua

Un "linguaggio speciale" che si caratterizza per la sua astruseria, verbosità e complessità è sicuramente il "linguaggio burocratico", o "burocratese" come lo si chiama con un neologismo spregiativo. E' questa la lingua degli uffici pubblici, dei verbali, degli avvisi, dei regolamenti, delle circolari, delle leggi, ecc. Essa unisce i caratteri di alcuni sottocodici come quello giuridico, amministrativo, economico-finanziario ad un registro formale, sì da risultare tecnico, impersonale e spesso contorto nel suo periodare. Italo Calvino definì l'italiano burocratico "l'antilingua" proprio per la sua mancanza di vivacità, chiarezza e personalizzazione.

Nel linguaggio burocratico notiamo a livello lessicale e morfosintattico alcuni aspetti che meritano di essere evidenziati:

a. verbi ed espressioni particolari che fanno riferimento a precise azioni e procedure tipiche del mondo amministrativo, come:

inoltrare, notificare, espletare, ascrivere, disdettare, evidenziare, protocollare, dilazionare, vidimare, per quanto concerne, ecc.

b. locuzioni prepositive come:

ai sensi di..., in merito a..., con riferimento a..., in ordine a..., a mezzo di..., in deroga a..., per il tramite di..., in applicazione di..., dietro presentazione di..., ecc.

c. locuzioni verbali (verbo + nome) che equivalgono spesso ad un solo verbo, come:

- **apporre la firma**	per	firmare
- **apportare modifiche**	"	modificare
- **apportare correzioni**	"	correggere
- **prendere in esame**	"	esaminare
- **rendere noto**	"	notificare
- **dare avviso**	"	avvisare
- **opporre un rifiuto**	"	rifiutare
- **trarre la conclusione**	"	concludere
- **portare a compimento**	"	terminare
- **fare richiesta**	"	richiedere, ecc.

d. a livello morfosintattico sono frequenti le forme impersonali, le forme subordinate implicite (participio presente e passato, e gerundio), il periodare complesso che accentuano l'effetto di depersonalizzazione e di indeterminatezza, ad es.:

"vista la legge..., tenuto conto di..., essendosi verificato..., facendo seguito a..., venuto a conoscenza di..., un attestato comprovante..., la circolare avente per oggetto..., le disposizioni riguardanti..., ecc.

a. *Individuate nel racconto letto le espressioni in linguaggio burocratico e provate a riscriverle in linguaggio comune.*

b. *Provate a riscrivere, anche con l'aiuto di un dizionario, in un linguaggio più semplice le seguenti frasi in stile "burocratico".*

1. I viaggiatori sono tenuti ad esibire il biglietto a richiesta del personale viaggiante.

2. La commissione ministeriale ha approntato una serie di misure tendenti a risanare il degrado delle aree urbane destinate alle attività commerciali e produttive.

3. Le domande non corredate dalla prevista documentazione verranno cestinate.

4. Si porta a conoscenza della cittadinanza che, a decorrere dalla settimana ventura, è stata disposta la chiusura al traffico dei veicoli a motore in via Garibaldi. Tale interdizione permarrà fino all'espletamento dei lavori inerenti la demolizione di alcuni immobili fatiscenti.

5. Il viaggiatore trovato con documento di viaggio non convalidato o con validità scaduta è considerato sprovvisto di biglietto.

6. La ricevuta del versamento in conto corrente postale, in tutti i casi in cui tale sistema di pagamento è ammesso, ha valore liberatorio per la somma pagata con effetto dalla data in cui il versamento è stato eseguito.

7. L'ENEL offre la possibilità di pagare anche a mezzo banca le fatture di energia elettrica mediante addebito sul conto corrente intrattenuto dal singolo utente con la propria banca.

8. Premesso che riveste la qualifica di "emigrato" il cittadino italiano che, risultando iscritto nei registi anagrafici del comune italiano di residenza sia espatriato in uno stato estero per svolgervi un lavoro subordinato, per l'accensione del conto in valuta estera il medesimo deve attenersi alle modalità riportate di seguito.

3. La frase causale al congiuntivo

Quando di un fatto o di un evento vogliamo evidenziare la causa reale che lo ha determinato la mettiamo in contrapposizione ad un'altra non vera, ma che potrebbe apparire plausibile (*causa negata*). In tal caso la causa reale sarà espressa in un tempo dell'indicativo, mentre la causa negata in un tempo del congiuntivo.
La causa ritenuta non vera è introdotta sempre da "***non perché***". Fare attenzione che l'avverbio negativo ("non") deve precedere la congiunzione causale, "perché", se si vuole esprimere una causa negata.

OSSERVATE!!

	causa negata	causa reale
- Mario va a scuola	non perché gli **piaccia**	ma *perché* è obbligato.
- E' andata a letto presto,	**non perché fosse** stanca	ma *perché* domattina *deve alzarsi* presto.
	congiuntivo	indicativo

Costruite delle frasi che abbiano delle preposizioni causali doppie in contrapposizione, mettendo insieme le informazioni di ciascuna colonna:

	evento	causa vera	causa non vera
modello:	Guardo la televisione	Mi annoio	Mi piacciono i programmi
	Guardo la televisione **non perché mi piacciano** i programmi, ma *perché mi annoio.*		

evento	causa vera	causa non vera
1. Il neo costruttore si tastò il portafogli	Era una sua abitudine	Temeva di essere borseggiato.
2. Parla poco	Non ha niente da dire	Si annoia.
3. Ho acceso il camino	Mi piace vedere il fuoco acceso	Avevo freddo.
4. È stato bocciato all'esame	Aveva studiato	Non era intelligente.
5. Va in ufficio in macchina	Si alza sempre tardi	Abita lontano dall'ufficio.
6. Il gatto miagola	È rimasto chiuso in garage	Ha fame.
7. Franco quella sera è uscito con Laura	Gli piaceva la sua amica	Gli piaceva Laura.
8. Carla era rimasta senza voce	Aveva un terribile raffreddore	Aveva parlato molto.

1. _____

2. _____

3. _____

4. _____

5. _____

6. _____

7. _____

8. _____

C | PRODUZIONE ORALE O SCRITTA

1. Raccontate un'esperienza curiosa o drammatica capitata a voi, o ad una persona che conoscete, alle prese con le norme burocratiche in un ufficio pubblico.

2. Avete perduto un documento (passaporto, carta d'identità o patente di guida); scrivete una denuncia di smarrimento alle autorità di polizia.

3. Il problema della casa nel vostro paese.

4. Lo sviluppo urbanistico degli ultimi anni ha trasformato le città moderne. Dite come è cambiata negli ultimi tempi la vostra città.

5. Disegnate la mappa del vostro appartamento o della vostra casa, e descrivetela.

Titoli e onorificenze

Spesso gli italiani quando si rivolgono a certe persone ricorrono a termini o titoli che fanno riferimento al ruolo sociale o all'attività professionale svolta. Spesso al cognome o nome di una persona si premettono titoli o appellativi come, ad esempio, *ingegnere, ragioniere, dottore, professore*, ecc.

Meno frequenti sono invece quei titoli che fanno riferimento ad onorificenze ottenute o ad importanti cariche conseguite. Si tratta di onorificenze come quelle di *cavaliere, commendatore, ufficiale* o *eccellenza*.

Il titolo di **"cavaliere"** viene assegnato dallo Stato a chi si è distinto in un settore della vita economica o sociale: *cavaliere al merito della Repubblica* e *cavaliere al merito del Lavoro*. Il titolo si distingue in due gradi: quello di semplice *cavaliere* e quello di *cavaliere ufficiale* o semplicemente *ufficiale*.

Commendatore, invece, è chi ha ricevuto l'onorificenza pubblica della "Commenda", che è superiore a quella di cavaliere. La Commenda era, anticamente, la concessione di un beneficio ecclesiastico che veniva conservato a vita. Agli ambasciatori, ai ministri e ai vescovi viene riservato il titolo onorifico di **eccellenza** che anticamente era destinato solo ai sovrani e ai pontefici. Questo termine è sempre preceduto dall'aggettivo possessivo: ad es.: Sua Eccellenza l'ambasciatore..., ecc.

Ai cardinali della Chiesa Cattolica è riservato in modo esclusivo il titolo di *eminenza*. Questo termine è presente anche nella lingua comune, accompagnato dall'aggettivo grigio (*eminenza grigia*), per indicare un personaggio che pur non avendo alcuna carica effettiva ha un ruolo di primaria importanza all'interno di un'istituzione, di un'associazione o di un partito politico.

GIORGIO SAVIANE

È nato a Castelfranco Veneto nel 1916. Ha trascorso gli anni della sua giovinezza come studente a Padova, dove, dopo gli studi liceali, si è iscritto alla facoltà di Giurisprudenza. Ma solo nel 1940, trasferitosi a Genova presso lo zio, agente di borsa, si è finalmente laureato con una tesi in diritto commerciale. Durante la guerra ha preso parte alla lotta partigiana, e successivamente si è stabilito a Firenze, dove ha iniziato la sua carriera di avvocato presso lo studio di un conoscente. E a Firenze ha trascorso tutto il resto della sua vita
L'attività a cui ha sempre tenuto di più, nonostante il notevole impegno nel lavoro di avvocato, è stata, però, quella letteraria, iniziata nei primi anni della sua adolescenza, ma che solo in età matura ha trovato una sua compiuta realizzazione. L'esordio ufficiale come narratore si ha nel 1957, con il romanzo *Le due folle*. Il riconoscimento da parte del pubblico e della critica si ha solo a partire dal terzo romanzo, *Il Papa* (1963) in cui, attraverso le vicende di Don Claudio Lisi, prima parroco in un paese del nord Italia, poi vescovo ed infine Papa, si ripropone in modo critico il problema dell'infallibilità del Pontefice.
Saviane deve parte della sua popolarità alla trasposizione cinematografica di *Eutanasia di un amore* scritto nel 1976 e portato sugli schermi da Enrico Maria Salerno due anni dopo. *Eutanasia di un amore* è il libro che ha imposto Saviane sulla scena letteraria. Il romanzo racconta le vicende di un amore difficile tra un professore universitario e una giovane allieva; parla dell'amore sbagliato, dell'amore dominato dalla possessività, ossia dalla ripetizione su altri soggetti dell'amore materno. Lui non vuole avere figli e quando si accorge che la moglie è incinta la costringe all'aborto. Saviane osserva con attenzione i meccanismi che dominano i due protagonisti, le paure e gli egoismi da cui entrambi sono affetti. E l'indagine psicologica è il filo che tiene uniti un po' tutti i romanzi dello scrittore, da quelli di impianto più privato a quelli che si aprono ad una dimensione corale: *Il passo lungo* (1965), *Il mare verticale* (1973), *Getsèmani* (1980), *Il tesoro dei Pellizzari* (1982), e i racconti raccolti in *Di profilo si nasce* (1973) e *La donna di legno* (1979).
Un'attenzione ai temi e ai problemi della società italiana la ritroviamo nei romanzi *Diario intimo di un cattivo* (1989) e *Una vergogna civile* (1991). Nel romanzo *In attesa di lei* (1993) si descrive l'inseguimento pieno di avventure e colpi di scena da parte di una donna "alta, bionda, vestita da araba" che porterà il protagonista dopo uno spettacoloso incidente automobilistico sull'orlo della morte.
I romanzi di Saviane sono, anche, testimonianza delle esperienze e delle figure che hanno segnato la sua vita: l'infanzia infelice, i rapporti con il padre (in *Il passo lungo*) e la morte della prima moglie.
Saviane è morto a Firenze il 18 dicembre 2000.

noi e gli altri

Una rete più o meno vasta di rapporti ci unisce agli altri e in modo particolare al gruppo sociale e alla comunità cui apparteniamo.

Il primo ambiente, che riflette il mondo dei rapporti umani e in cui maturano i fondamentali moti affettivi e dove si instaurano i primi e più importanti comportamenti sociali, è quello della famiglia.

I brani di questa sezione focalizzano l'attenzione del lettore sulle relazioni sociali, con una prevalenza per i rapporti all'interno della famiglia. Ed ecco, ad esempio, un padre, Antonio Gramsci, che dal carcere, dove è rinchiuso per motivi politici, cerca di comunicare con i suoi bambini raccontando loro, in tono pacato e sereno ed in forma di fiaba, esperienze della sua infanzia: ad esempio, descrive come in una notte di una luna una famigliola di ricci raccoglie le mele. Quando il legame affettivo e familiare è molto intenso le preoccupazioni e le angosce dell'uno sono anche dell'altro. Nel testo di Luca Goldoni, *Il motorino*, un padre vive su di sé l'ansia del figlio rimasto momentaneamente senza motorino. Per il figlio il motorino non è un semplice mezzo di trasporto, ma il legame con gli altri coetanei, il simbolo di appartenenza ad un gruppo sociale.

Ma in una famiglia ci possono essere anche scontri, discussioni accese, contrasti di vedute, come nel brano di Luisella Fiumi: qui una madre non riesce a capire che i ruoli all'interno della famiglia possono cambiare; oppure, come nel brano di Cassola, il contrasto tra genitori e figli è il risultato di cambiamenti profondi all'interno della struttura sociale: una madre si rende amaramente conto che quei figli per i quali ha sacrificato e speso il tempo migliore della sua vita gli sfuggono, e si ritrova triste e sola.

Ma i rapporti in famiglia possono essere anche belli e dolci. La poesia di Saba, che chiude la sezione, è una delicata e appassionata lode di un marito alla propria moglie, le cui doti e virtù sono assimilate a quelle di diversi dolcissimi animali.

Avere contatti e relazioni sociali con gli altri è una necessità impellente per l'essere umano. La solitudine è sempre vissuta come condanna, angoscia e dramma. La condizione del protagonista del racconto di La Capria, *Il telefono*, è davvero triste e desolata: senza più famiglia, senza più amici, egli attende inutilmente al telefono un contatto dal mondo esterno.

Non sempre però i rapporti con gli altri sono idilliaci e facili. Quante liti, quanti contrasti, quante discussioni nella vita di ogni giorno! Un esempio ne è il diverbio tra un contadino e un cacciatore che incontriamo nel racconto di G. Saviane.

sezione 4

1. UN RAGAZZO DIFFICILE

Io gli giro intorno: con circospezione[1], con impazienza, con rabbia.

Adesso, gli giro intorno; un tempo invece lo assalivo. Ma anche adesso ogni tanto - raramente - sbotto[2]. Allora lui mi guarda con la sua famosa calma e dice: - Tu mi manchi di rispetto!

5   La mia collera di ora dev'essere un residuo delle antiche battaglie, quando io reagivo come se lui fosse una parte di me che tradiva se stessa, e dunque mi tradiva. Ai miei assalti e assedi[3] ormai più che altro ammirativi, lui oppone freddezza, noia, e perfino gentilezza (distratta). Ma soprattutto io non rinunzio a tentare di conoscerlo, discorsivamente voglio dire. So bene che le domande sono un sistema sbagliato;

10   ma ci ricasco. Lui è seduto davanti a me, immerso in un libro (magari un fumetto). Io provo a incominciare un discorso, e per di più su temi generali. Senza alzare il capo risponde: - Non so.

(L. ROMANO, *Le parole tra noi leggère,* Einaudi, Torino, 1969)

1. modo di agire cauto e attento ad evitare rischi o pericoli ■ 2. (da sbottare) uscire in uno sfogo improvviso per un sentimento non più contenibile ■ 3. circondare con un esercito una città o una fortificazione; qui è usato in senso figurato

a | COMPRENSIONE DEL TESTO

1. Informazioni specifiche

1. Descrivete cosa fa la madre.
2. Descrivete l'atteggiamento del ragazzo alle richieste della madre.
3. Dite quali spiegazioni dà la madre circa il suo comportamento un po' irruente nei confronti del figlio.
4. Indicate i punti del testo dai quali si può dedurre che l'autrice parla di un ragazzo.

1. Campi semantici

vai a pag. 11

La descrizione dei tentativi della madre di comunicare con il figlio somiglia a quella di una battaglia per la conquista di una città fortificata.

➢ *Rintracciate ed evidenziate le parole del testo che si riferiscono al campo semanti-co della "guerra".*

2. Sinonimi

vai a pag. 57

➢ *Riunite in coppie di sinonimi le parole qui di seguito riportate:*

annoiato - calmo - cautela - ciarliero - circospezione - collera - conflitto - distacco - domanda - freddezza - guerra - infastidito - ira - loquace - madre - mamma - nubi-le - paura - quieto - richiesta - spavento - zitella.

1. _____	6. _____
2. _____	7. _____
3. _____	8. _____
4. _____	9. _____
5. _____	10. _____

3. Gli avverbi

L'avverbio modifica, specifica o determina un verbo o un aggettivo al quale si rife-risce. La modificazione o determinazione che l'avverbio aggiunge può riguardare la qualità, il luogo, il tempo, la quantità o la valutazione.
Gli avverbi di qualità o **avverbi di modo** indicano come si realizza il processo (azio-ne, evento o stato) espresso dal verbo, oppure aggiungono una precisazione quali-ficativa ad un aggettivo o a un altro avverbio.
Gli avverbi di modo possono essere costituiti da un singolo lemma (es.: *bene, forte, lentamente…*) o da espressioni (*unità polirematiche*) costituite da preposizione più nome oppure preposizione + aggettivo + nome, ecc., come ad esempio: *in fretta, di buon umore,* ecc.
Tra gli avverbi costituiti da un singolo lemma la parte più ampia è rappresentata dagli avverbi in **-mente**, vale a dire da quegli avverbi che derivano da aggettivi di qualità o da participi usati come aggettivi ai quali viene aggiunto il suffisso "-*mente*".
Per la formazione di questi avverbi basta aggiungere alla forma femminile dell'ag-gettivo il suffisso -mente: es.: candido -> *candidamente*, grande -> *grandemente*, sciocco -> *scioccamente*, aperto -> *apertamente*, caldo -> *caldamente*, ecc.
Gli aggettivi che terminano in "-le" o "-re", perdono la vocale "e" quando assumono il suffisso -mente:
es.: facile -> *facilmente*, regolare -> *regolarmente*, utile -> *utilmente*, ecc.
Allo stesso modo si comportano i tre aggettivi in "-olo", benevolo, malevolo e ridicolo, che formano l'avverbio rispettivamente in *benevolmente, malevolmente* e *ridicolmente*.

a. Indicate l'avverbio che termina con "-mente" corrispondente alle seguenti espressioni di modo:

1. con impazienza   _____
2. con rabbia   _____
3. con rispetto   _____
4. con freddezza   _____
5. con gentilezza   _____
6. con collera   _____
7. in modo sistematico   _____
8. in modo discorsivo   _____
9. in modo franco   _____
10. in silenzio   _____
11. con affetto   _____

b. Indicate con quale dei significati qui suggeriti viene usato il termine "magari" nelle frasi seguenti:

> anche, forse, anche se, a costo di, oh se!, mi piacerebbe..., perfino.

1. Lui *magari* non lo conosce nemmeno. _____
2. *Magari* avessi vinto io tutti quei soldi! _____
3. Che ne dici di una bella spaghettata? *Magari*! _____
4. Voglio arrivare in fondo alla questione, dovessi impiegarci *magari* due anni. _____
5. Lui sarebbe capace *magari* di raccontare tutto. _____
6. E' immerso in un libro (*magari* un fumetto). _____
7. La voglio comprare, dovessi *magari* pagarla un occhio della testa. ____
8. Poi *magari* lo diremo anche a lui. _____
9. Poteva crollare da un momento all'altro, e *magari* poi avrei passato guai con la giustizia. _____
10. Forse alla sera è stanco, e al sabato avrà *magari* voglia di lasciarsi andare. _____

4. L'ellissi

Il brano proposto è l'inizio del romanzo "*Le parole fra noi leggere*" di Lalla Romano. Come avrete notato, la scrittrice fa subito riferimento ad un personaggio, ad un "lui" che solo nel seguito del romanzo sapremo trattarsi di un ragazzo e più precisamente del figlio della narratrice.

In questo tipo di avvio di racconto incontriamo un esempio di **ellissi**. L'ellissi è un meccanismo testuale e stilistico che consiste nell'evitare la ripetizione di un termine o di una espressione nota o già detta, senza tuttavia pregiudicare la comprensione del messaggio.

L'ellissi è molto frequente nella lingua parlata: nella conversazione fra due persone che si conoscono bene si elidono quegli elementi che fanno riferimento a conoscenze condivise.

L'ellissi è anche frequente nei giornali, soprattutto nei titoli.

Nei testi letterari, e il brano letto ne è un esempio, si incontra un tipo particolare di ellissi, l'ellissi temporanea; lo scrittore parla di qualcuno o di qualcosa senza nominarlo subito, ma solo dopo diverse righe o dopo qualche paragrafo, per creare nel lettore un'attesa e suscitare un certo interesse.

➤ *Provate a riscrivere il testo iniziale sostituendo i pronomi che fanno riferimento al ragazzo con un nome proprio qualsiasi, e dite quali differenze sul piano stilistico ne derivano rispetto all'originale.*

C | PRODUZIONE ORALE O SCRITTA

➤ *Discussione sul testo e sulle tematiche ad esso legate.*

1. La madre, parlando del figlio inevitabilmente parla di se stessa. Ciò risulta evidente fin da questa prima pagina del romanzo. Che cosa emerge del carattere e della personalità della madre in questo avvio di racconto?

2. L'atteggiamento della madre nei confronti del figlio cambia via via che egli cresce: dite, sulla base della vostra esperienza, come e perché avviene questo cambiamento.

3. Servendovi degli elementi contenuti nel testo letto, provate ad immaginare una conversazione tra madre e figlio.

4. Raccontare il rapporto madre - figlio è generalmente difficile, e lo è ancor di più quando a scrivere è uno dei protagonisti del rapporto. Quali difficoltà pensate abbia dovuto superare la scrittrice con questo romanzo?

Profilo dell'autrice a pag. 105

2. I RICCI E LA RACCOLTA DELLE MELE

Caro Delio,

mi è piaciuto il tuo angoletto vivente coi fringuelli e i pesciolini. Se i fringuelli scappano talvolta dalla gabbietta, non bisogna afferrarli per le ali o per le gambe, che sono delicate e possono rompersi o slogarsi[1]; occorre prenderli a pugno pieno per tutto il corpo senza stringere. Io da ragazzo ho allevato molti uccelli e anche altri animali: falchi, barbagianni, cuculi, gazze, cornacchie, cardellini, canarini, fringuelli, allodole, ecc...; ho allevato una serpicina, una donnola, dei ricci, delle tartarughe.

Ecco come ho visto i ricci fare la raccolta delle mele. Una sera d'autunno quando era già buio, ma splendeva luminosa la luna, sono andato con un altro ragazzo, mio amico, in un campo pieno di alberi da frutta, specialmente di meli. Ci siamo nascosti in un cespuglio, contro vento. Ecco, a un tratto, sbucano i ricci, cinque, due più grossi e tre piccolini. In fila indiana si sono avviati verso i meli, hanno girellato tra l'erba e poi si sono messi al lavoro: aiutandosi coi musetti e con le gambette, facevano ruzzolare[2] le mele, che il vento aveva staccato dagli alberi, e le raccoglievano insieme in uno spiazzetto[3], ben vicine una all'altra. Ma le mele giacenti per terra si vede che non bastavano; il riccio più grande, col muso per aria, si guardò attorno, scelse un albero molto curvo e si arrampicò, seguito da sua moglie. Si posarono su un ramo carico e incominciarono a dondolarsi[4], ritmicamente: i loro movimenti si comunicarono al ramo, che oscillò sempre più spesso, con scosse brusche[5] e molte mele caddero per terra. Radunate anche queste vicino alle altre, tutti i ricci, grandi e piccoli, si arrotolarono, con gli aculei[6] irti[7] e si sdraiarono sui frutti, che rimanevano infilzati[8]: c'era chi aveva poche mele infilzate (i riccetti), ma il padre e la madre erano riusciti ad infilzare sette o otto mele, per ciascuno.

Mentre stavano ritornando alla loro tana[9], noi uscimmo dal nascondiglio, prendemmo i ricci in un sacchetto e ce li portammo a casa. Io ebbi il padre e due riccetti e li tenni molti mesi, liberi nel cortile; essi davano la caccia a tutti gli animaletti, blatte e maggiolini, ecc. e mangiavano frutta e foglie d'insalata. Le foglie fresche d'insalata piacevano loro molto e così li potei addomesticare un poco; non si appallotolavano più quando vedevano la gente. Avevano molta paura dei cani. Io mi divertivo a portare nel cortile delle bisce vive per vedere come i ricci le cacciavano.

Questi ricci un giorno sparirono: certo qualcuno se li era presi per mangiarli.

Ti bacio, papà.

Bacia per parte mia Giuliano e mamma Julca.

(A. GRAMSCI, *Lettere dal carcere*, Einaudi, Torino, 1965)

1. spostarsi di un'articolazione delle ossa dalla loro posizione ■ 2. scendere rotolando ■ 3. piccolo spazio libero ■ 4. muoversi ritmicamente avanti e indietro ■ 5. improvvise e rapide ■ 6. i tanti aghi che ricoprono il corpo del riccio ■ 7. dritti e appuntiti ■ 8. qui, infilare con gli aculei le mele ■ 9. profonda buca in cui si rifugiano gli animali selvatici

1. Informazioni specifiche

➤ Rispondete alle seguenti domande:

1. Quale episodio della propria infanzia Gramsci racconta al figlio Delio?
2. L'autore fornisce alcuni particolari sul "quando" avviene la raccolta delle mele. Quali sono?
3. Come si presentano i ricci?
4. Quale tecnica usano per raccogliere le mele per terra?
5. Che cosa fanno i ragazzi?
6. Che fine fanno poi questi ricci?

2. Gruppi di parole

➤ Nella lettera si nominano diversi animali: individuateli e trascriveteli qui appresso, indicando se si tratta di uccelli o di altri animali:

uccelli	altri animali

3. Sintesi

➤ Ricostruite il contenuto del testo passando per i seguenti punti:

> sera d'autunno - campo di meli - radunare mele - riccio grande - arrampicarsi - ramo - oscillare - cadere a terra - arrotolarsi - infilzare - uscire dal nascondiglio - sacco - addomesticare - mangiare insalata - sparire.

1. Contestualizzazioni semantiche

➤ Completate le frasi con i seguenti verbi:

> appallottolarsi, arrampicarsi, dondolarsi, girellare, oscillare, rotolarsi , ruzzolare, sbucare, sdraiarsi

1. Da dove saranno .... quei ricci?
2. E' un fannullone: non fa altro che .... tutto il giorno.
3. Si divertivano facendo .... delle grosse pietre per la strada.
4. Si sono .... con grande abilità sulle pareti del Monte Bianco.
5. Le bandiere .... mosse dal vento.
6. Il ragno .... appeso al filo della sua tela.
7. Esausti, noi .... per terra.
8. I ricci per difendersi o per afferrare qualcosa .... su se stessi.
9. I bambini giocando .... sulla sabbia.

2. Derivazione

> *I verbi che seguono sono una modificazione di altri. Quali?*

- girellare _____   - scribacchiare _____

- mangiucchiare _____   - ridacchiare _____

- rubacchiare _____   - piagnucolare _____

- stiracchiare _____   - sbevucchiare _____

- sbaciucchiare _____   - parlottare _____

- vivacchiare _____   - saltellare _____

- leggiucchiare _____   - rosicchiare _____

3. Suffissi

> I suffissi -ino/a -etto/a si usano, in genere, per formare il diminutivo di una parola
> base, ad es.: letto -> lettino, bottiglia -> bottiglietta. Talora però attribuiscono un
> valore negativo o dispregiativo.

> *Nelle frasi che seguono distinguete questi valori sottolineando una volta le parole in*
> *cui il suffisso ha funzione di diminutivo e due volte quelle in cui ha funzione nega-*
> *tiva o spregiativa.*

1. E questa, per te, sarebbe una stanzetta?
2. Ci sono anche oggi queste peschine gialle per frutta?
3. Non c'è giorno in cui il dottor Leoni non faccia la sua passeggiatina pomeridiana.
4. Non manderò certo mio figlio in quella scuoletta!
5. I Ferri si sono costruiti una casetta vicino al lago.
6. Come poteva pretendere di essere promosso all'esame con quel compitino!
7. Il direttore l'ha chiamato e gli ha fatto un discorsetto tutt'altro che simpatico.
8. Vai a ricevere il nuovo direttore con questa macchinina?

4. Avverbi

Anche gli avverbi possono essere modificati con i suffissi alterati tipo, *-ino -one, -accio, etto,* ecc.; ess.; *benone, malaccio, prestino, pianino, pochetto,* ecc.
Con il suffisso -one, trasformatosi poi in **-oni** si sono formati avverbi di modo che si usano per descrivere certe posizioni o movimenti del corpo, come ad es.: *bocconi* (in posizione distesa, con la faccia in giù), *carponi* (camminando con le mani e i piedi), *ginocchioni, ciondoloni, dondoloni, penzoloni, balzelloni, ruzzoloni...*
Alcuni di questi avverbi sono usati anche con la preposizione "a": *a tentoni, a tastoni, a balzelloni,* ecc.

Es.: L'uomo dormiva seduto con il capo *penzoloni.*
     Cadde *ginocchioni* per terra.
     Era buio pesto, per questo avanzava a *tastoni.*

➤ *Completate le frasi che seguono con uno degli avverbi sopra proposti:*

1. Per non farsi vedere, camminava .... dietro la siepe.
2. Si è buttato .... , pregando l'amico di aiutarlo.
3. Il povero cagnolino ferito avanzava ....
4. I bambini per gioco si buttavano .... giù per il pendio della collinetta.
5. Seduto sul muretto, le gambe .... , osservava la gente che passeggiava.
6. Un piccolo uomo cencioso e scalzo, ammanettato tra due carabinieri procedeva a ...., nella strada deserta e polverosa, come in un penoso ritmo di danza, forse perché zoppo o ferito a un piede. (Silone)

C | PRODUZIONE ORALE O SCRITTA

1. Lo stile del testo di Gramsci è funzionale al destinatario della lettera: il piccolo Delio. Evidenziate gli elementi lessicali e sintattici che contraddistinguono tale stile.

2. La lettera scritta da Gramsci quando era in prigione, riesce a trasmettere un senso di calma e di serenità. Secondo voi, a cosa è dovuto ciò?

3. La lettera privata diretta ad un amico, ad un parente o a una persona cara comunque lontana è oggi una forma di comunicazione sempre più rara. Telefoni cellulari, messaggini, e-mail e fax l'hanno fatta ormai scomparire. Pensate che questa "scomparsa" significhi la perdita di qualcosa o invece è un passo in avanti nel modo di comunicare?

4. Scrivete una lettera ad un amico che è andato a vivere in un'altra città e raccontategli qualche fatto rilevante che vi è capitato di recente.

5. Raccontate, oralmente o per iscritto, una favola che conoscete immaginando come destinatario un pubblico di bambini.

ANTONIO GRAMSCI

Antonio Gramsci nasce ad Ales, in Sardegna, il 22 gennaio 1891. Compie gli studi medi nella sua isola, poi nel 1911, conseguita la licenza liceale, vince una borsa di studio per l'università di Torino. Si trasferisce allora in questa città dove viene a contatto con la realtà del mondo operaio e della lotta sociale. Si iscrive al partito socialista ed inizia la collaborazione prima a "Il grido del popolo" e successivamente all'"Avanti", sostenendo la neutralità e il non intervento dell'Italia nella grande guerra del 1914-18.

Nel 1919, insieme a Terracini, Tasca e Togliatti, fonda il settimanale "L'Ordine Nuovo", con il quale si batte per l'adesione del partito socialista d'Italia all'Internazionale comunista. Nel 1921 è tra i protagonisti della scissione dal partito socialista e uno dei fondatori del partito comunista d'Italia. L'anno dopo viene mandato dal nuovo partito a Mosca, dove rimane più di un anno, partecipando anche ai lavori del quarto congresso dell'internazionale. In Russia sposa Giulia Schucht, da cui avrà due figli, Delio e Giuliano. Nel 1924 è eletto deputato al Parlamento e si reinserisce con fervore nella lotta politica contro il fascismo dilagante. Nel novembre del 1926 viene arrestato insieme ad altri esponenti comunisti e rinchiuso nel carcere di Ustica. Due anni dopo è condannato dal tribunale speciale fascista a 20 anni di carcere e trasferito a Turi di Bari.

Minato nel fisico ma non nel morale, trascorre nel carcere gli ultimi anni della sua vita in una intensa attività di studio e di riflessione. In carcere redige quella miniera di osservazioni, spunti ed elaborazioni politiche che formano i *Quaderni del carcere*. Molte sono anche le lettere che scrive ai familiari e agli amici e che verranno poi raccolte in un volume. Esse costituiscono la testimonianza più viva della sensibilità umana e della forza morale di un uomo che né il male fisico né il feroce sistema carcerario fascista sono riusciti a fiaccare. Gramsci muore all'età di quarantasei anni, il 27 aprile 1937, pochi giorni dopo aver ottenuto la libertà.

3. IL MOTORINO

Il motorino dei quattordicenni ha già una letteratura, l'argomento è stato sviscerato[1] da psicologi e giuristi, non ci tornerei sopra se in questi giorni non avessi attentamente osservato mio figlio: da una settimana è senza motorino perché l'ha rotto e lo stanno aggiustando. Bene, da una settimana mio figlio vive chiuso in casa in autoesilio[2].

Legge tutto quello che gli capita, sta per ore davanti alla televisione, non frequenta nessuno. Dapprima mi sono arrabbiato, gli ho detto che un motorino in riparazione non era una tragedia e che non era il caso di seppellirsi in casa come un vedovo inconsolabile, perché non telefonava ai suoi amici, non li invitava, non andava a trovarli?

Lui mi ha risposto che non si sentiva per nulla un vedovo inconsolabile ma che semplicemente non voleva esser di peso[3] ai suoi amici, non voleva "rompere"[4]. Io ho replicato che mi sembravano scrupoli eccessivi e che le vere amicizie non si incrinavano[5] per dei guasti meccanici.

Per qualche giorno ho seguitato a polemizzare, poi mi son convinto che aveva ragione lui. Qualche amico è venuto a trovarlo, ma roba di dieci minuti, doveva trovarsi con gli altri per il motocross, poi andavano al bar, poi andavano a mangiar la pizza in collina. Mio figlio non poteva seguirli in autobus e neanche in tassì e neanche sul sellino[6] posteriore perché è proibito.

Da quando si è diffusa la voce che mio figlio era appiedato, il telefono non ha più squillato, come se gli amici avessero paura di farsi incastrare in una partita a scacchi, in una conversazione, un amico senza motorino è come un amico malato, che noia andarlo a trovare, tenerlo un po' su.

Sotto questo aspetto mio figlio si è rivelato saggio; intuendo la morte civile[7] che gli veniva decretata, ha accettato questo blackout[8], non ha cercato nessuno, non si è umiliato a elemosinare conforto, aspetta la riparazione come si aspetta una guarigione.

C'è una giungla[9] per gli adolescenti, sono contento che mio figlio se ne stia rendendo conto, una pregiungla che anticipa quella dell'esistenza adulta. Siamo cercati, contesi, adulati non per quello che siamo ma per il ruolo che occupiamo e il peso specifico che abbiamo. E' una storia vecchia ma è significativo scoprire come questa storia cominci subito, a sedici anni, quando basta un motorino per uscire dal giro.

Adesso non è più mio figlio solo, a telefonare al meccanico, gli telefono anch'io per aver notizie di questa maledetta frizione. Sta in casa, mi fa compagnia, si fa anche una cultura ma è uno spostato: la casa dei nostri figli ormai sono le strade.

(L. GOLDONI, *È successo qualcosa?*, Mondadori, Milano, 1974)

1. esaminare con grande e minuziosa cura ■ 2. isolamento che uno impone a se stesso ■ 3. esser di incomodo a qualcuno, rappresentare per lui una preoccupazione ■ 4. dare noia e disturbo; seccare ■ 5. cominciare a rompersi, presentare delle piccole crepe o lesioni che segnalano una imminente rottura ■ 6. è il piccolo sedile dei veicoli a due ruote, come biciclette, motorini, motociclette, ecc. ■ 7. in genere, privazione dei diritti civili, in senso figurato come qui, stato di estremo avvilimento ■ 8. interruzione di corrente elettrica; qui indica interruzione di relazioni e rapporti con gli altri ■ 9. foresta impraticabile; qui ambiente dove è difficile sopravvivere

1. Informazioni specifiche

Rispondete alle domande seguenti:

1. La temporanea mancanza del motorino viene vissuta in modo diverso dai protagonisti della vicenda. Indicate le reazioni e i comportamenti:
   a. del figlio
   b. del padre
   c. degli amici del figlio
2. Che cosa questa storia "banale" fa capire ai protagonisti? Cosa insegna loro?
3. L'autore conclude il racconto con questa osservazione: "*La casa dei nostri figli ormai sono le strade*". Che cosa vuole dire?

2. Sintesi

➤ *Il testo che segue è una rielaborazione sintetica del testo di Goldoni: completatelo con le parole mancanti:*

La casa dei giovani di oggi è la _____ : lì loro vivono, lì _____ passano la maggior parte del loro _____ . Questo l'ho capito quando mio _____ è rimasto senza _____ . Da allora non è più lui: legge molto, passa molto tempo davanti _____ , vive proprio come un _____ . Gli amici non vengono più a _____ , non lo cercano, lo trattano come se fosse un _____ . Lui però ha reagito con _____ , ha accettato questo isolamento come una malattia da cui prima o poi si _____ . La vicenda del motorino gli ha fatto capire che nel mondo di oggi si vive come in una _____ , con le sue ferree regole: uno _____ non per quello che è ma per il ruolo che svolge nella società.

1. Coesione testuale

➤ *Indicate a quale informazione o parte del testo rimandano gli elementi qui di seguito evidenziati:*

1. "*non ci tornerei sopra*" (r. 2) Su quale argomento il narrante dice di non voler tornare?
2. "*Mi sembravano scrupoli eccessivi*" (r. 12) Di quali scrupoli si tratta?

3. "*Mio figlio non poteva seguirli in autobus*" (r. 17) Seguire chi?
4. "*Sotto questo aspetto mio figlio si è rivelato saggio*" (r. 23) Sotto quale aspetto?
5. "*C'è una giungla per gli adolescenti*" (r. 26) *Il termine "giungla"* a quale situazione fa riferimento?

2. Gruppi semantici

➤ *Raggruppate in 7 gruppi semantici le parole seguenti, ed indicate il criterio adotta-to nella classificazione:*

> accelerare - autobus - automobile - autostrada - autovettura - banchina - berlina - bici-cletta - cambio - carreggiata - corriera - corsia - corso - frenare - frizione - manubrio - marciapiede - marmitta - motocicletta - motorino - postale - pullman - rallentare - sella - sorpassare - spider - strada - svoltare - tram - utilitaria - vespa - via - viale.

1. _____
2. _____
3. _____
4. _____
5. _____
6. _____
7. _____

3. Riformulazioni

➤ *Riscrivete le frasi che seguono sostituendo le parole ed espressioni in corsivo con altre di significato analogo senza modificare il senso generale della frase:*

1. Il motorino dei quattordicenni ha già una *letteratura*, l'argomento è *stato sviscerato* da psicologi e giuristi.
2. Gli ho detto che un motorino in riparazione non era *una tragedia* e che non era il caso di *seppellirsi* in casa come un *vedovo inconsolabile*.
3. Lui mi ha risposto che non *voleva essere di peso* ai suoi amici, non voleva *rompere*.
4. Da quando *si è diffusa la voce* che mio figlio *era appiedato*, il telefono non ha più squil-lato.
5. Intuendo *la morte civile* che *gli veniva decretata*, ha accettato questo *blackout*.

vai a pag. 82

4. Modi di dire

➤ *Abbinate il modo di dire della colonna A con il corrispondente significato della colonna B. Costruite, poi, almeno cinque frasi in cui siano presenti i modi di dire qui proposti:*

	A		B
1.	*essere un peso morto*	a.	ingannare
2.	*avere un peso sullo stomaco*	b.	essere parziale nei giudizi
3.	*avere un certo peso...*	c.	a carissimo prezzo
4.	*avere due pesi e due misure*	d.	non essere utili alla famiglia o alla società
5.	*sollevare di peso*	e.	avere una grossa importanza
6.	*dare peso a ...*	f.	avere una preoccupazione
7.	*rubare sul peso*	g.	attribuire importanza
8.	*... a peso d'oro*	h.	alzare di slancio

5. La forma passiva

Il particolare rapporto del verbo con il proprio soggetto o con l'oggetto è indicato con il termine *"direzione"* o *"diatesi"*[2]. La direzione o diatesi può essere **attiva**, **passiva** o **riflessiva** (o *media*), più comunemente si parla però di forma attiva, passiva o riflessiva, rilevando in questo modo solo l'aspetto esteriore del verbo.

La forma di un verbo è **attiva** quando il soggetto coincide con l'agente (attore) dell'azione del verbo stesso, la forma è **passiva** quando l'agente del verbo non fa da soggetto grammaticale, la forma è **riflessiva** quando soggetto ed oggetto coincidono. Ogni verbo transitivo attivo con oggetto diretto può avere una forma passiva e quindi può essere trasformato in passivo.

Ess.:

[1]   a. (f. **attiva**)   Molti *hanno visto* quello spettacolo.
       b. (f. **passiva**) Quello spettacolo **è stato visto** da molti.

La scelta del passivo, come si vede dall'esempio, comporta la trasposizione dell'oggetto in soggetto (*quello spettacolo*) e del soggetto in complemento d'agente (*da molti*). Il soggetto del predicato attivo diventa nella frase passiva il **complemento d'agente** se è costituito da un essere animato, oppure il **complemento di causa efficiente** se è costituito da un essere inanimato o da un concetto astratto.

Il complemento d'agente e quello di causa efficiente è sempre preceduto dalla preposizione *"da"*.

Ess.:

[2]   a. L'albero è stato sradicato *dagli operai* della forestale.   (c. d'agente)
      b. L'albero è stato sradicato *dal vento*.   (c. di causa efficiente)

Pur essendo, in teoria, possibile trasformare ogni enunciato con un verbo transitivo attivo nel corrispondente passivo, in pratica, questo meccanismo di trasposizione viene utilizzato solo quando effettivamente se ne sente la necessità. Infatti, la forma passiva viene usata quando:

[2] Termine di origine greca che significa "atteggiamento", "stato d'animo".

a. si vuole dare rilievo all'oggetto, facendolo diventare soggetto
b. si vuole occultare il soggetto (l'agente) o perché è sconosciuto,
  o insignificante o non si vuol rivelarlo;
c. si presenta l'azione come stativa, cioè come se fosse ferma o compiuta.

Per riassumere, possiamo dire che, in genere, la forma passiva viene preferita quando si vuole mettere in rilievo l'azione rispetto a chi agisce. Per questo è propria di uno stile distaccato e neutrale che voglia evidenziare i fatti rispetto ai protagonisti. Non a caso la forma passiva è usata spesso (per lo più con l'ellissi dell'ausiliare) nella cronaca giornalistica:

[3]   a. *Sventata* una rapina alla Banca Nazionale del Lavoro.
        b. *Sequestrati* dalla polizia dieci chili di eroina.

Ausiliari del passivo

La forma passiva in italiano è sempre composta da un verbo ausiliare (**essere, venire, andare**) più participio passato.

L'ausiliare "**essere**" si può usare in tutti i tempi e modi del verbo, eccetto che al trapassato remoto.

L'ausiliare "**venire**" può essere usato solo con i tempi semplici (o non composti) del verbo. Il suo uso sottolinea sempre un significato d'azione, per questo viene preferito ad "essere" quando la presenza di essere o è impossibile o produce una certa ambiguità.

Ess.:
[4]   a. La mamma viene baciata
        b. La porta viene chiusa

L'ausiliare "**andare**" dà alla forma passiva:
a. un significato di necessità o dovere; in tal caso si usa solo nei tempi semplici.

Ess.:
[5]   a. Il compito *va consegnato* entro le 2. (= deve essere consegnato)
        b. E' uno sforzo che *va compiuto*.   (= deve essere compiuto)

b. una sfumatura aspettuale che sottolinea lo svolgimento dell'evento. Ciò si ha con un ristretto gruppo di verbi che indicano distruzione perdita o danneggiamento come: *distruggere, perdere, smarrire, bruciare, sprecare, versare, spendere*, e simili. In questo caso "*andare*" può essere usato con tutti i tempi (eccetto il trapassato remoto).

Ess.:
[6]   a. Molti libri **sono andati perduti** nell'incendio della biblioteca.
        b. Molti soldi **andarono spesi** in quel progetto faraonico.

➤ *Trasformate in attive le frasi passive che seguono:*

1. Mi è stato rubato il portafogli.
2. Il valico è ostruito da una gran massa di neve.
3. Le piante furono suddivise in varie specie da Linneo.
4. Carlo è stato visto uscire dal cinema in compagnia di una signora bionda.
5. Da quale medico ti è stata prescritta questa cura?
6. Siccome disturbava lo studente vicino, Giovanni è stato invitato a lasciare l'aula.
7. La sua relazione sugli effetti dell'alcool è stata molto apprezzata dai colleghi.

8. In ogni locale pubblico è stato aumentato il numero dei telefoni a scheda magnetica.
9. Il tavolo era stato spostato per lasciare più spazio per il passaggio.
10. L'argomento è stato sviscerato da psicologici e giuristi.
11. Siamo cercati, contesi, adulati non per quello che siamo ma per il ruolo che occupiamo e il peso specifico che abbiamo.
12. Aveva parecchio tempo libero, perché, trovandosi il suo locale in periferia, era frequentato più che altro da persone anziane, sempre rare, a cui piaceva chiacchierare e leggiucchiare.
13. Tutta la zona fu ispezionata.
14. Il risultato fu che quando in pieno ricevimento, arrivò una vera cameriera, ben messa, mandata dall'agenzia, fu accolta con grandi riguardi in salotto e fatta sedere per circa mezz'ora al posto d'onore.

6. Aggettivazione

➤ *Completate il testo che segue con gli opportuni aggettivi scegliendoli fra quelli dati dopo il testo:*

Nonni, nonne e _____ (1) zie: sono loro i _____ (2) pirati delle strade e delle autostrade, quelli che finiscono nel mirino degli autovelox, l'arma più _____ (3) dagli automobilisti _____ (4). Lo dicono i vigili _____ (5) sulla base dei _____ (6) dati sulle sospensioni delle patenti. Ma la verità è un'altra: le _____ (7) infrazioni vengono commesse in realtà dai giovani. I parenti più _____ (8), però, si sacrificano solo per evitare che i loro congiunti restino appiedati. "Un ragazzo fotografato mentre sfrecciava con la sua _____ (9) moto a 180 all'ora, è venuto da noi - raccontano i vigili - accompagnato dal _____ (10) nonno.

Ha detto: "Guidava lui!"

> *anziano - attempato - grosso - italiano - numeroso - recente - temuto - urbano - vecchio - vero*

1. L'acquisto di un motorino per il figlio o la figlia è in molte famiglie uno dei motivi di contrasto e di discussione fra genitori e figli. Per i ragazzi e le ragazze il motorino è un simbolo di identificazione e di aggregazione con un gruppo sociale (o il branco), è una prima forma di affrancamento dalla famiglia e quindi manifestazione di indipendenza ed autonomia. I genitori sono contrari, non solo perché il motorino è pericoloso a causa dei rischi possibili nel traffico caotico delle città, ma anche perché sentono che i figli si allontano da loro, che in un certo senso hanno meno bisogno di loro. Inconsciamente non accettano che i loro "bambini" crescano. Il motorino è solo un segno di questo allontanarsi dei figli dai genitori.
Si tratta di posizioni spesso inconciliabili e comunque fonte di discussioni vivaci.
Provate a costruire una possibile conversazione tra un ragazzo o una ragazza e i suoi genitori proprio sul tema dell'acquisto di un motorino, riportando gli argomenti delle due opposte posizioni.

2. Sui tanti motorini che invadono le strade delle città si confrontano e si scontrano, almeno sulla stampa periodica, due diverse posizioni o se vogliamo due filosofie. Da una parte i contrari: i motorini sono rumorosi, fracassoni e pericolosi in mano agli adolescenti che sono ancora immaturi e incoscienti. Dall'altra parte troviamo chi difende il motorino come un mezzo di trasporto economico, ecologico e democratico, perché non intralcia il traffico come le macchine, non inquina tanto e perché è alla portata di tutti.
Esprimete le vostre opinioni in proposito.

3. Quella volta che siete saliti/e per la prima volta su una moto. Ricordi, paure, sensazioni ed impressioni.

LUCA GOLDONI

Luca Goldoni è nato a Parma nel 1928. Laureato in legge si è dedicato esclusivamente al giornalismo. È stato per molti anni inviato speciale di giornali come "Il Resto del Carlino", "La Nazione" e il "Corriere della sera". Ha percorso in lungo e in largo il mondo, inseguendo guerre, rivoluzioni, personaggi, fatti ed atmosfere, in una vita avventurosa e avventurata. In un suo volume del 1994 *Sempre meglio che lavorare* Goldoni ricorda con nostalgia, malizia ed ironia alcune tappe della sua esistenza errabonda, che gli ha permesso di osservare e commentare i grandi eventi, ma non gli ha impedito di osservare anche quei piccoli, grotteschi, comici e apparentemente insignificanti avvenimenti che sono il vero sale della vita. L'osservazione acuta e implacabile ma allo stesso tempo bonaria dei vizi, dei difetti, dei costumi e dei tic delle persone costituisce il tratto più immediatamente percepibile della scrittura di Goldoni. L'Italia e la provincia italiana sono la sua riserva di caccia preferita. Ogni suo volume è un viaggio alla scoperta dei vizi occulti e palesi, lievi e inconfessabili, antichi e recenti degli italiani, vizi che in certi casi raggiungono i vertici della genialità. Eventi pubblici e fatti privati sono analizzati, raccontati e commentati con fine ironia e con un senso dell'humour che riesce a far sorridere anche quando la situazione appare drammatica. Questo lungo viaggio attraverso la società italiana si è tradotto in una serie di libri fortunati, anche per il successo di pubblico. Tra questi merita ricordare in particolare: *È gradito l'abito scuro* (1972), *Esclusi i presenti* (1973), *È successo qualcosa?* (1974), *Di' che ti mando io* (1977), *Cioè* (1977), *Non ho parole* (1978), *Vai tranquillo* (1987), *Stiamo lavorando per voi* (1991), *Buon proseguimento* (1994). Libri che già nel titolo fanno riferimento a certi luoghi comuni che hanno trovato la loro sintesi in espressioni e modi di dire diventati familiari a tutti.

Ma Luca Goldoni oltre che alla cronaca è stato attento anche alla storia. Con il suo tono implacabile e sorridente ha raccontato anche le vicende di grandi personaggi storici come Maria Luigia d'Austria, Messalina, Mussolini e Casanova. Del 1993 è il saggio storico *Benito contro Mussolini*, pubblicato insieme ad Enzo Sermasi. Si tratta di un dialogo tra il Duce Mussolini e l'uomo Benito, da cui emergono i dubbi, le debolezze, le perplessità e le miserie dell'uomo "forte" che ha guidato l'Italia per un ventennio. Del 1997 è *Casanova romantica spia*, una storia che ci presenta in una luce nuova la figura di un uomo passato alla storia e all'immaginario collettivo come seduttore e libertino.

Uno scrittore diverso è quello che appare in *Libro di Susanna*. I quadri che da qualche tempo lo scrittore è andato dipingendo diventano lo sfondo colorato delle storie sue, della sua famiglia e di un nonno che assomiglia tanto all'autore. Il libro tenero e ironico, come tutti quelli di Goldoni, si muove in uno spazio sospeso in cui i contorni della realtà sembrano evaporare e trasformarsi nel paesaggio del sogno. Il tutto è visto attraverso gli occhi acuti ed ingenui di una tredicenne, Susanna, la bambina vestita di rosso che compare nei quadri dipinti da Goldoni.

4. MATRIA POTESTÀ

L'idea che in Svezia i papà avrebbero goduto di sei mesi di licenza[1] dal lavoro ogni volta che nasceva un figlio, come leggemmo sui giornali, a mia madre non andava giù[2]. "Ci mancava anche questa!" diceva "che i padri abbiano la licenza-parto come se i bambini li facessero loro!"

5 "E invece chi li fa?" dissi io polemica.

"Chi li fa? la madre, perdiana!"

"E i figli di chi sono?" dissi io.

"Della madre, diamine!" rispose lei.

"Infatti,- dissi io - portano il cognome della madre, la madre esercita la matria 10 potestà."

"No - disse lei, - portano il cognome del padre, che scoperta. E la patria potestà dovrebbero esercitarla tutti e due. Però li fa la madre."

"Perché tutti e due- dissi io -se dici che i figli sono della madre?"

"Oddio, come sei noiosa, come sei suffragetta, non so dove vuoi parare! - esclamò 15 lei. - E va bene. I figli sono di tutti e due. Però li fa la madre."

"Ci risiamo - dissi - Li fa da sola questa madre?"

"Ma no, uffa!, li fa in collaborazione con il padre."

"Brava, hai detto in collaborazione col padre. Il quale, mi sembra naturale che, di conseguenza, collabori a occuparsene."

20 "Ma cosa vuoi che capisca un uomo? - disse mia madre. E cercò di cambiare argomento, come sempre quando non riesce a convertire l'interlocutore[3] e si annoia: "Hai sentito cosa è successo all'Annetta?"

"Dicevi: che cosa vuoi che capisca un uomo", insistei.

"Ma sì, ma sì - fece lei seccata[4] - l'uomo è un cretino."

25 "E' un cretino e quindi è meglio che si occupi di lavori extradomestici, la donna è intelligente, quindi deve curarsi dei bambini."

"Uffa!" fece lei presa in trappola. "Insomma, cosa vuoi che ti dica? La donna fa materialmente i bambini, li partorisce, è quindi logico che li allevi lei. Se poi si chiamano come il padre, sarà ingiusto, ma a me, come ti ho già detto tante altre volte, 30 non me ne importa niente. Uffa, come mi annoi. D'altronde, scusa (azzardò, convinta di colpire nel segno) a te sarebbe piaciuto che il Bosi allevasse le tue figlie?"

"Le nostre figlie. Sì. E il bello è che sarebbe piaciuto anche a lui, se l'avesse fatto."

Mi guardò con disprezzo. In quel momento arrivò il Bosi: "State parlando di femminismo?" domandò sbiancando.

35 "Sì, sì, c'è questa suffragetta che hai sposato che vorrebbe trasformare gli uomini in donne di casa."

"Io, per me - disse il Bosi - ci sto."[5]

"Ci stai - si arrabbiò mia madre -perché non sai che cosa vuol dire fare la donna di casa."

40 "Lo so benissimo, invece - disse il Bosi sprofondando in poltrona - è mia moglie che non lo sa."

"Lo sai per modo di dire,- tagliò corto[6] mia madre - e in ogni caso io disprezzo gli uomini che vogliono fare le donne di casa."

"Che cosa dovrebbero fare gli uomini?" chiesi.

45   "L'uomo fa l'uomo. Ai miei tempi questi problemi non esistevano. L'uomo faceva l'uomo e la donna la donna.

(L. FIUMI, *Come donna, zero,* Mondadori, Milano, 1973)

1. permesso di assentarsi dal lavoro ■ 2. non le piaceva ■ 3. la persona con cui si parla ■ 4. infastidito ■ 5. sono d'accordo ■ 6. concluse rapidamente il discorso

---

a | COMPRENSIONE DEL TESTO

1. Informazioni specifiche

➤ *Rispondete alle seguenti domande:*

1. Quale notizia, diffusa dai giornali, sconvolge la madre della scrittrice?
2. Che idea della donna ha la madre?
3. Che atteggiamento ha la figlia verso le idee della madre?
4. Quali contraddizioni nei ragionamenti della madre la figlia sottolinea?
5. Quale posizione tiene il Bosi nella discussione tra madre e figlia?
6. Che cosa intende dire la madre con l'espressione: "L'uomo fa l'uomo e la donna la donna"?

2. Sintesi

➤ *Riesponete sinteticamente i temi trattati in questa discussione tra madre e figlia.*

---

b | ANALISI LESSICALE E STILISTICA

1. Modi di dire

vai a pag. 82

➤ *Anche con l'aiuto di un dizionario, spiegate il significato delle seguenti espressioni:*

1. Non le va giù.   _____
2. Dove vuoi parare?   _____
3. Ci risiamo   _____
4. Colpire nel segno.   _____
5. Tagliare corto.   _____

2. Figure retoriche: l'ironia

> Nella conversazione che abbiamo letto la figlia per controbattere alcune osserva-
> zioni della madre ricorre all'ironia: mette, cioè, in ridicolo l'affermazione dicendo il
> contrario di ciò che realmente vuole dire.
> L'**ironia** è una figura retorica con la quale il parlante deride o prende in giro in
> modo più o meno garbato il comportamento o le affermazioni di qualcuno dicen-
> do l'esatto contrario di ciò che vuol far capire. Se ne fa frequente uso nel linguag-
> gio quotidiano, come quando si dice a qualcuno che si comporta in modo sciocco:
> "*Come sei furbo!*" o ad uno sprovveduto: "*Sei davvero un genio!*", o ad un ragazzo
> che dice parolacce: "*Belle parole, alla tua età!*". L'effetto ironico si ottiene non solo
> dicendo il contrario di ciò che si intende dire, ma anche quando si scherza su qual-
> cosa o qualcuno presentandolo in modo deformato.

a. *Individuate nel testo letto le espressioni ironiche usate dalla figlia e spiegatene il senso reale.*

b. *Spiegate il significato reale che possono avere le seguenti frasi usate in tono ironico:*

1. Il tuo compito, Claudio, è davvero un capolavoro!
2. E' proprio efficace la dieta che Marta ha seguito!
3. Originale, questo discorso!
4. Nella sua carriera ha riscosso un successo dietro l'altro!
5. Ecco il dongiovanni della Riviera romagnola!

c. *Rielaborate in modo ironico le frasi che seguono:*

1. In questa casa fa molto freddo.
2. Quel tenore ha cantato come un cane.
3. La tua macchina è un vero "bidone".
4. E' un ragazzo irrequieto.
5. L'esame è stato un fiasco.

C | ANALISI LINGUISTICA

1. L'interiezione

> Quando parliamo, moduliamo, talora, il discorso con espressioni brevi di gioia, sol-
> lievo, meraviglia, impazienza, rabbia, noia, orrore, paura, ecc. E per far ciò ricorria-
> mo alle *interiezioni*, vale a dire a espressioni, spesso formate da semplici suoni, più
> simili ad un grido istintivo che a vere e proprie parole (interiezioni proprie), come ad
> es.: **ah!**, **ahimé!**, **puah!**, **mah!**, **uffa!**, **ehi!**, **ohi!**, **ohibò!**, **puah!**, **ehm**, ecc., oppure

formate da nomi, aggettivi, verbi o avverbi usati con funzione esclamativa, come: **bene!, evvia!, diavolo!, forza!, peccato!, ciao!, guai!, salve! accidenti!, perdinci!, ecco!**, ecc.

Data la sua particolare funzione emotiva, l'interiezione ha una grande intensità espressiva, ma sul piano sintattico si presenta come un breve inciso che non si lega con il resto del discorso. Essa equivale a una frase intera e isolata, capace di esprimere da sola, in modo rapido ed efficace, sia pure rudimentale, un messaggio in sé compiuto.

a. Individuate e trascrivete le interiezioni presenti nel testo letto, indicando anche quale stato d'animo del parlante sottolineano.

_____

_____

b. Inserite nelle frasi che seguono le locuzioni esclamative che ritenete più adatte:

1. _____! non riesco a sentire il telegiornale con questo baccano.

2. Abbiamo forato una gomma, _____!

3. _____! che male mi son fatto!

4. _____! quanto è caro!

5. _____ che spavento!

6. Che aspetti a dirglielo, _____!?

7. _____, andrà meglio un'altra volta!

8. _____, che posso dirti?

c. Indicate quali stati d'animo esprimono le interiezioni nelle frasi seguenti: (paura, noia, meraviglia, orrore, gioia, ecc...):

1. Uffa, com'è lungo questo esercizio!   _____

2. Toh, e io che lo credevo una persona onesta!   _____

3. Che facciamo ora, eh!?   _____

4. Evviva, abbiamo vinto!   _____

5. Caspita, che colpo!   _____

6. Mah, avrà avuto le sue buone ragioni!   _____

7. Mamma mia, che è successo qui!?   _____

d | PRODUZIONE ORALE O SCRITTA

1. Tra genitori e figli sono sempre esistiti contrasti. Nella vostra esperienza personale su quali temi o problemi vi siete trovati in disaccordo con i vostri genitori?

2. Nelle nostre società, pur evolute e moderne, permane ancora una sostanziale distinzione di ruoli fra l'uomo e la donna. Ritenete che abbia ancora un senso tale distinzione? Perché?

3. Dite attraverso quali momenti e in quali forme la donna ha conquistato nel vostro paese il ruolo che occupa attualmente.

4. In Italia, come in molti altri Paesi, i figli assumono, di regola, il cognome del padre. Qualche anno fa, la proposta del presidente della Commissione Giustizia della Camera dei Deputati italiana di consentire che i figli prendessero il cognome della madre, ha alimentato per un certo tempo un acceso dibattito. Come sempre avviene intorno a proposte che vogliono introdurre un cambiamento culturale profondo, le posizioni sono state le più diverse. Qualcuno era contrario perché la proposta sconvolgeva un sistema millenario, qualcun altro vi vedeva un attentato alla continuità della famiglia, altri erano contrari perché non ritenevano giusto cancellare un genitore dall'identità di una persona. Molti, soprattutto tra le donne, si sono dichiarati d'accordo, proponendo che i figli prendessero solo il cognome della madre, altri quello di entrambi i genitori, altri proponendo che fossero i genitori, di comune accordo, a decidere se il figlio dovesse prendere il cognome del padre o della madre. Qualcun altro provocatoriamente ha proposto il sorteggio del cognome al momento dell'iscrizione di un neonato all'anagrafe del Comune.
Tanti pareri e tante proposte diverse. E voi che proponete?

LUISELLA FIUMI

Luisella Fiumi è nata a Milano nel 1924, ma è vissuta per molti anni a Trieste, dove si era laureata in Lettere. Giornalista e scrittrice umorista, ha tenuto a lungo sul "Piccolo" un diario "familiare". Da quelle pagine ha preso corpo poi il suo primo libro, *Come donna, zero* (1974): un'analisi del matrimonio e della quotidianità familiare vista dalla parte di lei, della moglie. Con uno stile agile e malizioso l'autrice cerca il comico alle spalle dei personaggi e lo presenta in modo casuale, cogliendolo nelle situazioni o affidandolo ad un dialogo che ha la immediatezza di una registrazione dal vivo.

Anche nel suo secondo libro, *Cambia che ti passa* (1976), la Fiumi affronta in chiave umoristica e garbatamente femminista la vita di una famiglia italiana.

Madri e figlie (1978) completa il trittico "familiare", con la presentazione, sempre in modo garbato e umoristico, del difficile rapporto tra genitori e figli. Qui il campo d'osservazione scelto è la stessa famiglia della scrittrice: i protagonisti sono lei, il marito e le due figlie gemelle, ventenni. Sotto la patina divertente e accattivante delle situazioni presentate emergono le grandi e piccole trasformazioni della famiglia media italiana, l'analisi di una evoluzione spesso liberatoria ma anche drammatica che si affianca alle modificazioni più violente nell'ambiente urbano e sociale.

Luisella Fiumi è morta a Milano il 6 luglio 1982.

Storia di Parole

Le donne e il voto

Suffragetta: agli inizi del secolo questo nome veniva usato, in tono ironico o dispregiativo, con le donne che unite in gruppi e associazioni si battevano per far ottenere il diritto del voto politico (suffragio) anche alle donne; diritto che era fin allora riservato ai soli uomini. La parola deriva dall'inglese "*suffragette*". E fu infatti in Inghilterra che sorse nel 1903 l'Unione sociale e politica delle donne, per opera di Emmaline Pamkhurst, che ne diresse anche il giornale, "*Vote for women*". I primi Paesi, tuttavia che riconobbero il diritto di voto alle donne furono i paesi scandinavi (Finlandia, 1906, Norvegia 1907) e la Danimarca (1915). Il diritto di voto alle donne in Italia fu riconosciuto solo nel 1946.

5. DISCUSSIONE IN FAMIGLIA

Un giorno, a tavola, ci fu una discussione, quasi un litigio. Lo zio aveva mosso un blando[1] rimprovero al figliolo:

"Capisco che tu sia voluto andare a teatro... Ma cenare, potevi cenare a casa". Si riferiva alla sera avanti.

5   Remo ebbe un gesto di fastidio.

"Lo so, ti fa piacere stare con gli amici" disse la madre inviperita[2]. "Ma almeno a pranzo e a cena, potresti stare con noi..."

Improvvisamente si mise a piangere. La guardarono stupefatti[3].

Lo zio si commosse. Le posò la mano sul braccio:

10   "Che ti prende, mamma?"

"Si vergogna di noi" rispose lei tra i singhiozzi[4]. "Perché siamo gente da nulla.. "

"Che vai dicendo" fece Remo. Aveva sempre l'aria infastidita.

"Anche i tuoi amici, perché non ce li hai fatti conoscere? Ce ne avessi almeno parlato. Niente, non vuoi dirci niente..."

15   A un tratto attaccò a parlare Remo:

"Che ve ne parlerei a fare? Se non mi state nemmeno a sentire. Voi, a parte gl'interessi, non vi occupate d'altro... Vi dovrei raccontare di me, dei libri che leggo? Dei discorsi che faccio con gli amici? Di quello che ho visto iersera a teatro?" Si rivolse al padre: "Cosa credi che sia andato a vedere, le ballerine? Perché prima l'hai detto

20   con un tono... Come se i soldi li buttassi al vento. Sono andato a vedere una commedia di Pirandello. Ma voi non lo sapete nemmeno, chi è Pirandello".

"Remo, ma non è colpa nostra se non siamo gente istruita. Non abbiamo avuto il tempo di farci un'istruzione..."

"Almeno tu, il tempo lo avresti. Non fai niente dalla mattina alla sera..."

25   "La pensate tutti nello stesso modo", disse la madre rabbiosa. "Ma i sacrifici che ho fatto per voi quando eravate piccoli, di quelli, non ne sapete niente. Sì, di quando vostro padre era in guerra... e io dovevo farmi in quattro per mandare avanti la baracca[5]..."

"Si parla di ora, mamma. Che vita fai, scusa? Ti potresti interessare di qualcosa.

30   Potresti leggere qualche libro. Potresti andare a teatro. Ti ci porterei io, a teatro. Potresti andare ai concerti con Adriana. Ma tu niente, preferisci ricevere le amiche... Voi credete di aver fatto abbastanza allevandoci e assicurandoci una vita agiata[6]. Ma vi siete curati di capirci? Non parlo solo di me. Parlo di Adriana. E di Gisella: fa parte anche lei della famiglia."

35   "Gisella lasciala stare", s'indispettì[7] la madre. "Già, lei è beata, ha il fidanzato, cos'altro può desiderare una ragazza? Adriana, certo, mi dà pensiero..."

"Mamma, per favore lasciami in pace. Alle mie cose ci penso da me..."

"Figlioli, io non vi capisco. Un po' mi dite di lasciarvi in pace, un po' mi accusate di non pensare a voi..."

40   Remo aveva ripreso la sua aria assente. Gisella era stupita di avergli sentito fare tutto quel discorso. Di solito, a fatica apriva bocca.

Remo se ne andò, Adriana fece lo stesso; se ne andò anche lo zio. "Ecco" commentò la zia, "loro se ne vanno e mi lasciano sola. Se la prendono perché ho un po' di amiche. Ma se non avessi loro mi dici che vita farei? Eh, anche in una famiglia
45 ognuno deve pensare a sé" aggiunse come se riflettesse a voce alta. "Noi donne lo capiamo sempre troppo tardi. Ci dedichiamo tutte al marito, ai figlioli... E questa è la ricompensa" disse indicando i posti vuoti. "Appena finito di mangiare se la svignano e non li rivedi più fino all'ora di cena."

(C. Cassola, Gisella, Rizzoli, Milano, 1976)

1. lieve, leggero ■ 2. arrabbiata ■ 3. meravigliati ■ 4. pianto convulso accompagnato da interruzioni della respirazione ■ 5. per mantenere la famiglia ■ 6. economicamente tranquilla ■ 7. si irritò

a | COMPRENSIONE DEL TESTO

1. Informazioni specifiche

➤ *Rispondete alle seguenti domande:*

1. Chi sono i personaggi presenti alla discussione?
2. Qual è il grado di parentela di ciascuno?
3. In base agli elementi presenti nel testo, chi racconta, secondo voi, questa discussione?
4. Cosa rimproverano i genitori al figlio?
5. Qual è la replica del figlio alle osservazioni dei genitori?
6. Qual è lo stato d'animo della madre durante e dopo la discussione?

vai a pag. 82

2. Modi di dire

➤ *Spiegate, anche con l'aiuto di un dizionario, le seguenti espressioni:*

1. Come se i soldi li buttassi al vento... _____
2. Farsi in quattro per mandare avanti la baracca. _____
3. Di solito, a fatica apriva bocca. _____
4. Se la svignano. _____
5. Siamo gente da nulla. _____
6. Se la prendono perché ... _____

3. Sintesi

➤ *Riesponete in modo sintetico i temi della discussione in famiglia.*

1. Sinonimi e contrari

➤ *Indicate se le seguenti coppie di parole hanno un significato simile (sinonimo) od opposto (contrario):*

	Sinonimi	Contrari
1. discussione ↔ accordo	❏	❏
2. rimprovero ↔ elogio	❏	❏
3. piangere ↔ gemere	❏	❏
4. infastidito ↔ seccato	❏	❏
5. litigio ↔ alterco	❏	❏
6. istruito ↔ colto	❏	❏
7. mattina ↔ sera	❏	❏
8. agiato ↔ indigente	❏	❏
9. stupito ↔ sorpreso	❏	❏
10. tardi ↔ presto	❏	❏
11. ricompensa ↔ rimunerazione	❏	❏
12. svignarsela ↔ battersela	❏	❏
13. commedia ↔ dramma	❏	❏
14. rivolgersi ↔ girarsi	❏	❏

2. Registri linguistici

La lingua cambia secondo la situazione. Usiamo un linguaggio diverso a seconda che parliamo con un bambino o con un adulto, con familiari o con persone sconosciute, con superiori o con subalterni, con gente colta o con analfabeti. Parliamo in modo diverso a seconda che siamo in casa o in ufficio, al bar o in uno studio di medico o di avvocato, ecc. Queste diversità di linguaggio in rapporto alla situazione sono dette **"registri linguistici"**, o livelli linguistici.

Sono infatti **registri** quelle modalità d'uso del codice linguistico che dipendono dalla situazione comunicativa (partecipanti, argomento, contesto sociale) e si caratterizzano per le particolari scelte operate dal parlante fra le diverse possibilità stilistiche, lessicali, sintattiche e intonative offerte dalla lingua.

I registri si dispongono secondo una gradazione solitamente indicata con aggettivi del tipo:

registro:
1. **aulico** (o *ricercato*) ➤ con
2. **colto** ➤ persone di riguardo
3. **formale** (o *ufficiale*) ➤ con persone di rispetto
4. **medio** ➤ o non conosciute
5. **informale** ➤ con persone conosciute
6. **colloquiale** ➤ o amiche
7. **familiare** ➤ con familiari
8. **popolare** (o *volgare*) ➤ con persone intime

Non sempre è facile individuare in modo preciso, in una conversazione o in un testo, il registro o i registri linguistici usati, sia perché i confini tra i diversi registri non sono netti, sia perché, spesso, chi parla non mantiene costante il livello, sia perché le realizzazioni concrete sono così varie che è difficile esaurirle in un elenco ridotto come quello sopra proposto. C'è, infatti, chi indica anche registri di tipo "solenne", "pomposo", "alto", "cortese", "quotidiano", "spiccio".
Un uso corretto del registro linguistico in determinate situazioni ci evita di commettere delle "gaffes".

a. Della conversazione che avete letto indicate:

1. il tipo di registro linguistico usato;
2. gli elementi lessicali e sintattici che lo caratterizzano;
3. le differenze lessicali e stilistiche che si notano nel linguaggio della madre e del figlio.

*b. Indicate il registro linguistico [**a**) aulico o colto, **b**) formale o medio, **c**) informale, **d**) familiare, **e**) colloquiale, **f**) popolare o volgare, **g**) ufficiale dei messaggi che seguono:*

1. Cosa credi che sia andato a vedere, le ballerine?   [＿＿＿＿＿＿＿]
2. Prego, si accomodi!   [＿＿＿＿＿＿＿]
3. Cameriere, il conto!   [＿＿＿＿＿＿＿]
4. Ohé, 'sto conto arriva?   [＿＿＿＿＿＿＿]
5. Le dispiacerebbe portarci il conto?   [＿＿＿＿＿＿＿]
6. Le saremmo estremamente grati se vorrà provvedere al saldo del conto con cortese sollecitudine.   [＿＿＿＿＿＿＿]
7. È per me un piacere e un onore porgere a nome della cittadinanza il più vivo saluto ad un uomo che con il suo ingegno ha onorato la nostra città.   [＿＿＿＿＿＿＿]
8. Signore e signori, buona sera! Ecco a voi i programmi della serata!   [＿＿＿＿＿＿＿]
9. Mamma, per favore, lasciami in pace. Alle mie cose ci penso da me.   [＿＿＿＿＿＿＿]
10. Quando c'è da arraffare qualcosa tu non ti tiri indietro.   [＿＿＿＿＿＿＿]
11. Il direttore La prega di attendere un attimo.   [＿＿＿＿＿＿＿]
12. Passami il giornale!   [＿＿＿＿＿＿＿]
13. Ti dispiace se prendo il tuo giornale?   [＿＿＿＿＿＿＿]
14. Dimmi come sono andate veramente le cose.   [＿＿＿＿＿＿＿]
15. Attendo da Lei un rapporto dettagliato su come si sono svolti i fatti.   [＿＿＿＿＿＿＿]

c. *Per le seguenti coppie di frasi, che comunicano uno stesso messaggio ma con registri diversi, indicate i possibili interlocutori e la situazione in cui possono essere usate:*

1.a. E spegni quella sigaretta!
1.b. Signore, qui Lei non può fumare.

2.a. Guardi che qui non si può parcheggiare.
2.b. Non fermarti qui, se no ci fanno la multa.

3.a. Apra bene la bocca e abbassi la lingua!
3.b. Fammi vedere qual è il dente che ti fa male.

4.a. Le faccio un caffè?
4.b. Accomodati, ora ti preparo un caffè.

5.a. L'elettrocardiogramma è chiaro. Si tratta di una manifesta aritmia, quasi certamente congenita.
5.b. Ha fatto un controllo. Gli stessi disturbi di suo nonno: il suo cuore perde colpi.

6.a. Ma chiudi il becco!
6.b. Lei stia zitto! Parli quando è interrogato!

d. Trasformate in un registro più "informale" le frasi che seguono:

1. Sono spiacente di doverLe comunicare che l'articolo da Lei richiesto è terminato.
2. Le perturbazioni che hanno interessato negli ultimi giorni il litorale adriatico hanno recato gravi danni alle attrezzature balneari.
3. L'uso prolungato del farmaco può dare, come effetti collaterali, delle irritazioni cutanee.
4. Chiunque venga trovato sprovvisto di biglietto o con biglietto scaduto dovrà pagare un'ammenda di venti euro.
5. La sua squisita cortesia mi lascia senza parole.
6. Sembra che la tua virtù non sia proprio la generosità.

3. Coesione testuale

> Una caratteristica della lingua parlata, ravvisabile anche nelle battute dei protagonisti della nostra storia, è quella di mettere in evidenza alcune parole sia attraverso la loro posizione nella frase sia attraverso l'uso di elementi (*coreferenziali*) che rinviano ad esse: di questi i più frequenti sono i pronomi che non solo servono a sostituire una parola che non vogliamo ripetere ma anche ad evidenziare un termine, un concetto o un'espressione già detta o che verrà detta successivamente (*proforme*).
>
> Ad esempio, nella frase:
>
> *Anche i tuoi amici, perché non ce li hai fatti conoscere?*
>
> l'attenzione è tutta incentrata su "i tuoi amici", grazie alla posizione iniziale e ai pronomi che rinviano ad esso.

➤ *Rintracciate nel testo letto le frasi che contengono elementi (pro-forme) che rinviano ad una parola della frase.*

4. La posizione dell'avverbio

La posizione dell'avverbio nella frase è in funzione della parola cui si rapporta.

a. Se si riferisce ad un verbo, di norma si colloca dopo di esso. Se il verbo è in una forma composta l'avverbio si trova spesso tra l'ausiliare e il participio passato. Se, tuttavia, si vuole dare una particolare enfasi all'avverbio, lo si mette prima del verbo. Questo uso, per fini espressivi, è frequente nella lingua letteraria.
Ess.:

> Luigi è ingrassato perché mangia **troppo**.
> Quando sono arrivato, Mario era **già** uscito.

b. Quando l'avverbio si riferisce ad un aggettivo o ad un altro avverbio si mette prima.
Es.:

> Non l'ho raggiunto perché correva **troppo** forte.

c. Se invece modifica un complemento indiretto introdotto da una preposizione si può trovare dopo il complemento o anche, per certi complementi, tra preposizione e nome.
Ess.:

> . Il treno parte fra dieci minuti circa
> Il treno parte fra circa dieci minuti.

➤ *Nelle frasi seguenti inserite nella posizione più appropriata l'avverbio indicato a fianco:*

1. Ma a pranzo e a cena potresti stare con noi.	*(almeno)*
2. Remo aveva l'aria infastidita.	*(sempre)*
3. Voi non lo sapete chi è Pirandello.	*(nemmeno)*
4. Un giorno a tavola ci fu una discussione, un litigio.	*(quasi)*
5. Da dieci anni vive in questa casa.	*(ormai)*
6. Possibile che tu non l'abbia capito che non ho voglia di uscire con te?	*(ancora)*
7. Sei arrivato e vuoi andar via?	*(appena - già)*
8. L'ho aspettato davanti al cinema per due ore	*(quasi)*
9. L'aveva incontrata tanti anni fa in un bar.	*(per caso)*
10. Mi dispiace, ma io non sono d'accordo con te.	*(affatto)*

5. Appena

Appena è avverbio e congiunzione.

1. Quando è usato come **avverbio** significa:
   a. *a fatica, a stento, con difficoltà, poco,* o anche *soltanto.*
   Ess.:

   > *Con quella nebbia ci si vedeva appena.*   (= a fatica)
   > *Pronunciò appena poche parole.*   (= soltanto)

   b. con valore temporale significa *"da poco", "allora allora"*; spesso in correlazione con *quando.*

Es.:

> Aveva **appena** finito di pranzare quando cominciò ad avvertire forti dolori allo stomaco.

2. Come **congiunzione** introduce una frase temporale (esplicita o implicita) e significa "*subito dopo che*". Può essere preceduto dal "non" pleonastico senza che il significato cambi.

Es.:

> **Appena** avrai finito questo lavoro ti pagherò.
> **Non appena** arrivi telefonami.
> **Appena** buttatosi sul letto si addormentò.

➤ *Indicate quale funzione (avverbio o congiunzione) e significato (soltanto, a fatica, da poco, dopo che) ha "appena" nelle frasi che seguono:*

1. Il terzo giorno, una donna prese un salamino del maiale che aveva *appena* fatto macellare, e lo portò alla Caterina. (Rodari) [_____/_____]

2. Restò a studiarla senza curiosità, finché di colpo avvertì che era lui, *appena* più che bambino. (Arpino) [_____/_____]

3. Non esalava rumore da quella casa, e dalla strada *appena* il fruscìo di auto lontane. (Arpino) [_____/_____]

4. "Bisogna però conoscere bene le maglie della legge che è *appena* uscita, (Saviane) [_____/_____]

5. "*Appena* finito di mangiare se la svignano e non li rivedi più fino all'ora di cena." (Cassola) [_____/_____]

6. Mio nonno e i suoi figli parlavano il dialetto del loro paese, ma *appena* fuori di casa e subito oltre il Po i dialetti erano già diversi (Celati) [_____/_____]

7. Senza dir nulla, *appena* arrivato si allontanò dai famigliari e prese il sentiero del ritorno. (Chiara) [_____/_____]

8. Ma, *appena* il treno si fu mosso, costui aprì gli occhi e mi guardò. (Campanile) [_____/_____]

9. Ho conosciuto *appena* quel mio contadino. (Piovene) [_____/_____]

10. Sarebbe andato, *appena* ricomposto del tutto, a chiedere scusa al capo-ufficio (Pirandello) [_____/_____]

11. Pensa andando avanti e, non *appena* l'orizzonte è sgombro (Calvino) [_____/_____]

12. Ma *appena* lui torna ad avvicinarsi, ecco che lei s'alza di scatto (Calvino) [_____/_____]

6. Il pronome neutro "la"

Ci sono alcuni verbi, di forma pronominale e non, caratterizzati dalla presenza del pronome neutro **la**. Tale pronome, corrispondente originariamente al generico "cosa", è ormai parte integrante del verbo stesso, che assume così un significato nuovo, diverso da quello di base. Tali verbi si combinano, spesso in modo fisso, con parole particolari formando dei modi di dire o unità polirematiche. Così, *darsela a gambe* significa scappare, andare via di corsa, *darla a bere* ingannare, imbrogliare qualcuno, *vedersela con qualcuno* incontrare e discutere con qualcuno, *farla in barba a q.no* ingannare, *prendersela con q.no* attribuire la responsabilità a qualcuno, *legarsela al dito* ricordare un torto o male subito, *cavarsela* riuscire, ecc.

a. *Sostituite nelle frasi che seguono l'espressione in corsivo con un verbo combinato con il pronome neutro "la", scegliendolo fra quelli dati; fate attenzione che quelli occorrenti sono meno di quelli suggeriti:*

avercela - aversela a male - cavarsela - farcela - farla franca - farla grossa - farla in barba - legarsela al dito - passarsela - pensarla - prenderla male - scamparla bella - vedersela brutta

1. Tutti sanno *qual è la sua idea* sulla crisi dei rapporti di coppia.
2. Il problema di geometria era troppo difficile e non *sono riuscito* a risolverlo.
3. Non aveva studiato molto, tuttavia è *riuscito a superare l'esame*, anche se con il minimo dei voti.
4. Ciao, Carlo, come *va*?
5. Nonostante il continuo controllo per tutto l'esame è *riuscito ad ingannare* la professoressa di matematica
6. Appena il bambino ha capito di *aver combinato un grave disastro*, si è nascosto nella sua camera.
7. *Provava rancore per* Gianni perché gli aveva soffiato la fidanzata.
8. Quando la gomma è scoppiata e la macchina è finita fuori strada *ho temuto di morire*.

b. *Sostituite l'espressione contenente il pronome neutro "la" con una di significato simile:*

1. All'arrivo della polizia i ladri *se la sono data a gambe*.
2. Confesso che in quei momenti *me la sono vista proprio brutta*, se non interveniva Carlo non so se *ce l'avrei fatta*.
3. Dai Gianni, non *prendertela*! Lui spesso parla senza rendersi conto di quello che dice.
4. Non vi dico come *me la sono goduta* quando ho visto mia moglie accogliere la nuova cameriera come l'ospite di riguardo.
5. Il vigile non si è accorto che era passato con il rosso e così Giacomo *l'ha fatta franca*.

1. Commentate lo sfogo finale della madre: "Noi donne lo capiamo sempre troppo tardi. Ci dedichiamo tutte al marito, ai figlioli... E questa è la ricompensa".

2. Un'indagine dell'Istituto nazionale di statistica (ISTAT) ha rivelato che quattro genitori su cinque non sono soddisfatti del comportamento dei loro figli. Perché? Perché studiano poco, non li aiutano nei lavori di casa, non apprezzano i sacrifici fatti, non vanno d'accordo tra loro. Secondo i genitori, stando all'indagine, i figli dovrebbero:
   - avvertire quando escono di casa (78,8%)
   - chiedere il permesso di uscire (78,3%)
   - non rientrare tardi la sera (71,1%)
   - comunicare a che ora tornano (68%)
   - essere ordinati (64,8%)
   - finire i compiti scolastici prima di uscire (58,6%)
   - chiedere il permesso di invitare gli amici a casa (56,9%)

   Come giudicate questo atteggiamento dei genitori? Eccessivo, giusto, comprensibile? Lo condividete?

3. Provate a costruire una discussione, più o meno vivace, tra un genitore (padre o madre) e il figlio o la figlia su uno dei seguenti temi:
   a. acquisto di un motorino
   b. la chiave di casa
   c. uscire la sera dopo cena
   d. aiutare nei lavori di casa
   e. profitto scolastico
   f. frequentare un certo ragazzo (o ragazza)
   g. paghetta settimanale

4. Il quadro di famiglia in un interno, come emerge dalle indagini di statistici e sociologi, rivela che la famiglia, così come intesa tradizionalmente, è molto cambiata: nuclei familiari molto ridotti (due o tre componenti), calo delle nascite, maggiore partecipazione femminile al mondo del lavoro, aumento dell'instabilità familiare, ecc.
   Sulla base delle esperienze personali descrivete i cambiamenti avvenuti all'interno della famiglia negli ultimi decenni e le conseguenze sui rapporti tra genitori e figli.

5. Il ragazzo, protagonista del racconto di Cassola, afferma di uscire per andare a teatro. I giovani di oggi, quando escono il pomeriggio o la sera, dove vanno? Sempre le statistiche dicono che i giovani italiani fra gli undici e i diciassette anni, quando escono, vanno di solito al bar (29,8%), in pizzeria (20,1), in birreria (13,8%), allo stadio (10,9%), in discoteca (5%).
   Nella città o paese in cui vivete, dove vanno e cosa fanno i giovani e gli adolescenti quando escono di casa?

6. Se, da un lato, i genitori si lamentano spesso dei propri figli, dall'altro molti figli hanno diverse ragioni che giustificano il loro comportamento: a casa spesso non c'è nessuno, visto che entrambi i genitori lavorano, i nonni vivono altrove e i vicini sono degli sco-

nosciuti. Ai figli non rimane che prendere le chiavi di casa, riscuotere la paghetta, uscire di casa con il telefonino, ultimo cordone ombelicale (quando è acceso) che li tiene legati alla famiglia, ecc. Provate a descrivere il rapporto genitori e figli nella realtà odierna, ma dal punto di vista dei figli.

Profilo dell'autore
CARLO CASSOLA

Nasce a Roma il 17 marzo 1917. Nel 1935 fonda un movimento giovanile antifascista, che verrà sciolto l'anno successivo. Dopo l'8 settembre del 1943 aderisce alla Resistenza e combatte nei gruppi partigiani. Nel 1945 si stabilisce a Firenze e tre anni dopo si trasferisce a Grosseto dove insegna Storia e Filosofia in un liceo scientifico.

Già nei suoi primi brevi racconti pubblicati nella rivista "Letteratura" e confluiti poi nelle raccolte *La visita* e *Alla periferia*, entrambe del 1942, compaiono i tratti dominanti della sua narrativa: storie di gente anonima e di sentimenti ordinari, quasi tenui bassorilievi che disegnano una realtà banale e piatta.

A questa scelta egli rimane fedele per un lungo tratto della sua feconda carriera di scrittore raggiungendo un singolare equilibrio tra realismo e riesposizione lirica. Un felice esempio di questo incontro tra la naturale predisposizione di "scrittore prevalentemente visivo" e il gusto per la "prosa d'arte" si ha con *Il taglio del bosco* (1954), unanimemente considerato la sua cosa migliore. La narrazione di fatti ben precisi, la descrizione attenta e minuta della vita e dei problemi dei boscaioli si inserisce in un'atmosfera poetica, in una trepida e dolente visione della vita.

Ma contemporaneamente Cassola scriveva i suoi racconti "impegnati", quelli in cui era la storia pubblica, il fascismo, la guerra, la resistenza, a condizionare l'esistenza individuale. Abbiamo così *Fausto e Anna* (1952), *I vecchi compagni* (1953), *La casa di Via Valadier* (1953). La decisione di puntare sul romanzo, finisce col rafforzare gli aspetti realistici della sua vena narrativa.

Nel 1960 esce il suo romanzo più famoso, *La ragazza di Bube*, nel quale Cassola raggiunge un risultato di grande efficacia attingendo ad un fatto di cronaca del dopoguerra e descrivendo il personaggio femminile, Mara, che resta l'apporto più duraturo dello scrittore alla galleria degli eroi narrativi del dopoguerra italiano. Delle opere successive merita ricordare *Il cacciatore* (1964), *Ferrovia locale* (1968), *Paura e tristezza* (1970), tutti ambientati nella Maremma toscana e *L'antagonista* (1976). *Gisella* (1974), il romanzo da cui è tratto il brano che abbiamo letto, racconta la vita di una donna qualunque della piccola borghesia: prima ragazza attenta amministratrice della propria bellezza fisica, poi sposa infedele e infelice, sempre delusa nei suoi calcoli e nei suoi sogni impossibili, quindi vedova, agiata e vuota. Gisella passa indenne attraverso i grandi eventi della sua epoca, il fascismo, la guerra e la liberazione: alla fine è come se nulla fosse successo.

Negli ultimi anni Carlo Cassola è fortemente impegnato nel movimento antimilitarista. Muore a Lucca il 29 gennaio 1987.

6. IL TELEFONO

Aveva perduto l'agendina coi numeri del telefono di tutti i suoi amici, questo lo angustiava[1] parecchio, non era poi tanto facile rintracciarli.

Molti non figuravano nell'elenco telefonico, altri cambiavano numero con una frequenza almeno pari ai continui spostamenti da un'abitazione all'altra. Gente disordinata, con vite disordinate, come la sua, che s'era ridotto a vivere da solo, pur odiando la solitudine, da quando la moglie lo aveva abbandonato per andarsene con un altro. Gli aveva portato via tutto, figli mobili suppellettili[2], gli aveva lasciato soltanto i quattro muri della casa completamente vuota e svuotata. La sera, per calmare l'ansia che lo prendeva, non sapendo cosa fare di sé e del suo tempo, formava un numero e chiamava qualcuno di loro, gli amici. Ma ora, senza l'agendina, come faceva a chiamarli? La memoria lo aiutava poco, a volte dimenticava perfino il suo stesso numero, tanto che aveva dovuto segnarsi anche quello, per precauzione. Per colmo di sfortuna quei due o tre che ricordava, o che era riuscito a trovare sull'elenco, non rispondevano. Dunque non gli restava che aspettare: man mano che gli amici si fossero fatti vivi avrebbe chiesto loro il numero e avrebbe ricostruito il suo elenco.

Aspettò per tutto il giorno, nessuno chiamò. Era il giorno di fine settimana, la cosa si spiegava. Anche nei giorni seguenti il telefono tacque. Cercò di capire come mai, trovò varie ragioni, tutte plausibili[3] per un caso o per l'altro. Fino a un certo punto però: perché se quelle ragioni erano plausibili per ogni singolo caso separatamente, non spiegavano come mai proprio tutti si comportassero allo stesso modo. Possibile, si disse, che prima, quando avevo l'agendina e mi pareva di essere in contatto con loro, in realtà ero solo io a chiamare?

Scacciò questa idea che lo disturbava e pensò ad altre probabili ragioni. Pensò che il telefono, pur risultando libero, avesse qualche guasto. Domandò al centralino, gli risposero che il suo telefono funzionava perfettamente.

Fece la prova chiamando il numero da un bar. Sentì la voce della cameriera.

"Ha telefonato qualcuno?" le chiese. No, non aveva telefonato nessuno.

Ritornò a casa. La cameriera aveva finito le sue ore ed era andata via. L'appartamento era vuoto, come sempre. Questa volta però gli parve del tutto disabitato, quasi che nessuno mai ci avesse vissuto dentro, neppure lui stesso. Ebbe la sensazione che non fossero stati gli altri a lasciarlo perdere, ma lui che s'era perso. Per non cedere allo sconforto chiese la sveglia telefonica. Così il telefono avrebbe squillato, qualcuno avrebbe dovuto ricordarsi di chiamarlo.

(R. LA CAPRIA, *Fiori giapponesi,* Mondadori, Milano, 1989)

1. preoccupava ■ 2. gli oggetti che costituiscono l'arredamento di una casa ■ 3. ragionevoli, accettabili

1. Informazioni specifiche

➤ *Rispondete alle seguenti domande:*

1. Con la perdita dell'agenda telefonica il protagonista si rende conto di una situazione su cui non aveva mai riflettuto. Di che cosa si tratta?
2. Con quali ragioni egli cerca di spiegare l'assenza di telefonate da parte degli amici?
3. Quale soluzione trova per sentirsi meno solo?

2. Sintesi

➤ *Il testo che segue è una rielaborazione in prima persona del racconto di La Capria. Completatelo con le parole mancanti.*

Ho perduto l'......... telefonica e non posso .... nessuno dei miei amici. Che guaio! Molti di loro non sono nemmeno in .... e io ricordo solo quello di due o tre. Ho .... a chiamarli ma nessuno mi ha risposto. Forse sono partiti ...... il week-end. Non mi ..... che aspettare che si facciano ...... loro, così man mano che telefoneranno mi farò ridare il numero e .... l'agenda telefonica.

Ma .... è che non chiamano? Ormai è .... giorno che aspetto. D'accordo avranno i loro ...., il lavoro, la famiglia, i figli, ma possibile che nessuno di loro .... voglia di parlare con me?

Questo vuol dire forse che ero sempre e solo io .... chiamarli? Ma no, sto ...., forse il telefono è .... Adesso chiamo il .... Mi hanno detto che è tutto .... Ma voglio verificarlo ..... persona: scendo al bar e faccio il mio numero. E' vero, è .... tutto a posto.

Ora che anche la .... se ne è andata l'appartamento mi sembra più .... Il telefono ....

Un'idea! Quasi quasi .... la sveglia telefonica, almeno domattina sentirò finalmente .... il telefono.

1. Coesione testuale

> Le varie parti di un testo sono collegate tra loro attraverso singole parole che rimandano a qualcosa di già detto o a qualcosa da dire.

➤ *Indicate a quale informazione o parte del testo rimandano gli elementi qui di seguito evidenziati:*

1. (r. 4-5) *"Gente disordinata...."* Di chi sta parlando l'autore?

2. (r. 13) *"quei due o tre* che ricordava..." Chi o cosa ricordava?

3. (r. 17-18) *"la cosa* si spiegava..." Quale cosa?

4. (r. 24) "Scacciò *questa idea...*" Quale idea?

5. (r. 27) "Fece *la prova...*" Di quale prova si tratta?

2. Riformulazioni

➤ *Provate a sostituire con altre parole le espressioni e le parole in corsivo delle frasi seguenti:*

1. "Molti non *figuravano* nell'elenco telefonico."

2. "Dunque non *gli restava* che aspettare."

3. "Per *non cedere allo sconforto* chiese la sveglia telefonica".

4. Gli amici non *si sono fatti vivi*.

5. *"Ebbe la sensazione che non fossero stati gli altri a lasciarlo perdere."*

3. Parole derivate

Dall'antica lingua greca derivano molte parole italiane, sia semplici che composte, come *metro, fobia, macchina, telefono, fotografia,* ecc. Molte di queste parole entrano in combinazione (*suffissoidi* e *prefissoidi*) nella formazione di parole, soprattutto nell'ambito tecnico e scientifico. Così la parola "**metro**", che indica misura, si trova in combinazione con altre per formare termini che indicano strumenti di misura, come *termometro, igrometro, barometro, densimetro, anemometro, pluviometro, dinamometro,* ecc.

> *Combinando fra loro i termini di origine greca (di cui è indicato il significato in italiano) individuate le parole che sono definite nelle domande di seguito proposte:*

auto	↔	da sé	biblio	↔	libro	bio	↔	vita
crazia	↔	governo	demo	↔	popolo	fono	↔	suono
geo	↔	terra	grafia	↔	scrittura	iatra	↔	medico
logia	↔	studio	mega	↔	grande	metro	↔	misura
morfo	↔	forma	nomia	↔	legge	pedo	↔	bambino
teca	↔	contenitore	tele	↔	lontano	teo	↔	divinità
termo	↔	calore						

1. Con quale parola si indica la scienza che studia la costituzione, la struttura e l'evoluzione della crosta terrestre? _____

2. Con quale termine si indica il medico che cura i bambini? _____

3. Qual è la parola che indica lo studio dei suoni? _____

4. Qual è lo strumento che si usa per misurare la temperatura? _____

5. Con quale termine si indica la scienza che studia le popolazioni e le loro variazioni nel tempo? _____

6. Quale termine indica lo studio riguardante la divinità, la sua natura e le sue manifestazioni? _____

7. Quale scienza si occupa dello studio della terra dal punto di vista fisico?

   _____

8. Con quale termine si indica il sistema politico basato sull'eguaglianza e sui pari diritti sociali e politici dei cittadini? _____

9. Con quale parola si indica la capacità di pensare ed agire liberamente e spontaneamente? _____

10. Con quale parola si indica la ricostruzione della vita di un personaggio?

    _____

11. Con quale termine si indica la parte della grammatica che studia le forme linguistiche? _____

12. Con quale termine si indica l'apparecchio che consente di parlare con una persona lontana? _____

13. Con quale termine si indica lo strumento che trasmette e rinforza la voce?

    _____

14. Con quale parola si indica il luogo dove sono raccolti, conservati e catalogati i libri?

    _____

15. Con quale altro termine viene indicato il giradischi? _____

4. "Pure"

"Pure" è avverbio e congiunzione.
1. Come **avverbio** si colloca, di norma, dopo il verbo o l'aggettivo che modifica.
a. Ha un significato asseverativo o rinforzativo di ciò che il predicato afferma, e significa "proprio", "davvero", "veramente", e "anche".
> Es.:
>> Ma non mi distraggo io, quando faccio il bozzolo, che **pure** sono un baco...

b. Dopo un verbo all'indicativo ha significato concessivo (ammettiamo qualcosa), rafforzativo o conclusivo.
> Ess.:
>> Ammettiamo **pure** che lui abbia ragione.
>> E qualcuno bisogna **pur** che lo veda: io sono vecchio. (Calvino)

c. Dopo un imperativo o un ottativo esortativo significa consenso più o meno caloroso.
> Ess.:
>> Dimmi **pure**!
>> Per questa volta andate **pure**!
>> Bè, facciano **pure** conto che fosse Trapani.
>> Ridacchiassero **pure** della sua aria assorta loro! Poverelli!

2. Come **congiunzione** può essere *subordinante*;

a. Introduce una proposizione avversativo-concessiva, con il verbo al gerundio (*forma implicita*) o al congiuntivo (*forma esplicita*). Con il gerundio avversativo (semplice o composto) si ha, in genere, l'elisione della vocale finale "e". Nella forma concessiva esplicita "*pure*" si colloca dopo il verbo al congiuntivo.
> Ess.:
>> S'era ridotto a vivere da solo **pur odiando** la solitudine.
>> È rimasta sempre in contatto con il mondo del ciclismo, **sia pure** riparando le gomme. (Celati)
>> **Fosse pure** oro, non lo comprerei.
>> Lo troverò, **dovessi pure** girare tutto il mondo.

b. Nella locuzione **pur di + infinito** introduce una proposizione finale implicita.
> Es.:
>> Pur di non averla più tra i piedi, era disposto a cederle tutta la proprietà.
>> Accettava ogni compromesso **pur di fare carriera**. (= per fare carriera)

c. o *coordinante*, e allora, introduce
1.) una *proposizione copulativa aggiuntiva* ed equivale ad *anche*. Rispetto ad anche, "pure" si può collocare tanto prima che dopo il termine o gli elementi che aggiungiamo a quelli già in precedenza indicati.
> Es.:
>> **Io pure** lavoro, il signore invece va a Capri.

2.) una *proposizione avversativa*, spesso in correlazione con una concessiva. Il suo significato è equivalente a *tuttavia, nondimeno*.
> Ess.:
>> Non c'è più speranza di vincere la partita, **pure** bisogna continuare a lottare.
>> Non se lo merita, **pure** lo aiuterò.

Da osservare che con "pure" sono formate altre congiunzioni, come *eppure, neppure, oppure, seppure*.

a. *Indicate se nelle frasi seguenti "pure" è una congiunzione [C] o un avverbio [A], e se ha un significato aggiuntivo [agg.], rafforzativo [raff.] avversativo [avvers.], concessivo [conc.] o finale [fin.]:*

1. Le aveva fatto molto male, *pure* lei lo aveva perdonato. [_____]
2. Ai due agenti, che pure erano entrati scavalcando la finestra, il brigadiere gridò: "Non toccate nulla!" (Sciascia) [_____]
3. E mio padre, da parte sua, *pur* sembrando contento di portarsi a casa quella donna, non le dava nessuna confidenza. (Morante) [_____]
4. Non c'è Gabriele D'Annunzio, né Giacomo Puccini e neanche Luigi Pirandello che *pure* di lì a poco avrebbe avuto il Nobel. (Augias) [_____]
5. "Che volete dire con "abbiamo preso la multa?" che l'ho presa *pure* io? (De Crescenzo) [_____]
6. Avrà *pure* il diritto, anche lui, di conservare un minimo di rispetto per se stesso. (Bassani) [_____]
7. Hai combinato un bel guaio, *pure* cercherò di aiutarti. [_____]
8. Pur risparmiando quasi la metà dello stipendio, non è ancora riuscito a mettere da parte i soldi per comprare una casa. [_____]
9. Marta *pure* aveva creduto nelle parole di quel tipo. [_____]

b. *Trasformate le proposizioni concessive implicite in esplicite introdotte da una congiunzione come sebbene, benché, nonostante che, per quanto, anche se, ecc.*

	Ho avuto una discussione con un vigile: pur avendo ragione, ho dovuto pagare la multa.		
Esempio:	Ho avuto una discussione con un vigile:	benché sebbene con tutto che nonostante che per quanto	avessi ragione, ho dovuto pagare la multa.
		anche se	avevo ragione, ho dovuto pagare la multa

1. Pensò che il telefono, *pur risultando libero*, avesse qualche guasto.
2. Una tale interpretazione va contro alle migliori intenzioni di Palomar, *che pur appartenendo a una generazione matura*, per cui la nudità del petto femminile si associava all'idea di un'intimità amorosa, tuttavia saluta con favore questo cambiamento nei costumi. (Calvino)
3. Ma tuttavia, sempre più mi indignava la pretesa di mio padre: che io, p*ur senza contare gli altri motivi*, potessi ammettere per madre una persona superiore a me di appena un paio d'anni, se non forse meno! (Morante)
4. *Pur essendo molto bravo*, i suoi colleghi non avevano alcuna stima di lui.
5. *Pur essendo vissuto molti anni in Germania*, Franco parla molto bene l'italiano.
6. *Pur non rinunciando a nessun divertimento*, Mauro riesce ad avere ottimi risultati a scuola.

204

7. Sono convinto che tutti, *pur trovandolo molto antipatico*, lo sopportano solo perché appartiene ad una famiglia molto importante nella città.
8. Certe persone, *pur essendo incompetenti*, pretendono di insegnare agli altri.

C | PRODUZIONE ORALE O SCRITTA

1. Il protagonista del racconto letto riceve finalmente una telefonata: è quella del "compagno" della sua ex moglie. Provate a ricostruire la conversazione tra i due.

2. Vita da "single": aspetti positivi e negativi.

3. Il dramma della solitudine coinvolge oggi persone di età e condizioni sociali le più diverse. Immaginate ciò che prova chi, non per propria scelta, vive questa condizione.

4. Il telefono è ormai uno strumento indispensabile, fa parte della nostra vita così come la televisione, l'automobile, il frigorifero, il computer, ecc.
   Qual è il vostro rapporto con il telefono?
   Lo considerate:
   - semplicemente un mezzo indispensabile per il lavoro, gli affari e gli appuntamenti;
   - un giocattolo costoso utile per ammazzare la noia;
   - un diabolico strumento che consente a qualsiasi intruso di invadere la vostra vita privata;
   - il modo migliore per sapere tutto di tutti;
   - il mezzo più efficace per stare in contatto con gli amici.

5. Sempre più diffusa è la "mania" dei telefoni cellulari, o "telefonini" portatili. Ormai più di un italiano su due, senza limiti di età o di condizione sociale, ne possiede uno. Per molti il telefonino rappresenta uno "status symbol", per altri un indispensabile strumento di lavoro, per altri ancora un pericolo in quanto possono essere causa di incidenti stradali.
   Che pensate di quelli che, sempre più numerosi, girando in macchina o a piedi, parlano al telefonino?

6. È sera e siete da soli /e a casa: squilla il telefono, e istintivamente pensate che sia:
   a. uno che ha sbagliato numero
   b. qualcuno che vuole scambiare quattro chiacchiere
   c. la proposta di un lavoro che aspettavate
   d. una persona che avete conosciuto da poco
   e. Il solito scocciatore
   f. una persona importante che ha bisogno di voi
   g. un amico che vi invita ad una festa
   h. qualcuno che poi vi fa star male.

   Spiegate perché vi è subito venuta in mente quell'idea.

7. Telefonate ad un amico per un problema urgente. Trovate invece del vostro amico la segreteria telefonica che vi invita a lasciare un messaggio dopo il segnale acustico. Cosa fate? Lasciate il messaggio o interrompete la comunicazione? Perché?

8. Vi siete decisi/e, alla fine, a mettere la segreteria telefonica. Scrivete i possibili messaggi (tre o quattro, di circa venti parole ciascuno) da registrare sul nastro della segreteria.

Profilo dell'autore
RAFFAELE LA CAPRIA

È nato a Napoli nel 1922. Si è laureato in legge e vive a Roma dove alterna all'attività di scrittore quella di autore di programmi culturali per la televisione. Ha lavorato alla sceneggiatura di alcuni film di noti registi italiani, come Francesco Rosi e Lina Wertmüller. Ha cominciato a scrivere nel 1945, ma la sua prima opera significativa è del '52: *Un giorno di impazienza*. L'opera, comunque, che lo ha rivelato al grosso pubblico è stata *Ferito a morte* (1960), con cui ha vinto il premio Strega del 1961. Si tratta di un romanzo che descrive in modo malinconico e impietoso la café-society di Napoli.
Altre opere da ricordare sono: *Amore e Psiche* (1973), *False partenze* (1974), *La neve del Vesuvio*, (1988), e *Fiori giapponesi* (1979), da cui è tratto il testo che abbiamo qui riportato. Di recente ha pubblicato un saggio sul risentimento dal titolo *Lo stile dell'anatra* (2001). Qui lo scrittore compone un ritratto antropologico desolato e divertente, sarcastico e immaginoso di un sentimento tanto diffuso. Ma accanto al risentimento descrive anche la simpatia e l'identità, la bellezza, il buon senso e il senso comune. E nel raccontare i suoi pensieri, La Capria si muove con grazia e leggerezza mimando lo stile dell'anatra "che senza sforzo apparente fila via sulla corrente del fiume, mentre sott'acqua le zampette palmate " si muovono invisibili.

7. PASSEGGIATA IN PATTINO

Per un pezzo, su quel mare calmo e deserto della prima mattina, Agostino remò senza dir parola. Il ragazzo stringeva al petto il pallone e guardava Agostino con i suoi occhi scialbi[1]. L'uomo, seduto goffamente, la pancia tra le gambe, girava intorno il capo sul collo grasso e pareva godersi la passeggiata. Domandò alla fine ad Agostino chi egli fosse, se garzone o figlio di bagnino. Agostino rispose che era garzone. "E quanti anni hai?" interrogò l'uomo.

"Tredici", rispose Agostino.

"Vedi", disse l'uomo rivolto al figlio, "questo ragazzo ha quasi la tua età e già lavora." Quindi, ad Agostino: "E a scuola ci vai?"

"Vorrei…. ma come si fa?" rispose Agostino assumendo il tono ipocrita[2] che aveva spesso visto adottare dai ragazzi della banda di fronte a simili domande; "Bisogna campare, signore."

"Vedi", tornò a dire il padre al figlio, "vedi, questo ragazzo non può andare a scuola perché deve lavorare… e tu hai il coraggio di lamentarti perché devi studiare."

"Siamo molti in famiglia", continuò Agostino remando di lena[3], "e tutti lavoriamo".

"E quanto puoi guadagnare in una giornata di lavoro?" domandò l'uomo.

"Dipende", rispose Agostino; "se viene molta gente anche venti o trenta lire."

"Che naturalmente porti a tuo padre", lo interruppe l'uomo.

"Si capisce", rispose Agostino senza esitare. "Salvo[4] s'intende quello che ricevo come mancia."

L'uomo questa volta non se la sentì di additarlo[5] come esempio al figliolo, ma fece un grave cenno di approvazione con il capo. Il figlio taceva, stringendo più che mai al petto il pallone e guardando Agostino con gli occhi smorti e annacquati.

"Ti piacerebbe, ragazzo," domandò ad un tratto l'uomo ad Agostino, "di possedere un pallone di cuoio come questo?"

Ora Agostino ne possedeva due di palloni, e giacevano da tempo nella sua camera, abbandonati insieme ad altri giocattoli. Tuttavia disse: "Sì, certo, mi piacerebbe… ma come si fa? dobbiamo prima di tutto provvedere al necessario."

L'uomo si voltò verso il figlio, e, più per gioco, come pareva, che perché ne avesse realmente l'intenzione, gli disse: "Su, Piero… regala il tuo pallone a questo ragazzo che non ce l'ha." Il figlio guardò il padre, guardò Agostino e con una specie di gelosa veemenza[6] strinse al petto il pallone; ma senza dir parola. "Non vuoi?" domandò il padre con dolcezza, "non vuoi?"

"Il pallone è mio", disse il ragazzo.

"E' tuo sì… ma puoi, se lo desideri, anche regalarlo," insistette il padre; "questo povero ragazzo non ne ha avuto mai uno in vita sua… di'… non vuoi regalarglielo?"

"No" rispose con decisione il figlio.

"Lasci stare", intervenne a questo punto Agostino con un sorriso untuoso[7], "io non me ne farei nulla… non avrei il tempo di giocarci… lui invece…"

Il padre sorrise a queste parole, soddisfatto di aver presentato in forma vivente un apologo morale al figlio. "Vedi, questo ragazzo è migliore di te", soggiunse accarezzando la testa al figliolo, "è povero e tuttavia non vuole il tuo pallone... te lo lascia... ma tutte le volte che fai i capricci e ti lamenti... devi ricordarti che ci sono al mondo tanti ragazzi come questo che lavorano e non hanno mai avuto palloni né alcun altro balocco"[8].

45

(A. MORAVIA, *Agostino*, Bompiani, Milano, 1979)

1. inespressivo, privo di vivacità ■ 2. falso ■ 3. con energia ■ 4. eccetto ■ 5. mostrare, portare ad esempio ■ 6. vigore, forza ■ 7. servile e ingannevole ■ 8. giocattolo

a | COMPRENSIONE DEL TESTO

1. Informazioni specifiche

➤ *Rispondete alle seguenti domande:*

1. Dove si trovano i protagonisti e che cosa fanno?
2. Quale opinione su Agostino si è fatta il padre di Piero?
3. Quali informazioni su di sé e sulla propria vita Agostino dà? Sono vere?
4. Come è il tono di Agostino quando parla con il signore adulto?
5. Che cosa vorrebbe far capire il padre a suo figlio?
6. Il padre invita il figlio ad un gesto di generosità verso Agostino. Quale? E come reagisce il figlio?

2. Sintesi

➤ *Riesponete sinteticamente i temi della conversazione tra il signore adulto e Agostino.*

oppure

Ricostruite oralmente il dialogo tra l'uomo e Agostino. (Due studenti assumano il ruolo dei due personaggi).

vai a pag. 57

1. Sinonimi

> *Inserite in ogni riquadro i sinonimi della parola già inserita, scegliendoli tra quelli qui proposti:*

Abbandonato - adiposo -bugiardo - disabitato -doppio - falso - finto - impacciato - inelegante - inespressivo - insulso - maldestro - obeso - oleoso -pallido - placido - quieto - rilassato - rozzo - sbiadito - scolorito - sereno - sgraziato - spopolato - tranquillo - untuoso - vuoto.

Scialbo: _____
_____
_____
_____

goffo: _____
_____
_____
_____

ipocrita: _____
_____
_____
_____

Deserto: _____
_____
_____
_____

calmo: _____
_____
_____
_____

grasso: _____
_____
_____
_____

vai a pag. 24

2. Polisemia

Il termine **"banda"**, che abbiamo incontrato nel testo di Moravia, ha significati diversi: può designare infatti:
- una striscia di stoffa, - un ciuffo di capelli, - una striscia di colore,
- (in radiofonia) una serie completa di onde elettromagnetiche,
- un gruppo organizzato di malviventi,
- un complesso di suonatori,
- un gruppo irregolare di persone, ecc.

*a. Individuate il significato che assume la parola **banda** nelle frasi seguenti:*

1. Agostino assunse il tono che aveva spesso visto adottare dai ragazzi della banda.
2. Portava i capelli divisi a metà in due bande.
3. Se vuoi seguire meglio la partita prova a sintonizzarti su un'altra banda.
4. Portava una cravatta a bande rosse e nere.
5. Il concerto finale sarà tenuto dalla banda municipale diretta dal maestro Olmi.
6. Il corteo era aperto da quattro carabinieri a cavallo che sfoggiavano le loro bande tricolori.
7. Non hanno ancora arrestato il capo della banda.

b. Le seguenti frasi vanno completate con una stessa parola: individuatela! Come potrete notare la "parola mancante" assume ogni volta significati diversi; indicate, di volta in volta, il significato.

1. Hai fatto bene a rispondergli a _____ [_____]
2. Sbagli se la prendi su questo _____ . [_____]
3. A causa della lunga immobilità i muscoli hanno perso _____ .
   [_____]
4. Parlava con un _____ di voce molto basso, quasi impercettibile.
   [_____]
5. E' un ragazzino, alza la voce solo per darsi un certo _____
   [_____].
6. E' un tipo elegante: porta sempre cravatte in _____ con la giacca.
   [_____]
7. La sua presenza ha dato _____ a tutta la serata. [_____]

3. La particella pronominale "ne"

Vario e complesso è l'uso, in italiano, della particella **"ne"**.
È infatti usata:

1. con valore pronominale per sostituire un nome preceduto dalle preposizioni "di" o "da", svolgendo così una funzione di complemento di specificazione, o di complemento indiretto di determinati verbi o espressioni, o di complemento di provenienza.
Come pronome il "ne" può essere:

a. *pronome personale* (= di lui, di lei, di loro, da lui, da lei...)

Es.:

Da quando ha conosciuto quella ragazza, non fa che parlar**ne**. (=di lei)
E' un giovane molto in gamba, suo padre **ne** è orgoglioso. (=di lui)
E' uno scrittore che mi piace molto; **ne** apprezzo soprattutto la fantasia. (=di lui)
L'ha amata molto e **ne** ha ricevuto in cambio solo delusioni. (da lei)
Somiglia poco a suo padre, tuttavia **ne** ha ripreso tutta la caparbietà. (da lui)

b. *pronome dimostrativo* (= di questo, di quello, da questo, da quello, di ciò, da ciò...)

Es.:

Hai ottenuto quello che volevi; puoi esser**ne** contento (= di ciò o di questo)
Hai visto la sua nuova macchina? Che **ne** pensi? (= di quella)
Se non piovesse, **ne** verrebbe un gran danno all'agricoltura. (= da ciò)

2. con valore avverbiale: corrisponde ad un avverbio di luogo (da lì, da là, da quel luogo, ...) retto da un verbo di moto.

Es.:
E' entrata nel negozio e **ne** è uscita dopo tre ore. (*da lì*)
Era vissuto sempre nella stessa casa, perciò quando se **ne** è dovuto allontanare
ha provato un grosso dispiacere   (= *da lì*)

3. come complemento partitivo: è l'uso più frequente. Sostituisce un nome preceduto dall'articolo partitivo, o da un termine che indica quantità, come aggettivi o
pronomi indefiniti, numerali, e sostantivi indicanti misura.
La sostituzione con il "*ne partitivo*" è possibile solo quando il nome fa da oggetto o
da soggetto del verbo.

Es.:
Compra molti giornali, ma **ne** legge solo uno.
C'è dello strudel, **ne** vuoi un po'?
Quanto vino? **Ne** vorrei due fiaschi.

La particella pronominale **ne** viene spesso usata insieme al nome che dovrebbe
sostituire. In tale caso ha una funzione *rafforzativa*. Questa forma è frequente nel
parlato e nei testi scritti di registro colloquiale.

Es.:
Ora Agostino **ne** possedeva due di **palloni**.
Da questa città me **ne** vado senza rimpianti.
Del tuo comportamento non **ne** sono certo contento.

a. *Nelle seguenti frasi indicate il valore del "ne" e quale nome o espressione sostituisce:*

1. "Puoi anche regalargli il tuo pallone. Questo povero ragazzo non **ne** ha avuto mai uno
   in vita sua".
2. Non trovo le chiavi della macchina; tu **ne** sai qualcosa?
3. L'auto è uscita di pista a forte velocità, e molti spettatori **ne** sono stati travolti.
4. Ho cambiato l'arredamento della camera da letto, che te **ne** pare?
5. È stato in America solo una settimana, e **ne** è tornato entusiasta di quel paese.
6. Signorina Berni, qui Lei non è ben accetta, se **ne** vada subito!
7. "Il pallone mi piace, ma io non me **ne** farei nulla, non avrei il tempo di giocarci".

b. *Riscrivete le frasi seguenti sostituendo il "ne" o con un pronome personale, o dimostrativo o con un avverbio di luogo:*

1. Sei stato al cinema a vedere "La voce della luna"? - Sì, **ne** sono uscito proprio poco fa.
2. Hai visto, c'è anche Francesca! Oh, scusami, non me **ne** ero accorto!
3. Prendi anche due litri di latte, mi raccomando, non dimenticarte**ne**!
4. Quello era proprio Carlo, **ne** sono sicuro.
5. "Ti servono proprio questi soldi?" "Sì, papà, **ne** ho assoluto bisogno."
6. Guarda, ci sono già le ciliege, quasi quasi **ne** compro un chilo.
7. È un lavoro molto delicato, vorrei che te **ne** occupassi tu.

A. Discussione sul testo e sulle tematiche ad esso collegate

1. Per quale motivo, secondo voi, Agostino, il giovane protagonista del romanzo di Moravia, ha cercato di dare un'idea diversa di sé?

2. Rintracciate nel testo le espressioni che evidenziano l'atteggiamento di Agostino verso i due "clienti" del suo pattino.

3. Agostino, diversamente da quanto vuol far credere, appartiene ad un'altra classe sociale. Quale pensate che sia?

4. Dal brano letto possiamo ricavare alcuni elementi della personalità non solo di Agostino ma anche dell'altro ragazzo, Piero, di soli due anni più giovane di lui. Descrivete il carattere dei due ragazzi, mettendone in luce le differenze.

B. Produzione libera

1. Lo sviluppo tecnologico ha modificato anche i giochi dei bambini: i giocattoli tradizionali sono stati sostituiti da complicati e sofisticati giochi elettronici. Ripensando ai giochi della vostra infanzia fate dei confronti con la realtà di oggi.

2. C'è un giocattolo della vostra infanzia a cui eravate particolarmente attaccati? Lo conservate ancora? Indicate quali ricordi o sensazioni provate quando lo rivedete.

3. Descrivete le regole o le modalità di svolgimento di un gioco di gruppo che facevate da bambini.

ALBERTO MORAVIA

Alberto Moravia, pseudonimo di Alberto Pincherle, è nato a Roma il 28 novembre 1907. E'
tra i pochi autori italiani contemporanei che hanno raggiunto una solida fama in tutto il
mondo: i suoi numerosissimi libri sono stati tradotti in più di trenta lingue.

Il suo primo romanzo è del 1929, *Gli indifferenti*, scritto quando aveva poco più di venti
anni durante la convalescenza per guarire dalla tubercolosi ossea che lo aveva colpito all'età
di nove anni. *Gli indifferenti* è l'opera che gli ha valso subito una grande fama e il favore
della critica. Si tratta di un romanzo che mette a nudo la crisi dei valori morali della
borghesia. Caratteristica della prosa degli *Indifferenti*, per il quale si è parlato di "romanzo
esistenzialista", è una lingua media che esprime l'ambiente borghese nel quale si muovono i
protagonisti.

Il successo di quest'opera gli ha consentito di proseguire nell'attività di scrittore e di
giornalista. Ha pubblicato con crescente successo oltre quaranta titoli tra romanzi, racconti,
saggi e resoconti di viaggi. Tra questi ricordiamo *Agostino* (1944) che descrive la crisi di un
adolescente alla scoperta del mondo e del sesso, *La romana* (1947), *Il conformista* (1951),
Racconti romani (1954), *La ciociara* (1957), *La noia* (1960), *La vita interiore* (1978),
1934 (1982), *La cosa* (1983). Una traccia dei diversi viaggi nel mondo sono le raccolte di
saggi e di impressioni di viaggio, come *Un mese in URSS* (1958), *Un'idea dell'India* (1962),
La rivoluzione culturale in Cina (1968), *Lettere dal Sahara* (1981) e i saggi *L'uomo come
fine e altri saggi* (1963), *A quale tribù appartieni?* (1972), *Al cinema* (1975), *Impegno
controvoglia* (1980).

La tematica più ricorrente dell'opera di Moravia è quella della crisi morale e spirituale del
'900 europeo. I suoi personaggi appaiono abbandonati a se stessi, privi di energia e vitalità,
perennemente stanchi e delusi, incapaci di reagire agli aspetti negativi dell'esistenza.

La lucida freddezza con cui osserva la società contemporanea si riflette sul suo stile,
caratterizzato da una prosa asciutta ed oggettiva, che raramente conosce vibrazioni o tensioni
espressive.

Moravia è morto a Roma il 26 settembre 1990.

8. IL CACCIATORE

"Scusi sono suoi quei fichi?"

"No, perché?"

"Li lasci allora."

"Ma io non sono venuto qui per i fichi, sa" disse il cacciatore uscendo da sotto l'al-
5   bero e avanzando, fucile in spalla con la destra tenuta, tra l'impugnare e l'appog-
giarsi, sul calcio[1] dell'arma.

"Una ragione di più per non prenderli" ribatté il contadino.

"Per due fichi...." pronunciò con sprezzo[2] il cacciatore.

"E questo?" rimbeccò il contadino, che frattanto si era spostato verso l'albero e
10   aveva raccolto un sacchetto di plastica gonfio.

"Glieli lascio, glieli lascio. Me li andrò a comprare dall'ortolano a 500 lire l'etto."

"Perché io le scarpe, i vestiti, i libri per i ragazzi, la moto, la benzina, l'abbona-
mento alla televisione, le sigarette, non le pago forse? e l'acqua, perfino l'acqua mi
tocca pagare: l'acqua minerale. Ché quella dell'acquedotto è imbevibile; e a noi ce
15   l'hanno portate via le due sorgenti che avevamo: espropriate[3] per pubblica utilità.
Come lei i fichi..."

"La faccia meno lunga, se li tenga i suoi fichi."

"E questa?" di nuovo protestò il contadino estraendo dal sacchetto grappoli d'uva.
E queste? insistette protendendo una manciata di noci. "Allora il fucile è proprio una
20   scusa."

"Una scusa per che cosa?" fece il cacciatore con sussiego[4], il pollice e l'indice ner-
vosamente stretto alla cinghia[5] dell'arma.

"Per rubare" sbottò franco il contadino finendo di rovesciare il sacchetto che conteneva anche semi di girasole.

25   "Lei adesso offende," sfidò il cacciatore "io qui sono venuto a caccia, guardi" disse
estraendo dalla tasca posteriore della giacca sportiva un grappolo di uccellini allac-
ciati per il collo.

I cadaverini variopinti ebbero il potere di polarizzare l'attenzione. Il contadino si
avvicinò ai minuscoli morti piumati. Li prese in mano, li guardò uno ad uno silen-
30   ziosamente, ogni tanto alzando gli occhi verso il cacciatore molto più alto di lui.
Dopo l'attento esame li tenne ancora un po' nelle mani, soppesandoli affettuosa-
mente. Nel restituirglieli disse: "Lo sa che vivono sessant'anni, come noi?"

"Questi però hanno finito di campare" ribatté ridendo l'altro. "Purtroppo" balbettò il
contadino soprappensiero. "Ma lei lo sapeva?"

35   "Che cosa?" domandò il cacciatore.

"Che i passeri, i fringuelli vivono sessant'anni."

"Chi gliel'ha detto a lei?"

"La televisione, qualche anno fa. Da allora ho smesso di sparare."

"A me piace sparare", insisté il cacciatore con lo sguardo acceso.

40   "Io li ascolto cantare il mattino" aggiunse il contadino abbassando gli occhi a terra.
"Anch'io li sento cantare. Mi eccitano."

Il contadino alzò lo sguardo in faccia al rubicondo⁶ giovanotto e gli disse: "O non farebbe meglio a rincorrere le ragazze?"

"Mi piace sparare" ripeté quello con bocca gonfia dalla parola.

"E ti piace l'uva, i fichi, le noci..."

"Non crederà mica..." replicò rimanendo a metà del suo discorso.

Il contadino distolse gli occhi in attesa della conclusione. Non rispose. Poi disse: "Lei è tra quelli che protestano che i contadini lasciano la campagna alle vipere?"

"Io?" fece il cacciatore con un'ignoranza tutt'affatto sincera.

"Lei o gli altri, non importa" proruppe il contadino guardando una vite spoglia di fronte a sé. "Ho comperato questo podere⁷ con l'economia di tutta una vita, e adesso che credevo di gustare la pace di questi pochi anni venite voi a derubarmi."

"Moderi le parole."

"Che moderi e moderi. Se venissi a casa sua a portarle via le cartucce - e sarei giustificato- lei direbbe che sono un ladro. L'uva no, né le noci né i fichi e nemmeno i semi di girasole! Cos'è in fondo qualche fico, un graspo⁸ d'uva. Ma un graspo più un' altro graspo e più il sacchetto per ciascuno di voi significa che il vino me lo debbo andare a comprare. E se venissi a prendertelo il fiasco sulla tavola che diresti? Questa per me" gridò il contadino avvicinandosi all'unico grappolo d'uva della vite "non significa uva, ma pane, e tutto il resto che serve per campare."

"Gliela pago se vuole."

"No", urlò il contadino "questo non lo deve dire: la pago perché t'ho pescato a rubarla. E gli altri giorni, e gli altri cacciatori? Lo sa, lei, che quest'anno con la siccità che c'è stata faremo metà raccolto? L'altra metà ve la mangiate voi con la scusa della caccia" continuò a gridare ormai sulle ali della protesta indicando il grappolo degli uccelli che il cacciatore ostentava a giustificazione. "I passeri, sicuro fanno danno alla campagna: lasciateceli allora, mangiano del nostro, che siano nostri. Se io calcolassi quello che mi costa di lavoro e di opere ogni grappolo d'uva, la spaventerei. Non ci crederebbe. Lei è un cacciatore che gira da padrone col fucile sulle spalle. I padroni io li odio." Concluse il contadino avviandosi verso casa. [...]

(G. Saviane, *Di profilo si nasce*, Milano, Mondadori, 1982)

1. parte inferiore del fucile ▪ 2. disprezzo ▪ 3. tolte, portate via dall'autorità pubblica ▪ 4. atteggiamento sostenuto di una persona che si dà importanza ▪ 5. striscia di pelle o cuoio usata per sostenere o trattenere ▪ 6. di colore rosso ▪ 7. terreno agricolo comprendente generalmente la casa del contadino che lo coltiva ▪ 8. (= raspo) grappolo d'uva dopo che gli sono stati levati tutti gli acini

1. Informazioni specifiche

> *Rispondete alle seguenti domande:*

1. Dove avviene la discussione?
2. Che cosa ha in mano il cacciatore quando il contadino lo ferma?
3. Come si giustifica il cacciatore?
4. Cosa conteneva il sacchetto di plastica che il cacciatore aveva lasciato vicino ad un albero?
5. Cosa prova il contadino quando osserva gli uccellini uccisi dal cacciatore?
6. Quanti anni vivono, secondo il contadino, i passeri?
7. Quali nomi di frutti e di uccelli sono citati nel testo letto?

2. Sintesi

a. *Formulate un titolo diverso per il racconto.*

b. *Riesponete sinteticamente le argomentazioni del contadino*

c. *Indicate le giustificazioni portate dal cacciatore a propria difesa.*

d. *Riesponete in forma narrativa il fatto in non meno di 80 parole.*

b | ANALISI LESSICALE E LINGUISTICA

1. Polisemia

vai a pag. 24

> Indicate con quale significato sono usate nel testo letto le parole seguenti:

calcio (r. 6):   sport ❏ - elemento naturale ❏ - colpo dato coi piedi ❏ - parte inferiore di un'arma ❏.

indice (r. 21):   dito ❏ - elenco dei capitoli o parti di un libro ❏ - indizio, segno ❏.

franco (r. 23):   libero ❏ - sincero ❏ - disinvolto ❏.

vite (r. 50)   albero ❏ - oggetto metallico simile a un chiodo ❏.

economia (r. 51):   risparmio ❏ - scienza ❏ - tipo di produzione ❏.

fiasco (r. 58):   esito negativo, fallimento ❏ - una bottiglia dalla forma particolare ❏ quantità di liquido contenuta in un fiasco ❏.

pescare (r. 62):   prendere pesci ❏ - tirare a sorte ❏ - trovare ❏.

2. Sinonimi

vai a pag. 57

➤ *Rintracciate nel testo letto le parole sinonimi delle seguenti:*

1. tirare fuori
2. superiorità
3. prendere
4. attrarre
5. colorati

6. piccoli
7. rosso
8. campare
9. scoprire
10. dirigersi

3. Campi semantici

> Come avrete notato, nel testo le battute dei due protagonisti del diverbio sono introdotte o segnalate da verbi diversi (ben 19!) che si riferiscono, con aggiunta di sfumature ed accenti diversi, al "dire" e al "rispondere". Per il significato che assumono nel testo tutti questi verbi costituiscono un campo semantico.

➤ *Trascrivete su un foglio tali verbi e la corrispondente forma dell'infinito:*

vai a pag. 11

4. Gruppi semantici

a. *Sottolineate gli animali domestici presenti nel seguente elenco:*

> biscia - bufalo - camoscio - cane - cavallo - colombo - coniglio - corvo - fagiano - gatto - lucciola - mucca - oca - orso - pecora - porco - rana - riccio - rospo - scoiattolo - talpa - tartaruga - tacchino - tasso - topo - tordo - vitello - volpe

b. *Sottolineate nell'elenco che segue gli alberi da frutto:*

> abete - castagno - ciliegio - cipresso - faggio - fico - gelso - mandorlo - melo - noce - olmo - pero - pesco - pino - pioppo - platano - susino - tiglio - vite.

c. *Cancellate dai seguenti gruppi di parole quella che per qualche tratto semantico non appartiene al gruppo:*

1. ruscello - canale - torrente - rio - fiume
2. lago - stagno - palude - laguna
3. bosco - macchia - vivaio - selva - foresta
4. trota - merluzzo - tonno - nasello - palombo
5. pepe - senape - cannella - aglio - zafferano

5. I pronomi

Nel testo letto avrete notato sicuramente che i diversi pronomi usati svolgono funzioni diverse. In particolare:

a. **funzione anaforica**: rimanda all'indietro a elementi già nominati; in questo caso solitamente realizza la sua tipica funzione di "sostituente" di un nome o di una proposizione.

     es.: **Mario** è arrivato quando ormai non lo aspettavo più.

b. **funzione cataforica**: rinvia in avanti a parole o termini che vengono detti successivamente; in questo caso l'attenzione si concentra sul nome che il pronome anticipa.

     es.: **Lo** conosco bene **quel tipo**.

c. **funzione deittica**: rimandano a qualcuno o a qualcosa del contesto extralinguistico noto agli interlocutori; frequente nella comunicazione orale. Ad esempio, indicando una persona che appare vestita in modo strano:

     Guarda**la** come si è conciata!

➤ *Per le seguenti frasi, riprese dal racconto di Saviane, indicate quale funzione ha il pronome evidenziato:*

1. Una ragione di più per non prender**li**. (r. 7)   [_____]

2. E **questo?** (r. 9)   [_____]

3. **Glieli** lascio, **glieli** lascio. (r. 11)   [_____]

4. E a noi **ce** l'hanno portate via le due sorgenti che avevamo. (r. 16)   [_____]

5. Se **li** tenga i suoi fichi. (r. 17)   [_____]

6. **Li** prese in mano, **li** guardò uno ad uno. (r. 29)   [_____]

7. Nel restituir**glieli** disse... (r. 32)   [_____]

8. **Lo** sa che vivono sessant'anni, come noi? (r. 32)   [_____]

9. Chi **gliel'**ha detto a lei? (r. 37)   [_____]

10. Se venissi a casa sua a portar**le** via le cartucce? (r. 54)   [_____]

11. Se io calcolassi quello che **mi** costa di lavoro, **la** spaventerei. Non **ci** crederebbe. (r. 68)   [_____]

12. **Lo** sa, **lei**, che quest'anno con **la** siccità faremo meno raccolto? (r. 63)   [_____]

13. Questo non **lo** deve dire: **la** pago perché t'ho pescato a rubar**la**. (r. 62-63)   [_____]

6. Aggettivi derivati

➤ *Sostituite l'espressione o il gruppo preposizionale in corsivo con il corrispondente aggettivo derivato:*

1. L'ho sentito in un programma *della televisione*.
2. Un gruppo di industriali *di Milano* ha visitato nei giorni scorsi la fabbrica di materiale plastico della nostra città.
3. Le gite *organizzate dalle scuole* hanno una grande utilità didattica.
4. La tromba d'aria ha provocato danni *che non è possibile calcolare* all'agricoltura della zona.
5. Ad una analisi sia pure *di superficie* non possono sfuggire alcuni aspetti importanti del problema.
6. Il tema *dell'ecologia* è diventato il leit-motiv della campagna *per le elezioni* di tutti i partiti politici.

C | PRODUZIONE ORALE O SCRITTA

1. Sulla base degli elementi deducibili dal testo letto, provate a fare un ritratto dei due protagonisti della discussione.
2. Scrivete una lettera ad un ipotetico cacciatore per convincerlo a smettere di andare a caccia.
3. Parlate dei modi e delle forme in cui nel vostro paese è consentita la caccia agli uccelli e agli altri animali selvatici..
4. Vivere in campagna oggi: come sono cambiate nel vostro paese le attività agricole negli ultimi anni.
5. Oggi si parla molto di ecologia, di natura, di ambiente, ma pochi conoscono veramente la natura. Che rapporto avete voi con la natura?
6. Come spiegate la scarsa conoscenza del mondo della natura da parte dei bambini di oggi?
7. Dite quale ruolo svolgono i libri e i documentari sulla natura per la conoscenza della natura stessa.

8. Assunzione di ruoli

Immaginate che i due protagonisti del racconto di Saviane, il cacciatore e il contadino, tornati a casa raccontino, secondo i loro punti di vista, alle rispettive mogli quanto è accaduto nel campo.

Lavorando in coppia con un compagno di corso assumete il ruolo rispettivamente ora del contadino e di sua moglie ora del cacciatore e di sua moglie e costruite il possibile dialogo seguendo le tracce suggerite nelle schede di cui qui di seguito.

1ª situazione: **A casa del contadino**

Studente A:

Sei il contadino. Alle domande della moglie che ti vede scuro e teso in volto racconti l'incontro con il cacciatore. Descrivi il suo aspetto, il tono del suo discorso e le motivazioni addotte per giustificare il proprio operato. Esprimi giudizi e valutazioni sul cacciatore e sulla caccia.

Studente B:

Sei la moglie del contadino. Esprimi meraviglia nel vedere che tuo marito porta un sacchetto di frutta a casa, ed è alterato e teso nel volto. Chiedi come mai, vuoi sapere che cosa ha detto il cacciatore. Esprimi stupore e il tuo personale risentimento nel confronto di certi comportamenti.

2ª situazione: **A casa del cacciatore**

Studente A:

Sei il cacciatore. Torni a casa arrabbiato. Alla moglie racconti quanto è accaduto nel podere del contadino. Descrivi l'aspetto del contadino, il suo comportamento e soprattutto il tono delle sue parole. Esprimi giudizi negativi sul contadino e minimizzi la portata del tuo gesto.

Studente B:

Sei la moglie del cacciatore. Manifesti meraviglia per l'umore del marito tornato dalla battuta di caccia. Gli chiedi che cosa è successo. Esprimi ora accordo ora disaccordo con le valutazioni del marito e lo inviti, alla fine, a smettere di andare a caccia.

---

d | QUESTIONARIO

AMATE DAVVERO LA NATURA?

➤ *Rispondete in modo sincero ai vari quesiti, indicando con un segno (x) la vostra preferenza:*

1. Che cosa fate se vedete qualcuno gettare un qualsiasi rifiuto per terra?
   [a] lo invitate in modo fermo a raccoglierlo⁻
   [b] lo raccogliete voi per lui
   [c] fate finta di non aver visto niente

2. Siete all'aperto e avete appena finito di fumare una sigaretta;
    [a] buttate la cicca per terra distrattamente
    [b] buttate la cicca per terra e la spegnete con un piede
    [c] spegnete e conservate la cicca per gettarla in un contenitore di rifiuti

3. Una fastidiosa vespa è entrata in casa vostra,
    [a] fate di tutto per farla uscire di casa
    [b] fate di tutto per ammazzarla
    [c] la lasciate tranquillamente in casa

4. In un parco vedete dei bambini che, giocando, spezzano dei rami di un albero;
    [a] li rimproverate severamente
    [b] rimanete indifferenti
    [c] li lasciate fare perché pensate che comunque vengono a contatto con la natura

5. Dopo un pic-nic in campagna o in un bosco,
    [a] vi preoccupate di raccogliere tutti i vostri rifiuti
    [b] raccogliete solo i rifiuti di plastica o inquinanti
    [c] lasciate i rifiuti per terra perché anche altri fanno così

6. Quale fra questi lavori, che vi venissero offerti per la stagione estiva, scegliereste?
    [a] guida turistica in una città d'arte
    [b] cameriere in un albergo della riviera
    [c] raccoglitore di pomodori o frutta in campagna

7. Quale fra questi animali vi piacerebbe tenere in casa?
    [a] un gatto
    [b] un cucciolo di leone
    [c] un agnellino

8. Quando avete un po' di tempo libero, preferite
    [a] fare un giro per vedere le vetrine dei negozi
    [b] girare in macchina per la campagna
    [c] fare una passeggiata a piedi

9. Ad una vostra amica per il compleanno regalate:
    [a] un mazzo di rose recise
    [b] un vaso di fiori
    [c] un profumo ecologico

10. Avete ricevuto da vostri amici tre diverse offerte per le vacanze. Quale scegliete tra:
    [a] due settimane in barca
    [b] tre settimane in una lussuosa villa con piscina
    [c] tre settimane in una casa colonica

11. Vendono ad un prezzo conveniente un terreno vicino alla vostra abitazione.
    Lo comprate...
    [a] per farci un garage per le vostre macchine
    [b] per piantarci alberi da frutto
    [c] per farci un campo da tennis

12. Secondo voi la caccia è:

    [a] uno sport come un altro

    [b] una forma di violenza contro gli animali

    [c] un mezzo di riequilibrio delle specie animali

- **Ora, assegnate ad ogni vostra scelta i punti così come è indicato nella tabella qui riportata.**

Punteggi:

Quesito n.	A	b	c	scelta
1	4	2	0	
2	0	2	4	
3	4	0	2	
4	4	0	2	
5	5	2	0	
6	2	0	4	

Quesito n.	A	b	c	scelta
7	4	0	2	
8	0	1	5	
9	0	4	2	
10	2	0	4	
11	0	4	1	
12	0	4	2	

totale punti: _____

Se avete totalizzato un punteggio compreso fra:

A.   35-50

Avete un rapporto corretto con la natura. La conoscete e la rispettate. Ogni volta che vi è possibile cercate un rifugio nella natura per ritrovare equilibrio interiore e serenità.

B.   20-34

Il vostro rapporto con la natura è piuttosto incostante. Capite che è importante rispettare e salvaguardare l'ambiente, ma spesso pensate che siano gli altri, più di voi, a doverlo fare. Non riuscite sempre a fare a meno di certi vantaggi che la moderna società offre.

C.   0-19

Per voi, natura è godere di tutti i comfort che la moderna tecnologia offre, e non sapete in nessun modo fare a meno anche del più piccolo vantaggio. Andare in macchina è meglio che andare a piedi, un lavoro d'ufficio è migliore di un lavoro all'aria aperta, ecc. Non siete proprio fatti per vivere in campagna.

9. A MIA MOGLIE

Tu sei come una giovane,
una bianca pollastra[1].
Le si arruffano al vento   3
le piume, il collo china
per bere, e in terra raspa[2];
ma, nell'andare, ha il lento   6
tuo passo di regina,
ed incede sull'erba
pettoruta[3] e superba.   9
E' migliore del maschio.
E' come sono tutte
le femmine di tutti   12
i sereni animali
che avvicinano a Dio.
Così se l'occhio, se il giudizio mio   15
non m'inganna, fra queste hai le tue uguali,
e in nessun'altra donna.
Quando la sera assonna[4]   18
le gallinelle,
mettono voci che ricordan quelle,
dolcissime, onde a volte dei tuoi mali,   21
ti quereli[5], e non sai
che la tua voce ha la soave e triste
musica dei pollai.   24

Tu sei come una gravida
giovenca;
libera ancora e senza   27
gravezza[6]; anzi festosa;
che, se la lisci[7], il collo
volge, ove tinge un rosa   30
tenero la sua carne.
Se l'incontri e muggire
l'odi, tanto è quel suono   33
lamentoso, che l'erba
strappi, per farle un dono.
E' così che il mio dono   36
t'offro quando sei triste.

Tu sei come una lunga[8]
cagna, che sempre tanta   39

dolcezza ha negli occhi,
e ferocia nel cuore.
Ai tuoi piedi una santa   42
sembra, che d'un fervore
indomabile arda,
e così ti riguarda   45
come il suo Dio e Signore.
Quando in casa o per via
segue, a chi solo tenti   48
avvicinarsi, i denti candidissimi scopre.
Ed il suo amore soffre
di gelosia.   51

Tu sei come la pavida[9]
coniglia. Entro l'angusta
gabbia ritta al vederti   54
s'alza,
e verso te gli orecchi
alti protende e fermi;   57
che la crusca e i radicchi[10]
tu le porti, di cui
priva in sé si rannicchia[11],   60
cerca gli angoli bui.
Chi potrebbe quel cibo
ritoglierle? chi il pelo   63
che si strappa di dosso,
per aggiungerlo al nido
dove poi partorire?   66
Chi mai farti soffrire?

Tu sei come la rondine
che torna in primavera.   69
Ma in autunno riparte;
e tu non hai quest'arte.
Tu questo hai della rondine: 72
le movenze leggere;
questo che a me, che mi sentiva
ed era   75
vecchio, annunciavi un'altra
primavera.

Tu sei come la provvida[12]   78
formica. Di lei, quando
escono alla campagna,
parla al bimbo la nonna   81
che l'accompagna.
E così nella pecchia[13]
ti ritrovo, ed in tutte   84

le femmine di tutti
i sereni animali
che avvicinano a Dio;   87
e in nessun'altra donna.

(U. SABA, *Casa e campagna,* in *Il Canzoniere*, Einaudi Torino, 1961)

1. gallina giovane ■ 2. gratta con i piedi la terra alla ricerca di cibo ■ 3. dritta e solenne ■ 4. fa
addormentare ■ 5. ti lamenti. ■ 6. pesantezza propria della gravidanza ■ 7. accarezzi ■ 8. allun-
gata, distesa per terra ■ 9. paurosa e timida ■ 10. tipo di insalata ■ 11. si raccoglie in sé ■ 12.
saggia e previdente ■ 13. ape

a | COMPRENSIONE DEL TESTO

1. Analisi dei contenuti

➤ *Rispondete alle seguenti domande:*

1. Nelle sei strofe il poeta descrive la moglie attraverso delle similitudini. Quali sono?
2. Ogni animale citato rappresenta una qualità femminile.Quale?
3. Indicate quali aspetti del carattere e della personalità della moglie vengono sottolinea-
   ti dal poeta.

b | ANALISI LESSICALE E LINGUISTICA

1. Il lessico

➤ *Il poeta fa uso di un lessico semplice e familiare, ma ricorre anche a parole più rare,
proprie della tradizione letteraria, come "incede", "protende", "pecchia", ecc.*

➤ *Con l'aiuto del dizionario, individuate le parole del linguaggio "familiare" e alcuni termini "letterari".*

2. La rima

> In ogni strofa il gioco delle rime è piuttosto vario e libero. Oltre a rime vere e pro-
> prie, tipo "lento - vento", ci sono *assonanze*, vale a dire somiglianze di vocali tra due
> parole a partire da quella accentata, come ad es.: "pollastra - raspa". Rime ed asso-
> nanze legano non solo parole conclusive di versi, ma anche parole interne al verso
> (rima ed assonanza interna)

➤ *Riportate qui appresso le rime e assonanze presenti nella poesia di Saba.*

_____

_____

_____

3. Ordine delle parole

Nella poesia la successione delle parole non risponde solo ad una organizzazione sintattica, come avviene per la prosa, ma anche a criteri ritmici e fonici. Nella poesia moderna il ritmo si fonda sull'alternanza di sillabe toniche e sillabe atone.

➤ *Individuate nel testo di Saba altri esempi che seguono criteri ritmici, e riscriveteli nell'ordine seguito dalla lingua comune.*

es.:

- "le si arruffano al vento le piume"
- le piume le si arruffano al vento

vai a pag. 276

4. Parafrasi

➤ *Riesponete con parole vostre il contenuto della poesia.*

vai a pag. 18

5. Similitudine

➤ *Mettete l'aggettivo appropriato in modo da formare delle similitudini comunemente diffuse:*

1. .... come una volpe.
2. .... come un toro.
3. .... come un pesce.
4. .... come un serpente.
5. .... come una colomba.
6. .... come una lumaca.
7. .... come un lupo.
8. .... come un verme.
9. .... come un coniglio.

vai a pag. 82

6. Modi di dire

➤ *Dopo aver individuato il significato delle seguenti espressioni, costruite delle frasi nelle quali queste siano opportunamente contestualizzate:*

a. avere grilli per la testa.
b. non sapere che pesci prendere.
c. essere come cane e gatto.

7. Metafora

vai a pag. 357

a. *Come abbiamo visto sopra, spesso gli animali vengono usati per indicare comportamenti o qualità degli uomini. Anche con l'aiuto di un dizionario, cercate di spiegare il significato metaforico che ha l'animale nelle seguenti frasi.*

1. Non si può dire che Piero sia un'aquila.
2. Vai a svegliare quel ghiro di tuo fratello.
3. Lo capisce anche quell'oca di Sandra.
4. Il mio collega pare un orso, ma d'animo è buono.
5. Luisa è una talpa, eppure non vuole mettersi gli occhiali.
6. Chi è quell'asino che ha scritto "collo" con una sola "elle"?

b. *Sicuramente anche nella vostra cultura alcuni animali sono simboli di qualità o difetti dell'uomo. Indicatene alcuni!*

C | PRODUZIONE ORALE O SCRITTA

1. Quando la poesia di Saba uscì, suscitò uno scandalo perché, in contrasto con la tradizione letteraria che idealizzava la donna, paragonava la donna ad animali domestici. Esprimete la vostra opinione in proposito.

2. Quale rapporto con la propria donna vuole evidenziare il poeta?

3. In ogni epoca e presso quasi tutti i popoli, la poesia ha cantato l'amore e la donna. Parlate di un poeta o di una poesia d'amore della tradizione letteraria del vostro paese.

UMBERTO SABA

Pseudonimo di Umberto Poli, Saba è unanimemente considerato uno dei poeti più rappresentativi del Novecento italiano. Nacque a Trieste il 9 marzo 1883. Ebbe un'infanzia difficile e triste anche a causa dei contrasti tra i suoi genitori; e di queste sofferenze rimane traccia nella sua poesia: *"Ma di malinconia fui tosto esperto / unico figlio che ha lontano il padre."*

Dopo il ginnasio si iscrisse all'Accademia di Commercio e Nautica, ma l'abbandonò dopo sei mesi. Per volere della madre si impiegò. Ma gli interessi del giovane Umberto erano per la poesia: legge Shakeaspeare e i maggiori poeti italiani: Leopardi, Parini, Foscolo, Petrarca, Manzoni, D'Annunzio, ... Nel 1903 lo troviamo a Pisa dove frequenta i corsi alla facoltà di Lettere. Nel 1905 è a Firenze. Progetta di scrivere tre tragedie, ma scrive solo un dramma in un atto, *Il letterato Vincenzo*, che rappresentato senza successo a Trieste, fu pubblicato solo nel 1989. Tra il 1907 e il 1908 fa il servizio militare in Toscana, e in Versilia conosce Gabriele d'Annunzio. Il 28 febbraio 1909 Umberto Poli sposa, a Trieste Carolina Woelfler: la Lina delle sue poesie di *Trieste e una donna*. Nel 1910 nasce la figlia Linuccia e nel 1911 esce il suo primo volume *Poesie*, nel quale si firma con lo pseudonimo di Saba, in onore della madre, di religione ebraica (Saba in ebraico significa "pane"). Nel 1912 la rivista letteraria "La Voce" pubblica *Coi miei occhi*.

In questi anni il suo matrimonio conosce un periodo di crisi: la Lina lo abbandona. Il dramma familiare sarà materia di *Trieste e una donna*. Superata la crisi, la famiglia si ricompone e si stabilisce a Bologna. Nel 1915, allo scoppio della guerra, viene richiamato alle armi, ma date le sue condizioni fisiche e psicologiche viene ricoverato all'ospedale militare.

Nel 1919 acquista a Milano la libreria di Via San Nicolò, allo scopo di rivenderla e guadagnarci sopra; ma i vecchi libri lo affascinano, ed allora cambia idea. Il suo destino è compiuto: sarà libraio antiquario per il resto della sua vita.

Nel 1921 esce *Il Canzoniere*, che comprende tutte le poesie scritte fra il 1900 e il 1921. *Il Canzoniere* resta la sua opera poetica più significativa: di esso si ebbero diverse edizioni (1921, 1945, 1948, 1951, 1961), dove confluirono le liriche che era andato componendo. La critica si accorge finalmente di questo poeta e cominciano ad uscire saggi sulla sua poesia. Nel 1929 esce *Tre poesie alla mia balia*, nel '32 *Ammonizione e altre poesie*, e nel '33 *Tre composizioni*.

Nel 1943, per sfuggire alle persecuzioni razziali, Saba è costretto a cercare un rifugio per sé e per la sua famiglia; lascia Trieste e si nasconde a Firenze, in casa di amici. Alla fine della guerra si trasferisce a Roma. Nel 1948 esce *Storia e cronistoria del Canzoniere*.

Nel 1953 l'Università di Roma gli conferisce la laurea *honoris causa*. Ricoverato qualche tempo dopo in clinica a Roma comincia a scrivere il romanzo *Ernesto*, che uscirà postumo e incompiuto.

Il 25 agosto del 1957 Saba muore in una clinica di Gorizia.

Nel panorama della poesia italiana del Novecento Saba si presenta come un poeta solitario e coerente. Estraneo alle diverse mode letterarie che via via si sono susseguite, è rimasto coerente ad una sua personale concezione della poesia intesa come canto e celebrazione della vita quotidiana. Si tratta di una poesia di cose, in cui ogni aspetto, anche il più dimesso della vita giornaliera trova posto.

Il suo versi "belli non sono" perché non presentano complessità sintattiche, suggestioni di immagini, o ricercatezze stilistiche o lessicali. Sono, invece, costruiti con un linguaggio semplice e colloquiale, quasi prosastico. Le parole sono scelte per la loro concretezza e capacità di definire oggettivamente la realtà. Saba usava dire che compito dei poeti è fare "poesia onesta", che sia cioè strumento di conoscenza, un modo per cogliere la verità delle cose.

scuola e dintorni

Chi, a distanza di tempo, non ricorda con una certa nostalgia o rimpianto gli anni della scuola? Sarà perché coincidono con un periodo della vita in cui si vivono nuove esperienze ed emozioni o perché si è più spensierati e pieni di entusiasmo e di ottimismo, o perché si costruiscono le basi del proprio futuro, per molte persone gli anni della scuola sono accompagnati da ricordi indimenticabili. Ora è la figura materna della maestra dei primi anni della scuola elementare ad emergere dalla memoria, ora il compagno o la compagna di banco che ha diviso con noi per molti anni esperienze e momenti di gioia, di paura, di sfida, ora è il primo amore sbocciato tra i banchi a farsi strada prepotente tra il turbinio dei ricordi.

Molti scrittori hanno dedicato, anche pagine memorabili, a fatti e vicende accadute a scuola.

In questa sezione sono riuniti testi che in qualche modo, direttamente o indirettamente, si rifanno all'esperienza scolastica.

"Ricordi di scuola" può essere il motivo guida che percorre i primi tre brani della sezione. Ecco un brano tratto da *Il giardino dei Finzi Contini* di Giorgio Bassani: qui si racconta la cocente delusione di una bocciatura: con fine introspezione psicologica l'autore ricorda l'ansia, i timori e i tristi intimi presagi che precedettero la scoperta della bocciatura da parte del giovane protagonista del romanzo. Il secondo testo è di Vittorini, l'autore di un celebre romanzo, *Garofano rosso*, che ha per protagonista proprio un giovane liceale. La storia narrata nel racconto qui riportato sembra quasi ispirarsi al più noto romanzo: è la storia di un amore nato tra i banchi di scuola, un amore contrastato e poi finito che pure ogni tanto torna alla mente dei protagonisti. Più cupo e drammatico è, invece, il racconto di Elsa Morante. Qui la scuola è vista dalla parte di chi sta sulla cattedra: un vecchio docente, malato e stanco, vede alunni che non ci sono.

Ma chi insegna non lo fa solo per predisposizione o vocazione, ma anche per necessità, per guadagnarsi da vivere, come fa il giovane protagonista del romanzo di Andrea De Carlo, *Treno di panna*, che durante il suo soggiorno negli Stati Uniti, per sbarcare il lunario, si improvvisa insegnante di lingua e va ad insegnare l'italiano in una scuola privata.

Scuola come ricordo, come attività lavorativa, ma anche come sapere e conoscenze da trasmettere.

Ad una particolare fase della storia sociale della scuola e dell'università italiana fa riferimento la poesia "politica" di Pasolini, che chiude la sezione. Si tratta di un'amara e cruda invettiva contro "gli studenti" che occupano l'università negli anni caldi della contestazione studentesca.

sezione 5

1. UN INSUCCESSO SCOLASTICO

Agli orali non ero stato affatto brillante, e lo sapevo.

Sebbene il professore Meldolesi si fosse adoperato alacremente in mio favore, ottenendo addirittura, contro ogni regola, di essere lui a interrogarmi, ciò nondimeno il temuto "ponte dell'asino"[1] non mi aveva trovato per niente all'altezza dei numerosi sette e otto che costellavano la mia pagella[2]. Nelle stesse materie letterarie avrei dovuto fare di gran lunga meglio. Interrogato, in latino, sulla *consecutio temporum*, ero inciampato[3] in un periodo ipotetico di terzo tipo, ossia "della irrealtà". Con uguale stento avevo risposto in greco, su un passo dell'*Anabasi*[4]. E' vero: in seguito avevo un po' rimediato con l'italiano, la storia e la geografia. In italiano, per esempio, me l'ero cavata benissimo, sia sui *Promessi Sposi*[5], sia sulle *Ricordanze*[6]. Avevo poi detto a memoria le prime tre ottave dell'*Orlando furioso*[7], senza sbagliarne una parola: e Meldolesi, pronto, a premiarmi con un "bravo!" così squillante da far sorridere non soltanto il resto della commissione, ma anche me. Nel complesso, però, ripeto, neppure nel gruppo lettere il mio comportamento era risultato pari alla reputazione di cui godevo.

Il grosso fiasco ad ogni modo l'avevo combinato in matematica.

Fin dall'anno precedente, in quarta ginnasiale, l'algebra non era voluta entrarmi in testa. Con la professoressa Fabiani, inoltre, mi ero sempre condotto abbastanza vilmente. Studiavo il minimo necessario per strappare il sei; e neanche quel minimo, molto spesso, calcolando sull'appoggio immancabile che agli scrutini[8] finali avrei avuto dal professor Meldolesi. Che importanza poteva avere la matematica per uno che, come me, aveva dichiarato più volte che all'università si sarebbe iscritto a lettere? - continuavo a dirmi anche quella mattina, mentre risalivo in bicicletta corso Giovecca, diretto al Guarini -. Tanto in algebra, quanto in geometria, non avevo quasi aperto bocca, purtroppo. Ma con questo? La povera Fabiani, che mai aveva osato, durante gli ultimi due anni, darmi meno di sei, in sede di consiglio dei professori non l'avrebbe mai fatto: ed evitavo perfino di pronunciarlo mentalmente, il verbo "bocciare", tanto l'idea della bocciatura[9], col conseguente strascico[10] di tediose e avvilenti lezioni private a cui mi sarei dovuto sottoporre a Riccione per tutto il corso dell'estate, mi sembrava assurda, se riferita a me. Io, proprio io, che mai avevo subito l'umiliazione del rinvio a ottobre[11], e anzi, in prima, seconda, e terza ginnasio, mi ero fregiato, "per profitto e buona condotta", dell'ambito titolo di "Guardia d'onore ai Monumenti dei caduti e ai Parchi della rimembranza", io bocciato, ridotto alla mediocrità, confuso insomma nella massa! E il papà? Se per ipotesi la Fabiani mi avesse rimandato a ottobre (insegnava matematica anche al liceo, la Fabiani: per questo motivo mi aveva interrogato lei, era nel suo diritto!), dove l'avrei trovato, io, il coraggio, di lì a qualche ora, di tornare a casa, sedermi a tavola davanti al papà, e mettermi a mangiare? Lui, forse, il papà, mi avrebbe picchiato: e sarebbe stato meglio, dopo tutto. Qualsiasi punizione sarebbe stata preferibile al rimprovero che mi fosse venuto dai suoi muti, terribili occhi celesti...

Entrai nell'atrio del Guarini. Un gruppo di ragazzi, tra i quali notai subito vari compagni, sostava tranquillo dinanzi alla tabella delle medie. Appoggiai la bicicletta al muro, di fianco al portone d'ingresso, e mi avvicinai tremante. Nessuno aveva mostrato di accorgersi del mio arrivo.

45 Guardai da dietro una siepe di spalle ostinatamente voltate. La vista mi si annebbiò. Guardai di nuovo: e il cinque rosso, unico numero in inchiostro rosso d'una lunga filza di numeri in inchiostro nero, mi si impresse nell'anima con la violenza e col bruciore di un marchio infuocato.

"Beh, cos'hai", mi chiese Sergio Pavani, dandomi un colpetto gentile sulla schiena.

50 "Non farai mica una tragedia per un cinque in matematica! Guarda me", e rise "latino e greco".

"Su, coraggio", aggiunse Otello Forti. "Ho una materia anche io: inglese".

(G. BASSANI, Il giardino dei Finzi-Contini, Mondadori, Milano, 1974)

1. qui si allude al particolare comportamento degli asini che, quando carichi di grossi pesi dovevano passare su un ponte, si fermavano dinanzi alla fatica di salire. Nel gergo scolastico indicava la prima grossa difficoltà incontrata da un allievo ■ 2. documento scolastico che riporta le votazioni conseguite in ciascuna materia insegnata a scuola ■ 3. urtare con il piede mentre si cammina; qui, incontrare una difficoltà ■ 4. opera dello storico greco antico Senofonte (430-353 a.C. circa) ■ 5. noto romanzo di Alessandro Manzoni (1785-1873) ■ 6. opera di Giacomo Leopardi (1798-1837) ■ 7. poema cavalleresco di Lodovico Ariosto (1474-1533) ■ 8. operazione di attribuzione di voti o giudizi agli alunni al termine di una parte o di tutto l'anno scolastico ■ 9. non promozione ad un esame o ad uno scrutinio ■ 10. séguito ■ 11. rimandare all'esame successivo nel mese di ottobre uno studente che non ha superato un esame o uno scrutinio

a COMPRENSIONE DEL TESTO

1. Informazioni specifiche

➤ *Rispondete alle seguenti domande:*

1. Quale classe frequenta il protagonista di questa disavventura scolastica?
2. In quale materia il protagonista ha fatto "fiasco"?
3. Con quale voto è stato rimandato a ottobre?
4. In quali materie, invece, è stato brillante?
5. Come gli si prospettano le prossime vacanze estive?
6. Con quali colori sono scritti i voti positivi e quelli negativi nella tabella delle medie?
7. Perché il protagonista non ha il coraggio di tornare a casa?
8. Quali opere letterarie sono ricordate nel testo?

2. Gergo scolastico

a. *Nel testo ricorrono parole ed espressioni del gergo scolastico. Con l'aiuto delle note e di un dizionario individuatele e scrivetele.*

b. *Indicate le materie che si insegnavano al ginnasio, desumendole dal testo letto.*

3. Punto di vista

Chi racconta la storia ne *Il giardino dei Finzi-Contini* è un io narrante che parla di sé e soprattutto del mondo che si muove attorno a lui. È un narratore interno, in quanto scrive una storia di cui è regista e attore al tempo stesso. Egli dispone di sé ma non degli altri, nel senso che, pur conoscendo la loro storia individuale, non la determina né nei pensieri né nelle azioni, come fa il cosiddetto narratore onnisciente. Egli vede i fatti e le persone non come essi sono in tutto e per tutto, ma come appaiono a lui, in base a ciò che può venire a sapere dal loro accadere e dal loro comportarsi. Il narratore del *Giardino dei Finzi-Contini* non fornisce in alcun punto del romanzo la sua identità: non ha un nome né un cognome; non ha una fisionomia (se non per vaghi tratti), né denuncia particolari qualità o difetti se non di sfuggita o per quanto il lettore può dedurre a romanzo finito. Egli racconta la sua storia chiamando attorno a sé un certo numero di altre figure importanti.

Nel racconto dello svolgimento dell'esame il narratore parla di una sua esperienza: tutto, il comportamento dei professori della commissione d'esame e degli altri studenti che leggono le tabelle degli scrutini, è filtrato dal suo stato d'animo di delusione e di rammarico. Con toni e accenti fortemente autocritici egli descrive questa sua esperienza.

➤ *Individuate nel testo le parole e le espressioni che evidenziano lo stato d'animo di delusione e le espressioni di autocritica.*

_____

_____

4. Sintesi

➤ *Riesponete sinteticamente il contenuto del brano letto, usando le parole ed espressioni seguenti:*

esami orali - materie letterarie - bravo - commissione - strappare il sei - scrutinio - ginnasio - fiasco - lezioni private - bocciatura - rimandare a ottobre - vacanze - paura - punizione - tabella delle medie - voto.

vai a pag. 108

1. Coerenza semantica

> Un testo si caratterizza, tra l'altro, per la fitta rete di significati che collega fra loro le parole, per cui, spesso il senso di una parola si deduce dal rapporto che ha con una o più parole presenti nel testo.

➤ *Individuate la parola o le parole del testo a cui sono collegate semanticamente le parole o espressioni seguenti:*

Es.:
     "i numerosi sette e otto" (r. 5) rimandano a **"pagella"** (r. 5)

- "consecutio temporum" (r. 6)   ....

- "passo dell'*Anabasi*" (r. 8)   ....

- "in italiano" (r. 9)   ....

- "grosso fiasco" (r. 16)   ....

- "quel minimo" (r. 19)   ....

- "rinvio a ottobre" (r. 31)   ....

- "qualsiasi punizione" (r. 39)   ....

- "la vista" (r. 45)   ....

2. Correlazioni semantiche

> La coerenza semantica di un testo è possibile in quanto ogni parola presenta tratti o aspetti semantici comuni ad altre parole. Non solo, ma tra molte parole c'è una corrispondenza univoca, per cui un termine rimanda ad un altro: pensiamo, ad esempio, al rapporto semantico che correla un frutto all'albero (pera -> pero, pesca -> pesco), o il piccolo di un animale alla madre (vitello -> mucca) o un capo di abbigliamento alla parte del corpo umano che riveste (guanto -> mano, calza -> piede). Talora il tipo di relazione o rapporto che intercorre tra due parole lo ritroviamo in altre coppie di parole, per cui è possibile stabilire, in modo analogo a quanto si fa in matematica, una specie di proporzione tra alcune associazioni di parole. Per riprendere un esempio sopra proposto, quando diciamo: *Il guanto sta alla mano come la calza sta al piede*, intendiamo dire che tra guanto e calza c'è un aspetto di significato comune: entrambi servono a coprire o vestire le estremità degli arti umani; analogamente a quanto si dice in matematica: $12 : 15 = 8 : 10$ (dodici sta a quindici come otto sta a dieci).

➤ *Individuate nelle "proporzioni" di seguito proposte il termine "incognito" che le completa:*

1. Il latino sta alle materie letterarie come l'algebra sta a _____
2. L'*Anabasi* sta a Senofonte come L'*Orlando Furioso* sta a _____
3. Il diploma sta alla scuola superiore come la laurea sta a _____
4. Insegnare sta al professore come imparare sta a _____
5. La preposizione sta alla morfologia come la proposizione sta a _____
6. Il volante sta all'automobile come il manubrio sta a _____
7. L'agnello sta alla pecora come il pulcino sta a _____
8. La collana sta al collo come l'anello sta a _____
9. L'altezza sta alla montagna come la profondità sta _____
10. La vista sta all'occhio come l'olfatto sta a _____
11. La biblioteca sta ai libri come l'enoteca sta a _____
12. Il medico sta all'ospedale come il giudice sta a _____

vai a pag. 24

3. Polisemia

➤ *Indicate fra quelli proposti il senso con cui sono usate nel testo letto le parole seguenti:*

1. **brillante** (r. 1)   ↔ risplendente [a] - lucido [b] - bravo [c]
2. **passo** (r. 8)   ↔ brano [a] - movimento delle gambe [b] - valico di montagna [c]
3. **fiasco** (r. 16)   ↔ recipiente di vetro [a] - insuccesso [b]
4. **privato** (r. 29)   ↔ lasciato senza [a] - individuale [b]
5. **materia** (r. 5)   ↔ disciplina scolastica [a] - sostanza [b] - pus [c]
6. **ottava** (r. 11)   ↔ che dura otto giorni [a] - strofa di otto versi [b] - intervallo musicale di otto gradi [c]
7. **rimediare** (r. 9)   ↔ ottenere [a] - ricevere bòtte [b] - porre riparo [c]
8. **commissione** (r. 13) ↔ incarico da svolgere [a] - gruppo di persone con un incarico [b] ordinazione di merce [c]
9. **strappare** (r. 19)   ↔ lacerare [a] - ottenere [b] - staccare [c]

4. Antonimi

vai a pag. 19

➤ *Scrivete il contrario delle seguenti parole:*

- promuovere ↔ ....
- piangere ↔ ....
- pubblico ↔ ....
- paura ↔ ....
- inquieto ↔ ....

- realtà ↔ ....
- iniziale ↔ ....
- sovrapporre ↔ ....
- premiare ↔ ....
- facilità ↔ ....

5. Il condizionale composto

Il protagonista del romanzo ripercorre con la memoria i pensieri e le preoccupazioni che attraversavano la sua mente la mattina in cui si recava a scuola per conoscere i risultati degli scrutini finali. Gli avvenimenti, che allora vedeva come possibili conseguenze di una eventuale bocciatura, sono espressi dall'autore al condizionale passato. La scelta verbale è giustificata dall'esigenza di evidenziare come i fatti ormai passati siano però successivi o posteriori rispetto alla narrazione principale che è anch'essa al passato.

È questo uno degli usi tipici del **condizionale composto** (o **passato**) in italiano, quello che solitamente viene anche indicato come *"futuro del passato"*. Si ha, di solito, nelle proposizioni subordinate, dichiarative o interrogative indirette, che dipendono da un verbo al passato, ed esprimono un'azione o uno stato successivo rispetto all'azione del verbo reggente.

Molto spesso, come si vede anche nel brano di Bassani, il condizionale composto oltre ad esprimere un tempo relativo assume un valore di eventualità o incertezza.

Es.:

Claudia promise che **sarebbe stata** presente alla cerimonia.

Luigi si domandava come **avrebbe potuto** fare ad arrivare in tempo.

➤ *Trasformate le frasi seguenti nel discorso indiretto come nel modello:*

modello:	Aveva dichiarato più volte: *"Mi iscriverò alla facoltà di Lettere"*.
	Aveva dichiarato più volte che **si sarebbe iscritto** alla facoltà di Lettere.

1. Fra me e me pensavo: "Quando mio padre lo saprà mi picchierà".
2. Si domandò: "Avrò ancora una volta l'appoggio della professoressa Fabiani?"
3. Mi chiese: "Chi verrà con voi?"
4. In quei momenti pensavo: "Qualsiasi punizione sarebbe preferibile al rimprovero muto dei suoi occhi".
5. Mi chiedevo: "Come saranno le mie vacanze con le lezioni private di matematica che dovrò seguire?"
6. Il povero studente si chiedeva: "Quando finirà questo tormento?"

1. Descrivete il sistema scolastico del vostro Paese.

2. Raccontate un episodio lieto o divertente della vostra vita scolastica.

3. Descrivete il curriculum degli studi che avete seguito fino ad oggi, specificando per ogni fase anche le discipline studiate.

4. Sarà capitato anche a voi di aver conosciuto un insuccesso scolastico (un voto o un giudizio negativo). Qual è stata la vostra prima reazione?

5. Un vostro amico vi telefona per dirvi che non ha superato un esame decisivo all'università e vi chiede dei consigli su come dare la notizia ai genitori che si aspettano una promozione sicura.
   Voi sapendo bene come i genitori siano orgogliosi del proprio figlio e come ci tengano ad una brillante carriera universitaria, consigliate al vostro amico la strategia più appropriata e suggerite gli argomenti che potrebbero essere, secondo voi, convincenti.

Profilo dell'autore
GIORGIO BASSANI

Nasce a Bologna il 4 marzo 1916, da famiglia ebraica, ma trascorre l'infanzia e la giovinezza a Ferrara, la città che costantemente ritorna nelle sue opere narrative. Si iscrive alla Facoltà di Lettere dell'Università di Bologna, infrangendo una lunga tradizione familiare: padre e nonno, infatti, erano medici. Dal 1935 al 1939 frequenta l'Università del capoluogo emiliano: da una parte, quindi, c'è la Ferrara degli amici, fra i quali Giuseppe Dessì (narratore) e Claudio Varese (critico letterario); dall'altra la Bologna dei docenti, delle conoscenze nuove, dei modelli umani e morali. Si laurea nel 1939 con una tesi su Niccolò Tommaseo. Nel 1940, sotto lo pseudonimo di Giacomo Marchi, Bassani pubblica il primo libro: *Città in pianura*, prose e racconti scritti in non più di qualche mese, come esercizi di stile e di lirica fantasia, ambientati a Ferrara e nel mondo borghese israelita. A cominciare da tale data, Bassani, da giovane letterato, si trasforma in attivista politico clandestino, sottraendosi sia alle amicizie letterarie ferraresi, sia a quelle più varie di Bologna. Nel 1943 viene arrestato per attività antifascista, e rimane in carcere per qualche mese, fino alla caduta del fascismo del luglio dello stesso anno.
Quando nel 1945 pubblica le poesie di *Storie dei poveri amanti e altri versi*, Bassani si accinge a vivere in pace la sua esistenza di intellettuale e scrittore, dopo anni di rischio e di disperazione. Vive a Roma insieme alla moglie e ai due figli: fa l'impiegato, il bibliotecario, l'insegnante e persino l'attore, ma continua anche a scrivere. È del 1947 una seconda raccolta di versi: *Te lucis ante*. Sono le brevi composizioni d'ispirazione religiosa di un giovane poeta non credente ma che, in ogni caso, subisce il fascino terribile, e anche atterrito, di un Dio che comanda la storia e lascia che, senza sosta né scampo, gli uomini vadano al loro destino di morte. Nel 1948 Marguerite Caetani, che fonda e cura la pubblicazione della rivista letteraria "Botteghe Oscure", chiama Bassani a dirigerla.

Le vicende della vita di Bassani sono sempre più legate alla pubblicazione dei suoi libri. Nel 1951 pubblica ancora composizioni poetiche sotto il titolo *Un'altra libertà*, versi autobiografici e relativi a un mondo concreto, dopo le fondamentali esperienze degli anni della guerra e della terribile realtà dell'odio. Intanto, svolge intensa attività di sceneggiatore cinematografico.

Il 1953 segna il ritorno di Bassani alla pagina di prosa con la pubblicazione di *La passeggiata prima di cena* che, unitamente a *Gli ultimi anni di Clelia Trotti*, uscito nel 1955, e ad altri racconti (*Storia d'amore*; *Una lapide in via Mazzini*; *Una notte del '43*), formano le *Cinque storie ferraresi* del 1956 (premio Strega di quell'anno). Due anni dopo Bassani pubblica *Gli occhiali d'oro*. Il 1958 è anche l'anno in cui Bassani, consulente e direttore editoriale della Feltrinelli, scopre e lancia un nascosto talento della letteratura italiana: Giuseppe Tomasi di Lampedusa, autore de *Il Gattopardo*.

Nel 1962 Bassani pubblica *Il giardino dei Finzi-Contini*, il suo primo vero romanzo, premio Viareggio di quell'anno. Il libro è la completa espressione del mondo dello scrittore che, a cominciare dal piano formale per finire a quello ideologico, sta nel contesto dialettico tra prosa d'arte e coscienza storica: vale a dire, tra desiderio della bella pagina e della scrittura di buon gusto da un lato, ed esperienza morale, intellettuale e politica e vocazione testimoniale dall'altro. Tutto questo raccontato sul filo della memoria, nella Ferrara della sua giovinezza, durante gli anni in cui il fascismo veniva facendosi dittatura intollerabile, a cominciare proprio dalla promulgazione delle leggi razziali.

Dopo essere stato consulente e direttore editoriale, Bassani, tra il 1957 e il 1967, è vicepresidente della RAI (Radiotelevisione italiana), presidente di "Italia Nostra" (associazione per la tutela del paesaggio e la cura del patrimonio artistico), docente di Storia del Teatro all'Accademia Nazionale di Arte Drammatica a Roma.

La cronologia delle sue opere vede la stampa di due libri di prosa: *Dietro la porta* (1964) e *L'airone* (1968) con l'intermezzo della raccolta di saggi *Le parole preparate* (1967). Nel 1972 pubblica la raccolta di racconti *L'odore del fieno*, cui seguono le poesie di *Epitaffio* (1974) e di *In gran segreto* (1978).

Gli ultimi anni della vita dello scrittore sono sconvolti da una grave malattia che colpisce proprio le sue capacità intellettive. Dissapori e rivalità all'interno della famiglia rendono ancora più tristi gli ultimi anni.

Bassani muore a Roma il 12 aprile 2000.

2. GILDA

Gli incanti, gli amori che ci ha dato il tempo sono tutti perduti? Certo le creature più care non si riconoscono più; ad altre creature, ad altri incanti, noi siamo irremissibilmente[1] soggiogati.

"Gilda? Gilda!"

5 Il tempo l'aveva camuffata. Allora non era nemmeno bionda. Ricordava benissimo.

Parecchi anni erano stati vicini di casa; e da un piano a un altro, nello scendere e salire per la scuola, egli la vedeva quasi ogni giorno sulla porta del suo appartamento. Lei lo aspettava lì o alla finestra. Non c'erano altri giovanotti nel palazzo.

10 Poi erano andati assieme a scuola; e le due famiglie, già così riservate nelle amicizie del palazzo, avevano dovuto stringere rapporti in grazia loro. I genitori di Adolfo si tenevano, lì, quasi per nobili, ma il padre di Gilda, industriale in laterizi[2], venne accolto come il più ricco del viale.

"Gilda-Adolfo", "Adolfo-Gilda", ambedue erano cresciuti quasi assieme, sui com-
15 piti di scuola, nelle corse in giardino. Segretamente Adolfo cominciava ad amarla: adorava i suoi quaderni, le sue matite, i suoi pennini, i suoi libri di scuola; poich'ella frequentava l'Istituto Tecnico egli odiò il proprio latino, il proprio greco, sospirò come incantevoli materie quelle che i compagni di lei avevano la fortuna di studiare, le matematiche, le scienze fisiche e chimiche, il disegno. I testi d'algebra e di trigono-
20 metria gli parvero più avventurosi dei romanzi di Salgari[3]: imparò le lezioni che imparava lei e le proprie trascurò; fece i suoi compiti e divenne più bravo di lei. Arrivò a pregare i genitori di esser passato all'Istituto Tecnico; il latino e il greco del Liceo non gli confacevano[4], diceva, e un professore prese anche le sue parti, cercò di convincere, di intercedere[5] per lui.

25 I genitori accoglievano queste manie e queste proposte con il vecchio orrore della borghesia per gli studi tecnici. La tradizione degli studi classici è una antica e saggia debolezza di certe classi borghesi che da secoli esercitano le professioni libere.

"Mai e mai" gridava il padre di Adolfo. "Dopo averlo portato su con tanti stenti? Che sarebbe di lui? Un impiegato? Mai e mai!"

30 E la madre aggiungeva quasi commossa, con quella commozione aulica[6] di corifea[7], ch'è delle signore ben vestite quando il marito confida a qualcuno delle amarezze:

"Capisce professore, noi daremo il sangue purché egli continui la professione del padre. Che significa l'Istituto Tecnico? Ma è per i figli d'operai."

35 L'eco della tempesta familiare giunse, con l'allusione offensiva, all'orecchio del padre di Gilda.

"Che hanno mai per la testa questi avvocatucci?" strepitò. "Il latino monta loro il sangue. Ma cosa ne facciamo oggi delle lingue morte? Oh, perbacco, mia figlia avrà un ragioniere per marito, piuttosto che un commesso di notaio. Vedremo cosa è un
40 industriale che si rispetti. Figlio di operai? Quando mio padre governava una fabbrica loro copiavano ancora carte in pretura."

D'allora le due famiglie si guardarono in cagnesco e quella di Gilda finì per sloggiare[8]. Andarono, padre, madrigna, figliola e cameriera, ad abitare un miglio più giù fuori la vecchia porta della città, quasi vicino alla fabbrica. Adolfo e Gilda non fecero più i compiti insieme, e allora invece dei quaderni, dei testi scolastici, delle materie di studio, egli mise la propria ammirazione addosso alle sue cose più intime. E cominciò a guardare i suoi abiti, le sue pellicce, i suoi guanti, i suoi cappellini, il suo ombrello, le sue calze, le sue scarpine.

[...]

Quegli abiti e quei cappellini che cambiava così spesso, e più quella pelliccia d'ogni giorno, gli furono cari come oggetti innamorati. Se ella ne lasciava uno alcuni giorni, poi alcune settimane, fino a che si capiva che non l'avrebbe ripreso, Adolfo ne soffriva come se qualcosa di lei, della sua persona, si fosse perduto. E l'avrebbe quasi fermata per dirglielo, per pregarla di rimettere ancora un giorno, magari solo un giorno ogni mese, quel mantello o quel cappellino, di mostrare insomma, magari illudendolo, che non li aveva affatto abbandonati.

Così si può capire come si fosse fatta preziosa, necessaria per lui, la vista della pelliccia di gatto russo che ella indossava ogni giorno e il freddo, la nebbia, la pioggia le impedivano di cambiare con qualche cosa di voluttuoso e variabile. Tutto l'amore di Adolfo resisteva in questa pelliccia come in un ultimo anello dell'antica catena di intimità che si era poco a poco, giorno a giorno, col rinnovarsi delle sue care parvenze, distrutta.

Il ricordo più recente di lei era appunto di quelle mattine invernali, quando la sua figurina saltellante appariva all'angolo del bastione[9], imbacuccata nella pelliccia verdognola, con un cappellino rosso o bleu in capo, e aveva sempre un po' di freddo preoccupata di celare ad ogni costo il visetto e specie quegli occhi così neri che s'incontravano con gli occhi di Adolfo, la facevano arrossire terribilmente e, d'altra parte, non riuscivano a trattenere la forza felice di un sorriso.

In che cosa questa damina profumata, maliziosa, allusiva, dipinta sulle labbra e sotto gli occhi, questa damina che veniva ora a baciarlo sul collo in mezzo a una folla mondana, in pieno ballo, in che cosa somigliava alla Gilda? I suoi capelli non erano nemmeno neri e morbidi, come allora sotto alle bande del cappellino rosso. La signorina se li era ossigenati, tagliati e arricciati alla maniera più "chic".

(E. VITTORINI, *Racconti*, in *Le opere narrative*, Mondatori, Milano, 1974)

---

1. senza rimedio ■ 2. mattoni ■ 3. Emilio Salgari (1863-1911), scrittore di numerosi romanzi e racconti di avventura ambientati nell'Oriente. Tra i personaggi da lui creati il più noto è Sandokan ■ 4. si adattavano ■ 5. intervenire in favore di qualcuno ■ 6. nobile, colto ■ 7. capo dell'antico coro greco ■ 8. andare o mandare via da un posto ■ 9. opera di fortificazione posta agli angoli di una fortezza o castello

1. Informazioni specifiche

1. La protagonista di questo racconto è Gilda, primo amore di gioventù di Adolfo.
   Di lei indicate:
   - dove abitava;
   - il colore dei capelli e degli occhi;
   - la scuola che frequentava;
   - l'attività di suo padre.

2. Di Adolfo, l'altro protagonista del racconto, indicate:
   - che cosa faceva e cosa era disposto a fare per amore;
   - su quali oggetti di Gilda è diretta la sua ammirazione prima e dopo la rottura
     fra le due famiglie;
   - con chi balla alla fine del racconto.

3. Indicate le materie fondamentali del Liceo e dell'Istituto Tecnico.

4. Indicate il motivo dell'opposizione dei genitori di Adolfo al suo progetto, e la causa della
   rottura dell'amicizia fra le famiglie di Gilda e Adolfo.

2. Sintesi

➤ *Completate la seguente sintesi del racconto inserendo le parole mancanti:*

Gilda e Adolfo erano cresciuti insieme. Abitavano nello stesso _____, andavano a scuola insieme e insieme _____ nel giardino.

Con il tempo fra i due _____ nacque una tenera amicizia. Adolfo amava ogni
cosa che _____ Gilda, perfino le materie dell'Istituto _____ che lei
frequentava. Infatti, nonostante che Adolfo fosse uno studente del _____ classico si mise a studiare le scienze _____ e chimiche e la matematica per fare i
_____ insieme a Gilda. E arrivò addirittura a _____ ai propri genitori di poter _____ all'Istituto Tecnico.

La richiesta trovò la più _____ opposizione dei genitori, che mai e poi mai
_____ tollerato che il loro figlio frequentasse una scuola per figli
d'_____ .

Le espressioni _____ usate dai genitori di Adolfo giunsero all'_____
dei genitori di Gilda, i quali si offesero e _____ ogni rapporto di amicizia. Dopo
un po' _____ casa ed andarono ad abitare fuori città. Da allora Gilda e Adolfo
non si frequentarono più, non _____ più insieme. Ogni tanto, tuttavia, Adolfo la
incontrava per _____, la guardava da lontano e così cominciò ad affezionarsi ai
suoi abiti.

Anche dopo molto tempo il _____ di Gilda era legato a quegli incontri di quelle mattine _____ in cui la vedeva imbacuccata nella sua pelliccia di gatto russo.

vai a pag. 11

1. Campi semantici

➤ *Ricercate nel testo letto e trascrivete qui appresso le parole che semanticamente si riferiscono a:*

- oggetti scolastici: _____

- abbigliamento: _____

- discipline scolastiche: _____

- parentela: _____

vai a pag. 57

2. Sinonimi

➤ *Per ciascuna delle parole proposte indicate il sinonimo fra i tre termini suggeriti:*

1. **camuffare** (r. 5)	nascondere [a]	alterare [b]	mascherare [c]
2. **stento** (28)	difficoltà [a]	problema [b]	patimento [c]
3. **allusione** (r. 35)	sogno [a]	accenno [b]	legamento [c]
4. **sloggiare** (r. 44)	slegare [a]	espellere [b]	sciogliere [c]
5. **voluttuoso** (r. 59)	sensuale [a]	volenteroso [b]	vizioso [c]
6. **parvenza** (r. 62)	immagine [a]	impressione [b]	apparenza [c]
7. **celare** (r. 66)	nascondere [a]	coprire [b]	scherzare [c]

3. Modi di dire

➤ *Con l'aiuto del dizionario, spiegate il senso delle seguenti espressioni presenti nel testo di Vittorini:*

1. guardarsi in cagnesco
2. prendere le sue parti
3. dopo averlo portato su con tanti stenti
4. Che hanno per la testa questi avvocatucci?
5. Il latino monta loro il sangue

1. Coesione testuale

> Le varie parti di un testo sono collegate fra loro da parole che rimandano a ciò che è già stato detto oppure a ciò che verrà detto successivamente.

➤ *Per le frasi seguenti tratte dal testo indicate a chi si riferisce il termine evidenziato:*

1. "Le due famiglie avevano dovuto stringere rapporti in grazia loro". (r. 10-11) Chi sono "loro"?

_____

2. "L'eco della tempesta familiare giunse, con l'allusione offensiva, all'orecchio del padre." (r. 35)
   A cosa fa riferimento il termine "tempesta"?
   Qual è l'allusione offensiva?

_____

3. "Quando mio padre governava una fabbrica loro copiavano ancora carte in pretura". (r. 40-41) Chi sono "loro"?

_____

4. "Adolfo ne soffriva come se qualcosa di lei si fosse perduto." (r. 52-53) Di che cosa soffriva?

5. "E l'avrebbe quasi fermata per dirglielo" (r. 53-54) Dire che cosa?

_____

2. Riformulazioni

➤ *Riscrivete le frasi sostituendo le parole o espressioni in corsivo con una equivalente senza modificare il senso della frase:*

1. *Le creature* più care non si riconoscono più: ad *altre creature*, ad altri incanti *noi siamo irremissibilmente soggiogati*.
2. Il tempo l'*aveva camuffata*.
3. Le famiglie *avevano stretto rapporti in grazia loro*.
4. *L'eco della tempesta familiare* giunse all'orecchio del padre di Gilda.
5. Mio padre *governava* una fabbrica.
6. Il ricordo più *recente* di lei era appunto di quelle mattine invernali.

3. Infinito preposizionale

➤ *Completate le seguenti frasi con l'opportuna preposizione:*

1. È arrivato _____ dire che avevo cominciato io _____ parlare ad alta voce.
2. Non potendo più sopportare quel rumore, ha finito _____ andarsene.
3. Per la felicità non riusciva _____ trattenere le lacrime.
4. La sua timidezza gli impediva _____ rivelarle tutto il suo affetto.
5. Ho cercato _____ convincerlo _____ desistere dal proposito, ma non c'è stato verso.
6. Ti prego _____ non farlo.
7. Lo ha spinto _____ tentare la fortuna con le carte.

4. Parole polifunzionali: COME

Come è un elemento linguistico polifunzionale. Può essere, infatti, un **avverbio**, una **congiunzione**, una **preposizione** o un **sostantivo**.

A. Avverbio

L'avverbio *come* esprime l'idea di modalità nella sua più ampia estensione: *in quale modo, in quali condizioni, di che qualità, con quali mezzi, per quale via*, ecc. Introduce frasi **interrogative dirette o indirette** e frasi **esclamative**. Nelle interrogative **come** se è seguito da "mai" significa "perché":

Es.:

Come te la passi?
Come stai? **Come** va?
Così si può capire **come** si fosse fatta preziosa la vista della pelliccia di gatto russo.
Dimmi **come** sta Mario.
Come è buono! L'hai fatto tu?

B. Congiunzione

La congiunzione **come** è usata per introdurre vari tipi di frase subordinata: una **proposizione comparativa** (spesso in correlazione con "così" "quanto") (È tanto felice **come** non avrei mai immaginato.); una **proposizione comparativa ipotetica** (Mi rimproveri **come se** la colpa fosse mia!); una **proposizione** con valore c**omparativo-relativo**: **come** significa *il modo in cui, nel modo in cui* (Da un po' sto osservando **come** parli.); una **proposizione modale** (Agisci **come** ti sembra opportuno.); una **proposizione temporale** (**Come** si accorse del furto, chiamò la polizia.); **una proposizione incidentale** (Sono rimasto, **come** ben sai, senza una lira.); una **proposizione interrogativa indiretta** (Voleva sapere **come** avessi fatto a finire così presto.); una **proposizione dichiarativa** (Mi ha raccontato **come** sono andate le cose.); una **proposizione causale** (piuttosto rara!) (**Com**'era di luglio e faceva un gran caldo, si tolse anche il vestito, aspettando. (G. Verga)).

Spesso è difficile distinguere con precisione una proposizione comparativa introdotta da **come** da una modale. I due valori, infatti, possono essere entrambi presenti. Ad esempio, se dico: *"Le cose sono andate **come** avevo previsto"*, può significare che sono andate nella maniera in cui le avevo previste, oppure che sono uguali nel loro svolgimento a quelle che avevo previste.

Come si vede, definire e classificare le strutture linguistiche in modo univoco non è sempre facile e possibile. Non dimentichiamo che classificare significa sovrapporre dei principi, dei criteri d'ordine logico a dei "materiali" e "universi" che spesso, di per sé, logici non sono.

C. Preposizione

La preposizione **come** significa: *allo stesso modo, alla maniera di, nella stessa misura*, ed introduce un comparativo di uguaglianza (quando il secondo termine è un pronome personale, questo è nella forma obliqua). In espressioni rette da un verbo copulativo significa *"con le stesse qualità di…"*:

Es.:

> Gli furono cari **come** oggetti innamorati.
> Ti voglio bene **come** a un figlio.
> Nessuno parla l'italiano bene **come** te.
> È forte **come** un toro.

2. La preposizione **come** può introdurre il **complemento predicativo del sogget-to o dell'oggetto**, ed allora significa: *nella qualità di, nelle funzioni di*:
Es.:

> È stato eletto **come** rappresentante della categoria,
> Venne accolto **come** il più ricco del viale.

3. Può introdurre, infine, un *complemento di limitazione* (talora con sfumatura causale) ed equivale a *"in quanto"*, *"quanto a"*:
Es.:

> Ha raccolto, **come** unico erede, un grande patrimonio.

a. *Indicate se, nelle frasi che seguono,* **come** *è usato come avverbio (interrogativo diretto o indiretto, esclamativo), o come congiunzione (tipo di subordinata che introduce) oppure come preposizione:*

1. Sospirò **come** incantevoli materie quelle che i compagni di lei avevano la fortuna di studiare.
2. Ne soffriva **come** se qualcosa di lei si fosse perduto.
3. Tutto l'amore di Adolfo resisteva in questa pelliccia **come** in un ultimo anello dell'antica catena di intimità.
4. I suoi capelli non erano neri e morbidi **come** allora.
5. Non sapeva **come** spostarsi ad argomenti più specifici.
6. Mi chiedevo **come** saremmo arrivati a parlare del mio stipendio.
7. Lo hanno scelto **come** loro portavoce presso il Consiglio d'amministrazione.
8. Mi spiegò **come** le condizioni dell'azienda fossero via via peggiorate e avesse dovuto fare dei licenziamenti.
9. **Come** gli studenti arrivavano, venivano mandati nelle aule.
10. Non mi piace **come** ti vesti.

b. *Completate le frasi che seguono con il verbo dato fra parentesi alla forma opportuna:*

1. Non so **come** tu (fare) _____ a sopportare questo caldo.
2. Nessuno immaginava **come** (potere) _____ vivere con così poco.
3. **Come** (volere) _____ essere al suo posto!
4. Le cose non sono andate **come** (io-sperare) _____ .
5. È molto meglio di **come** mi (aspettare) _____ .
6. Prende la cosa troppo alla leggera, **come** se non ci (essere) _____ di mezzo questioni importanti.
7. **Come** se non lo (io-conoscere) _____ , quell'imbroglione!
8. Lo trattarono **come** (essere) _____ un estraneo.
9. **Come** lui (entrare) _____ in scena, scoppiò l'applauso.
10. Mi spiegò **come** a causa del peggioramento delle condizioni dell'azienda (dovere) _____ fare dei licenziamenti.

1. Un incontro con una persona che non vedevate da molto tempo: raccontate le sensazioni e le emozioni che avete provato in quell'occasione.

2. L'attenzione sempre maggiore alla comunicazione fra persone di lingue e nazionalità diverse ha portato ad un progressivo ridimensionamento, negli ordinamenti scolastici, degli studi delle lingue classiche, da molti indicate anche come "lingue morte". Dite quale senso o utilità può avere oggi lo studio delle lingue antiche.

3. La scuola è molto spesso il luogo in cui nascono le prime simpatie, le prime "cotte" e anche i primi amori fra un ragazzo e una ragazza. Conoscete un storia d'amore "sbocciata" fra i banchi di scuola? Provate a raccontarla oralmente o per iscritto.

4. "Gli incanti, gli amori che ci ha dato il tempo sono tutti perduti? Certo le creature più care non si riconoscono più; ad altre creature, ad altri incanti, noi siamo irremissibilmente soggiogati".
   Quali riflessioni e quali ricordi suscita in voi questa frase di Vittorini?

5. Una signora scrive ad un settimanale femminile la lettera che segue. Provate voi a dare una risposta alla signora.

   > "Egregio direttore, mia figlia quest'anno termina la scuola di base e l'anno prossimo inizierà la scuola secondaria. A me piacerebbe che si iscrivesse al liceo musicale. È dall'età di otto anni che studia musica e suona il pianoforte. Mio marito, che è un noto avvocato nella nostra città, vuole che frequenti il Liceo classico, che segua un indirizzo umanistico, così potrà iscriversi alla facoltà di Giurisprudenza e continuare la tradizione di famiglia. Da un po' di giorni non facciamo che discutere e litigare per questa cosa, ma mio marito è irremovibile. Nostra figlia ripete che smetterà di studiare se non potrà continuare anche a suonare.
   > Mi dica, lei signor direttore, cosa devo fare per convincere mio marito.
   >
   > (lettera firmata)

6. Una delle cause più frequenti di contrasto tra genitori e figli è costituita dalla contrarietà dei genitori all'amicizia e alla frequentazione di un amico o amica di un ceto sociale "inferiore". Tali contrasti sono talora all'origine del malessere esistenziale dei giovani o addirittura di gesti clamorosi come la fuga da casa, il suicidio o la violenza contro gli stessi genitori.
   Ciò premesso, provate a simulare in classe una discussione in cui una ragazza replica alla madre che le nega di frequentare un certo ragazzo:

Argomenti della madre:

- *lui non ha ancora un lavoro;*
- *non è nemmeno laureato;*
- *suo padre è un semplice elettricista;*
- *sua madre ha fatto la domestica per vent'anni;*
- *vivono in uno squallido appartamento in affitto;*
- *hanno amicizie e conoscenze non pari al nostro livello.*

Repliche della figlia:

- *un lavoro ....*
- *la laurea non è ...*
- *fare l'elettricista...*
- *una domestica...*
- *vivere in un appartamento in affitto...*
- *i ruoli sociali.....*

Profilo dell'autore
ELIO VITTORINI

E' nato a Siracusa nel 1908. Interrotti gli studi tecnici, ha iniziato una vita avventurosa di fughe e vagabondaggi dalla Sicilia: per vivere ha fatto diversi mestieri, come l'assistente nei cantieri edili, il correttore di bozze, il linotipista. La sua vera passione era tuttavia la letteratura: legge e studia da autodidatta.

Nel 1928 ha cominciato la sua collaborazione di critico letterario con diversi giornali, e nel 1930, trasferitosi a Firenze, è entrato alla rivista "Solaria", dove ha pubblicato a puntate a partire dal 1933 il suo romanzo più noto, *Il garofano rosso*, che descrive la formazione di un adolescente che nella rivolta e nella violenza realizza la sua maturazione. Il romanzo a causa della censura fascista verrà pubblicato in volume solo nel 1948.

Nel 1938 Vittorini si trasferisce a Milano. La sua posizione politica in quel periodo si sviluppa verso un deciso antifascismo che lo porta ad iscriversi al P.C.I. Da questa nuova condizione di spirito uscirà *Conversazione in Sicilia* (1941), vicenda di un uomo che lascia Milano e torna alla sua terra, la Sicilia, riscoprendo con i ricordi e i miti dell'infanzia anche la durezza e la tragicità del vivere. *Conversazione in Sicilia* rappresenta l'immersione nelle vicende umane e la scoperta della miseria, delle sofferenze e delle offese. La sguardo non è puntato solo sulla Sicilia, ma è la generale condizione umana che lo interessa. Questi temi vengono ripresi nel romanzo *Uomini e no* (1945), nel quale Vittorini rielabora la propria esperienza di combattente nella Resistenza. Dopo alcune prove dai risultati non sempre felici (i romanzi *Il Sempione strizza l'occhio al Fréjus* e *Le donne di Messina*, e il racconto *La garibaldina*), Vittorini torna alla grande narrativa con *Le città del mondo*, intrapreso nel 1952 e poi accantonato (sarà pubblicato postumo nel 1969).

Vittorini ha svolto un'importante attività culturale. Nel 1942 ha pubblicato l'antologia *Americana*, in cui sono raccolte le opere dei più importanti narratori americani contemporanei, contribuendo a far nascere il mito dell'America nella letteratura italiana. Nel 1945 ha fondato la rivista "Il Politecnico", periodico impegnato a dar vita ad una cultura che fosse capace di fondere tra loro cultura scientifica e cultura umanistica e potesse essere strumento di trasformazione e di miglioramento della condizione dell'uomo, non solo forma di "consolazione"dei suoi mali. "Il Politecnico" raccolse i contributi dei più prestigiosi intellettuali italiani. Infine, nel 1959 ha fondato con Italo Calvino la rivista letteraria "Il Menabò", dove pubblicherà alcuni saggi, tra i quali è importante ricordare *Letteratura e industria*: egli vede nel romanzo industriale una nuova forma narrativa che può dare agli uomini la consapevolezza dell'alienazione e ne può progettare il processo di liberazione. Vittorini è morto a Milano nel 1966.

3. LO SCOLARO PALLIDO

Il professore insegnava già da vent'anni e la sua vita aveva preso quel ritmo immutabile, al riparo[1] da scosse[2] e da sorprese, che rappresentava un giusto premio alla sua diligenza[3]. Era dimenticato ormai l'entusiasmo dei primi tempi, quando la presenza di un nuovo scolaro significava per lui quasi l'inizio di un'avventura, e il vertiginoso[4] giro dei visi, dei nomi e delle voci lo teneva avvolto in un favoloso mistero, come succede al mago[5] fra le lettere dell'enigma. Era stato in giovinezza uno spirito impetuoso e curioso, disinteressato e ricco di passioni. Ma ora, calmo e metodico, attento alla sua salute e geloso della propria quiete mentale, rinnegava quei tempi. La sua figura grassotta e rosea, la sua barbetta, i ricci[6] appena grigi, e quella leggera prominenza[7] del ventre sotto la giacca bene abbottonata emanavano nell'insieme un'aria assennata[8] e dignitosa che gli attirava il rispetto universale. La sua giornata consisteva dunque nelle lezioni di cui aveva imparato a memoria fino i toni della propria voce che esponeva sempre le stesse regole con le stesse parole; nei pasti cucinati dalla vecchia cuoca e assaporati ad ora fissa con piacere sempre crescente; in poche bonarie conversazioni coi colleghi al caffè; e nei sonni tranquilli e ininterrotti nel suo letto di celibe[9] [...]

Un anno però cominciò con pessimi auspici[10]. Egli soffriva d'insonnia, il che non gli era mai più capitato dal tempo degli amori giovanili. Inoltre un male acuto che partiva dal mezzo della sua fronte e girava ronzando[11] nel suo cervello, a un tratto lo interrompeva nel discorrere con un'improvvisa nausea e capogiro. Accresceva il suo malore la presenza in classe di un nuovo discepolo. Era un ragazzo pallido, che entrava ogni mattina in punta di piedi e si sedeva allo stesso posto, nel primo banco a sinistra rimanendo là per tutta la lezione a braccia conserte[12]. La cosa più irritante in questo scolaro era che egli portava sempre il berretto in testa, e il professore, a causa di una repulsiva[13] timidezza e antipatia, non osava fargli osservazioni in proposito. Per lo stesso motivo, egli non aveva mai chiamato alla lavagna lo scolaro, sebbene la scuola fosse cominciata da parecchi giorni, e non aveva neppure cercato il suo nome sul registro. Non sapeva dunque come si chiamasse, e avrebbe potuto fingere d'ignorarne la presenza; senonché i suoi sguardi durante la lezione cadevano sempre là, e gliene derivava un malessere angoscioso. Il fatto è che tutto in quel viso puerile[14] e stranamente disfatto tutto pareva disapprovare il professore, anzi beffarsi[15] di lui. Gli occhi non cessavano di osservarlo con una straordinaria fissità e le labbra erano sempre contratte in un tenue sorriso di scherno[16]. "In nome di Dio", avrebbe voluto dire il professore, "che cos'hai da disapprovarmi? Quello che spiego è forse inesatto, forse il metodo non ti piace?", ma il semplice formulare fra sé questa domanda subito gli risvegliava quel pungente spasimo[17] in mezzo alla fronte, così che egli vedeva ogni mattina con una sorta di panico lo scolaro pallido entrare e sedersi al solito posto. Un giorno, quella presenza ebbe infine il potere di esasperarlo[18]: un testimone, ecco quel che pareva, un testimone malevolo incaricato da qualche tribunale di raccogliere le parole del professore una per una, di notarle, di tendergli tranelli[19]. Questo era: e per un'ora il professore misurò attentamente

le proprie frasi, corresse in tempo le parole che stavano per uscirgli di bocca; osservando poi di sbieco[20], non senza un brivido, quel pallido viso dalle occhiaie nere, per cogliervi un segno di approvazione e di comprensione. Ma no, la piccola bocca
45 si piegava sdegnosa, gli occhi scintillavano di cupo scherno. "Ah, piccolo delinquente!" gridò a un certo punto, fuori di sé, il professore. "Levati il berretto, quando sei nella scuola, discolo e villano! So bene che hai sotto il berretto, in mezzo alla fronte, una brutta cicatrice[21] bianca! Ma ti ordino di scoprirti il capo davanti a me, subito; hai capito?" La scolaresca si guardò in giro dubbiosa; infine il primo della
50 classe, antipatico per i suoi modi saccenti[22] di ragazzo ricco, si alzò in piedi: "Scusate signor professore", disse, "con chi parlate? Nessuno di noi si permetterebbe mai..." Ma già una buona parte degli allievi aveva notato che gli occhi del professore, pieni d'odio e di lucida furia, si fissavano sul primo banco a sinistra che, fin dall'inizio dell'anno scolastico, era vuoto.

(E. MORANTE, *Il gioco segreto*, in *Opere*, vol.I, Mondadori, Milano, 1988)

1. protetto da ■ 2. movimento violento ■ 3. impegno nel lavoro ■ 4. veloce, rapido ■ 5. persona dotata di straordinarie facoltà ■ 6. capelli ondulati e crespi ■ 7. sporgenza ■ 8. da saggio ■ 9. uomo non sposato ■ 10. presagi, indizi che fanno intravedere il futuro ■ 11. emettendo un rumore simile a quello prodotto da mosche o altri insetti quando volano ■ 12. incrociate sul petto ■ 13. che tende a respingere o allontanare qualcuno ■ 14. infantile, da bambino ■ 15. prendersi gioco di qualcuno ■ 16. ridere con disprezzo di qualcuno ■ 17. dolore acuto ■ 18. provocare irritazione e rabbia ■ 19. inganni, insidie ■ 20. di traverso, in diagonale ■ 21. segno che rimane sulla pelle dopo la guarigione di una ferita. ■ 22. che mostra il proprio sapere in modo eccessivo e antipatico

a | COMPRENSIONE DEL TESTO

1. Informazioni specifiche

a. Del professore indicate:

- l'aspetto esteriore
- il carattere così come è mutato nel tempo
- le abitudini
- lo stato civile
- gli anni di insegnamento

b. dello scolaro indicate:

- il nome
- l'aspetto esteriore
- l'abbigliamento
- il comportamento e l'atteggiamento che teneva in classe

2. Analisi stilistica

Nel testo della Morante ricorrono frequenti coppie di parole, aggettivi e sostantivi, che precisano e descrivono tratti somatici e psicologici del professore o suoi atteggiamenti e comportamenti.

> *Individuate tali coppie completando le frasi che seguono:*

- da giovane era stato uno spirito *impetuoso* e *curioso* e anche _____
- mentre ora è _____, _____
- la sua figura è _____
- la sua aria _____
- i suoi sonni sono _____
- non osava fare osservazioni a quello scolaro per una sua repulsiva _____
- per cogliervi un segno di _____

3. Analisi del discorso narrativo

Ogni discorso narrativo prevede un narratore. Il narratore è un artificio letterario creato dall'autore. In pratica è la voce che racconta la storia.

Un narratore può essere **esterno** o **interno** rispetto alla storia.

Il narratore esterno è chi racconta una storia a cui è completamente estraneo, mentre il narratore interno coincide con uno dei protagonisti della storia stessa; egli narra qualcosa a cui ha partecipato direttamente.

A seconda che il narratore sia esterno o interno cambia il punto di vista o **focalizzazione** del racconto.

Il narratore esterno può essere uno che sa tutto della storia (narratore onnisciente), tanto da rappresentare talora anche la coscienza dei personaggi e i loro pensieri. In questo caso il racconto è *"non focalizzato"*. Oppure, se il narratore esterno mantiene un atteggiamento o posizione completamente estranea e si limita a registrare quanto si può osservare esternamente, si ha un racconto a *"focalizzazione esterna"*. Un narratore interno, invece, adotta il punto di vista di un personaggio e quindi ha della storia una visione limitata e parziale. Si ha allora un racconto a *"focalizzazione interna"*.

a. *Analizzate il racconto della Morante evidenziando le parti che segnalano la presenza di un narratore esterno onnisciente (si tratta di un "racconto non focalizzato").*

b. *Trasformate il racconto della Morante a partire dal secondo paragrafo («Un anno però...») in una narrazione a focalizzazione interna, immaginando che a raccontare la storia sia quel "primo della classe dai modi saccenti" che alla fine del racconto si rivolge il professore.*

4. Sintesi

> *Riesponete il racconto in modo sintetico.*

1. Polisemia

vai a pag. 24

➤ *Costruite delle frasi in cui le seguenti parole abbiano un significato diverso da quello con cui sono usate nel testo letto:*

1. spirito   (r. 6)
4. tono   (r. 12)
7. banco   (r. 22)

2. figura   (r. 9)
5. tratto   (r. 19)
8. capo   (r. 48).

3. aria   (r. 11)
6. classe   (r. 21)

2. Antonimi

➤ *Ricercate nel primo paragrafo del testo gli antonimi delle parole seguenti e trascriveteli accanto:*

1. mutevole   _____
3. fine   _____
5. assenza   _____
7. maestro   _____
9. castigo   _____

2. svogliatezza   _____
4. calante   _____
6. vecchiaia   _____
8. imparare   _____
10. sposato   _____

3. Sinonimi

vai a pag. 57

➤ *Cancellate in ogni gruppo di parole il termine che non è sinonimo degli altri:*

1. scolaro - alunno - discente - discepolo - discendente - allievo.
2. discolo - birbante - brigante - monello - scavezzacollo.
3. guida - docente - maestro - insegnante - professore.
4. enunciato - frase - periodo - sentenza - proposizione.
5. ragazzo - adulto - fanciullo - giovane - adolescente.
6. malore - malessere - spasimo - irritazione - disturbo.

4. Suffissi

> Il suffisso **-oso** serve a formare aggettivi che indicano la presenza di una certa qualità o sostanza. Ad es.: "spiaggia sabbiosa" significa che "ha la sabbia", "muscoloso" significa che "ha forti muscoli", "bambino pauroso" significa che "ha paura". In molti aggettivi, tuttavia, questo suffisso indica "che produce qualcosa"; ad es.: "film pauroso" vuol dire che "mette paura".

a. *Spiegate il significato dei seguenti aggettivi in "-oso", ed indicate il nome da cui derivano:*

1. vertiginoso: _____
2. favoloso: _____
3. impetuoso: _____
4. luminoso: _____
5. dubbioso: _____
6. noioso: _____
7. superstizioso: _____
8. ombroso: _____
9. afoso: _____

10. affettuoso _____
11. brioso _____
12. chiassoso _____
13. costoso _____
14. dannoso _____
15. difettoso _____
16. erboso _____
17. doloroso _____
18. fruttuoso _____

> Da uno stesso sostantivo si formano talora con suffissi diversi aggettivi diversi per significato, ad es. da "terra" si hanno: *terroso, terrestre, terreo, terreno,* ecc.

b. Per le seguenti coppie di aggettivi derivati da uno stesso sostantivo indicate, anche con l'aiuto del dizionario, il diverso significato:

1. barboso   - barbuto
2. fantasioso   - fantastico
3. festoso   - festivo
4. terroso   - terrestre
5. acquoso   - acqueo
6. industrioso   - industriale
7. pericoloso   - pericolante
8. numeroso   - numerico
9. ufficioso   - ufficiale
10. penoso   - penale
11. carnoso   - carnale

vai a pag. 82

5. Modi di dire

> *Spiegate il significato delle seguenti espressioni usate nel testo:*

1. entrare in punta di piedi: _____
2. tendere tranelli: _____
3. osservare di sbieco: _____
4. essere fuori di sé: _____
5. misurare le parole: _____
6. cominciare con pessimi auspici: _____

6. Nominalizzazione

La **nominalizzazione** è l'operazione che permette di trasformare in un sostantivo un verbo o un aggettivo attraverso l'aggiunta di affissi: es.: da espellere si forma *espulsione*, da partire *partenza*, da correre *corsa*, da interrogare *interrogazione*, da grande *grandezza*, da bello *bellezza*, da utile *utilità*, ecc. Questo meccanismo è usato per realizzare frasi nominali, vale a dire frasi prive di predicato verbale.

Ess.:

Maria parte → **la partenza di Maria**

Mi piace **come ti pettini** → Mi piace **la tua pettinatura**

> *Trasformate nelle frasi che seguono la frase oggetto in un nome:*

1. Il professore voleva sapere *come si chiamasse*.
2. Il padre aveva intuito *che suo figlio era felice perché innamorato*.
3. Il professore non sapeva *che quello scolaro fosse presente*.
4. Aspettava *che la lezione finisse per uscire*.
5. Giorgio pretendeva *che io lo invitassi a cena*.
6. Il giudice voleva *che l'imputato confessasse*.
7. Ho solo espresso *che ero deluso per il suo comportamento*.
8. Aspettava *che suo marito tornasse dal viaggio per raccontargli tutto*.

7. Subordinazione e Coordinazione

Alcune frasi (o proposizioni) subordinate espandono il significato della frase o proposizione da cui dipendono attraverso particolari determinazioni, come il tempo, la causa, il modo, la concessione, l'ipotesi, ecc.; si tratta delle subordinate cosiddette "avverbiali".

Molti di questi valori, sia pure in modo più attenuato e sicuramente meno complesso, possono essere espressi attraverso la coordinazione, vale a dire usando proposizioni che sono sintatticamente sullo stesso piano.

Osservate le frasi seguenti:

1a. *Non sono uscito di casa perché stavo male.*
1b. *Stavo male, perciò non sono uscito di casa.*

2a. *Parlava piangendo.*
2b. *Parlava e piangeva.*

3a. *Nonostante che sia stanco voglio finire il lavoro.*
3b. *Sono stanco, ma voglio finire il lavoro.*

Come si vede le strutture sono cambiate ed invece della subordinata causale, modale e concessiva, si hanno delle coordinate, rispettivamente conclusiva, copulativa ed avversativa. Il significato della frase con la soluzione coordinata è analogo a quello con la subordinata.

➤ *Trasformate le seguenti frasi complesse con proposizione subordinata in frasi composte da proposizioni coordinate:*

  Es.: *Sebbene piova, esco di casa.*
       Piove ma esco ugualmente di casa.

1. Egli non aveva mai chiamato alla lavagna lo scolaro sebbene la scuola fosse cominciata da parecchi giorni.

2. Benché fosse stato in giovinezza uno spirito impetuoso e curioso la sua vita aveva ormai un ritmo tranquillo e monotono.

3. La sera non riusciva ad addormentarsi perché soffriva d'insonnia.

4. Tornato a casa dopo la lezione, si è buttato stanco morto sul divano.

5. Entrava in classe in punta di piedi e senza che nessuno se ne accorgesse si sedeva nel primo banco a sinistra.

6. Sebbene il professor Meldolesi si fosse adoperato in mio favore, non riuscii a fare una bella figura.

C | PRODUZIONE ORALE E SCRITTA

➤ *Svolgete uno dei seguenti soggetti:*

1. Nel racconto di Elsa Morante, diversi indizi fanno pensare che qualcosa di strano e di inquietante accade nella classe. Che cosa, secondo voi?

2. Al testo proposto è stata tolta la conclusione. Provate ad immaginarne una voi!

3. Che cosa ricordate del vostro maestro (o maestra) e del vostro compagno di banco della scuola elementare?

4. In base alla vostra esperienza personale, esprimete le vostre considerazioni sul rapporto esistente tra studenti e insegnanti.

ELSA MORANTE

Elsa Morante nasce a Roma il 18 agosto 1912. Qui trascorre l'infanzia in un quartiere popolare, e da autodidatta si dedica fin da giovanissima alla sua passione letteraria, mantenendosi economicamente grazie alle collaborazioni a varie riviste con articoli di costume. A queste sue prime esperienze letterarie appartengono i racconti de *Il gioco segreto* e la lunga favola *Le bellissime avventure di Caterì dalla trecciolina*. Nel 1941 sposa Alberto Moravia, con cui affronta le difficoltà e i rischi dell'occupazione tedesca. Al termine della guerra, la loro casa romana diventa un importante luogo di incontro e di dibattito culturale. Dopo *Menzogna e sortilegio* (1948), per il quale ottiene il Premio Viareggio, la Morante torna sulla scena letteraria solo nel 1957, con *L'isola di Arturo* ritenuto quasi unanimemente il suo capolavoro e con cui vince il Premio Strega. Separatasi nel 1962 da Moravia, viaggia molto e scrive reportages giornalistici, mentre escono le sue opere maggiori: *La Storia* (1974) e *Aracoeli* (1982). Colpita da una malattia invalidante, muore a Roma il 25 novembre 1985. Le prime poesie (*Alibi*, 1958) e i racconti (pubblicati in periodi diversi e riuniti nello *Scialle andaluso*, 1963) rivelano già la predilezione dell'autrice per le trame avventurose e per le passioni intense e coinvolgenti.

La piena misura di queste qualità emerge sin dal suo primo romanzo *Menzogna e sortilegio*, che mette subito in luce una vocazione di autrice solitaria, non influenzata dalle correnti e dalle mode, neppure dal Neorealismo all'epoca dominante, da cui il libro si distacca per l'intreccio ricco di avvenimenti e per l'attenzione alle psicologie individuali. Il romanzo ricostruisce minuziosamente, sia attraverso i ricordi della protagonista Elisa sia attraverso l'analisi di documenti, la storia di tre generazioni di una famiglia segnata da un ineluttabile destino di decadenza e di morte, in un continuo conflitto fra realtà e sogno. Lo stile è classico, curato ed elegante; il linguaggio, ricercato e ricco di arcaismi, è alleggerito ed equilibrato dall'ironico distacco della voce narrante. La complessità del mondo infantile e lo scontro tra immaginazione e realtà costituiscono i temi centrali dell'*Isola di Arturo* (1957), un romanzo che racconta in prima persona il sofferto passaggio dall'infanzia alla maturità di Arturo, deluso dalla figura paterna, da lui mitizzata, e preso da amore-odio per la matrigna Nunziatina, la sposa del padre che gli è quasi coetanea.

Le "poesie, poemi e canzoni" del *Mondo salvato dai ragazzini* (1968), in cui confluiscono le esperienze politiche, sociali e culturali della contestazione giovanile e del terrorismo, rappresentano un omaggio alla mancanza di regole e all'anticonformismo dei bambini e dei ragazzi, forse gli unici capaci di credere che il mondo sia quello che sembra.

Con *La Storia* – romanzo che ebbe un enorme successo a cui contribuì anche la versione televisiva – la Morante si inserisce in quell'indirizzo letterario che negli anni Settanta del Novecento tende a recuperare forme di narrativa tradizionale. La vicenda, che abbraccia il periodo della Seconda guerra mondiale e del dopoguerra, ruota intorno al rapporto e allo scontro fra la Grande Storia, fatta dai potenti e dagli oppressori, e la piccola storia degli umili e degli oppressi, colpiti, feriti e travolti dalla violenza e dal sopruso. Le sofferenze degli umili personaggi della Storia sono lo specchio della condizione umana, in cui tornano i motivi conduttori della narrativa della scrittrice: un desiderio di felicità insoddisfatto, una commossa partecipazione alle sofferenze dell'umanità e insieme il richiamo intenso e dolente alla ragione, perché contribuisca a far rispettare la dignità degli esseri umani. La vasta architettura del libro è congegnata secondo i modelli del grande romanzo ottocentesco, al quale richiama anche la presenza di un narratore onnisciente, che non si identifica né con l'autrice né con la protagonista.

Una visione tragica della storia e della vita anima anche l'ultimo romanzo, *Aracoeli*, che però, diversamente dalla *Storia*, è un'opera difficile, non popolare, dalla struttura complessa e dal ritmo lento, che si perde in compiacimenti macabri e in un esotismo con punte di volontaria provocazione.

4. INSEGNANTE D'ITALIANO

La Supreme Language School è nel cuore di Beverly Hills, al settimo piano di un palazzo alto. L'ascensore dà direttamente sull'anticamera. Le pareti dell'anticamera sono coperte di fotografie di attori, attrici, registi e cantanti famosi. Tutte le fotografie sono firmate e dedicate, con frasi come: "Grazie Jacques per avermi insegnato a
5   dire Je t'aime".
La mattina del colloquio ho camminato per l'anticamera con le mani dietro la schiena, guardando le fotografie. La segretaria seduta a un tavolo parlava in portoghese con qualcuno che chiamava "Vostra Eccellenza". La moquette era spessa cinque centimetri; a ogni passo i talloni mi affondavano nella superficie soffice. Le luci
10 erano tenui, filtrate da tende spesse alle finestre e bocce giallo oro sui lampadari a piede. Intravedevo un finto arazzo alla parete di una stanza aperta sul corridoio. C'era un profumo acuto di gelsomino, che sembrava emanare dalle pareti o dal pavimento. Cercavo di rallentare il ritmo del mio respiro ma senza riuscirci molto. Avevo paura che scoprissero da un momento all'altro di avermi chiamato per sba-
15 glio; camminavo sulla moquette come su un terreno minato.
Appena ha finito di parlare al telefono in portoghese, la segretaria mi ha richiamato presso il tavolo, con un cenno sottile di mano. Mi ha salutato; mi ha porto un foglio da compilare sui due lati. Ho riscritto in forma schematizzata le referenze[1] false che avevo indicato nella mia lettera; ho indicato date e nomi, cancellato casel-
20 le con piccole croci. Quando ho finito, la segretaria mi ha preso il foglio di mano. Non era brutta, ma indossava un abito color malva[2] dalla strana scollatura; il suo sguardo aveva una consistenza non gradevole. Mi ha detto "Aspetti un attimo, prego". E' andata verso una stanza in fondo al corridoio, bilanciata su tacchi sottili.
Ero seduto con le mani in tasca e guardavo nel nulla quando la segretaria è tor-
25 nata. Mi ha detto "Ecco". Ha indicato il corridoio. Nel corridoio c'era un signore piccolo e brizzolato[3], vestito in un completo di lino grezzo a filaccioni[4]. I pantaloni erano troppo lunghi e gli ricadevano in pieghe sopra le scarpe, le sommergevano dalla parte del tacco. I suoi occhi erano piccoli e assai vicini, ma anche molto attenti. Aveva un modo rigido di stare in piedi, in contrasto con lo stile dell'abito.
30 Il signore è venuto vicino a passetti rapidi, ha allungato la destra, ha detto "Molto piacere, Jacques de Boulogne". Gli ho detto "Molto piacere, Giovanni Maimeri". Lui mi ha chiesto "È per caso parente del musicista?" Ha avuto un gesto rapido che accantonava la domanda, prima che potessi chiedergli quale musicista. Si è girato di taglio e mi ha fatto strada lungo il corridoio: con un braccio proteso in avanti, a
35 indicare la direzione. [...]
L'ufficio era arredato più o meno come l'anticamera; c'era un finto mappamondo antico vicino alla finestra. Ci siamo seduti ai due lati di una scrivania di noce. De Boulogne mi ha detto "Signor Maimeri, il suo curriculum è molto ricco". Ho detto "Bè". Lui guardava la scrivania. Dopo un minuto si è inclinato verso di me e ha chie-
40 sto in tono sommesso "Ha visto senz'altro le fotografie in anticamera?". Ho detto di sì. Lui ha detto "Sono i nostri clienti. È per questo che siamo molto attenti a scegliere chi insegna". [...]

Dopo una breve serie di frasi formali sulle qualità della sua scuola e la bellezza della lingua italiana mi è parso a disagio. Era paralizzato in un giro di genericità; trattenuto per le braccia. Non sapeva come spostarsi ad argomenti più specifici. Creava con enormi sforzi uno stacco di "eh, bene", e subito tornava a protendersi verso di me e dire "Signor Maimeri, la nostra scuola è davvero la migliore di Los Angeles". Io dicevo "Certo, certo". Mi chiedevo come saremmo arrivati a parlare del mio stipendio.

Alla fine in una frase contratta mi ha detto "Signor Maimeri, ai nostri insegnanti diamo di solito sei dollari all'ora". Gli ho detto subito "Va benissimo". Lui ha girato la testa rapido, mi ha guardato con un filo di sorpresa. Poi ha sorriso: sollevato, quasi infantile. Mi ha detto "Signor Maimeri, sono felice di averla nella nostra scuola!" Nella successione di sentimenti gli è sfuggito in qualche modo il controllo della pronuncia; il tono si è aperto; fiottava suoni francesi dagli spazi tra le parole.

La segretaria mi ha spiegato il metodo della scuola in una saletta contigua⁵ all'anticamera. Era leggermente perplessa sul mio inglese, sull'atteggiamento di grande distacco che avevo assunto.

Il metodo era molto semplice: si trattava di fare entrare in testa all'allievo un certo numero di parole, attraverso una tecnica di condizionamento che la segretaria chiamava "il trapano". Per la spiegazione si serviva di un manuale rilegato a spirale, fitto di disegni bidimensionali che rappresentavano oggetti e azioni elementari. Dovevo sostenere la parte dell'allievo. La segretaria indicava il disegno di una penna. Diceva "Questa è una penna"; io dovevo ripetere "Questa è una penna". Lei mi domandava "Cos'è questa?", e io dovevo rispondere "Questa è una penna" di nuovo. Mi guardava attraverso il tavolo, marcando la voce lungo i profili delle parole; distorcendole in successioni insensate di vocali e consonanti. Mi ha domandato "E' un muro questo?": sempre indicando la penna. Ho detto "No, è una penna". Lei allora ha avuto un gesto di rimprovero, mi ha detto "No, lei deve dire solo "Questo non è un muro". Che è una penna deve dirmelo solo quando le chiedo cos'è".

Io le guardavo la scollatura circolare del vestito, per non farmi sopraffare dalla stupidità della dimostrazione. Guardavo a occhiate oblique la scollatura: trattenuta com'era da un cordino lasco⁶. Cercavo anzi di correggerla mentalmente, riportandola verso l'alto a coprire la base del collo. Lei vedeva che la stavo osservando, e ne era forse lusingata. Mi ha sorriso in modo laterale un paio di volte; mi ha detto di prestare attenzione alla meccanica del metodo. Mi sembrava che cercasse di complicare la spiegazione in modo da trattenermi nella saletta ed estendere il più possibile la situazione. D'altra parte non ne ero sicuro. Mi osservava ogni tanto in atteggiamento da maestra inseverita.

Quando abbiamo finito mi ha consegnato il manuale rilegato a spirale. Ha detto "Allora ci vediamo tra due giorni alle dodici in punto". Mi è venuto in mente che non sapevo a chi avrei dovuto insegnare, ma non volevo mostrarmi ansioso o indiscreto. Ho detto "Bene, grazie". Stavo per andarmene quando lei mi ha chiesto "Sa già chi è la sua allieva, vero?". Ho detto di no. Lei si è avvicinata e con la stessa voce sommessa di De Boulogne quando aveva accennato ai "nostri clienti", e mi ha detto "È la signora Marsha Mellows".

(A. DE CARLO, *Treno di panna*, Einaudi, Torino, 1981)

1.informazioni sulle qualità e attitudini di un lavoratore rilasciate dal datore di lavoro o da un superiore ■ 2. pianta dai fiori rosso-violacei ■ 3. si dice di chi ha capelli che tendono a diventare bianchi ■ 4. formato da fili grossi ■ 5. accanto ■ 6. allentato

1. Analisi dei contenuti di base

1. Del brano letto indicate
   a. i protagonisti
   b. gli oggetti presentati
   c. il luogo
   d. l'epoca della vicenda

2. Individuate nel testo le sequenze descrittive ed indicate
   a. quali ambienti sono descritti
   b. qual è l'aspetto dei personaggi
   c. qual è il loro abbigliamento
   d. quali canali percettivi (vista, udito, tatto...) sono utilizzati e con quali effetti

3. Individuate nel testo le sequenze narrative ed indicate, in particolare, cosa fanno nei diversi momenti:
   - il protagonista-narrante
   - il direttore della scuola
   - la segretaria

2. Altre informazioni

➤ *Rispondete alle seguenti domande:*

1. Il protagonista è un vero insegnante d'italiano? Da quali elementi lo si capisce?
2. Perché insegna l'italiano?
3. Chi sono i "clienti" della scuola?
4. Com'è l'atmosfera della scuola?
5. Perché il direttore è un po' imbarazzato durante il colloquio con il giovane protagonista?
6. Perché alla fine è quasi sollevato e felice?
7. Perché il metodo d'insegnamento illustrato dalla segretaria è detto del "trapano"?

3. Sintesi

➤ *Completate con le parole mancanti il testo che segue, sintesi del brano letto:*

Al centro di Beverly Hills, al .... piano di un palazzo alto, c'è una scuola di lingua frequentata soprattutto da gente .... Qui il giovane Giovanni Maimeri ha un .... con il direttore per un incarico di insegnante d'italiano. Lo riceve nel suo ufficio la segretaria, che .... consegna un modulo da .... con informazioni relative al suo .... Una volta compilato il foglio, la segretaria va ad .... il direttore della scuola. Questi arriva quasi subito, si .... e accompagna l'aspirante

.... nel proprio ufficio. Il colloquio è piuttosto formale e generico, il direttore è
................, non sa come introdurre il discorso dello .... Finalmente si decide e
.... che la tariffa è di sei dollari l'ora. La .... sta bene a Giovanni ed il direttore .... è soddisfatto.

Successivamente la segretaria illustra il .... della scuola al nuovo insegnante. Il
metodo .... su una tecnica di .... che la segretaria chiama "il trapano", in
quanto si ripete con una certa .... la stessa parola inserita in frasi .... e banali. .... la breve lezione dimostrativa, la segretaria .... a Giovanni il libro di
testo e .... ricorda che la prima lezione è .... per le dodici di due giorni ....
. E prima che Giovanni .... lo informa che .... è la famosa attrice Marsha
Mellows.

---

b ANALISI LESSICALE E LINGUISTICA

1. Polisemia

vai a pag. 24

➤ *Indicate fra quelli proposti il senso con cui sono usate nel testo letto le parole seguenti:*

1. **cuore** (r. 1)   → centro [a] - coraggio [b] - parte interna [c]
2. **scollatura** (r. 21)   → apertura di un abito sul petto o sulle spalle [a] - atto dello
                             staccare due parti incollate [b]
3. **completo** (r. 26)   → intero [a] - occupato [b] - abito [c]
4. **taglio** (r. 34)   → parte tagliente di una lama [a] - fianco [b] - stile e
                             impostazione [c]
5. **successione** (r. 53) → serie di avvenimenti o fenomeni [a] - subentrare a
                             qualcuno [b] - insieme ordinato di elementi [c]
6. **meccanica** (r. 75)   → settore della fisica [a] - modo di svolgimento [b] - insieme di
                             un meccanismo [c]
7. **sostenere** (r. 62)   → interpretare [a] - affermare [b] - reggere [c]

vai a pag. 57

2. Sinonimi

➤ *Indicate un sinonimo per ciascuna delle seguenti parole desumendolo dal testo letto:*

1. salario	_____	8. calzoni	_____
2. sala d'attesa	_____	9. attendere	_____
3. modulo	_____	10. un momento	_____
4. discepolo	_____	11. falso	_____
5. mediante	_____	12. piegarsi	_____
6. spago	_____	13. voltare	_____
7. lieve	_____	14. rendere difficile	_____

3. Riformulazioni

➤ *Nel testo di De Carlo i dialoghi e le singole frasi dette dai protagonisti sono per la gran parte introdotti dal verbo "dire". Sostituite questo verbo con altri equivalenti, come affermare, aggiungere, replicare, osservare, fare, rispondere, ecc., nelle seguenti introduzioni di discorso:*

1. (r. 22) Mi ha detto "Aspetti..."   _____
2. (r. 30) ha detto "Molto piacere..."   _____
3. (r. 31) Gli ho detto "Molto piacere..."   _____
4. (r. 37-38) De Boulogne mi ha detto "Signor Maimeri..."   _____
5. (r. 38) Ho detto "Bè"   _____
6. (r. 40) Ho detto di sì.   _____
7. (r. 41) Lui ha detto "Sono i nostri..."   _____
8. (r. 48-49) Io dicevo "Certo, certo"   _____
9. (r. 49) in una frase contratta ha detto "Signor..."   _____
10. (r. 50) Gli ho detto subito "Va benissimo"   _____

4. Discorso indiretto

➤ *Trasformate in "discorso indiretto" le seguenti frasi:*

1. Mi ha detto: "Aspetti un attimo, prego."
2. Lui mi ha chiesto: "E' per caso parente del musicista?"
3. Ha chiesto in tono sommesso: "Ha visto senz'altro le fotografie in anticamera?"
4. Lui ha detto: "Sono i nostri clienti. E' per questo che siamo molto attenti a scegliere chi insegna."
5. Mi ha detto: "Ai nostri insegnanti diamo di solito sei dollari."
6. Lei mi domandava: "Cos'è questa?"
7. Mi ha chiesto: "Sa già chi è la sua allieva?"
8. Mi ha detto: "Allora ci vediamo tra due giorni alle dodici in punto".

C | PRODUZIONE ORALE O SCRITTA

1. Il vostro primo incontro con lo studio della lingua italiana. Le motivazioni che vi hanno spinto allo studio e le impressioni sul metodo e le tecniche d'insegnamento.

2. Quale importanza attribuite allo studio delle lingue straniere.

3. Se vi è capitato di sostenere un colloquio per un eventuale lavoro, descrivete il luogo dove si è svolto il colloquio, l'aspetto fisico e l'abbigliamento della persona con cui avete parlato e le sensazioni che avete provato.

4. Molti studenti durante le vacanze svolgono un lavoro stagionale nel proprio paese o all'estero per pagarsi gli studi o una vacanza. Se avete vissuto un'esperienza simile, provate a raccontarla.

5. Rispondete al seguente annuncio apparso su un giornale della vostra città:

   "Scuola di lingue di prestigio internazionale ricerca studenti e laureati in italiano che conoscano molto bene la lingua italiana per tenere lezioni a singoli o a gruppi di allievi della nostra scuola.
   È gradito un curriculum dettagliato ed eventuali referenze. Soggiorni di studio in Italia e presso università italiane costituiranno un titolo preferenziale"

6. Indagine Perché studio l'italiano.

> *Indicate con un segno (x) i motivi per cui avete deciso di imparare la lingua italiana.*

Studio l'italiano perché:

a. è una lingua musicale e armoniosa   ❏
b. è una lingua europea   ❏
c. è una lingua facile   ❏
d. è la lingua dei miei genitori e/o nonni   ❏
e. voglio trascorrere le vacanze in Italia   ❏
f. in Italia vivono alcuni miei amici   ❏
g. rientra tra le lingue straniere obbligatorie nella mia scuola   ❏
h. voglio conoscere la cultura di un paese così ricco di storia e di arte   ❏
i. questo vogliono i miei genitori   ❏
l. voglio completare i miei studi universitari in Italia   ❏
m. l'Italia è un paese fantasioso   ❏
n. conoscere le lingue è importante   ❏
o. per il mio lavoro attuale (o futuro) ho contatti con italiani.   ❏
p. _____   ❏
q. _____   ❏

Ora, sommate alle vostre le risposte date dagli altri studenti del corso e con i dati risultanti costruite un diagramma o una griglia dalla quale emergano visivamente le ragioni principali per cui nella vostra scuola si studia l'italiano.

Profilo dell'autore
ANDREA DE CARLO

Andrea De Carlo è nato a Milano nel 1952, ed ha vissuto per diversi periodi negli Stati Uniti e in Australia lavorando soprattutto come fotografo.

Il suo esordio nella letteratura si è avuto con *Treno di panna* (1981), un romanzo che racconta le disavventure di un giovane italiano che finito a Los Angeles, non sa nemmeno lui come e perché, cerca di arrangiarsi con i mestieri e le attività più diverse per sopravvivere. Attraverso lo sguardo attento e imperturbabile del ragazzo protagonista, il lettore è portato a vedere un mondo diverso, estraneo, di cui si riesce ad intuire sotto la superficie delle sensazioni, delle reazioni o dei fastidi qualcosa di più profondo. L'opera successiva, *Uccelli da gabbia e da voliera* (1982), racconta, invece, le vicende di un giovane bene che rifiuta di integrarsi nel mondo che lo circonda, lascia l'America e, decidendo di vivere a Milano, incappa nel terrorismo. In un'atmosfera esotica di surrealismo e allegoria si muovono i protagonisti dei due romanzi successivi: *Macno* (1984) e *Yucatan* (1986). Nel primo si narra la storia d'amore fra una giornalista ed un misterioso dittatore, nel secondo le avventure di un giovane assistente regista, alle prese con i misteri del Messico.

Nel frattempo De Carlo si era inserito nel mondo del cinema e della televisione, collaborando, fra l'altro con Fellini nel film *La nave va* e dirigendo nell'87 un film per la televisione tratto dal suo primo romanzo *Treno di panna*.

Del 1989 è *Due di due*: la vicenda comune di due giovani, prima compagni di scuola poi marito e moglie. E sullo sfondo ci sono i fatti e i problemi di un paese, l'Italia, che cresce e si trasforma tra conflitti e difficoltà, che riflettono e si riflettono sulle vicende dei protagonisti del romanzo. Atmosfere e ambienti simili incontriamo in *Tecniche di seduzione*, dove si raccontano le vicende di un giornalista aspirante romanziere, che incontra uno scrittore di successo che lo convince a trasferirsi a Roma. Qui egli viene a contatto con personaggi di ogni risma e vive le esperienze più imprevedibili. Meno convincente, come storia e come scrittura, è il romanzo *Di noi tre* (Mondadori, 1997). In un altro romanzo più recente, *Nel momento* (1999) De Carlo descrive la presa di coscienza da parte del protagonista del proprio stato di infelicità dopo una caduta da cavallo.

La scrittura di De Carlo, sobria ed essenziale, sembra accondiscendere a forme di linguaggio sensibili alle tecniche visive, sia del cinema che della televisione.

5. MIO ZIO SCOPRE L'ESISTENZA DELLE LINGUE STRANIERE

Mio nonno paterno era un uomo molto magro e molto basso, esattamente della stessa altezza e nato nello stesso giorno del re d'Italia Vittorio Emanuele III[1]. Essendo così basso non avrebbe dovuto fare il servizio militare; ma quell'anno è stato abbassato il limite minimo di altezza necessaria per entrare nell'esercito, perché altrimenti neanche il futuro re d'Italia avrebbe potuto entrare nell'esercito. Per questo motivo mio nonno ha dovuto fare il servizio di leva[2].

Era muratore e tutti i suoi figli hanno dovuto fare i muratori come lui, tranne mio padre perché andava in giro a suonare la chitarra e la fisarmonica[3] nelle feste dei paesi.

Mio nonno era il muratore di molte famiglie ricche, e anche della famiglia di quell'occupatore di città di cui ho detto[4].

In casa e sul lavoro era dispotico[5] come un re. Quando i suoi figli hanno dovuto fare il servizio militare, ha voluto diventassero tutti carabinieri benché il periodo di leva fosse più lungo, in quanto così guadagnavano dei soldi e non perdevano del tempo.

Per lui come per i suoi figli muratori i giorni di festa non contavano, lavoravano di domenica come gli altri giorni. Neanche la religione per loro contava, tranne per necessità come battesimi, matrimoni, funerali. Non solo mio nonno non leggeva i giornali, ma non credeva neanche che le notizie riportate sui giornali avessero qualche fondamento, e le considerava come favole che fanno solo perdere tempo.

Uno dei figli muratori molto presto ha litigato con mio nonno dispotico, e se n'è andato per conto suo a lavorare all'estero. È rimasto in Francia per alcuni anni, e diceva che durante quegli anni non s'era mai accorto che là si parlava francese.

Mio nonno e i suoi figli parlavano il dialetto del loro paese, ma appena fuori di casa e subito oltre il Po i dialetti erano già diversi. Quando mio zio se n'è andato di casa e s'è fermato a lavorare a Genova, ha trovato un dialetto diverso dal suo. E così trovava dialetti molto diversi ad ogni posto in cui si fermava, Mentone, Nizza, Digione. Riusciva però sempre a farsi capire, e allora per lui un dialetto era uguale a un altro.

A Digione viveva in un sobborgo[6] dove c'erano molti italiani. S'è sposato e subito ha imparato le frasi necessarie per parlare in francese con sua moglie e con gli altri; e anche quello era per lui un altro dialetto.

Infatti (raccontava mio zio) dov'era la differenza se lui parlava con un francese o con un contadino della riviera[7]? Capiva poco l'uno e poco l'altro, ma riusciva a intendersi con entrambi.

Poi è nato suo figlio. Due anni dopo è tornato a lavorare in Italia lasciando la moglie a Digione.

E solo quando è rientrato in Francia dopo altri due anni, ascoltando suo figlio e scoprendo che parlava in modo tanto diverso dal suo, cioè una lingua straniera, gli è venuto in mente un mare pieno di nebbia che non si può traversare: al di là c'è uno che ti parla e tu lo senti, ma non ci arriverai mai a farti capire, perché la tua bocca non riesce a dire le cose come stanno, e sarà sempre tutto un fraintendersi[8], uno sbaglio a ogni parola, nella nebbia, come vivere in alto mare, mentre gli altri però si capiscono bene e sono contenti.

45 Così mio zio ha scoperto l'esistenza delle lingue straniere, per primo nella nostra famiglia.

Sentire suo figlio che parlava in francese, così piccolo e già lontano mondi e mondi dal dialetto di mio nonno dispotico, è stata la più grande sorpresa della sua vita, come se si svegliasse da un sogno, e s'è messo a piangere.

(G. CELATI, *Narratori delle pianure*, Feltrinelli, Milano, 1985)

1. Vittorio Emanuele III, re d'Italia dal 1900 al 1946, nacque a Napoli l'11 settembre 1869 ■ 2. servizio militare ■ 3. popolare strumento musicale con una tastiera e un mantice a soffietto che aspira e manda fuori l'aria ■ 4. si riferisce al protagonista di un altro racconto di Celati presente nella stessa raccolta ■ 5. tirannico ■ 6. piccolo centro abitato nelle immediate vicinanze di una grande città ■ 7. la costa della Liguria ■ 8. non capirsi

a | COMPRENSIONE DEL TESTO

1. Informazioni specifiche

➤ *Rispondete alle seguenti domande:*

1. Di chi è la voce narrante di questa storia?
2. Sulla base degli elementi presenti nel testo indicate i tempi e i luoghi in cui si svolge la storia.
3. Per quale motivo, nonostante la bassa statura, il nonno ha dovuto fare il servizio militare?
4. Qual era il mestiere della famiglia di cui si parla nel testo?
5. Che cosa faceva invece il padre del narratore?
6. Dove è andato ad abitare lo zio dopo il litigio con suo padre?
7. In che modo lo zio ha scoperto l'esistenza delle lingue straniere?

2. Sintesi

➤ *Riordinate le frasi seguenti secondo la successione cronologica dei fatti narrati. Successivamente, collegatele fra loro servendovi degli opportuni elementi di giunzione e, dove necessario, della punteggiatura.*

a. Due anni dopo tornò in Italia.
b. Mio nonno non solo non leggeva i giornali ma era convinto che raccontassero delle favole.
c. Lo zio fu il primo nella nostra famiglia a scoprire l'esistenza delle lingue straniere.

d. Mio nonno, pur essendo basso di statura, dovette fare il servizio militare.
e. Lui e tutti i suoi figli facevano i muratori.
f. Lì si sposò ed imparò anche qualche espressione del dialetto di quel paese.
g. Quando tornò in Francia si accorse che suo figlio parlava una lingua straniera.
h. Mio padre suonava la chitarra e la fisarmonica nelle feste di paese.
i. Lavoravano tutti i giorni, anche la domenica.
l. Mio nonno e i suoi figli parlavano solo il dialetto del loro paese.
m. Mio zio un giorno litigò con il nonno e se ne andò di casa.
n. Intanto gli era nato un figlio.
o. Andò a vivere in Francia, a Digione.

1.__	2.__	3.__	4.__	5.__	6.__	7.__
8.__	9.__	10.__	11.__	12.__	13.__	

b | ANALISI LESSICALE E LINGUISTICA

1. Gruppi semantici

➤ *Dai seguenti gruppi di parole cancellate quella che nel significato presenta un tratto semantico diverso dalle altre:*

a. battesimo - compleanno - cresima - matrimonio - funerale.
b. dialetto - lingua - parlata - espressione - idioma.
c. musicista - elettricista - falegname - muratore.
d. chitarra - arpa - mandolino - fisarmonica - violino.
e. nipote - zio - marito - padre - nonno - cugino.

vai a pag. 18

2. Similitudini

➤ *Completate le seguenti frasi con un appropriato secondo termine di confronto:*

1. In casa e sul lavoro era dispotico come *un re*.
2. Mio nonno paterno era magro come ....
3. Era muratore e aveva mani dure come ....
4. Nel camminare era lento come ....
5. Uno dei figli muratori litigando con il nonno era rosso come ....
6. La nonna, invece , era una donna molto dolce e buona come ....

3. "Si" impersonale e passivante

Il pronome clitico (o atono) **si** viene usato come soggetto indeterminato nella forma impersonale dei verbi, quando non possiamo o non vogliamo indicare il soggetto reale dell'azione o quando il soggetto è costituito da una pluralità di persone (= *tutti, la gente,* ecc.). Così in una frase come:

*In quel ristorante **si mangia** bene*

il **si** indica tutte le persone che vanno a mangiare in quel ristorante.
Quando il verbo unito al **si** impersonale è transitivo ed ha l'oggetto espresso, la funzione del **si** diviene quella di "passivante", nel senso che la struttura della frase diventa passiva: ed allora una frase come:

*Qui **si vende la birra** alla spina*

è equivalente alla forma passiva: "Qui **viene venduta la birra** alla spina". In questo secondo caso il verbo concorda con l'oggetto, vale a dire è singolare o plurale a seconda che l'oggetto sia singolare o plurale, e se il verbo è composto, il participio passato sarà maschile o femminile come l'oggetto.

Osservate i seguenti esempi:

In questo negozio non *si* fa**nno sconti.**
Ieri sera in televisione *si* è vist**o un bel film.**
Nel periodo dei saldi *si* sono fatt**i grandi sconti.**
In questa settimana *si* è vendut**a poca merce.**
Negli ultimi tempi *si* sono acquistat**e molte materie prime.**

➤ *Trasformate le seguenti frasi usando la forma o del "si" impersonale o del "si" passivante:*

1. Uno trova dialetti diversi in ogni paese in cui va a vivere.
2. Quando uno è diventato adulto fa le proprie scelte indipendentemente dalle opinioni degli altri.
3. A volte non leggi giornali perché non credi che possano dare notizie attendibili.
4. Quando tu non capisci quello che un altro dice ci rimani male.
5. Lavoravano di domenica come gli altri giorni.
6. Lui non si era mai accorto che là parlavano francese.

4. Complementi e proposizioni

La relazione che intercorre tra la proposizione dipendente e la principale è analoga a quella tra gli elementi nominali della frase e il verbo (*predicato verbale*). Cioè, allo stesso modo in cui in una frase un nome può essere oggetto o soggetto o altro complemento, così le proposizioni di un periodo possono avere una funzione soggettiva, oggettiva o avverbiale. Così come c'è un complemento di tempo c'è anche una proposizione temporale, come ci sono complementi di fine, di causa o di modo, ci sono proposizioni finali, causali, modali, ecc.
Osservate i seguenti esempi:

1a. Il suo ritorno è previsto per domani.
1b. **Si prevede che ritorni domani.**

2a. *Il telegiornale ha annunciato la fine dello sciopero.*
2b. **Il telegiornale ha annunciato che lo sciopero è finito.**

3a. *Durante il pranzo parlavano solo di calcio.*
3b. **Mentre pranzavano parlavano solo di calcio.**

4a. *Non è venuto al lavoro per l'influenza.*
4b. **Non è venuto al lavoro perché aveva l'influenza.**

➤ *Trasformate le proposizioni in corsivo nei complementi equivalenti:*

1. *Essendo così basso di statura*, non avrebbe dovuto fare il servizio militare.
2. *Quando è nato suo figlio* è tornato a lavorare in Italia.
3. *Quando è tornato in Francia* ha scoperto che suo figlio parlava in modo diverso dal suo.
4. I sondaggi prevedono *che i votanti diminuiranno*.
5. *Anche se piove*, la gita scolastica si farà.
6. *Dato che ero stanco*, ho interrotto il lavoro.
7. Hai fatto la domanda *per iscriverti alla prossima sessione d'esame?*
8. Ne parleremo *quando lo spettacolo sarà finito*.

5. Preposizioni

➤ *Completate con le preposizioni convenienti il seguente brano:*

Mio zio s'è allontanato _____ casa molto presto _____ andare _____ lavorare _____ vicinanze _____ Genova e poi _____ Nizza e _____ Digione. Ha trovato così, dialetti molto diversi _____ suo.

Non si è mai impadronito fino _____ fondo _____ lingua francese: si serviva solo _____ frasi necessarie _____ · parlare _____ i francesi, tuttavia era _____ grado _____ capire e _____ farsi capire.

C | PRODUZIONE ORALE O SCRITTA

1. Ricostruite la figura del nonno del narratore attraverso i vari elementi presenti nel testo.

2. Le trasformazioni che si sono avute negli ultimi anni all'interno della famiglia hanno fortemente cambiato il ruolo dei "nonni".
   In proposito dite:
   a. quali compiti o attività vengono "richieste" ai nonni;
   b. il rapporto con i figli e con i nipoti;
   c. quale peso viene loro riconosciuto nella famiglia.

3. Descrivete il vostro rapporto con i nonni.

4. Spesso l'ambiente familiare influenza i giovani nella scelta del tipo di studi e del lavoro. Esprimete le vostre osservazioni in proposito.

GIANNI CELATI

Nato a Sondrio nel 1937, Gianni Celati è docente di letteratura anglo-americana all'Università di Bologna. Nell'ambito della letteratura contemporanea Celati si colloca fra i più giovani esponenti della neo-avanguardia. Ha fatto parte del "Gruppo '63" ed ha collaborato a più di una rivista di avanguardia.

La sua prima opera (*Comiche*, 1971) ha un carattere comico-grottesco che si realizza attraverso l'uso di un linguaggio volutamente disarticolato e impacciato che mira a far emergere il ridicolo e l'assurdo della realtà.

Tra il 1973 e il 1978 escono i tre racconti lunghi *Le avventure di Guizzardi, La banda dei sospiri* e *Lunario del paradiso*, riuniti poi in un unico volume nel 1989 con il titolo *Parlamenti buffi*, in cui il termine "parlamenti", come suggerisce l'autore stesso, è inteso nel senso di menar la lingua, di parlare tanto per parlare e per gusto del racconto. In questa trilogia comica rivivono con perenne freschezza le gesta sconnesse e febbrili del Guizzardi, piccolo senza famiglia alle prese con un mondo adulto di prepotente follia; l'irresistibile comicità degli avvenimenti testimoniati da Garibaldi, giovane io-narrante del secondo racconto; e ancora l'inesperienza attonita di Giovanni, protagonista delle avventure descritte in *Lunario del paradiso*.

L'esigenza di tornare ad una narrativa più chiaramente comunicativa si esprime nell'ultima raccolta di racconti, *Narratori delle pianure* (1985). Si tratta di esili vicende quotidiane ambientate nella valle padana che l'autore riscrive e reinventa sulla base di racconti orali sentiti nel luogo, ma senza rinunciare a far emergere dimensioni surreali, notazioni ironiche e significati "esemplari".

Diari di viaggio attraverso le località della "bassa padana" sono i racconti lunghi di *Verso la foce* (1989). L'ambiente è ancora una volta la piatta distesa della "Bassa emiliana", con tutti i problemi di inquinamento e di degrado provocati dalla civiltà industriale. La prosa asciutta di Celati, apparentemente neutra, ma in realtà percorsa da un sotterraneo pathos, stabilisce inquietanti rapporti tra ambienti naturali e paesaggi mentali, tra ruspe che abbattono vecchie case coloniche, centrali nucleari e vecchi e bambini al sole davanti a un bar o ad una sala giochi.

Nel 1994 ha pubblicato una riscrittura in prosa dell'*Orlando innamorato* di Matteo Maria Boiardo, un po' come aveva fatto qualche anno prima Calvino con il capolavoro dell'Ariosto. *Avventure in Africa* (Feltrinelli, 1998) è il resoconto del viaggio in Africa condotto insieme all'amico Jean Talon. Il suo è un reportage un po' anomalo. Lo scrittore guarda e annota sul taccuino quanto scorre davanti ai suoi occhi: paesaggi, case, oggetti, animali, ma soprattutto uomini. Ma gli uomini di cui si può dire qualcosa non sono gli indigeni - gli antropologi hanno ormai detto tutto sulle popolazioni primitive - ma i turisti, questo popolo di sbandati che girano a vanvera nel disperato tentativo di scappare dalla vita di ogni giorno e che in realtà non vanno da nessuna parte. Alcuni saggi di critica letteraria sono riuniti in *Finzioni occidentali. Fabulazioni, comicità e scrittura*.

6. LA LINGUA ITALIANA È SESSISTA?

Nel marzo del 1987 la "Commissione nazionale per la realizzazione della parità fra uomo e donna" ha edito un opuscolo di 31 pagine intitolato: "Raccomandazioni per un uso non sessista della lingua italiana". Il volumetto ha suscitato, sulla stampa, una serie di polemiche e discussioni. Qui di seguito riportiamo ampi stralci di due interventi di Beniamino Placido, scrittore e critico televisivo del quotidiano "La Repubblica", su questo tema.

Ci rammenta - questo volumetto - che "c'è del sessismo insito nella lingua italiana". Che nella nostra lingua (come nelle altre) tutto ciò che è maschio ha uno "spazio semantico positivo", tutto ciò che è femmina ha uno "spazio semantico negativo". Ci spiega che "la lingua non solo riflette la società, ma ne condiziona e ne limi-

5   ta il pensiero". Ci raccomanda di fare qualcosa e subito, al riguardo.

Ho aperto questo volumetto con molte speranze. L'ho sfogliato con fervore[1]. L'ho richiuso deluso. Speravo di trovarvi un alleato - finalmente - in una battaglia che conduco da tempo e che perdo ogni giorno. La battaglia di ecologia linguistica per la difesa del pronome femminile "le" troppo spesso sostituito dal pronome maschile "gli".

10   Si dovrebbe dire: "ho visto la fioraia e le ho rivolto un saluto", vero? E invece tutti dicono ormai: ho visto la fioraia e gli (orrore!) ho rivolto, ecc. Con la possibilità di ingenerare ulteriori, e più sgradevoli, equivoci. "Ho incontrato la signora col cagnolino e gli ho dato un bacio" (a chi? alla signora? al cagnolino?).

Ho il sospetto che le femministe della Presidenza del Consiglio non ascoltino la

15   lingua che si parla in giro. Leggono invece, e prendono sul serio la produzione femminista americana sull'argomento e intendono imitarla ad ogni costo.

Ferruccio Rossi Landi, grande studioso di filosofia del linguaggio, era molto imbarazzato quando doveva recarsi negli Stati Uniti per tenere qualche conferenza. Perché la conferenza era appena cominciata e lui aveva appena avuto il tempo di

20   dire: "secondo Aristotele, l'uomo..." quando una femminista si alzava e lo interrompeva: "Lei è un maschilista. Perché dice "uomo" e non dice invece "uomo e donna", oppure "essere umano"?

Rossi Landi rispondeva: "non sono un maschilista, sono soltanto un uomo (anzi, se volete: un essere umano) sfortunato. Perché non sono nato nella Grecia antica,

25   dove avevano il termine *"anthropos"* per designare[2] l'uomo e la donna". Avrebbe potuto aggiungere che l'uso della parola *"anthropos"* non garantiva alla donna greca una posizione paritaria[3] nei confronti dell'uomo.

Sarebbe stato inutile. Le femministe americane volevano assolutamente riformare la lingua in senso non sessista. E tuttora lo vogliono. Come lo vogliono adesso, le

30   italiane. Proposito giusto, in astratto. Tutte le ideologie - anche le più rigide - sono fatte di premesse e di propositi giusti: in astratto. Eppure, in fatto di diritti sociali, le donne italiane stanno meglio di quelle americane. Forse perché, a differenza di quelle, le italiane non hanno perso tempo, a suo tempo, a far battaglie per la "parità" linguistica.

35   E sapete cos'è più impressionante, care amiche femministe della Presidenza del Consiglio? Sono impressionanti le date. La prima legge sulla tutela[4] fisica ed economica delle lavoratrici madri è la n. 860 del 26 agosto 1950.

Udite, udite! Nel 1950, Anno Santo, non c'era traccia di parità linguistica fra uomo e donna nel nostro paese. Le donne si sentivano interpellare[5], negli uffici e nei negozi, in modo insultante: "signora o signorina?". E tuttavia riuscivano ad ottenere leggi importantissime a loro favore.

In concreto, la logica che ispira una lingua non è governata tanto dal rispetto per la realtà esterna quanto da esigenze di articolazione, di "opposizione", di "strutturazione" interna.

Se in tedesco il sole è femminile *(die Sonne)*, la luna maschile *(der Mond)* e la ragazza neutro *(das Madchen)*, non è perché i primi tedeschi che si misero a parlare vivessero in un regime maschile o femminile o neutro. Ma è perché, una volta definito il sole al femminile (chissà perché: va a capire), si dovette necessariamente definire la luna la maschile, per distinguere, eccetera.

E invece, no. Per le nostre femministe di Palazzo Chigi[6], ogni maschile usato nella lingua ha una perversa funzione egemonico-maschilista. E quindi non bisogna dire: "ragazzi e ragazze furono visti entrare nel locale", ma "ragazzi e ragazze furono viste entrare nel locale". Così si mettono le cose a posto.

Come bisogna dire: "Marguerite Yourcenar è una delle più grandi fra scrittrici e scrittori". E qui le femministe di Palazzo Chigi dimenticano che la lingua obbedisce anche - e soprattutto - ad una logica economica. Dire il più possibile con il minor numero di parole.

Aggiungono le femministe di Palazzo Chigi, che al posto di "il pretore Maria Rossi", "il questore Maria Rossi", "il dottore Maria Rossi", bisognerebbe dire "la pretrice", "la questrice", "la dottrice". Maria Rossi, s'intende.

E qui non aggiungo nulla. Perché mi piace fare dello spirito (piace a tutti). Ma non quando è troppo facile. E poi, e soprattutto, perché Maria Rossi io la rispetto e intendo rispettarla sul serio.

Non io, non noi; ma qualcuno più maligno potrebbe pensare al fascismo, quando tentò di italianizzare - d'autorità - i troppi vocaboli inglesi che circolavano in Italia. Qualche altro - ancora più maligno - potrebbe pensare al tentativo della Convenzione francese che decise - nella arroventata giornata rivoluzionaria del 6 ottobre 1793 - di inventare un nuovo calendario: naturalmente, rivoluzionario.

Dovete lasciarvelo dire allora, care amiche femministe della Presidenza del Consiglio: che la vostra concezione della lingua è terribilmente rudimentale. La lingua riflette la realtà, voi dite, quindi cambiamo la lingua ecc. Ma chi ve l'ha detto? Ma dove l'avete letto? La lingua serve a riflettere la realtà, qualche volta; ma anche - e più spesso - ad anticiparla; ma anche - e più spesso - a compensarla.

Per qualche tempo ci si è dato del "tu" all'Università fra docenti e discenti. Significava forse questo che era stata raggiunta la parità? che l'Università era tornata ad essere la gloriosa comunità medievale che è stata, di docenti e di discenti?

Significava qualche volta che era così; qualche volta che si desiderava fosse così. Qualche volta - troppe volte - che si fingeva fosse così.

(lib. tratto da B. PLACIDO, *Questori & Questrici,* in "La Repubblica" del 22 marzo 1987, e *Donne in battaglia,* in "La Repubblica" del 16 maggio 1987)

1. impeto e calore nel fare qualcosa ■ 2. indicare ■ 3. che è sullo stesso piano o livello sociale ■ 4. difesa ■ 5. interrogare ■ 6. è la sede della Presidenza del Consiglio italiano

1. Informazioni specifiche

> *Rispondete alle seguenti domande sul testo:*

a. Comprensione

1. Quale iniziativa della Presidenza del Consiglio ha spinto Beniamino Placido a prendere una posizione critica?
2. Perché Rossi Landi quando doveva tenere una conferenza negli Stati Uniti provava dell'imbarazzo?
3. L'iniziativa presa dalla Commissione per la parità tra uomo e donna viene accostata dall'autore degli articoli ad altre iniziative prese in altri momenti storici. Quali sono?
4. Quali parole di genere maschile usate per individuare anche le donne, sono messe sotto accusa dal volumetto delle "femministe di Palazzo Chigi"?
5. Qual è la tesi centrale di Beniamino Placido?

b. Valutazione

1. Qual è il tono del testo riportato?
2. Quale giudizio dà Beniamino Placido dell'opuscolo in questione?
3. L'atteggiamento dell'autore di questi articoli si può definire maschilista? Perché?
4. Sono pertinenti, a vostro avviso, gli accostamenti storici fatti dal giornalista?

2. Analisi stilistica

1. Una sottile vena ironica percorre il testo. Individuate le espressioni e le parole che lasciano trasparire in maniera evidente l'ironia dell'autore.
2. Lo stile dell'autore è caratterizzato da frasi brevi, spezzate e incisive. Individuate nel testo le frasi nominali (frasi senza il predicato verbale) e le frasi spezzate, e dite se questo tipo di prosa è efficace per le argomentazioni svolte dall'autore.

1. Il genere dei nomi in italiano

La distinzione tra nomi maschili e femminili in origine (forse) corrispondeva alla distinzione fisiologica di sesso degli esseri animati e no indicati dal nome; per questo in molte lingue antiche (come anche oggi in lingue come il tedesco e il greco) si avevano tre generi: maschile, femminile e neutro (da ne-uter = né l'uno né l'altro). Con il tempo questa distinzione si è via via affievolita, al punto che in molte lingue, tra cui appunto l'italiano, il genere neutro è scomparso e tutte le cose inanimate o astratte sono distinte in maschili o femminili.

Quindi il genere grammaticale dei nomi è una pura convenzione che non ha nulla a che vedere con il genere naturale o con particolari caratteristiche legate alla cosa designata da quel nome, se non nel caso degli esseri animati. E poi non per tutti. Infatti, ci sono nomi di genere maschile o femminile che si riferiscono a persone che sono nella realtà di genere diverso rispetto a quello indicato dal nome. E' questo, ad esempio, il caso di nomi femminili che in origine designavano un incarico o una mansione e che oggi designano la persona che li svolge: si tratta di parole come: la *guardia*, la *sentinella*, la *staffetta*, la *spia*, la *vedetta*, la *recluta* e la *maschera* (indica chi controlla i biglietti nei cinema e nei teatri). Allo stesso modo si hanno nomi maschili che indicano professioni ed attività che vengono usati anche per designare donne senza che il nome muti la propria desinenza di genere (questo sarebbe uno dei fenomeni che dimostrano il deprecato sessismo della lingua italiana). Questi nomi indicano professioni e attività una volta riservate o svolte esclusivamente dagli uomini, come: il *medico condotto*, l'*avvocato*, il *deputato*, il *questore*, il *pretore*, il *magistrato*, ecc.

2. Nomi mobili

Si dicono **"mobili"** quei nomi indicanti essere animati che esprimono la differenza di genere con una diversa desinenza: ess.: *alunno* → *alunna; dottore* → *dottoressa.*

➤ *Per i seguenti nomi mobili indicate il maschile o il femminile:*

1. professoressa	_____	2. collega	_____
3. operaio	_____	4. poeta	_____
5. padrona	_____	6. studente	_____
7. pittrice	_____	8. scrittrice	_____
9. infermiere	_____	10. albergatore	_____
11. monaco	_____	12. gallina	_____
13. eroe	_____	14. contessa	_____
15. marchese	_____	16. sarto	_____
17. ricercatore	_____	18. principe	_____

3. Nomi indipendenti

Sono detti *"indipendenti"* quei nomi di esseri animati che hanno il genere maschi-le e femminile costituito da due parole con radici diverse.

> *Collegate un nome della lista "A" con il corrispondente, maschile o femminile, della lista "B":*

A	B
1. nuora	a. nubile
2. sorella	b. padre
3. marito	c. suora
4. celibe	d. vacca
5. maschio	e. genero
6. frate	f. pecora
7. fuco	g. uomo
8. toro	h. femmina
9. montone	i. fratello
10. donna	l. moglie
11. madre	m. ape

4. Nomi diversi

La maggior parte dei nomi di esseri inanimati possiede un genere grammaticale fis-sato dalla tradizione linguistica, senza alcun riferimento a caratteristiche specifiche dell'oggetto indicato dal nome. Per molte parole il genere grammaticale diverso distingue parole diverse.

> *Aiutandovi magari con un dizionario, scrivete accanto a ciascuna delle seguenti paro-le il suo significato o la traduzione nella vostra lingua materna:*

1. il pianto _____
   la pianta _____

2. la fine _____
   il fine _____

3. il baleno _____
   la balena _____

4. la colla _____
   il collo _____

5. il gambo _____
   la gamba _____

6. la regola _____
   il regolo _____

7. il velo _____
   la vela _____

8. la manica _____
   il manico _____

9. il mento _____
   la menta _____

10. la capitale _____
    il capitale _____

11. il cappello _____
    la cappella _____

12. la colpa _____
    il colpo _____

5. Maschile o femminile?

➤ *Completate il testo che segue con gli opportuni articoli e pronomi e le corrette desinenze delle parole incomplete:*

Cara Patrizia,

scusami se non sono venuta da te venerdì scorso e se non mi sono fatt___ viv___ prima di ora. Ma non sai cosa mi è accaduto. Proprio mentre venivo da te ho avuto _____ spiacevole incidente. All'altezza del semaforo di piazza Rossini un'automobile che veniva ad alta velocità mi ha tamponato, facendomi, nell'urto, andare a sbattere con la macchina che procedeva davanti a me. Nello scontro mi sono ferit____ alla fronte e al ginocchio sinistro.

Nella macchina che mi ha tamponato c'erano _____ prefett___ di Ferrara, tale Franca Guidi e ____ sindac____ della nostra città, ___ signor____ Luisa Fede, che nell'incidente non hanno riportato neanche un piccolo graffio.

All'incidente ha assistito anche ___ vigil___ urban___. Quest___, una donna molto gentile e cortese, mi ha aiutat___ ad uscire dalla macchina ed ha fatto chiamare subito l'ambulanza, che è arrivata nel giro di cinque minuti. ____ medico dell'ambulanza sicuramente ___ conosci: è la figlia dei signori Vincenzi, che abitano la palazzina di fronte al nostro palazzo. Mi ha medicato le ferite alla fronte e mi ha accompagnato prima al Pronto Soccorso dell'Ospedale per una radiografia e successivamente alla clinica ortopedica. Qui ___ primari____ in persona, ___ dottor____ Carla Freccero, mi ha applicato il gesso alla gamba sinistra.

Tre giorni dopo, quando ero già tornat___ a casa, mi è arrivata dal tribunale la comunicazione di presentarmi giovedì della prossima settimana nell'ufficio de___ pretor___, dottor___ Luisa Carnevale, per testimoniare sull'incidente.

Senti, Patrizia, potresti accompagnarmi tu da___ pretor___? La mia macchina non sarà pronta prima di quindici giorni: si trova da___ meccanic___ di via Verdi, che, guarda caso, è una donna.

Ciao, ti aspetto.

tua Serena.

C | PRODUZIONE ORALE O SCRITTA

1. Sulla base della conoscenza, anche della sola vostra lingua madre, dite come i cambiamenti sociali e culturali influenzino la lingua e viceversa.

2. Scrivete un testo (una lettera o un racconto o un dialogo) in cui siano presenti parole di genere maschile, ma attribuite a donne, tipo: magistrato, soprano, sindaco, pretore, questore, chirurgo, medico, uomo, deputato, consigliere delegato, ministro, rettore, ecc.

3. In base agli elementi che potete dedurre dal testo di Beniamino Placido, esprimete le vostre valutazioni in merito all'iniziativa presa dalla Presidenza del Consiglio italiano per un uso non sessista della lingua italiana.

4. Sicuramente studiando la lingua italiana avete dovuto imparare anche il genere grammaticale (maschile o femminile) dei nomi, e sarete rimasti meravigliati o sorpresi nel constatare che alcune parole dell'italiano hanno un genere diverso da quello della vostra lingua materna. Elencate alcune di queste parole che più vi hanno sorpreso e provate a spiegare le ragioni della vostra sorpresa.

7. "VI ODIO, CARI STUDENTI..."

Il 1 marzo 1968, a Roma, davanti alla facoltà di Architettura ci furono violenti scontri fra polizia e studenti che volevano rioccupare la facoltà sgomberata il giorno prima. Fu quello uno dei tanti episodi di violenza che in quello come negli anni successivi movimentò la vita sociale e politica dell'Italia. Il poliziotto era divenuto nel '68 il simbolo della "repressione borghese e capitalistica", era il facile "capro espiatorio" per tutti i mali della società. Tentare delle difese della polizia era, in quel periodo, piuttosto rischioso e azzardato.

Pier Paolo Pasolini, lo scrittore più originale e scandaloso di allora, volle, ancora una volta, andare contro corrente e nella primavera del '68, dopo gli scontri di Valle Giulia, scrisse una poesia in cui prendeva apertamente posizione a favore dei poliziotti contro gli studenti. Di questa poesia, successivamente pubblicata nella raccolta *Empirismo eretico*, vi offriamo un ampio e significativo stralcio.

Avete facce di figli di papà.
Vi odio come odio i vostri papà.
3 Buona razza non mente.
Avete lo stesso occhio cattivo.
Siete pavidi, incerti, disperati
6 (benissimo!) ma sapete anche come essere
prepotenti, ricattatori, sicuri e sfacciati:
prerogative piccolo-borghesi, cari.
9 Quando ieri a Valle Giulia avete fatto a botte
con i poliziotti,
io simpatizzavo coi poliziotti.
12 Perché i poliziotti sono figli di poveri.
Vengono da subutopie, contadine o urbane che siano.
Quanto a me, conosco assai bene
15 il loro modo di essere stati bambini e ragazzi,
le preziose mille lire, il padre rimasto ragazzo anche lui,
a causa della miseria, che non dà autorità.
18 La madre incallita come un facchino, o tenera
per qualche malattia, come un uccellino;
i tanti fratelli; la casupola
21 tra gli orti con la salvia rossa (in terreni
altrui, lottizzati); i bassi
sulle cloache, o gli appartamenti nei grandi
24 caseggiati popolari, ecc., ecc.
E poi, guardateli come li vestono: come pagliacci,
con quella stoffa ruvida, che puzza di rancio
27 fureria e popolo. Peggio di tutto, naturalmente,
è lo stato psicologico cui sono ridotti
(per una quarantina di mille lire al mese):
30 senza più sorriso, senza più amicizia col mondo,
separati,

33

esclusi (in un tipo d'esclusione che non ha uguali),
umiliati dalla perdita della qualità di uomini
per quella di poliziotti (l'essere odiati fa odiare),

36

Hanno vent'anni, la vostra età, cari e care.

(P.P. PASOLINI, Empirismo eretico, Garzanti, Milano, 1972)

v.1: *Figli di papà*: adulti che vivono o fanno carriera grazie alle ricchezze o al prestigio dei loro padri ■ v.9: *Fare a botte*: picchiarsi, venire alle mani ■ v.13: *Subutopie*: utopie, sogni delle classi inferiori ■ v.22: I *bassi*: abitazioni nei quartieri popolari di Napoli, costituite da una sola stanza che prende luce e aria dalla porta ■ v.26: *Rancio*: pasto dei soldati ■ v.27: *Fureria*: ufficio amministrativo di una caserma o di un reparto militare

a | COMPRENSIONE DEL TESTO

1. Informazioni specifiche

> *Rispondete alle seguenti domande:*

1. Qual è il tema centrale dei versi che avete letto?
2. La poesia ha il tono violento dell'invettiva. Contro chi è rivolta?
3. A quale fatto di cronaca il poeta fa riferimento?
4. Da quale parte sta il poeta, e perché?
5. Qual è l'estrazione sociale dei "poliziotti"? Da quali famiglie, soprattutto, provengono?
6. Qual è il loro stato psicologico?

2. Parafrasi

La **parafrasi** è la riproposizione del contenuto di un testo con altre parole: è cioè un modo diverso di dire le stesse cose. Si tratta di un'operazione fondamentale in ogni processo di comprensione, in quanto tutti per comprendere dobbiamo riformulare nel nostro linguaggio ciò che ascoltiamo o leggiamo.
La parafrasi, a seconda del tipo di intervento fatto sul testo originario, può essere:
○ **puntuale**, se si riscrive tutto modificando o semplificando le espressioni e le parole più complesse;
○ **integrativa**, se, per fini esplicativi, si aggiungono osservazioni, informazioni che sono implicite o presupposte;
○ **sommaria**, quando il contenuto viene riproposto in modo più breve; in tal caso abbiamo il *riassunto*.

➤ *Vi proponiamo qui di seguito una parafrasi dei primi versi della poesia. Completatela con le parole mancanti.*

Gli studenti presentano alcuni tratti _____ della condizione esistenziale dei _____ di oggi, come la paura, l'incertezza e la _____ : ma anche caratteristiche proprie del loro _____ sociale come la _____, l'arroganza, la prepotenza e _____ Pasolini prova verso di loro un _____ sentimento di disprezzo.

Per questo quando il giorno _____ il poeta ha assistito agli _____ tra la polizia e gli studenti all'Università di _____ ha istintivamente _____ con i poliziotti, perché figli di _____ .

3. Sintesi

➤ *Riesponete in forma discorsiva i contenuti della poesia di Pasolini.*

b | ANALISI LESSICALE E STILISTICA

1. La poesia si collega, per i fatti e i problemi di cui tratta, alla situazione sociale e politica dell'Italia alla fine degli anni '60. Individuate gli elementi che fanno riferimento a quell'epoca.

2. Osservate il lessico usato ed evidenziate i termini con cui vengono connotati gli studenti e i poliziotti:
   - studenti: _____
   - poliziotti: _____

3. Due sentimenti, odio e simpatia, dividono questi versi come anche l'animo del poeta. Indicate come i due sentimenti emergano nella scelta del lessico.

4. La poesia ha un'andatura ed un ritmo piuttosto concitato, che esprime lo stato d'animo del poeta. Questo ritmo è sottolineato dalla particolare scelta dei segni di interpunzione, che scandiscono alcune espressioni e parole.

➤ *Provate a rileggere la poesia ad alta voce, facendo attenzione alla punteggiatura.*

5. Il registro linguistico scelto esula dai canoni tradizionali della poesia, sia per la scelta delle parole, apparentemente poco curata e sicuramente non aulica, sia per i versi che, per seguire le sensazioni del poeta, variano per lunghezza e ritmo.

➤ *Evidenziate, nella poesia di Pasolini, le parole ed espressioni appartenenti al linguaggio quotidiano e dite se le trovate adatte a ciò che il poeta vuol esprimere.*

6. La scelta e la collocazione delle parole ha molta importanza nella poesia.

➤ *Individuate nei versi di Pasolini:*

  a. *le parole messe in evidenza* (o all'inizio di un verso o da sole nel verso);
  b. *i parallelismi* (frasi più o meno contigue con uguale struttura sintattica);
  c. *le frasi nominali*;
  d. *le successioni in crescendo* di gruppi di parole.

C | PRODUZIONE ORALE O SCRITTA

1. Che cosa pensate di questo genere di poesia finalizzata al dibattito ideologico piuttosto che all'espressione di stati d'animo ed emozioni personali?

2. L'analisi contenuta nei versi di Pasolini si riferisce a condizioni e situazioni sicuramente diverse da quelle di oggi. Indicate come sia cambiata la situazione degli studenti universitari rispetto agli anni della contestazione studentesca del 1968.

3. Con questo suo scritto Pasolini assume coraggiosamente una posizione politica controcorrente, sfidando apertamente i giovani "figli di papà". Come vi comportate quando vi accorgete che una vostra idea o convinzione contrasta con quella condivisa e accettata dalla maggioranza delle persone?

4. Come si è manifestata nel vostro Paese la contestazione studentesca alla fine degli anni '60? Ne avete sentito parlare? Che idea vi siete fatti di questo fenomeno sociale?

Profilo dell'autore
PIER PAOLO PASOLINI

Nato a Bologna il 5 marzo 1922, Pier Paolo Pasolini trascorse i suoi primi anni in diverse città italiane (Bologna, Parma, Conegliano, Belluno, ecc.) per seguire i trasferimenti del padre, tenente di fanteria.
Nel 1942 la sua famiglia si trasferì a Casarsa, nel Friuli, e qui il giovane Pasolini pubblicò la sua prima raccolta di poesie: le *Poesie a Casarsa*, in dialetto friulano. Nel 1945 la morte del fratello Guido, appena diciannovenne, ucciso, lui partigiano, da partigiani jugoslavi, lasciò una ferita nell'animo di Pier Paolo che spesso nella sua opera rievocò il dolore, il lutto e il trauma di quella morte.
Finita la guerra, si laureò in Lettere a Bologna con una tesi su Giovanni Pascoli, e successivamente iniziò la carriera di insegnante di scuola media in un paese vicino a Casarsa, a Valvasone. Questo periodo friulano ha avuto molta importanza nella formazione intellettuale di Pasolini. La scoperta e il contatto con il mondo popolare e contadino rappresentò la

scoperta di un modo di essere primitivo e felice che si abbandona ai sentimenti genuini e incontaminati e all'istinto, come in una favolosa infanzia o in uno stato di natura del singolo come della collettività. Di quel mondo colse anche i valori etico-religiosi di cui era espressione: più tardi lo sentì come mitico, come un modello da non tradire e da trasmettere agli altri, perché non fosse dimenticato; ma negli ultimi anni della sua vita si vedrà come costretto a denunciarne la quasi totale scomparsa.

Nel '49, dopo uno scandalo, si trasferì con la madre a Roma. I primi anni, in una borgata romana, furono difficilissimi; fu, come scrisse in seguito, "un disoccupato disperato, di quelli che finiscono suicidi". Dopo un po' di tempo gli riuscì di trovare un impiego come insegnante, e più tardi, grazie anche a Bassani, lavorò a qualche sceneggiatura cinematografica. Nel '54 uscì la raccolta completa di poesie friulane, col titolo *La meglio gioventù*; due anni prima aveva pubblicato, in collaborazione con Mario Dell'Arco, uno studio sulla poesia dialettale del '900.

Nel '55 iniziò la collaborazione con la rivista "Officina", interrotta nel '59, quando la rivista chiuse anche per un duro epigramma di Pasolini contro il papa Pio XII. *Passione e ideologia* e la raccolta di liriche de *La religione del mio tempo* costituiscono il contributo pasoliniano a "Officina".

Nel '55 aveva anche pubblicato il suo primo grosso successo letterario, il romanzo *Ragazzi di vita* che, con il secondo, *Una vita violenta* (del 1959), costituisce un documento umano e poetico delle condizioni del sottoproletariato delle borgate romane. Nel 1957 aveva pubblicato un'altra raccolta di poesie, *Le ceneri di Gramsci*, premiata quello stesso anno a Viareggio.

A partire dal 1960 Pasolini scoprì il cinema come mezzo espressivo più immediato e di più vasta comunicazione. In pochi anni realizzò una serie di film che sono, sicuramente, tra i più significativi del cinema italiano di quegli anni. Questi film, spesso violentemente discussi e contrastati, riflettono l'evoluzione culturale ed etica del loro autore, sempre alla ricerca di nuove espressioni e provocazioni, sempre pronto a denunciare anche in modo violento il perbenismo e l'ipocrisia di una borghesia retriva, bacchettona ed arrogante.

Negli ultimi tempi la sua attività si caratterizzò per la varietà delle forme e per l'intensità dell'impegno nella denuncia e nella polemica. I suoi interventi saggistici e polemici furono raccolti in *Empirismo eretico* (1972) e in *Scritti corsari* (1975).

All'alba del 2 novembre 1975, Pier Paolo Pasolini fu trovato ucciso presso Fiumicino, su uno sfondo di baracche e rifiuti, vittima di quella violenza che aveva lungamente descritto e ripudiato.

ridere e sorridere

Leggere un testo per sorridere o sorridere leggendo un testo è una delle finalità della lettura dei brani raccolti in questa sezione. L'elemento umoristico o comico costituisce il tratto prevalente dei testi che seguono.

Le varie disavventure di uomini o di donne, le loro manie, i loro vizi sono osservati con un atteggiamento distaccato e divertito o con una certa bonaria indulgenza che mette in luce gli aspetti bizzarri e divertenti di certe situazioni che per altri versi potrebbero apparire drammatiche. Il racconto umoristico muove il lettore al sorriso, lo riconcilia con la realtà e lo aiuta a vedere con altri occhi quanto gli succede intorno.

L'aspetto divertente in un racconto può essere dato tanto dalla stranezza della situazione che viene rappresentata quanto dal modo in cui viene narrata. Così, situazioni comiche sono, ad esempio, quelle che incontriamo nel primo testo della sezione: qui la comicità scaturisce dalle curiose manie della protagonista che la portano a commettere gaffes su gaffes. Altrettanto stravaganti e curiose sono le disavventure dei due maldestri camerieri del *Disgustoso episodio di inciviltà*: qui la comicità è rafforzata dalla scelta di nomi curiosi per i protagonisti e da un linguaggio parlato di rara efficacia.

In altri racconti l'elemento umoristico deriva dal modo in cui il fatto è narrato, o addirittura dalle scelte linguistiche che creano uno scarto tra la realtà e le parole che la descrivono. Così ne *L'arringa dell'avvocato Tanucci* l'elemento divertente è costituito non semplicemente dalle discutibili tesi sostenute ma dai continui giochi di parole e dalla scelta di elementi lessicali eterogenei.

Un altro meccanismo frequente nella letteratura umoristica è dato dalla conclusione assurda o bizzarra di una storia, conclusione che spesso contrasta sia con la logica che con le attese del lettore o ascoltatore. Un esempio di ciò può essere il racconto di A. Campanile, *L'uomo dalla faccia di ladro*, che presenta un finale originale e divertente, proprio in quanto contraddice ciò che il lettore si aspettava come conclusione.

sezione 6

1. RICEVIMENTO IN FAMIGLIA

Una delle manie[1] che ha Teresa è di dare ricevimenti. Potrei dire che anche in questo caso io* sono la sua vittima[2], se una volta tanto vittima non fosse anche lei. Di se stessa. [...]

Uno dei problemi che sconvolgono Teresa in queste circostanze è che cosa offrire
5 agli invitati. Ho spesso pensato che il mezzo migliore per farli divertire, sarebbe invitarli un paio d'ore prima, ad assistere ai preparativi della festa. E sarebbe anche il più economico. Ma Teresa si perde dietro sciocchezze. Parla di torte, di gelati, di bevande, di dischi per ballare. Tutte cose che, ripeto, raggiungerebbero pienamente lo scopo di far passare ore piacevoli agl'invitati, sol ch'essi potessero assistere alle
10 discussioni e complicazioni che comportano prima.

Viceversa, essi se le godranno, per modo di dire, quando quelle cose avranno perso tutta la loro forza esilarante[3]. Vedranno arrivare una torta su un vassoio, portato con mani sia pure tremanti, ma guantate, da una selvatica servente[4] sulle mosse di[5] darsi alla fuga. Ma che cos'è, questo, in confronto con quel che avviene prima?
15 Che volete che siano una fetta di torta, un aperitivo, un balletto? Vuoi invece veramente divertirli? Ma falli assistere al modo con cui mi accogli, quando io arrivo con la torta comperata, e all'immancabile gesto di gettarmela in faccia.

Un altro problema grave è quello della servitù. Di solito, in queste giornate, a un certo punto la donna di servizio, quasi impazzita, si licenzia.
20 Una mattina ch'era capitato appunto questo caso disgraziato, Teresa telefonò a un'agenzia perché ci mandassero una cameriera. La prima a presentarsi fu una vecchia signora dall'aria regale ma molto triste, e Teresa le disse:

"No, no, io voglio una ragazza, sono abituata a trattare male, e una ragazza non s'offende".
25 La vecchia signora dall'aria regale insisteva:

"Non m'offendo nemmeno io, provi, provi". E si metteva in posa, porgendo una guancia, come per ricevere uno schiaffo. Ma Teresa fu irremovibile[6]. Per tutta la mattinata s'avvicendarono[7] i tipi più strani, tutti scartati. A una cert'ora del pomeriggio, arrivò una tale con cappello e pelliccia. Teresa la squadrò[8] con occhi di basilisco[9].
30 "Questo cappellino non mi va," le disse subito, indicandole la porta "fili, fili!"

Non vi dico come me la godetti quando, partita costei, si venne a sapere che non era una delle cameriere mandateci dall'agenzia, ma la moglie del mio capufficio, che Teresa aveva invitata, ma che non conoscevamo di persona.

Ho detto: come me la godetti. Rettifico: come stavo per godermela. Perché mi
35 accingevo per l'appunto a godermi la confusione di Teresa, con la speranza che la lezione le servisse per l'avvenire, quando lei mi scagliò[10] parte del vasellame addosso, avendo scoperto, in base a non so quali sottili argomentazioni, che la colpa di tutto, anche in questo caso, era mia. Figurarsi se fossi stato io a cader nell'equivoco. Il risultato fu che quando in pieno ricevimento, arrivò una vera cameriera, ben
40 messa, mandata dall'agenzia, fu accolta con grandi riguardi in salotto e fatta sedere per circa mezz'ora al posto d'onore.

(A. CAMPANILE, *Manuale di conversazione*, Rizzoli, Milano, 1973)

* la voce narrante in prima persona è quella del marito di Teresa.
1. fissazione ■ 2. chi subisce violenza o sopraffazione o anche incidenti ■ 3. divertente ■
4. cameriera ■ 5. che sta per ... ■ 6. che non si lascia convincere ma insiste con fermezza
e tenacia nel suo atteggiamento ■ 7. si alternarono, si succedettero ■ 8. osservare attentamente, quasi misurando ■ 9. mostro mitologico che poteva uccidere anche con il solo sguardo ■ 10. lanciare con violenza qualcosa contro qualcuno

a | COMPRENSIONE DEL TESTO

1. Informazioni specifiche

> *Rispondete alle seguenti domande:*

1. Qual è la maggiore preoccupazione di Teresa quando organizza una festa?
2. Quale sarebbe, secondo il marito, il modo migliore per divertire gli ospiti ad una festa organizzata da Teresa?
3. Perché Teresa incontra sempre problemi con la servitù?
4. Come mai la prima cameriera presentatasi non andava bene?
5. In quale spiacevole equivoco cade Teresa con una delle ospiti?
6. Come mai il marito non si è potuto godere la scena che l'equivoco di Teresa aveva provocato?
7. Come si conclude la disavventura?

2. Sintesi

> *Provate a ricostruire gli avvenimenti dal punto di vista di Teresa.*

b | ANALISI LESSICALE E LINGUISTICA

1. Derivazione

Da molti sostantivi è possibile mediante dei suffissi (es.: -ico, -evole, -ile, -oso, ecc.) far derivare degli aggettivi.

> *Eccovi un elenco di nomi: indicate per ciascuno almeno un aggettivo derivato:*

1. mania   → _____
2. vittima   → _____
3. problema   → _____
4. festa   → _____

5. servizio → _____
6. mattina → _____
7. signore → _____
8. salotto → _____
9. colpa → _____

2. Parafrasi esplicative

➤ *Nelle frasi che seguono la parte in corsivo costituisce la spiegazione o riformulazione di una parola. Individuatela!*

1. Ho trascorso le vacanze in un albergo *che costava poco*.
2. Serviva gli ospiti con mani tremanti seppur *rivestite di guanti*.
3. Avanzava con un'aria *da regina*.
4. Conduceva una vita simile a quella di un animale *che vive allo stato brado*.
5. Ho preso una decisione *da cui non intendo recedere*.

3. Coesione testuale

Le varie parti di un testo sono collegate tra loro attraverso singole parole o espressioni che rimandano a concetti o parole espresse prima o dette successivamente.

➤ *Per le seguenti frasi dite a quali altre parti del testo rimandano gli elementi messi in rilievo attraverso le domande:*

1. "Uno dei problemi che sconvolgono Teresa in *queste circostanze...*" (r. 4) A quali circostanze ci si riferisce?
2. "sarebbe invitarli *un paio d'ore prima*" (r. 5-6) Due ore prima di che?
3. "Esse se *le* godranno" (r. 11) Che cosa?
4. "Ma che cos'è, *questo*, in confronto con quel ..." (r. 14) A che cosa rimanda "questo"?
5. "Di solito in queste *giornate...*" (r. 18) A quali giornate si fa riferimento?
6. "Era capitato appunto questo *caso* disgraziato,... " (r. 20) Quale "caso" era capitato?
7. "con la speranza che *la lezione* le servisse" (r. 35-36) A quale lezione si allude?
8. "Figurarsi se fossi stato io a cader nell'*equivoco*." (r. 38) Di quale equivoco si tratta?

4. Modi di dire

vai a pag. 82

➤ *Dopo aver spiegato, anche con l'aiuto del dizionario, il significato delle seguenti espressioni, costruite delle frasi nelle quali queste siano correttamente contestualizzate:*

1. guardare con occhi di basilisco _____
2. vedere di buon occhio _____
3. gettare polvere negli occhi _____
4. chiudere un occhio _____
5. pagare un occhio della testa _____

6. non chiudere occhio   _____
7. divorare con gli occhi   _____
8. fare gli occhi di triglia _____

5. Il verbo "dare"

> Il verbo **dare** significa "trasferire qualcosa da sé ad altri". Ma il suo uso è così esteso nel linguaggio comune da assumere di volta in volta, a seconda del contesto o dell'oggetto che segue, significati particolari che possono essere espressi magari con verbi più specifici. In questi casi "dare" può significare, **consegnare, porgere, pagare, sostituire, attribuire, produrre, comunicare, guardare, giudicare, attribuire**, ecc.

a. *Servendovi del dizionario, riscrivete le frasi che seguono sostituendo il verbo "dare" con un altro verbo più appropriato:*

1. La finestra del soggiorno *dà* sulla piazza del municipio.
2. Si è offesa perché un'amica le *ha dato* dell'ingenua.
3. Il professore mi *ha dato* da tradurre questa lettera.
4. L'incendio è scoppiato perché qualcuno *ha dato* fuoco ad alcuni rami secchi.
5. Mi *dà fastidio* il suo modo di fare.
6. Quest'anno la vigna *ha dato* poca uva.
7. C'è rimasto poco tempo: *datti una regolata* per finire!
8. *Hai dato l'acqua* ai gerani sul terrazzo?

b. *Molti sono i modi di dire costruiti con il verbo "dare". Abbinate ad ogni espressione della lista **A** il significato corrispondente scegliendolo dalla lista **B**:*

A	B
1. dare battaglia	a. aiutare
2. dare carta bianca	b. attirare l'attenzione
3. darsi da fare	c. riconoscere
4. darla a bere	d. combattere, non arrendersi
5. darsela a gambe	e. scappare
6. dare alla luce	f. rassegnarsi
7. dare atto	g. salutare
8. dare i numeri	h. concedere libertà d'azione
9. dare alla testa	i. far credere
10. dare nell'occhio	l. farneticare, sragionare
11. darsi alla macchia	m. vantarsi
12. dare la mano	n. ubriacare
13. dare una mano	o. impegnarsi
14. darsi delle arie	p. nascondersi
15. darsi pace	q. partorire

1. _____	2. _____	3. _____	4. _____	5. _____
6. _____	7. _____	8. _____	9. _____	10. _____
11. _____	12. _____	13. _____	14. _____	15. _____

6. Riformulazioni

Una stessa idea può essere espressa in modi e forme diverse, senza che il suo significato venga modificato. La diversità può riguardare alcuni elementi della frase oppure la sua struttura sintattica o semplicemente l'ordine degli elementi.

➤ *Per i seguenti gruppi di frasi indicate quella o quelle che hanno un significato equivalente alla prima:*

1. Nessuna cameriera resisteva in casa di Teresa più di un mese.
   a. La resistenza di una cameriera in casa di Teresa non oltrepassava il mese.
   b. In casa di Teresa una cameriera resisteva solo un mese.
   c. Non tutte le cameriere resistevano più di un mese in casa di Teresa.
   d. Più di un mese in casa di Teresa non resisteva nessuna cameriera.

2. L'accolse a braccia aperte e la fece accomodare su un divano.
   a. L'accolse a braccia aperte e le fece accomodare un divano.
   b. L'abbracciò accogliendola e la fece sedere su un divano.
   c. Dopo averla ricevuta a braccia aperte, la fece sedere su un divano.
   d. L'accolse, l'abbracciò e l'accomodò su un divano.

3. Teresa aveva scambiato la moglie del capufficio per una cameriera.
   a. Teresa aveva cambiato la cameriera per la moglie del capufficio.
   b. La moglie del capufficio Teresa l'aveva presa per una cameriera.
   c. Teresa aveva creduto che la moglie del capufficio fosse una cameriera.
   d. Teresa aveva confuso per una cameriera la moglie del capufficio.

4. Il dottor Max sta riposando e non può esser disturbato.
   a. Il dottor Max riposa e non va disturbato.
   b. Il dottor Max dorme e non deve esser disturbato.
   c. Il dottor Max sta a riposare e non si disturba.
   d. Il dottor Max riposa e non lo si può disturbare.

5. Ho rivisto quella scena alla televisione e mi ha impressionato ancor di più.
   a. Ho visto di nuovo la scena alla televisione e sono rimasto ancora impressionato molto.
   b. Sono rimasto ancor più impressionato rivedendo quella scena alla televisione.
   c. La vista di quella scena alla televisione mi ha ancor più impressionato.
   d. Quella scena l'ho vista anche alla televisione e non mi ha impressionato di più.
   e. Quella scena alla televisione mi ha ancor di più impressionato.

6. Mentre tornavamo a casa è cominciato a piovere a dirotto.
   a. Siccome è cominciato a piovere a dirotto, siamo tornati a casa.
   b. Durante il ritorno a casa è cominciato a piovere a dirotto.
   c. Tornavamo a casa quando si è messo a piovere a dirotto.
   d. Cominciando a piovere a dirotto siamo tornati a casa.

C | PRODUZIONE ORALE O SCRITTA

1. In base agli elementi contenuti nel racconto di Campanile, provate a fare un ritratto psicologico del personaggio di Teresa.

2. Quale potrebbe essere, secondo voi, il carattere del marito di Teresa? Fatene un ritratto.

3. Una vostra amica vuole dare una festa di compleanno. Datele alcuni consigli per la buona riuscita della festa.

4. Ricordate una festa a cui avete partecipato o che avete organizzato che si è risolta in un vero fiasco? Provate a raccontarla.

5. Volete dare una festa per il vostro compleanno: scrivete, allora, almeno cinque biglietti di invito per le seguenti persone:
   - il vostro professore (o professoressa) d'italiano
   - un amico (o amica) conosciuto durante le ultime vacanze
   - un'amica di famiglia che dovete invitare per forza
   - i vicini di casa

Profilo dell'autore a pag. 15

2. STORIA DI UNA CONTRAVVENZIONE[1]

"Dotto' abbiamo preso la multa!" mi dice con tono rassegnato il tassista. "Che volete dire con "abbiamo preso la multa?" che l'ho presa pure io?"

"Ebbè mi pare evidente."

"Veramente non capisco. Allora secondo voi, vi sembra normale che chi guida
5 commette l'infrazione[2] e chi sta seduto dietro deve pagare la multa?"

"E no dotto', perdonatemi, ma adesso state sbagliando. Siamo giusti! Voi prima
dite "Andate in fretta"[3] e poi non ne volete pagare le conseguenze."

"Ma quale fretta?! E che c'entra la fretta?"

"E come che c'entra? Voi come mi avete detto quando siete salito alla stazione?
10 "Andate di fretta agli aliscafi[4] per Capri". Avete detto così, sì o no?"

"Sentite, a prescindere che io ho detto solo "Agli aliscafi per Capri", ma quando
anche avessi aggiunto di fretta, fino a prova contraria il responsabile dell'automezzo
siete solo voi."

"E già, ma a me che me ne importava di passare con il rosso? Se l'ho fatto è per
15 farvi piacere, e per farvi arrivare prima agli aliscafi. Vuoi vedere adesso che invece
di guadagnare, quando lavoro, ci debbo pure rimettere?"

"Un'altra volta non passavate con il rosso."

"Io veramente sono passato con il giallo, io! Voi non lo so. Comunque adesso sta
venendo la guardia e così vediamo che dice."

20 "Ma che deve dire, scusate? Che se il conducente passa con il rosso, viene ritirata la patente al passeggero?"

"Non lo so, adesso vediamo."

Il vigile si avvicina con lentezza, saluta militarmente e dice: "Patente e libretto di
circolazione."

25 "Scusate signora guardia." dice il mio tassista mentre tira fuori i documenti richie-
sti "adesso voi siete una persona che lavora, no? Tutto il giorno qua in mezzo, piove
o non piove. Io pure lavoro, il signore invece va a Capri. Ora secondo voi chi deve
pagare la multa?"

"Mah!" dice ridendo la guardia. "Se il signore vuole contribuire spontaneamente io
30 non ci trovo niente da dire."

"Ma che contribuire e contribuire! Io non tiro fuori una lira."

"Veramente" dice uno dei tanti spettatori che attorniano il nostro taxi, "il signore ha
ragione. La multa la paga il conducente però il signore deve anche capire che dopo
gli deve dare una mancia adeguata per risarcirlo[5] del danno subito."

35 "Quello è padre di figli!" aggiunge una vecchietta infilando la testa nel finestrino del
taxi. "E' uscito per vedere come si può abbuscare una mille lire[6] e adesso non se la
può spendere tutta insieme per pagare la multa al signore che deve andare a Capri."

"Signora guardia." dice il mio tassista uscendo dal taxi per parlare meglio con il
vigile "pensate che prima di affittare[7] ho fatto tre ore di fila a piazza Garibaldi e che
40 quando ho visto il signore io mi credevo che era straniero, che se sapevo che era
napoletano e pure un poco tirato di mano[8], io non lo facevo nemmeno salire..."

"Sentite," dico io guardando l'orologio "O mi accompagnate o me ne vado. Io qua perdo l'aliscafo."

"Lo vedete che andate di fretta!" dice trionfante il tassista.

45 "E va bene" dice il vigile. "Per questa volta andate pure. Però ricordatevi che la prossima volta mi pagate questo e quello. Quando uno si va a divertire non deve andare mai di fretta, se no che divertimento è."

Fu così che il mio taxi si avviò in mezzo ad una folla sorridente e soddisfatta.

"Meno male dotto' che è finito tutto bene" mi dice il tassista all'arrivo. "Vi giuro però
50 su quella cara immagine[9] che se la guardia vi faceva pagare la contravvenzione, a me mi sarebbe veramente dispiaciuto."

"Quant'è?" chiedo laconicamente mentre scendo dal taxi.

"Fate voi."

(L. DE CRESCENZO, *Così parlò Bellavista*, Mondadori, Milano, 1977)

1. somma di denaro pagata per la trasgressione di una norma o di un divieto; multa ■ 2. trasgressione di una norma o regola ■ 3. fate presto! Andate svelto! ■ 4. imbarcazione veloce ■ 5. pagare una somma in compenso di danni causati a qualcuno o a qualcosa ■ 6. espressione napoletana: guadagnare qualche soldo ■ 7. far salire un passeggero sul taxi (espressione napoletana) ■ 8. tirchio, attaccato al proprio denaro ■ 9. si riferisce ad una immagine sacra (santino) probabilmente presente nel taxi

a | COMPRENSIONE DEL TESTO

1. Informazioni specifiche

➤ *Rispondete alle seguenti domande:*

1. In quale città italiana si svolge questa curiosa storia?
2. Quale infrazione al codice stradale ha commesso il tassista?
3. Perché, secondo il tassista, il passeggero deve pagare la multa?
4. Perché il passeggero si rifiuta di pagare la multa?
5. Qual è l'opinione del vigile in proposito?
6. Chi altri interviene nella discussione? E quali opinioni esprime?
7. Perché il tassista aveva fatto salire proprio quel passeggero?
8. Come si conclude la storia?
9. Quanto è il costo della corsa in taxi?

2. Sintesi

➤ *Risponete brevemente il racconto letto senza usare il discorso diretto.*

1. Coesione testuale

> In un testo si fa spesso riferimento ad alcuni termini ed espressioni che vengono o ripetuti o sostituiti con altri che hanno o un significato simile (sinonimi) o la stessa referenza anche se con significato diverso, vale a dire si riferiscono alla stessa idea espressa, magari, con altre parole.

a. *Per le seguenti parole ed espressioni del testo indicate le altre a cui rimandano per significato:*

1. multa (r. 1) → _____
2. chi sta seduto dietro (r. 5) → _____
3. automezzo (r. 12) → _____
4. guardia (r. 19) → _____
5. documenti (r. 25) → _____
6. tirare fuori una lira (r. 31) → _____
7. conducente (r. 33) → _____
8. abbuscare (r. 36) → _____
9. folla (r. 48) → _____

b. *Per le seguenti parole ed espressioni ripetute indicate quante volte occorrono e in quali righe del testo:*

a. pagare la multa: _____
b. andare di fretta: _____
c. agli aliscafi: _____
d. passare con il rosso: _____
e. guadagnare: _____
f. tassista: _____
g. taxi: _____
h. Capri: _____

2. Sinonimi e contrari

➤ *Indicate se le seguenti coppie di parole hanno un significato simile oppure contrario:*

			sinonimi	contrari
- rassegnato	↔	ribelle	❏	❏
- infrazione	↔	osservanza	❏	❏
- fretta	↔	premura	❏	❏
- sbagliare	↔	azzeccare	❏	❏

- guadagnare	↔ ricavare	❑	❑
- guardia	↔ vigile urbano	❑	❑
- contribuire	↔ concorrere	❑	❑
- risarcire	↔ rimborsare	❑	❑
- spendere	↔ risparmiare	❑	❑
- folla	↔ ressa	❑	❑
- danno	↔ vantaggio	❑	❑
- indigeno	↔ straniero	❑	❑
- tirchio	↔ tirato di mano	❑	❑

3. Varietà regionale (il dialetto napoletano)

Il testo di De Crescenzo è dal punto di vista linguistico un esempio di italiano regionale, vale a dire di una varietà linguistica che presenta delle particolarità proprie di una città o regione, e in questo caso di Napoli.

Un tratto linguistico che emerge anche ad una prima lettura del testo è rappresentato dall'uso dell'allocutivo "voi" invece del più comune "Lei" dell'italiano standard; questa caratteristica è molto diffusa nell'area meridionale ed anche in alcune località e zone dell'Italia centrale.

Altri elementi della varietà linguistica napoletana li ritroviamo nel lessico (*abbuscare una mille lire; affittare*) e nelle struttura di alcune frasi (*che se sapevo che era napoletano...*) che riproducono il parlato spontaneo e colorito della gente di Napoli.

a. Espressioni dialettali

➤ *Individuate nel testo letto le parole e le espressioni della parlata napoletana o comunque della lingua parlata popolare e provate a spiegarle o a renderle in italiano comune:*

_____

_____

4. Forme allocutive

In Italia, quando ci si rivolge a qualcuno si deve scegliere tra l'allocutivo formale **Lei** e quello confidenziale **tu**.

L'allocutivo **voi**, oggi viene usato quando ci si rivolge a più persone contemporaneamente, sia in situazioni di comunicazione formale che confidenziale.

Il pronome allocutivo **tu** presuppone tra i parlanti un rapporto di confidenza, che deriva dall'essere amici, parenti o colleghi di lavoro. Tuttavia, oggi, il suo uso è molto più esteso: è l'unica forma di allocutivo che viene usata, ad esempio, dai giovani, che la usano indiscriminatamente con chiunque.

L'allocutivo formale **Loro** ha un uso molto ristretto: viene usato nei discorsi ufficiali e nella lingua burocratica.

➤ *Riscrivete le seguenti frasi del testo usando l'allocutivo "Lei" al posto del "voi":*

1. Che volete dire con "abbiamo preso la multa"?
2. Allora secondo voi, vi sembra normale che chi guida commette l'infrazione e chi sta dietro deve pagare la multa?
3. E no dottore, perdonatemi, ma adesso state sbagliando.
4. Voi come mi avete detto quando siete salito alla stazione?
5. Il responsabile dell'automezzo siete solo voi.
6. Se l'ho fatto è per farvi un piacere e per farvi arrivare prima agli aliscafi.
7. Un'altra volta non passavate con il rosso.
8. Scusate signora guardia, adesso voi siete una persona che lavora, no? Ora secondo voi, chi deve pagare la multa?
9. Lo vedete che andate di fretta?
10. Fate voi.

5. Avverbi e congiunzioni

Alcuni avverbi e congiunzioni come **ancora**, **appena**, **anche**, ecc., secondo la posizione che occupano nella frase hanno un significato ed una funzione diversa:

Ess.:

Con questa luce ci vedo **appena**.   (= con fatica)
Appena lo vedo gliene dico quattro.   (= quando)

➤ *Nelle frasi che seguono inserite al posto opportuno gli avverbi e congiunzioni qui appresso indicati:*

adesso - anche - ancora - appena - comunque - invece - nemmeno - pure - veramente

1. Vuoi vedere che invece di guadagnare, quando lavoro, ci debbo rimettere?
2. Io sono passato con il rosso.
3. Io lavoro, il signore va a Capri.
4. Il signore deve capire che dopo gli deve dare una mancia adeguata.
5. Se sapevo che era napoletano non lo facevo salire.
6. Per questa volta andate!
7. Sta venendo la guardia.
8. Quando è arrivato al porto l'aliscafo per Capri era partito.
9. Sono due ore che aspetto e non si è visto un taxi.

1. Provate a fare un ritratto del tassista protagonista del racconto di De Crescenzo.

2. Raccontate una vostra esperienza in un taxi o in un mezzo di trasporto pubblico.

3. Il traffico di una città italiana e quello della vostra città: differenze e analogie.

4. Sicuramente vi sarà capitato di dover discutere animatamente o litigare con qualcuno. Raccontate in quale occasione e perché.

Nota di civiltà

Siamo tutti dottori

> In Italia, quando ci si rivolge a qualcuno che ha un titolo accademico, è bene far riferimento nelle formule di saluto e nei convenevoli al titolo posseduto; si dirà, allora, "Buongiorno, professore"; "Arrivederla, ingegner Natta", "A presto, avvocato!" ecc.
> Il titolo più diffuso è quello di "dottore". Di norma tale titolo si ottiene con il conseguimento di una qualsiasi laurea; spesso, però, molti lo usano o come forma di rispetto o come garbata presa in giro, con chiunque, anche con quelli che ne sono sprovvisti. Così, il protagonista del dialogo che abbiamo letto si rivolge al distinto signore che vuole andare a Capri con il titolo di dottore, senza sapere ovviamente se quello ne sia effettivamente in possesso. Per le donne le cose, tuttavia, cambiano. Lo stato civile di "signora" o "signorina" prevale su qualsiasi titolo accademico, a meno che non si tratti di un rapporto strettamente professionale (dottoressa/paziente, professoressa/studente, avvocatessa/cliente).

LUCIANO DE CRESCENZO

Luciano De Crescenzo è nato a Napoli nel 1928. Ingegnere elettronico, ha lavorato come dirigente alla IBM Italia fino a quando la fortuna editoriale del suo primo libro *Così parlò Bellavista* (1977) non lo ha convinto ad entrare nel mondo della letteratura e dello spettacolo. Nel giro di pochi anni si è imposto come scrittore, ed ogni suo libro è stato un successo di pubblico: *Raffaele, La Napoli di Bellavista, Zio Cardellino* (1981), i due libri di *Storia della filosofia greca* (1983 e 1985) e *Oi dialogoi*. In queste ultime opere De Crescenzo nel raccontare in modo piano e chiaro la filosofia antica la accosta, e la mette a confronto con quella "saggezza napoletana" testimoniata dai diversi "filosofi napoletani", il cui pensiero egli illustra con toni divertiti e umoristici negli intermezzi che dividono i diversi capitoli dei libri. Nel 1989 esce una sua spiritosa ed originale autobiografia: *Vita di Luciano De Crescenzo scritta da lui medesimo* e successivamente una rilettura in chiave umoristica della guerra di Troia in *Elena, Elena, amore mio* (1991). Dieci anni dopo lo scrittore torna in maniera originale a parlare di sé con *Tale e quale* (Mondadori, 2001). Lo scrittore immagina di trovare in una stanza segreta il proprio alter ego, un sosia di se stesso. E questo artificio gli offre l'occasione per ripercorrere il proprio cammino esistenziale, per interrogarsi e dialogare con se stesso.
Una specie di compendio di filosofia e di saggezza popolare si può considerare *Il dubbio* (1992): qui lo scrittore affronta in tono vivace e scanzonato temi filosofici profondi, come quello del Destino, dello Spazio e del Tempo.
Di diverso tenore rispetto alle opere precedenti è invece il romanzo *Croce e delizia* (1993). L'autore abbandona per un momento la filosofia e la sua Napoli per raccontare una storia d'amore, tenera e crudele, ambientata a Parigi dove una troupe cinematografica gira un film televisivo ispirato alla *Traviata* di Verdi. Una sarta ingenua e credulona è convinta di essere la reincarnazione di Violetta, la protagonista del melodramma verdiano.
Un ritorno al mondo classico per trovare una chiave di lettura del mondo di oggi può essere visto in *Le donne sono diverse* (Mondadori, 1999). Qui l'autore pur parlando delle eroine del mondo antico, reale e mitologico, parla in realtà delle donne di ogni tempo, per riaffermare la loro diversità dall'uomo, non già sul piano fisiologico o sociale, ma su quello più profondo della psicologia. Le donne sono diverse perché sono più sensibili agli affetti e perché danno una maggiore importanza alla bellezza.
Un motivo che ricorre nella sua produzione tanto letteraria che cinematografica è quello della "saggezza napoletana". Il filosofo Bellavista con la sua saggezza pragmatica e bonaria che sembra attingere alle radici stesse della filosofia antica, incarna il carattere della napoletanità imperturbabile e serena sia di fronte alle tragedie immani come di fronte agli eventi più allegri o frivoli. E il "professor Bellavista", filosofo napoletano, torna forse un po' meno filosofo e più umano, in un altro romanzo dello scrittore, il quinto, *La distrazione* (Mondatori 2000); un romanzo che si sarebbe potuto anche intitolare, sul modello del primo, "così s'innamorò Bellavista". Il motivo principale che percorre il racconto è l'amore senile del vecchio professore per una sua giovane allieva: una "liaison dangereuse" tra due persone lontanissime tra loro, ciascuna aliena all'altra. In fondo per il professore quella è stata, forse, solo una sbandata, o meglio "una distrazione".
Ma gli interessi di Luciano De Crescenzo, oltre che in campo letterario, sono rivolti anche ad altri settori: si è affermato come pubblicitario, fotografo, sceneggiatore, regista cinematografico e conduttore di programmi televisivi.

3. DISGUSTOSO EPISODIO D'INCIVILTÀ NEL SALONE DEL GRAND HOTEL DANIELI A VENEZIA

Il racconto che segue è tratto dal volume di Renzo Arbore e Gianni Boncompagni, Il meglio di "Alto gradimento", che contiene alcune delle storie esilaranti e improbabili che gli autori e i loro collaboratori Mario Marenco e Giorgio Bracardi proponevano, spesso improvvisando, alla radio nei primi anni '70, nella fortunata trasmissione "Alto gradimento". Il curioso episodio qui presentato è di Giorgio Bracardi.

È ormai nota a tutti la crisi che da tempo grava sul settore turistico alberghiero che porta al nostro paese miliardi e miliardi di valuta pregiata. E' risaputo come oggi sia arduo reperire[1] un bravo cameriere, un bravo maître d'hôtel, un bravo portiere. Non è difficile vedere, infatti, muratori, manovali, scalpellini[2] nei grandi alberghi, alle
5 prese con preziosi servizi di porcellana[3] e clienti esigenti. L'altra sera gli ospiti del Grand Hotel Danieli, che si affaccia sul Canal Grande a Venezia, si accingevano a pranzare nel salone delle feste. Al conte Speranza della Ghirardella e ai suoi ospiti - il commediografo Roger O'Neal e consorte, la baronessa Francesca Barcaccioli Farseschi e l'ambasciatore Pancal in grande uniforme con feluca[4] e spadino - era
10 stato assegnato un tavolo speciale. Al servizio di questo tavolo erano addetti Porcacci Duilio, di professione scalpellino disoccupato, e Cornacchia Amilcare, di professione manovale, ambedue giunti pochi giorni prima dal Sud.
Inizia la cena. Il Cornacchia, con barba visibilmente lunga, porge il menu scritto in francese. Intanto il Porcacci, addetto alle bevande, porta bicchieri afferran-
15 doli all'interno con le dita. Gli ospiti sono infastiditi[5] dalle unghie nere del Porcacci, che inizia a versare il vino riempiendo i bicchieri sino all'orlo e sgocciolandolo sulla tovaglia. Gli ospiti sono ora costretti a piegarsi e aspirare il vino dai bicchieri per non farlo cadere. Gli ospiti, dopo mezz'ora di sforzi per farsi capire, per non morire di fame sono costretti a ordinare volgarissimi spaghetti, che ven-
20 gono serviti tra mille schizzi[6] di sugo. L'abito di pizzo bianco della baronessa Barcaccioli presenta vistose macchie. Cresce il nervosismo. Intanto il Cornacchia con ritmo frenetico continua a versare il vino agli ospiti attaccandosi sovente alle bottiglie e bevendo a garganella[7]. Gli ospiti sono infastiditi poi dalla tosse secca e insistente del Cornacchia: mentre serve a tavola tossisce senza ritegno, evitando
25 di mettersi la mano sulla bocca. È sorpreso sovente mentre si mette le dita nel naso. Ora i due "camerieri" stanno armeggiando[8] per preparare la banana à la flamme. Una enorme fiammata investe il salone. C'è terrore in sala. Cadono gli stucchi dal soffitto per il calore, i capelli e le sopracciglia dell'ambasciatore Pancal sono bruciacchiati. La mano del Cornacchia è ustionata. Il Cornacchia urla frasi
30 irripetibili. Siamo ora al dolce. Il Porcacci serve il saint-honoré[9] come se maneggiasse la cucchiara[10] da muratore, riempiendo completamente i piatti e portandosi poi le dita alla bocca, sporche di crema, con un rumore fastidioso. Ora il Cornacchia, visibilmente ubriaco, versa lo champagne rivolgendo pesanti complimenti alla baronessa Barcaccioli Farseschi. Si sta esagerando. Si alza l'ambasciatore, che minaccia i due con lo spadino. Il Porcacci, sghignazzando[11], fa cadere
35 con una scoppola[12] la feluca dalla testa dell'ambasciatore e, infilandosela a sua

volta in testa emette una pernacchia. Ora l'ambasciatore insegue il Porcacci per i saloni, tentando di riprendersi la feluca ed ingaggiando con i due una furibonda col-luttazione[13].

(R. Arbore e G. Boncompagni, *Il meglio di "Alto gradimento"*, Rizzoli, Milano, 1976)

1. trovare ■ 2. operai che lavorano la pietra ■ 3. materiale ceramico di aspetto bianco usato per fare piatti e vasi ■ 4. cappello a due punte tipico degli ufficiali di marina, dei diplomatici e degli accademici ■ 5. disturbati ■ 6. spruzzi, getti improvvisi di acqua o altro liquido ■ 7. bere direttamente dalla bottiglia ■ 8. affaccendarsi, darsi da fare in qualcosa ■ 9. dolce di pasta sfo-glia e panna montata decorato con bignè alla crema ■ 10. (forma regionale per cucchiaia) caz-zuola da muratore, arnese simile ad un grosso cucchiaio con cui i muratori lavorano la calce ■ 11. ridere in modo scomposto, sarcastico e provocatorio ■ 12. colpo dato sulla nuca con la mano semichiusa. ■ 13. rissa, zuffa violenta

a | COMPRENSIONE DEL TESTO

1. Informazioni specifiche

a. Indicate dove si svolge l'episodio raccontato.
b. Elencate gli ospiti presenti a quella cena.
c. Di ciascuno dei due "camerieri" indicate:
- le attività che svolgevano prima di fare i camerieri
- da dove venivano
- a che cosa erano addetti durante la cena
- gli incredibili incidenti provocati

2. Valutazione

Il testo letto, sia per il tono del racconto, sia per la goffaggine dei due protagonisti, sia per le situazioni che si creano, è chiaramente umoristico. La comicità nasce dal forte contrasto tra l'elevata formalità dei gesti e dei comportamenti che l'ambiente richiede e l'inadeguatezza al ruolo dei due improvvidi camerieri. Diventa, così, dif-ficile trattenere il riso dinanzi alle gaffes e stravaganti imprese dei due protagonisti.

➤ *Mettete in evidenza gli elementi che rendono comici i due protagonisti ed esilaranti le loro azioni.*

3. Sintesi

➤ *Riesponete in modo sintetico il racconto letto.*

1. Campi semantici

vai a pag. 11

a. *Abbinate a ciascuno dei seguenti aggettivi appartenenti ad uno stesso campo semantico, la definizione appropriata:*

1. ridicolo   [ ]   - 2. satirico   [ ]   - 3. ironico   [ ]
4. sarcastico [ ]   - 5. umoristico [ ]   - 6. parodistico [ ]
7. grottesco   [ ]   - 8. comico   [ ]   - 9. caricaturale [ ]

a. buffo, che suscita ilarità.
b. paradossale, bizzarro o strano.
c. proprio di chi guarda la realtà umana cogliendone gli aspetti insoliti, ridicoli o contraddittori ma con tono distaccato.
d. che esprime un'ironia amara e malevola, mossa da animosità o da risentimento verso qualcuno.
e. che presenta in modo deformato o esagerato i tratti fisici di qualcuno con intento comico o satirico.
f. che ha un atteggiamento critico, polemico o scherzoso.
g. che imita in modo burlesco e ironico qualcuno, o un testo o un film o una canzone, ecc.
h. che fa ridere perché buffo, strano, goffo o assurdo.
i. proprio di un atteggiamento che mette in ridicolo i costumi, le abitudini, il modo di vivere e le idee altrui.

b. *Indicate l'elemento di significato (tratto semantico) comune a tutti gli aggettivi sopra riportati.*

vai a pag. 19

2. Antonimi

a. *Indicate i possibili contrari dei seguenti aggettivi:*

1. enorme   _____
2. frenetico   _____
3. prezioso   _____
4. speciale   _____
5. sporco   _____
6. vistoso   _____
7. volgare   _____

b. *Scrivete almeno sei frasi in cui siano usati in modo appropriato alcuni dei contrari individuati con l'esercizio precedente.*

3. Derivazione: nomi di mestieri

Ci sono nomi di mestieri che derivano o dal nome dello strumento o attrezzo usato, o dal prodotto realizzato o dal materiale impiegato. Così "scalpellino" è l'operaio o artigiano che lavora il marmo o la pietra servendosi dello *scalpello*, una corta barra d'acciaio tagliente in una estremità. Allo stesso modo, "marmista" è chi lavora il marmo e "bottaio" è chi costruisce o vende botti.

Tali nomi si formano con l'aggiunta di un suffisso alla parola base. I prefissi più usati (o più "*produttivi*") per formare nomi indicanti mestieri sono: *-ino, -aio, -ore, -ista*.

> *Completate la tabella che segue, indicando da quale termine deriva ciascun mestiere ed indicate se questo termine base designa uno strumento o il prodotto realizzato:*

Nome di mestiere	Termine d'origine	Prodotto o strumento
1. birraio	birra	prodotto
2. laccatore		
3. tornitore		
4. stagnino		
5. ombrellaio		
6. sigaraio		
7. piallatore		
8. martellatore		
9. muratore		
10. gommista		
11. biscottiere		
12. tubista		

4. Il verbo ESSERE

Il verbo **essere** ha un uso molto esteso: sia da solo che in unione ad altri verbi. Infatti, esso può essere utilizzato come:

a. ausiliare: vale a dire si unisce al participio passato di un altro verbo per formare i tempi composti di alcuni verbi intransitivi, dei verbi pronominali e dei verbi passivi.

Es.:

Paola **è partita**.

Marco non **si è accorto** di nulla.

Luisa non **è stata invitata** alla cena.

b. intransitivo assoluto: usato da solo significa *esistere, essere in vita*. Accompagnato dal pronome locativo "*ci*" acquista il senso di presenza in un luogo.

Es.:

Dio **è**.

C'era una volta un re.

Ci sono molti problemi da risolvere.

c. transitivo indiretto: seguito da un complemento acquista significati diversi in rapporto al complemento stesso; corrisponde così ad altri verbi.

Es.:

Patrizia **è** <u>in casa</u>   (sta, si trova)
Carlo **è** <u>di Firenze</u>.   (proviene da, è originario di)
Lucia **è** <u>con Paolo</u>.   (= sta)
La statua **è** di <u>bronzo</u>   (= è fatta)
Questo regalo **è** <u>per te</u>. (=è destinato)

d. copula: quando è usato come elemento verbale di giunzione tra il soggetto e un aggettivo o sostantivo che indicano le caratteristiche del soggetto o attribuisce un modo di essere al soggetto. In questo caso il verbo essere concorre a formare con il nome o aggettivo che si riferisce al soggetto il cosiddetto *predicato nominale*

Es.:

Patrizia **è** *simpatica*.
Carlo Berni **è** *ingegnere*.
Milano **è** *una città* del nord Italia.

➤ *Indicate se il verbo "essere" nelle frasi che seguono è usato come copula o come verbo intransitivo assoluto o transitivo indiretto o come ausiliare; in quest'ultimo caso indicate se concorre a formare un tempo composto di un verbo intransitivo, pronominale o passivo:*

1. È nota a tutti la crisi del settore turistico alberghiero.   [_____]
2. È risaputo come oggi sia arduo reperire un bravo cameriere. [_____]
3. Al conte Speranza della Ghirardella era stato assegnato un tavolo speciale.
   [_____]
4. Gli ospiti sono infastiditi dalle unghie nere del Porcacci.   [_____]
5. Essi sono ora costretti a piegarsi e aspirare il vino dai bicchieri.
   [_____]
6. È sorpreso mentre si mette le dita nel naso.   [_____]
7. C'è terrore in sala.   [_____]
8. Negli anni Cinquanta molti italiani sono emigrati in America.
   [_____]
9. Quei signori sono emigranti turchi.   [_____]
10. Il signor Ratti è a pesca.   [_____]
11. Il taxi non è ancora arrivato.   [_____]
12. Il tempo è cambiato: sta per piovere.   [_____]
13. Che bisogno c'era di trattarlo in quel modo?   [_____]

5. Barzellette

➤ *Quelle che seguono sono delle brevi storie comiche (barzellette) divise in due parti. Abbinate ad ogni inizio la battuta conclusiva congruente tra quelle proposte nella seconda colonna:*

1. Sulla scalinata della chiesa, mentre trasportano la bara verso il carro funebre carico di ghirlande di fiori, la vedova sussurra:	a. Non so leggere, - spiega - non so scrivere, non so contare e, come se non bastasse, il maestro non vuole che io parli. Sai dirmi, allora, a che cosa serve la scuola?
2. Un vecchio avaro, che viaggiava in prima classe con un biglietto di seconda, si rifiuta di pagare il supplemento. Il controllore esasperato dall'atteggiamento ostinato del viaggiatore, pieno di ira afferra la grossa valigia del recalcitrante viaggiatore e la getta fuori dal finestrino.	b. Per ora, me ne vado. Il suo tempo è prezioso ... quello che le resta almeno.
3. Terminata la visita, il medico ripone nella valigetta lo stetoscopio e, rivolto al malato, dice:	c. L'assassino è l'idraulico!
4. Durante una tournée in provincia, un attore prega il portiere di notte dell'albergo dove ha preso alloggio, di svegliarlo alle dieci precise del mattino. Alle sei il portiere bussa energicamente alla porta della camera dell'attore.	d. Disgraziato! - urla in lacrime il viaggiatore - Lei ha ammazzato mia moglie!
5. Nella sala d'aspetto di un ambulatorio medico due signori chiacchierano fra di loro: - Incredibile! - dice uno dei due, alzando gli occhi dal giornale che sta leggendo, - Da una statistica risulta che ogni volta che io respiro, muore una persona! -"	e. Era da quarant'anni che non uscivamo insieme.
6. Le scuole si sono riaperte da qualche giorno ed un bambino rivolto alla madre dice molto deciso che non vuole più andarci.	f. Scusi, se la sveglio ora, - spiega, - ma è l'ora del cambio e io non ho nessuna fiducia nel ragazzo che mi sostituisce.
7. Al cinema, dove proiettano un film giallo, l'inserviente si accorge che uno spettatore, dopo essere stato accompagnato al posto, gli ha dato solo cento lire di mancia. Allora tornato indietro, si avvicina allo spettatore tirchio e gli mormora:	g. E perché allora non prova con un dentifricio alla menta?

1. Il filosofo francese Henry Bergson scrisse: "Immaginate alcuni personaggi in una certa situazione: voi otterrete una scena comica invertendo le parti".
   Provate a immaginare delle situazioni in cui i ruoli siano invertiti; ad es.: un cliente che serve il cameriere, uno studente che corregge il suo professore, una figlia che dà consigli alla madre su come fare la madre, ecc., e costruiteci sopra un racconto umoristico.

2. Raccontate un episodio curioso o divertente a cui avete assistito o che vi hanno raccontato.

3. Costruite una storia curiosa sviluppando in chiave umoristica i seguenti suggerimenti:

   * Un signore distratto va al funerale sbagliato e fa le condoglianze ad una signora credendola la vedova del suo amico.
   * Uno studente, interrogato sulla geografia dell'Italia, pur non conoscendo affatto l'argomento, con molta sicurezza e faccia tosta dà le risposte più assurde.
   * Un impiegato, sempre puntuale e preciso, una mattina si sveglia in ritardo, e nella fretta dimentica di infilarsi i pantaloni.
   * Una conversazione tra due persone sorde.

4. LA CADUTA DI CAFASSO

Dalla calura insistente del basso Piemonte, dai vapori padani[1] che gravano sulla città e l'avvolgono d'un velo soffocante, il signor Cafasso è emerso, al volante della sua "famigliare"[2] sulla quale, dopo aver chiuso il negozio per ferie, aveva caricato la moglie, il figlio trentenne, la figlia, il genero e il nipotino di cinque anni.

5   Il signor Cafasso non cede mai la guida al figlio o al genero. Nonostante i suoi sessant'anni si sente il miglior pilota della famiglia e vuole, sulla strada come in negozio, che tutte le responsabilità si assommino nella sua persona.

Circondato dalla muta disapprovazione di tutta la famiglia, il signor Cafasso arrivò a Pont-St.-Martin e svoltò bravamente verso la valle del Lys aggredendo le rampe a 10 denti stretti.

All'ora stabilita la "famigliare" era ferma davanti all'alberghetto dove aveva prenotato due camere per otto giorni. Due camere soltanto: una matrimoniale col terzo letto dove avrebbe dormito il figlio trentenne e l'altra per i coniugi giovani, pure col terzo letto per il bambino. Il figlio, già anziano, si sottometteva ogni anno per otto 15 giorni ad essere considerato un bambino e a dormire coi genitori, tanto gli sarebbe parso scandaloso gravare sulla spesa con una camera tutta per sé.

Il giorno dopo cominciarono le passeggiate famigliari. Il signor Cafasso, un grosso bastone alla mano e gli scarponi con le punte voltate in su, apriva la marcia. Tutte le mete comprese nel giro di un paio d'ore, fra andata e ritorno, furono raggiunte 20 durante i primi giorni. Restava ormai da affrontare il problema della seggiovia[3].

"Seicento lire a persona andata e ritorno" diceva il signor Cafasso a tavola dopo aver accettato di discutere il problema. "Sei per sei trentasei: tremilaseicento lire!"

Nonostante l'enormità della somma, o piuttosto dello spreco[4], il signor Cafasso decise per l'indomani: "Domani tutti a Punta Jolanda!"

25   Alle nove del mattino, dopo aver tentato invano di ottenere uno sconto presentando la fila di cinque famigliari, Cafasso acquistò i biglietti e per primo si preparò sulla predella[5] in attesa che il sedile lo raccogliesse per portarlo quasi in volo ai piedi del Monte Rosa.

Uno dopo l'altro i membri della famiglia furono depositati alla stazione di arrivo. 30 Non restava che tornare indietro dopo aver guardato il panorama, dal momento che il bar appollaiato sopra una roccia era stato subito scartato[6]. Ma tutti furono d'accordo circa il fatto di passare almeno un'ora in altitudine, e cominciarono a spargersi per i pascoli, avviandosi chi per un sentiero chi per un altro.

Quando venne l'ora di scendere, il signor Cafasso non spuntò. Si era eclissato[7], 35 forse in cerca di un luogo comodo o per mettersi in un angolo remoto a prendere il sole.

Con l'aiuto di un garzone del bar e di un gruppo di alpinisti che ritornavano dal lago Gabiet, vennero iniziate le ricerche. Tutta la zona fu ispezionata. La moglie, disperata, guardava il pendio verso nord, sempre più convinta che il marito fosse 40 rotolato nella valle. La cosa era inverosimile e prevalse il parere degli alpinisti: che il signor Cafasso fosse disceso con la seggiovia senza avvertire nessuno. Il manovratore infatti telefonò alla stazione di partenza e riferì che un signore del tipo del disperso era arrivato in basso. Un po' sconcertati i cinque discesero.

All'arrivo seppero che il loro congiunto era in effetti disceso, ma a piedi, lungo il ripido sentierino che seguiva serpeggiando i piloni[8] della seggiovia, e in modo tale che appena giunto aveva dovuto essere collocato su una barella[9] e avviato al posto di pronto soccorso alpino. Lo trovarono nudo, nelle mani di un infermiere che lo stava incerottando e pennellando con la tintura di iodio. Contusioni[10] ed escoriazioni[11] alla testa, al viso, alle spalle, ai gomiti, alle ginocchia e alle mani; un occhio blu, due bitorzoli[12] in fronte e un polso lussato[13]. Nessuno riuscì a far parlare il signor Cafasso che mugolava come un bue.

Quando fu portato all'albergo e disteso nel suo letto, ricominciarono le domande dei famigliari. Nessuno riusciva a capire perché, con tutta la sua prudenza, si fosse messo al rischio di una simile discesa. Ma l'interpellato non parlava. Si limitava a rievocare le cadute: "Sei cadute" diceva piagnucolando "il doppio di quelle di Gesù sotto la croce! Alla terza una frana di sassi sulla testa e alla quinta uno sdrucciolone[14] di parecchi metri, fin contro un tronco di pino che per fortuna mi ha fermato!".

"Ma perché? Ma perché?" chiedeva la moglie torcendosi le mani. "Avevi il biglietto di andata e ritorno! Cosa ti è venuto in mente?"

A turno il figlio, la figlia, il genero e perfino il nipotino gli andavano vicino e chiedevano: "Ma perché? Ma perché?"

Finalmente il signor Cafasso proruppe: "Se l'ho fatto, alla mia età, un perché ci sarà stato!"

Il perché sarebbe rimasto un segreto se non si fosse presentato dopo cena un giovane a chiedere se il signor Cafasso non avesse trovato, nella discesa, una borraccia[15] che il giovane diceva di aver perduto scendendo per lo stesso sentiero poco prima, per raccogliere un portafogli che gli era caduto salendo in seggiovia.

"La borraccia!" urlava il Cafasso. "Mi viene a chiedere la borraccia! No, Non ne ho trovate di borracce! Non ho trovato niente del tutto!"

Uscito il giovane il povero Cafasso confessò: salendo in seggiovia, aveva scorto sotto di sé un portafogli gonfio, certamente caduto a qualcuno che lo precedeva. Senza dir nulla, appena arrivato si allontanò dai famigliari e prese il sentiero del ritorno convinto di poter raccogliere il portafogli. Purtroppo il pendio era risultato terribile, al punto che alcune volte rischiò di precipitare.

Inutile dire che quella "faccia di ladro" che era venuto a chiedere della borraccia, era sceso prima di lui e aveva raccolto il portafogli.

(P. CHIARA, *Di in casa in casa, la vita*, Mondadori, Milano, 1988)

1. della pianura del Po (pianura padana) ■ 2. automobile di dimensioni tali da essere adatta alle esigenze di spostamento di una famiglia ■ 3. impianto per il trasporto delle persone in montagna, costituito da un sistema di seggiolini trascinati da una fune ■ 4. consumo inutile e ingiustificato ■ 5. largo gradino di legno o metallo ■ 6. eliminato, rifiutato ■ 7. era scomparso ■ 8. pilastri che sorreggono le funi della seggiovia ■ 9. specie di letto usato per il trasporto dei feriti ■ 10. lesioni per lo più sotto la pelle provocate da colpi o urti con oggetti non taglienti ■ 11. lesioni superficiali della pelle tipiche di lievi incidenti ■ 12. sporgenza o protuberanza prodottasi sulla pelle per effetto di un colpo ricevuto ■ 13. le articolazioni del polso si sono spostate a causa di un urto ■ 14. scivolone ■ 15. recipiente per bevande usato da soldati, sportivi e alpinisti

1. Informazioni specifiche

Relativamente al testo letto:

a. indicate i componenti della famiglia di Cafasso;
b. descrivete i luoghi in cui si svolge la vicenda;
c. individuate gli episodi dai quali emerge la "spilorceria" del signor Cafasso;
d. descrivete l'incidente occorso a Cafasso e il fatto che lo ha provocato;
e. riesponete la conclusione della vicenda: le condizioni di Cafasso, il suo stato d'animo e quello dei suoi familiari.

2. Sintesi

➤ *Il testo che segue è una sintesi del racconto letto da cui sono state tolte alcune parole. Reinserite le parole mancanti:*

Il signor Cafasso, chiuso il negozio, è partito con tutta la sua famiglia per i soliti _____ giorni di vacanza. Naturalmente alla _____ della vecchia automobile c'era lui, Cafasso, che, nonostante i suoi sessant'anni, si sentiva il miglior _____ della famiglia. La _____ era un alberghetto in montagna dove aveva _____ due sole camere. Il figlio, che pure aveva ormai trent'anni, veniva _____ come un bambino e dormiva con i _____.

I primi giorni furono dedicati alle _____ a piedi, e verso la fine della _____ il signor Cafasso decise che si poteva salire _____ montagna in seggiovia. Il costo appariva _____, tuttavia per una volta si poteva fare un po' di _____. All'arrivo i famigliari si sparpagliarono in _____ diverse.

All'ora fissata per il _____ tutti erano presenti: mancava solo il signor Cafasso. La cosa parve _____ ed iniziarono immediatamente le ricerche. Si venne così a _____ che un tipo somigliante al signor Cafasso era _____ alla stazione di partenza della _____.

I famigliari, giunti anche loro alla base, _____ che il loro parente era sceso _____ per un sentiero che passava lungo i _____ della seggiovia, e che in quel momento si trovava al pronto _____ alpino dove gli stavano medicando le molte ferite riportate nella rovinosa discesa.

Nessuno riusciva a _____ come un signore tanto _____ avesse rischiato la vita in quel modo.

Il vero motivo si capì quando si presentò un _____ che venne a chiedere al signor Cafasso se avesse visto durante la discesa una _____. Il giovane, così diceva, l'aveva _____ mentre scendeva per raccogliere il _____ che gli era caduto durante la salita in seggiovia. Anche Cafasso _____ di quel portafogli e si era precipitato giù per quel _____ ripido, ma era arrivato troppo tardi!

1. Derivazione

Ogni lingua parlata si arricchisce continuamente di nuove parole per esprimere nuove sfumature, concetti ed oggetti nuovi. La maniera più semplice e più frequente per creare nuove parole è quella di modificare la forma di parole esistenti attraverso l'aggiunta di elementi (*prefissi* e/o *suffissi*) o la modificazione di qualcuno di quelli già presenti. Ad esempio da **carta** derivano: *cartone, cartolina, cartuccia, cartella, scartare, incartare, cartellone,* ecc.

a. - Per le seguenti parole, usate nel testo, indicate la parola base da cui derivano:

1. padana _____
2. calura _____
3. terzo _____
4. appollaiato _____
5. altitudine _____
6. alpinista _____
7. serpeggiare _____
8. incerottare _____
9. pennellare _____
10. avviarsi _____

b. - Per ognuna delle seguenti parole indicate almeno altre tre derivate:

es.: **caldo**: → *scaldare, calore, caldaia, calura, caloria,* ecc.

1. forma → _____
2. giorno → _____
3. sommo → _____
4. fila → _____
5. mano → _____

2. Riformulazioni

➤ *Riscrivete le frasi seguenti sostituendo le parole e le espressioni in corsivo con altre simili senza cambiare il senso della frase:*

1. All'ora *stabilita, la famigliare* era ferma davanti all'alberghetto.
2. Tutte *le mete comprese nel giro di un paio d'ore*, furono raggiunte durante i primi giorni.
3. Il figlio, *già anziano, si sottometteva ad* essere considerato un bambino.
4. Un signore *del tipo del disperso* era arrivato in basso.
5. Nessuno riusciva a capire perché *si fosse messo al rischio di* una simile discesa.
6. Nonostante *l'enormità della somma* il signor Cafasso decise *per l'indomani*.

3. Il participio passato

Il **participio passato**, come il presente, ha funzione verbale e nominale, è usato cioè sia come verbo che come aggettivo o sostantivo.

a. Come **aggettivo** ha funzione di attributo di un nome, con il quale si accorda nel genere e nel numero. Il suo significato corrisponde a quello di una proposizione relativa con il verbo al passato, o a quello di una proposizione temporale o causale.

Es.:

All'ora *stabilita* (= che era stata stabilita) la famigliare era pronta davanti all'alberghetto.

Il giocatore *infortunatosi* (= dopo che si era infortunato) ha lasciato il campo da gioco.

Come per il participio presente, anche alcuni participi passati usati originariamente come aggettivi sono diventati dei sostantivi. Ad esempio: la *caduta*, l'*andata*, il *disperso*, il *congiunto*, il *fatto*, il *successo*, la *data*, il *prefisso*, ecc.

b. Usato come **verbo** il participio passato serve a realizzare frasi subordinate implicite di tipo temporale, causale, concessivo o ipotetico, ed indica un evento anteriore rispetto a quello della reggente.

Es.:

Uscito il giovane (= dopo che il giovane fu uscito) il povero Cafasso confessò.

Entrati nella stanza, i familiari lo videro tutto coperto di lividi e cerotti.

Il participio passato dei *verbi transitivi* ha sempre valore passivo, anche nei costrutti assoluti: letto = che è stato letto; aiutato = che è stato aiutato.

Es.:

Lasciato dalla sua fidanzata, (= poiché era stato lasciato) Marco per una settimana non ha parlato con nessuno.

In una frase come

Franco, **appresa** la notizia, si è precipitato all'ospedale.

Il participio passato è passivo e concorda con l'oggetto "la notizia" e non già con Franco che in realtà la apprende. È vero che "appresa la notizia" è anche equivalente alla sua trasformazione attiva esplicita "dopo che aveva appreso la notizia", ma ciò non toglie che il costrutto con il participio passato assoluto resti passivo e che il suo senso letterale sia: "dopo che la notizia era stata appresa".

Il participio passato di un verbo intransitivo ha ovviamente valore attivo.
Nella frase

Arrivata a casa, Patrizia si è buttata sul letto per la stanchezza.

"arrivata" equivale a "dopo che era arrivata", e concorda con il soggetto del predicato reggente.

a. *Rintracciate nel testo letto i participi passati ed indicate se sono usati in funzione verbale, aggettivale o nominale.*

b. *Per ciascuno dei seguenti participi passati indicate i corrispondenti infiniti:*

- commosso _____
- espresso _____
- successo _____
- teso _____
- scomparso _____
- accolto _____
- estinto _____
- presunto _____
- porto _____
- composto _____
- ritratto _____
- fritto _____
- sedotto _____

- discusso _____
- scosso _____
- accluso _____
- parso _____
- rimasto _____
- sconvolto _____
- unto _____
- scoperto _____
- storto _____
- redatto _____
- costretto _____
- corrotto _____
- distrutto _____

c. *Trasformate i participi passati in proposizioni esplicite temporali, causali, concessive o relative:*

1. *Portato* all'albergo fu disteso su un letto.

   _____

2. *Terminato* il concerto, Patrizia e Mauro sono tornati a casa insieme.

   _____

3. *Ispezionata* tutta la zona, le guardie forestali scesero a valle.

   _____

4. Tutte le mete *comprese* nel giro di un paio d'ore furono raggiunte durante i primi giorni.

   _____

5. *Partiti* la mattina di buon'ora, arrivarono a destinazione solo a notte fonda.

   _____

6. *Accortasi* che la gonna che aveva comprato le stava stretta, Angela è ritornata nel negozio per cambiarla.

   _____

7. Non vi dico come me la godetti quando, *partita* costei, si venne a sapere che non era una delle cameriere *mandateci* dall'agenzia ma la moglie del mio capufficio, *invitata* da Teresa.

   _____

8. Mi disse che, una volta *finita* la guerra, ci sarebbe stato bisogno di giovani corrispondenti capaci.

   _____

d. *Trasformate le proposizioni subordinate in corsivo in proposizioni implicite al participio passato:*

Es.:

> *Dopo che il giovane fu uscito*, il povero Cafasso confessò.
> **Uscito il giovane,** il povero Cafasso confessò.

1. Luisa, *che pure era partita mezz'ora prima*, è arrivata a casa di Daniela un'ora dopo di noi.

   _____

2. *Dopo che erano trascorsi tre giorni dalla sua scomparsa*, sono iniziate le ricerche da parte dei carabinieri.

   _____

3. *Aveva appena bevuto un bicchiere d'acqua fredda*, che sentì dei forti dolori allo stomaco.

   _____

4. *Appena ha finito di parlare al telefono*, la segretaria mi ha richiamato presso il tavolo con un cenno sottile di mano.

   _____

5. Certamente lui era uno di quei vecchi artigiani, *che erano divenuti maestri nella loro arte*.

   _____

6. Ha abbandonato il tavolo da gioco, *solo perché aveva finito i soldi*.

   _____

7. *Benché fosse stato incluso in fondo alla lista dei candidati*, ha vinto le elezioni.

   _____

8. *Quando avrete esaminato tutti gli aspetti*, scoprirete che avevo ragione io.

   _____

9. La frutta *che ho comprato ieri*, è già andata a male.

   _____

4. Parole e immagini

* Abbinate a ciascuna delle seguenti vignette l'appropriata "battuta" comica, scegliendola tra quelle di seguito proposte:

 1.

 4.

 2.

 5.

 3.

 6.

 7.

a. - Tu stai zitto finché papà non ha finito il suo lavoro!

b. - Sarebbe questo, il tuo piano per tener lontani gli intrusi?

c. - Lo so benissimo che vi avevo denunciato la sua scomparsa, ma non vi avevo detto di trovarla.

d. - Sono piaciuti i miei spiedini?

e. - E in quest'ufficio c'è il signor Rossi, il nostro consulente per la prevenzione degli infortuni.

f. - .... e, mi raccomando, non dimenticare il riso: le ragazze stanno aspettando!

g. - Dovreste incominciare con il signor Rossi, dottore: venerdì sera non l'avete ricevuto ed ha passato il fine-settimana qui!

1. Sulla base degli elementi presenti nel testo letto provate a fare un breve ritratto di Cafasso.

2. Piero Chiara in questo racconto presenta una tipica vacanza familiare: tutta la famiglia unita si sposta nella località scelta molto tempo prima.
   Qual è la vacanza preferita dalle famiglie del vostro Paese?
   Provate a descrivere una vacanza tipo indicando i luoghi e le forme di svago o divertimento scelti.

3. Anche il modo di fare vacanza è uno specchio dei valori e dei modelli di comportamento prevalenti in ciascun periodo storico. Soprattutto i giovani di ogni generazione tendono a fare delle vacanze "diverse" rispetto a quelle della generazione precedente.
   Dite come il vostro modo di fare le vacanze si differenzia da quello dei vostri genitori.

3. Il turismo è la più importante attività economica del pianeta. Cinque miliardi di vacanzieri all'anno muovono cifre altissime, danno lavoro a milioni di persone, ed invadono ogni angolo del pianeta.
   Da qualche tempo, accanto alle grandi autostrade delle vacanze di massa, si va diffondendo un turismo diverso, basato sull'interesse, sulla passione, sulla curiosità, sulla voglia di impegno sociale ed ambientale.
   Ed ecco allora, in alternativa alla tradizionale vacanza di relax, forme di turismo diverso come:
   a. il turismo dell'anima, viaggi spirituali alla ricerca di se stessi;
   b. il turismo ecologico, o ecoturismo, per gli amanti del verde e della natura;
   c. il turismo della solidarietà di chi parte per dare una mano alle popolazioni più svantaggiate;
   d. il turismo enogastronomico di chi ricerca e vuole scoprire i gusti e i sapori delle cucine locali.

   Scegliete una forma di vacanza socialmente utile e cercate di convincere un vostro amico o amica a trascorrere con voi una simile vacanza.

5. In quale fra le località italiane che conoscete vi piacerebbe trascorrere un periodo di vacanza?
   Cercate informazioni su questa località sfogliando libri o enciclopedie, oppure navigando in internet o anche chiedendo notizie al vostro insegnante di italiano. Preparate, quindi una breve descrizione scritta della località, che illustrerete oralmente in classe o agli amici.

Profilo dell'autore a pag. 35

5. L'ARRINGA DELL'AVVOCATO TANUCCI

Signori del tribunale, siamo qui a difendere l'onorabilità del signor Esposito Alessandro, detto 'a *Rinascente*, dall'accusa di truffa e di falsificazione di marchio d'impresa.

È nostra intenzione dimostrare che la truffa non sussiste nel primo capo d'accusa[1]
5   e che il fatto non costituisce reato per quanto riguarda la falsificazione del marchio d'impresa. Ciò premesso, esponiamo i fatti:

Domenica 27 marzo, domenica delle Palme, in una bella mattinata di sole, quando tutto lasciava presumere che gli animi delle persone fossero rivolti a desideri di pace, il vigile urbano Abbondanza Michele elevava contravvenzione a carico del mio cliente
10 Esposito Alessandro per vendita senza licenza di borse e borsoni di varia foggia[2], sul marciapiede antistante la chiesa di Santa Caterina a Chiaia. Il giorno seguente, un sopralluogo eseguito da agenti della Guardia di Finanza, in un terraneo sito al numero 25 di Vico Sergente Maggiore, dove appunto ha domicilio il mio cliente, portava alla scoperta di una modesta catena di assemblaggio delle predette borse, eseguita esclu-
15 sivamente da membri della famiglia Esposito, e di 28 orologi perfettamente funzionanti, imitazioni delle seguenti marche: Rolex, Cartier, Porsche e Piaget.

Per giungere al nocciolo dell'accusa, è necessario precisare che il materiale plastico, acquistato e non fabbricato dall'Esposito per confezionare le borse, riportava in sequenza, sia verticale che orizzontale, una serie di lettere "L" e "V" intrecciate a
20 guisa di[3] monogramma e intervallate da fiorellini. Dette lettere sarebbero le iniziali di tale Louis Vuitton, cittadino francese, non presente in aula e che non abbiamo il piacere di conoscere.

Nel caso che i signori del tribunale non fossero aggiornati sui prezzi praticati dalla ditta Louis Vuitton di Parigi, ci pregiamo informarli che una borsa di media grandezza,
25 costruita in ottima plastica francese, viene venduta intorno alle 400.000 lire, laddove[4] l'imitazione italiana, prodotta dal mio cliente, costa solo 25.000 lire e, in casi particolari, quando l'incasso a fine giornata lascia a desiderare, perfino lire 20.000. Dettaglio fondamentale: su tutta la merce era esposto un cartello con la scritta:

AUTENTICHE BORSE LOUIS VUITTON
30 *PERFETTAMENTE IMITATE*

A questo punto ci si chiede: ha commesso una truffa Alessandro Esposito? Ma che vuol dire "truffa"? Chiediamolo al codice. Dunque... articolo 640... "Chi con artifici e raggiri[5] induce taluno in errore, procurandosi ingiusto profitto, è punito, a querela della persona offesa, con la pena da tre mesi a tre anni di reclusione e con la multa
35 da lire 40.000 a lire 400.000". Dal che si deduce che per esserci truffa è indispensabile, come prima cosa, che ci sia una persona offesa che è stata indotta in errore; e chi potrebbe essere questa persona offesa? Il cliente di passaggio? E no, signori del tribunale, perché qui due sono i casi: o il cliente di passaggio ha letto il cartello fino alla fine, e allora era a conoscenza che si trattava di semplici imitazio-
40 ni, o per disattenzione ha letto solo "AUTENTICHE BORSE LOUIS VUITTON", e allo-

ra il vero truffatore è lui che con sole 25.000 lire voleva arraffare[6] un oggetto valutato sul mercato quasi mezzo milione! E poi, alla fin fine, quale sarebbe questo ingiusto profitto? Quelle nove o diecimila lire a borsa che l'Esposito portava a casa agli operai familiari in attesa? No, signori del tribunale: la difesa sostiene con fer
45 mezza, non essendoci truffati, non esiste nemmeno una truffa.

E veniamo al secondo capo d'accusa: alla falsificazione del marchio d'impresa. I grandi maestri della pittura, i Giotto, i Cimabue, i Masaccio, non erano soliti apporre la firma ai loro capolavori, e questo perché ritenevano, giustamente, che le opere d'arte dovevano essere apprezzate per il loro valore intrinseco[7] e non perché erano firmate da Tizio
50 o da Caio. La fregola[8] della firma, infatti, può essere considerata una degenerazione consumistica del nostro secolo. Oggi la fessaggine umana, chiedo scusa per la crudezza del termine, arriva ad acquistare qualsiasi cosa purché debitamente firmata. [...]

Il signor Louis Vuitton di Parigi un bel giorno ha pensato: "Io adesso costruisco migliaia di borse di plastica, ci scrivo sopra le mie iniziali e poi me le vendo a una
55 decina di volte il loro valore: vuoi vedere quanti fessi trovo che se le comprano?". Io qui sto parlando di Vuitton, ma il discorso vale naturalmente per tutte le altre fabbriche di firme: Gucci, Fendi, Armani, Rolex eccetera, eccetera. Ormai non ci sono più limiti: anche stando seduti sul gabinetto può far piacere essere circondati da mattonelle firmate Valentino!
60 Qualcuno potrebbe obiettare: "Louis Vuitton non costringe nessuno a comprare le sue borse. Perché il tuo cliente invece di rubacchiare i marchi altrui, non prova a lanciare sul mercato un suo prodotto originale?" E già: ve la immaginate voi una signora che dice all'amica: "Ieri mi sono comprata un Esposito, devi vedere come mi sta bene!".

A questo punto mi chiedo: esiste una legge che pone dei limiti ai profitti di un pri
65 vato? Sì che esiste, ma è la comune legge del mercato: se un'azienda alza troppo i prezzi di vendita non riuscirà mai a smerciare il prodotto a causa della concorrenza. E se quest'azienda plagia i suoi clienti e li convince che il prodotto è eccezionale anche quando è fatto di materiale sintetico? E' qui che ti aspetto mio caro Vuitton! Articolo 603: delitto di plagio. "Chiunque sottopone una persona sotto il proprio
70 potere, in modo da ridurla in totale stato di soggezione, è punibile con la reclusione da 3 a 15 anni." Ora io affermo che, se un individuo è riuscito a convincere migliaia di persone che una borsa di plastica seppure coperta di monogrammi, è migliore di una borsa di pelle, vuol dire che costui ha ridotto in totale stato di soggezione i propri clienti, e pertanto, forte di questa deduzione, io oggi accuso il signor Louis
75 Vuitton di Parigi di plagio. Accuso altresì i trafficanti di firme, i venditori di fumo, italiani e stranieri, di assoggettare al loro potere le nostre mogli e i nostri figli. Accuso i mass-media, i pubblicitari, i commercianti e tutti i loro complici di profitti illeciti. A voi signori del tribunale, il compito di fare giustizia: su un piatto della bilancia avete Louis Vuitton, Grande Furbo Internazionale, e sull'altro piatto Esposito Alessandro,
80 piccolo furbo napoletano, colto in flagrante[9] mentre tentava di piluccare[10] una briciola di pane sulla tavola della grande abbuffata[11]!

(L. DE CRESCENZO, *Storia della filosofia greca. I presocratici*, Mondadori, Milano, 1983)

1. elenco di azioni illegali attribuite a un imputato nell'atto di accusa ■ 2. forma ■ 3. nella forma di ■ 4. mentre invece ■ 5. imbrogli, inganni ■ 6. afferrare con sveltezza ■ 7. che appartiene o è essenziale a una cosa ■ 8. smania, frenesia ■ 9. nell'atto di compiere un reato o altra azione ■ 10. mangiare qualcosa poco a poco, a pezzettini ■ 11. grande mangiata collettiva

a | COMPRENSIONE DEL TESTO

1. Informazioni generali

> *Rispondete alle seguenti domande:*

1. Di quali reati è accusato il signor Alessandro Esposito?
2. Dove e quando è stato scoperto a commettere questi reati?
3. Quale tesi sostiene l'avvocato della difesa relativamente alla prima accusa?
4. Quale tesi sostiene relativamente alla seconda accusa?
5. Quali grandi maestri della pittura italiana vengono ricordati? e a quale proposito?
6. Quale accusa l'avvocato Tanucci rivolge a Louis Vuitton e agli altri noti stilisti citati?

b | ANALISI LESSICALE E LINGUISTICA

1. Lessico giuridico

> L'arringa di questo curioso avvocato presenta una ricca mescolanza di stili e registri linguistici che vanno dal tecnicismo del lessico giuridico alla retorica fantasiosa dell'avvocato di provincia, dal registro colto a quello popolare o volgare.

> *Individuate nel testo alcuni termini del sottocodice giuridico e alcune espressioni del parlato popolare.*

termini giuridici	espressioni popolari
_____	_____
_____	_____
_____	_____
_____	_____

2. Riformulazioni

> *Provate a riscrivere in linguaggio più semplice le seguenti espressioni tipiche del sottocodice giuridico:*

- falsificazione di marchio d'impresa _____
- elevare contravvenzione a carico di _____

- un sopralluogo eseguito da agenti...   _____
- in un terraneo sito al numero...   _____
- indurre taluno in errore...   _____
- colto in flagrante   _____
- punibile con la reclusione   _____

3. Parafrasi esplicative

➤ *Nelle frasi che seguono la parte in corsivo è la spiegazione di una parola; riscrivete le frasi con la parola individuata:*

1. Il signor Esposito fu accusato *di aver contraffatto* delle borse.
2. L'agente della finanza ha effettuato *su ordine del giudice un'ispezione sul posto.*
3. Io so *dare il giusto valore a* un'opera d'arte.
4. Aveva messo su una catena *in cui si mettono insieme parti di oggetti.*
5. Accuso gli stilisti *di sottomettere altri al loro volere.*
6. Tutto lasciava *pensare sulla base di dati oggettivi a* una soluzione positiva.
7. Vendeva borse sul marciapiede *che si trova davanti* alla chiesa.
8. Vendeva borse senza *la regolare autorizzazione del Comune.*

4. Le interrogative retoriche

Le **interrogative retoriche** sono solo formalmente delle domande, perché la rispo-sta è evidente o scontata. Si usano spesso al posto di semplici affermazioni, per dare ad esse maggiore efficacia ed incisività. Gli interlocutori, o gli ascoltatori, sono come costretti a dare la risposta affermativa o negativa che la domanda impone.
Sono dette *retoriche* perché frequenti nell'arte retorica antica.

Ess.:

Io votare per lui?
Vuoi proprio tu darmi questo dispiacere?
Forse che non te l'avevo già detto io?

a. *Individuate nel testo di De Crescenzo le interrogative retoriche e trascrivetele.*

b. *Trasformate le seguenti affermazioni in interrogative retoriche:*

1. Questo vestito mi sta proprio bene.
2. Solo un pazzo può aver fatto una affermazione del genere.
3. Su questa proposta non sono d'accordo con te.
4. Prego, serviti pure!
5. Nessuno dei testimoni lo ha visto in realtà entrare in quella casa.

1. Il testo argomentativo

L'avvocato Tanucci, difensore di Alessandro Esposito, cerca di convincere i giudici, attraverso la sua personale ricostruzione e interpretazione dei fatti, della infondatezza delle accuse mosse al suo assistito. La sua arringa è un esempio di **testo argomentativo**. Come ogni discorso argomentativo, l'arringa del nostro avvocato:

- affronta e dibatte un **problema** (*innocenza dell'imputato*)
- propone una soluzione (**tesi**)
- si sviluppa per **argomenti** che tendono a giustificare la validità della tesi
- ha uno **scopo** (*convincere i giudici*).

Perché un'argomentazione raggiunga il suo scopo è essenziale tenere presente il contesto in cui questa ha luogo. Il contesto è costituito dal **problema**, dai d**ati condivisi** e **dall'interlocutore o destinatario** dell'argomentazione.

Il *problema* è la difficoltà, l'alternativa, il dubbio da chiarire o risolvere in modo appropriato, i *dati condivisi* sono le informazioni, le conoscenze o i fatti noti sia a chi sostiene la tesi che all'interlocutore, mentre la persona o le persone cui il discorso argomentativo è destinato costituiscono l'*interlocutore*. L'interlocutore può essere, perciò, un singolo individuo, come un gruppo di persone o anche una categoria definita, può essere una persona reale come una persona ideale o fittizia. L'individuazione dell'interlocutore è importante perché è in base ad esso che vengono scelti il tipo di linguaggio (stile e registro linguistico) e gli argomenti da proporre. Osserviamo il seguente testo:

Ragazzi, io propongo di andare in pizzeria stasera, tanto in televisione non c'è niente di buono, e ho scoperto una nuova pizzeria dove fanno delle pizze favolose. E poi ragazzi, ogni tanto una serata senza i genitori tra i piedi ci vuole proprio!

Si tratta di un testo argomentativo che prevede:

- a. un *interlocutore* (ragazzi coetanei)
- b. una *proposta* (una serata in pizzeria)
- c. un *linguaggio* adeguato agli interlocutori e al tema
- d. *argomenti* in sintonia con lo scopo e non contraddittori
- e. uno *scopo*: convincere gli altri ad andare in pizzeria.

Un testo argomentativo è valido non solo perché c'è una relazione corretta tra la tesi sostenuta e gli argomenti, ma anche perché gli argomenti sono adeguati al tipo di pubblico.

Osserviamo ora un esempio costruito parafrasando una parte del ragionamento dell'avvocato Tanucci.

Perché ci sia truffa occorre che si sia indotta una persona in errore [**Principio generale**]

Il signor Esposito non ha indotto nessuno in errore perché sul cartello aveva chiaramente indicato che le borse erano imitate [**Argomento**]

Il signor Esposito non è un truffatore. [**Tesi conclusiva**]

Lo schema di base del ragionamento argomentativo non muta se si varia l'ordine degli argomenti e dei principi. Lo stesso testo potrebbe avere questa forma:
Il signor Esposito non è un truffatore (tesi) perché dichiarando apertamente che le borse erano imitate non ha indotto nessuno in errore (argomento) e stando a quanto dice il codice, non può esserci truffa se non si è indotto in errore qualcuno (principio generale).

Ecco uno schema-base per il testo argomentativo:

> Tema:
>> Contesto:
>>> Interlocutore
>>> Dati condivisi
>>> Problema
>> Tesi o opinione:
>>> Argomento x
>>> Principio o regola generale x
>> Tesi conclusiva

Un aspetto importante e decisivo per la costruzione e la ricostruzione linguistica di un testo argomentativo sono i **legamenti testuali** o **connettivi**. Questi non solo collegano le varie parti del testo rendendolo coeso, ma rendono evidenti i passaggi cruciali dell'argomentazione segnalando la funzione delle diverse proposizioni o affermazioni, facilitando così la comprensione del testo.

a. *Sulla base dello schema proposto nella scheda, indicate relativamente al testo di Luciano De Crescenzo:*

1. l'interlocutore/destinatario dell'arringa dell'avvocato Tanucci, indicando gli elementi linguistici che si riferiscono ad esso;
2. le informazioni o i dati condivisi;
3. il problema o i problemi che vengono discussi;
4. la tesi/opinione circa la prima accusa, quella di truffa, e la seconda, quella di falsificazione del marchio d'impresa;
5. gli argomenti e i principi generali (espliciti o impliciti) portati a sostegno delle tesi;
6. la tesi conclusiva.

b. *Individuate nel testo letto i diversi legamenti di discorso, o connettivi, e trascriveteli:*

_____

_____

_____

_____

c. *Inserite nel testo che segue gli opportuni legamenti di discorso scegliendoli fra quelli proposti in fondo:*

Negli ultimi anni in quasi tutte le società industriali avanzate c'è stato un aumento della violenza giovanile, ... [1] di quella gratuita, quella apparentemente inspiegabile perché non motivata da una causa vera. .... [2] si è perso il senso del dolore, della morte, della sofferenza, del senso di colpa, ... [3] si è perso il senso della realtà. .... [4] denunciare quello che può sembrare un luogo comune, ... [5] la responsabilità della televisione, ... [6] l'uso che se ne fa, nel cambiamento dei comportamenti giovanili, nell'aumento della violenza. ....[7] la realtà virtuale abbia sostituito nell'immaginario giovanile quella reale e che di molte azioni violente si ignorano le conseguenze emotive.

.... [8] che la televisione è la sola responsabile .... [9] essa influenzi direttamente il comportamento deviante. Non penso che questi giovani siano figli della Tv, ... [10] che la televisione incide dove non c'è nulla che faccia argine o insegni ad interpretare i messaggi. .... [11] che in situazioni in cui le famiglie sono disgregate, i rapporti affettivi inesistenti, la televisione non è più solo un mezzo di informazione .... [12] diventa l'unico mezzo di formazione. Sottoposti a una fitta pioggia di immagini crude e violente, questi giovani sviluppano un'insensibilità verso la sofferenza e rimangono in uno stato di immaturità. .... [13] i ragazzi non sono più capaci di autodeterminarsi e hanno sempre bisogno di modelli e di punti di riferimento, ... [14] non li trovano nella famiglia li cercano nella TV o nel gruppo dei coetanei. .... [15] il gruppo in questo senso è importante: .... [16] questi ragazzi commettono un delitto è come se avessero un coro con cui non si sentono dissonanti, in conflitto, ma sostenuti.

a. Anche
b. Con ciò non si intende dire
c. Dobbiamo tener conto però
d. e se
e. È un fatto indiscutibile che
f. Insomma,
g. ma voglio dire
h. ma
i. Non mi stanco di
j. o che
k. o più precisamente
l. soprattutto
m. quando
n. Questo succede perché
o. in altre parole
p. vale a dire

1. Voi siete il giudice nel processo contro Alessandro Esposito. Avete ascoltato l'arringa dell'avvocato Tanucci. Quale sentenza emettete? Perché?

2. Il mercato dei falsi è così esteso da preoccupare seriamente molte importanti aziende dell'abbigliamento. Come spiegate questo fenomeno e quali riflessi ha, secondo voi, a livello economico?

3. Esprimete le vostre valutazioni in merito alla diffusa abitudine di indossare abiti firmati.

4. Nel testo di De Crescenzo sono nominati alcuni famosi stilisti italiani. Conoscete il nome di altri stilisti? Come giudicate la moda italiana? E' diffusa nel vostro paese?

Attività comunicative

a. Un vostro amico si è presentato ad una cerimonia ufficiale vestito in modo eccessivamente sportivo: scarpe da tennis, jeans e maglietta.
   Descrivete le reazioni dei presenti ed i possibili commenti.

b. Formulate delle espressioni con le quali
   vi complimentate con qualcuno per la sua eleganza
   fate osservazioni ironiche sull'abbigliamento eccentrico di qualcuno
   consigliate qualcuno sulla scelta di un abito per un'occasione speciale

Questionario sulla moda

1. L'abito è per voi:
   [a] un'espressione della vostra personalità
   [b] il modo più intelligente di coprirsi
   [c] un modo per farsi notare

2. Quando vi vestite,
   [a] indossate la prima cosa che capita
   [b] fate attenzione all'abbinamento dei colori e dei tessuti
   [c] vi controllate molte volte allo specchio

3. Quando andate a comprare un vestito,
   [a] vi lasciate consigliare dalla commessa
   [b] ascoltate il consiglio dei familiari
   [c] scegliete secondo l'impulso del momento

4. Nella scelta vi orientate
   [a] verso modelli firmati
   [b] verso abiti comodi
   [c] verso abiti economici

5. L'uomo che segue la moda, lo giudicate:

    [a] una persona con scarso senso critico

    [b] un vanitoso

    [c] una persona preoccupata della propria immagine

6. Quando comprate un vestito

    [a] vi sentite in colpa per aver buttato dei soldi

    [b] siete soddisfatti: finalmente qualcosa per voi!

    [c] è una spesa come un'altra: ordinaria amministrazione!

7. Se un vestito è ormai "fuori moda",

    [a] lo eliminate dal vostro guardaroba

    [b] lo mettete da parte: prima o poi tornerà di moda

    [c] lo portate lo stesso, perché vi piace

8. Una donna che segue la moda, la considerate:

    [a] elegante

    [b] molto spendacciona

    [c] priva di fantasia

Punteggi:

Quesito n.	a	b	c		Il tuo punteggio
1	2	0	4		
2	0	2	4		
3	2	0	4		
4	4	2	0		
5	2	0	4		
6	0	4	2		
7	4	2	0		
8	4	2	0		

Totale: _____

Se avete totalizzato:

da 0 a 11 punti: *Per voi vestire è semplicemente il modo con cui gli esseri umani si coprono per proteggersi dal freddo e dagli eventi atmosferici.*

da 12 a 21 punti: *Per voi vestire è un utile modo per presentarsi e per esprimere i propri gusti.*

da 22 a 32 punti: *Vestirsi elegantemente e seguire la moda è uno scopo importante per la vostra vita. Sentite il bisogno di farvi notare e lo fate affidandovi ciecamente ai gusti degli altri.*

6. L'UOMO DALLA FACCIA DI LADRO

Non avevo mai rubato prima di quel giorno e non ho più rubato dopo. Il furto avvenne su quella piccola e lenta ferrovia a scartamento ridotto[1] che da Smirne va a Sciabìn Karà Hissàr attraverso selvagge montagne infestate[2] da briganti. Avevo preso posto in uno scompartimento dove non c'era che un altro viaggiatore; una spe
5 cie di straccione che dormiva con una mano sugli occhi e che non parve nemmeno accorgersi della mia presenza. Ma, appena il treno si fu mosso, costui aprì gli occhi e mi guardò.

Allora, sotto la luce rossastra della lampada a petrolio, apparvero i lineamenti volgari d'una faccia equivoca, losca[3] e pallidissima, che una squallida barba di sei o
10 sette giorni rendeva ancora più sinistra e su cui si leggevano a chiare lettere la fame e la sfacciataggine[4]. Osservandolo con maggior attenzione, m'accorsi che una lunga cicatrice gli deturpava la guancia sinistra e dopo qualche minuto, alla vacillante[5] luce della lampada che faceva danzare esageratamente le ombre, dovetti constatare con terrore che la faccia del mio compagno di viaggio, che prima m'era parsa solo
15 poco rassicurante, fosse addirittura spaventosa.

Avrei voluto cambiare scompartimento ma, non essendo il treno intercomunicante, fino alla prossima stazione era inutile pensarci. Il che significava che avrei dovuto passare tre ore con il sinistro individuo; tempo sufficiente per consumare il più efferato[6] dei delitti, su una linea dove un grido sarebbe stato lanciato al deserto e
20 dove era un gioco da ragazzi far scomparire un cadavere, gettandolo nel burrone[7].

Il treno saliva su per i monti e le gallerie si succedevano l'una all'altra. Fuori le tenebre inghiottivano l'aspro paesaggio e tutto era favorevole alla mia silenziosa uccisione. Inchiodato al sedile, sentendomi crescere di minuto in minuto la paura, io non toglievo lo sguardo dalla faccia del losco figuro che mi sedeva di fronte, e
25 ne sorvegliavo ogni movimento, mentre con la coda dell'occhio badavo al campanello d'allarme, pronto a balzare in piedi e afferrarlo, appena il mio compagno di viaggio avesse accennato ad attuare il piano dell'aggressione, che certo andava studiando, a giudicare dal modo in cui mi osservava. M'ero guardato bene dal posare la mia valigia che tenevo sulle ginocchia. Come estremo espediente[8], di
30 quando in quando mi frugavo nella tasca dei pantaloni fingendo di volermi assicurare che la rivoltella fosse al suo posto. Ma in realtà non avevo né rivoltella né altre armi.

A un tratto lo sconosciuto si alzò fissandomi. Balzai in piedi con un grido per attaccarmi al campanello d'allarme, ma l'altro mi fermò guardandomi con occhi
35 supplichevoli e, accortosi che avevo paura, mi rassicurò: "Signore - mi disse - voi credete che io sia un ladro. Tranquillizzatevi. Tutti lo credono, vedendomi, ma io non sono un ladro". "Vi pare? - esclamai, lieto di questa leale dichiarazione che mi toglieva da un incubo[9] - io non credo affatto che siate un ladro." Così dicendo gli feci posto accanto a me. "Io non sono un ladro" ripeté il brutto ceffo[10]. E aggiun
40 se: "Purtroppo". Rimasi di stucco[11]. Ma il brutto ceffo proseguì: "Avrei dovuto essere un ladro e avrei voluto esserlo. La mia natura, la mia educazione, l'ambiente

nel quale sono nato e vissuto, cospiravano a fare di me quello che era la mia vocazione e addirittura la mia passione: un ladro. Ma, purtroppo, una cosa m'ha impedito e mi impedisce di rubare" "Forse - domandai - non sapete rubare?" "Non so fare altro" disse l'enigmatico personaggio; "non è che non so. Non posso rubare." "Spiegatevi," feci "che cos'è che ve lo impedisce?" Il mio compagno di scompartimento sollevò il volto verso la lampada e si mise bene in luce. "Guardatemi," disse "che cosa notate?" Avrei voluto rispondere: "Una gran faccia di mascalzone", ma me ne astenni[12] per evitare storie, e risposi semplicemente: "Non so; non vedo nulla di anormale". "Ah," fece il figuro "non vedete nulla? Allora ve lo dirò io." Mi guardò fisso negli occhi e aggiunse, con voce strozzata: "Io, signore, ho la faccia di ladro".

Rimasi fulminato[13]. Non gli si poteva dare torto ma avevo anche paura a dargli ragione. "Come si può rubare, con una faccia simile?", proseguì dopo un attimo il brutto ceffo, con la voce divenuta stridula[14] e beffarda[15]. "Se circolo tra la folla, tutti al mio passaggio portano istintivamente la mano al portafogli e alla catena dell'orologio. Le donne, vedendomi, sorvegliano le loro collane e le loro spille preziose. I miei compagni di viaggio non cessano di tener d'occhio i propri bagagli e palpeggiarsi le tasche per assicurarsi che nulla manchi, i poliziotti, quando m'incontrano, mi fissano attentamente e, se avviene un borseggio tra la folla, il primo ad essere sospettato sono io."

Mentre il brutto ceffo parlava, un'idea diabolica s'era fatta strada nel mio cervello: se derubassi quest'uomo dalla faccia di ladro? questo ladro che non può rubare? Agilità e astuzia non mi mancano. Dopo qualche minuto, il rigonfio portafogli del brutto ceffo era passato nella mia tasca destra. E, il treno essendosi fermato, non dovetti nemmeno cercare di cambiare scompartimento, perché il sinistro figuro s'alzò. "Io sono arrivato, signore," disse, "addio." Scese. Attesi che il treno si movesse. Attesi di veder scomparire il figuro. Lo vidi scavalcare la staccionata[16] della stazione, col suo fagotto[17] e il suo bastone in mano. Vidi le misere spalle allontanarsi nei campi. Io poi non lo vidi più, povero ladro mancato, povero straccione derubato da me.

Appena il treno si fu rimesso in moto, volli esaminare il bottino. Tirai fuori il portafogli rubato e, colpo di scena!, m'accorsi che era il mio.

(A. CAMPANILE, Manuale di conversazione, Rizzoli, Milano, 1973)

1. distanza fra le rotaie di un binario ferroviario inferiore a quella normale ■ 2. invase, piene ■ 3. disonesto ■ 4. comportamento di chi non ha paura o vergogna di nulla ■ 5. che ondeggia, traballa ■ 6. crudele, feroce ■ 7. luogo scosceso e profondo ■ 8. rimedio, accorgimento per risolvere una situazione difficile ■ 9. pensiero ossessivo e angoscioso ■ 10. individuo dall'aspetto poco rassicurante, pericoloso ■ 11. restare sorpresi ■ 12. evitai di rispondere ■ 13. colpito ■ 14. che emette un suono acuto e fastidioso ■ 15. che si compiace di deridere e beffare ■ 16. recinzione costituita da traverse di legno sostenute da pali ■ 17. pacco piuttosto grande fatto alla meglio

1. Descrizione

➤ *In base a quanto viene detto nel racconto, descrivete:*

    a. lo scompartimento del treno
    b. l'aspetto del viaggiatore che è insieme al narratore
    c. gli stati d'animo del narratore

2. Coreferenza

➤ *Individuate e trascrivete tutti i termini e le espressioni con cui viene indicato il compagno di viaggio del narratore.*

3. Sintesi

a. *Riesponete il racconto letto in non meno di ottanta (80) parole.*

b. *Riesponete il racconto letto in non più di venti (20) parole.*

b | ANALISI LESSICALE E LINGUISTICA

1. Derivazione: il suffisso -evole

> Con il suffisso **-evole** è possibile derivare da verbi aggettivi che esprimono abilità, attitudine o possibilità: es.: *piacere* → piacevole, *supplicare* -→ supplichevole.

➤ *Dai seguenti verbi derivate gli aggettivi con suffisso -evole, e con questi formate delle frasi.*

> considerare - durare - favorire - gradire - incantare - lodare - mutare - scorrere

2. Derivazione: il suffisso -astro

> Il suffisso **-astro** conferisce al nome e all'aggettivo cui si aggiunge un senso peggiorativo: es.: *poetastro* è un cattivo poeta. Con i nomi di colori il suffisso ha il valore di "impuro", "tendente a" (es.: "sotto la luce *rossastra*" vuol dire luce tendente al rosso).

➤ *Nelle frasi seguenti sostituite le circonlocuzioni in corsivo con il termine appropriato:*

1. Tutti in paese lo consideravano un *medico per niente bravo*.

   _____

2. Luca è *fratello solo per parte di madre* di Elisabetta.

   _____

3. Ha un sapore *non proprio dolce, direi quasi dolce*.

   _____

4. Marco mi sembra un *furbo maldestro e goffo*.

   _____

5. Gianni è un *giovane scapestrato e sregolato*, che dà molti problemi ai suoi genitori.

   _____

6. Una luce *tendente al blu* illuminava il piccolo porto.

   _____

7. Marta si è presentata al ricevimento con una parrucca *tendente al biondo*.

   _____

8. Ha una carnagione *tendente al verde oliva*: forse è di origine orientale o indiana.

   _____

vai a pag. 370

3. Parole solidali

➤ *Scrivete accanto ad ogni aggettivo i sostantivi che possono abbinarsi ad esso scegliendoli fra quelli qui sotto elencati:*

aspetto - guancia - individuo - luce - mano - sguardo - piede - sogno - tasca

- sinistro : _____
- destro: _____
- chiaro: _____
- scuro: _____
- losco: _____
- spaventoso: _____
- spiacevole: _____
- colorito: _____

4. Contestualizzazioni semantiche

➤ *Completate le frasi con la parola appropriata scegliendola fra quelle qui appresso suggerite:*

carpire - defraudare - derubare - furto - rapinare - rapire - rubare - sgraffignare - sottrarre

1. Mentre faceva la fila allo sportello delle raccomandate lo _____ del portafogli e di tutti i documenti.
2. Durante il periodo estivo nelle città si verificano molti _____ negli appartamenti.

3. I ladri penetrati nell'appartamento _____ tutti gli oggetti di valore.
4. Ha fatto di tutto per _____ il consenso degli elettori.
5. Il rapido intervento della polizia _____ il rapinatore all'ira della folla.
6. L'organizzazione delinquenziale che _____ il figlio dell'ingegner Falconi ha chiesto un riscatto di tre milioni di euro.
7. I banditi che _____ la gioielleria in via Veneto erano tutti a volto scoperto.
8. I bambini che crescono nelle moderne città _____ del contatto diretto con la natura.
9. Vorrei sapere chi _____ il gelato che avevo lasciato nel frigorifero.

5. Ausiliari con i verbi modali

I verbi modali (o servili) sono quei verbi che accompagnano un altro verbo all'infinito, evidenziando la "modalità" dell'azione, vale a dire indicando se essa è possibile, necessaria o voluta.
I verbi modali per eccellenza sono **dovere**, **potere**, e **volere**; a questi si possono aggiungere *sapere* (= essere in grado di...), *solere* (= essere solito), *osare, preferire* e *desiderare*.

1.a. Nei tempi composti questi verbi prendono, di norma, l'ausiliare richiesto dal verbo che reggono.
Es.:

Luigi *ha comprato* un paio di jeans	Luigi **ha voluto** *comprare* un paio di jeans.
Marco è *partito* in treno.	Marco **è dovuto** *partire* in treno.
Patrizia è *rimasta* a casa.	Patrizia **è dovuta** *rimanere* a casa.

1.b. Tuttavia, nell'uso linguistico quotidiano, soprattutto nel registro familiare, come pure quando si vuole enfatizzare il significato del verbo modale, si può usare l'ausiliare **avere** anche se il verbo all'infinito richiede *essere*.

Es.:

Marco **ha dovuto partire** in treno perché la sua macchina era rotta.
Patrizia **ha voluto** *restare* a casa per preparare l'esame.
Antonio e Roberto, a causa del maltempo, non **hanno proprio potuto venire** al concerto.

1.c. L'ausiliare **avere** è obbligatorio quando i verbi modali ai tempi composti reggono il verbo **essere**.

Es.:

Avresti potuto essere più gentile con lei, in fondo non l'ha fatto apposta!
Non **ha potuto** essere indifferente di fronte a ciò che succedeva.

1.d. I verbi come **sapere**, **osare**, **preferire**, usati come verbi modali, nei tempi composti conservano sempre l'ausiliare **avere**.

Es.:

Non **hanno saputo** partire da soli.
Non **ha osato** venire in quelle condizioni.
Hanno preferito rimanere a casa dei Rossi.

a. *Completate il brano che segue con i verbi modali opportuni al tempo e modo conveniente:*

Lo sconosciuto con rammarico affermò che lui _____ essere un ladro e _____ anche esserlo: la sua natura e la sua educazione lo spingevano su questa strada. Ma qualcosa glielo impediva. Non è che lui non _____ rubare, anzi non _____ fare altro, ma con quella faccia non _____ certo fare il ladro. Infatti, quando al suo compagno di viaggio chiese cosa vedeva nella sua faccia, quest'ultimo _____ rispondere che quella era una gran faccia da mascalzone. Insomma, non _____ rubare perché tutti _____ riconoscerlo subito.

b. *Riscrivete al passato prossimo le seguenti frasi, facendo attenzione alla scelta dell'ausiliare dei verbi modali:*

1. Dobbiamo fare in fretta per non perdere la coincidenza con il treno diretto a Lucca.
2. Non posso essere d'accordo con lui.
3. Dovevano rientrare in caserma prima delle undici.
4. Vogliono ritardare la partenza per essere presenti alla cerimonia d'inaugurazione della nuova filiale della banca.
5. Il signor Cafasso vuole scendere a piedi per un sentiero pericoloso.
6. Preferiamo restare in piedi.

C PRODUZIONE ORALE O SCRITTA

1. Spesso al primo incontro con una persona formuliamo nella nostra mente un primo giudizio sul suo carattere o sulla sua personalità semplicemente sulla base del suo aspetto esteriore. Tale giudizio è spesso originato da pregiudizi o è fonte di pregiudizi. Dite in che misura il giudizio su una persona è condizionato dal suo aspetto esteriore.

2. Durante un lungo viaggio in treno, ad un certo punto vi trovate nello scompartimento soli con una persona dall'aspetto poco rassicurante che vi fissa con una certa insistenza. Come reagite?

3. L'uomo dalla faccia di ladro, tornato a casa, racconta la propria esperienza di viaggio ad un suo amico. Ricostruite il possibile racconto.

Profilo dell'autore a pag. 15

tra realtà e finzione

Non si può rimanere estranei a ciò che ci accade intorno. Le vicende e le storie degli altri spesso ci riguardano, ci commuovono, ci coinvolgono. Nel destino fortunato o tragico di un altro scopriamo il senso di ciò che succede a ciascuno di noi.

I fatti della vita non sono solo materia di cronaca giornalistica o di chiacchiere fra amici, ma fonte e sostanza di tante pagine di romanzi, di racconti e anche di poesie. Le vicende diventano allora storie emblematiche, paradigmi e sintesi di tanti fatti ignoti e oscuri che accadono, in qualsiasi momento, in ogni angolo del mondo. Nelle storie, così come sono narrate dai grandi autori, il lettore è guidato a rivivere le sensazioni e le emozioni, le gioie e le paure, i piaceri e le angosce che, solo apparentemente di altri, sono in realtà le proprie, sono sostanza di quella "umanità" di cui tutti siamo parte.

Anche in altre sezioni di questo volume si raccontano storie "personali". Quelle qui riunite costituiscono solo un piccolo campionario di storie quotidiane e drammatiche, che anche quando sono invenzioni fantastiche o letterarie tradiscono il fatto realmente accaduto che le ha ispirate. Nella vicenda, ad esempio, del *Postino di Filadelfia* di Tabucchi, come non vedere la scelta di cambiare vita andando a vivere in uno dei pochi paradisi terrestri sopravvissuti alle smanie del consumismo? Come pensare che sia pura *"fiction"* (invenzione) *La lettera minatoria* di Sciascia? La cronaca giornalistica continua a ricordarci come sia frequente e diffusa l'abitudine di mandare lettere anonime. Ad un fatto giudiziario reale fa pensare *L'uovo al cianuro* di Piero Chiara. La dinamica dei fatti narrati è così realistica che non può essere vista come esclusiva invenzione di un appassionato di "gialli".

Il gioco d'azzardo, legale e non, costituisce un aspetto rilevante della nostra società. L'atmosfera che si respira nei casinò, che molti considerano luogo di perdizione e rovina non solo economica, è magistralmente descritta da Mario Soldati nel brano *Il Casinò*.

Spesso storie reali sono così incredibili e curiose da sembrare inventate. È il caso del fatto di cronaca riportato all'inizio della sezione, *Signori, una colletta per la benzina*: una storia tanto strana da fare, appunto, pensare come sia spesso vero che la realtà supera ogni immaginazione.

È, insomma, un breve campionario di situazioni, di drammi e di problemi che può aiutare a riflettere sui casi della vita.

sezione 7

1. SIGNORI, UNA COLLETTA PER LA BENZINA

Le vie del cielo non sono ancora finite, ma in compenso restano molto complicate. L'ingolfamento[1] dei corridoi aerei, l'inefficienza di molte compagnie, le pietose
condizioni di tanti aeroporti, il terrorismo ci hanno ormai abituato alle emergenze più
imprevedibili e curiose. Ma accanto ai rischi tradizionali (ritardi da calendario, notti
5   in bianco, dirottamenti e via continuando) possiamo ora aggiungere un inedito[2]
"rischio soldi".

Consiglio: se viaggiate in aereo, soprattutto se volate con compagnie piccole o poco
conosciute, ricordatevi sempre di non affidare unicamente alle carte di credito la
vostra solvibilità[3]. Qualche spicciolo in tasca potrebbe tornare utile per affrontare bril-
10   lantemente situazioni come quella che ha visto protagonisti un centinaio di turisti
inglesi.

"Signori passeggeri, è il comandante che vi parla. Abbiamo un problema: potreste
prestarci tutto il denaro contante che avete con voi per poter fare il pieno di benzina
e tornare a casa?". Quando gli occupanti del volo GB-301, in servizio tra Madeira e
15   l'aeroporto londinese di Gatwick, si sono sentiti rivolgere la domanda dagli altopar-
lanti di bordo hanno subito pensato ad uno scherzo. E invece il problema era reale:
senza soldi niente benzina, dunque niente ritorno in Inghilterra. Come nelle gite di
gioventù in utilitaria, la vecchia cara colletta[4] per il carburante si è rivelata come l'u-
nica strada praticabile. Ma cosa era successo?

20   Secondo il racconto che ne ha fatto ieri il settimanale "Sunday Express" la GB
Airways, compagnia specializzata in charter, aveva affidato il collegamento di quel
giorno tra Madeira e Londra alla British Caledonian. Partito da Funchal, l'aereo aveva
dovuto far scalo a Puerto Santo per un rifornimento. Ma poiché quest'ultima compagnia non figurava tra i clienti abituali di quell'aeroporto, il personale non aveva
25   voluto far credito all'equipaggio.

A quel punto l'inconsueta richiesta. "Quando il comandante ci ha domandato i
soldi pensavamo scherzasse, - ha raccontato un passeggero - poi abbiamo capito
che la situazione era seria e che bisognava vuotare le tasche altrimenti rischiavamo
di non tornare a casa".

30   Ricavato della colletta: 1200 sterline, più di due milioni e mezzo di lire. Nel giro
di mezz'ora il pilota è stato così in grado di consegnare una borsa piena di biglietti
da cinque e dieci sterline al distributore e farsi riempire i serbatoi. Il Boeing ha potuto decollare verso l'agognata Inghilterra. All'arrivo a Gatwick i passeggeri sono stati
immediatamente rimborsati.

(da "*Corriere della sera*", 12 settembre 1988)

1. eccessivo concentramento del traffico in una zona limitata ■ 2. insolito, nuovo ■ 3. la capacità di pagare un debito o un conto qualsiasi ■ 4. raccolta di denaro fra più persone

1. Informazioni specifiche

a. L'articolo del Corriere della sera si compone di sei paragrafi. Per ciascuno di essi formulate una domanda che ne evidenzi l'informazione centrale.

1. _____

2. _____

3. _____

4. _____

5. _____

6. _____

b. Rispondete alle domande che avete formulato.

2. Sintesi

Spesso per rendere la lettura degli articoli giornalistici più chiara e mirata il cronista suddivide l'articolo in parti o blocchi che sintetizza in brevi titoli.

a. Per l'articolo letto formulate dei brevi titoli che si riferiscono alle parti o paragrafi che avete precedentemente individuato.

b. Riesponete in ordine cronologico il curioso episodio riportato dal Corriere della sera ed esprimete qualche vostra valutazione in proposito.

b ANALISI LESSICALE E LINGUISTICA

vai a pag. 11

1. Campi semantici

➤ *Rintracciate nel testo letto le parole e le espressioni che semanticamente si collegano a:*

- aereo : _____

- denaro: _____

- benzina: _____

2. Modi di dire con i colori

Molte sono le espressioni e i modi di dire in cui sono presenti i colori, assunti o nel significato loro proprio o in quello simbolico ad essi attribuito dalla cultura o dalla tradizione: così il colore nero oltre ad essere associato al buio è simbolo di lutto e di morte, il bianco è associato alla purezza e all'infanzia, il rosso all'amore, ecc. Alcune espressioni hanno però un'origine particolare: fanno riferimento a fatti o comportamenti di un passato anche lontano. Ad esempio, l'espressione: *Essere al verde*, risale all'uso antico di tingere di verde o con carta verde il fondo delle candele per renderne più solida la base, per cui "essere al verde", significava originariamente che la candela stava per finire; poi l'espressione è passata a significare essere vicini alla fine, al termine, e poi "essere rimasto senza soldi". *Passare la notte in bianco* fa, invece, riferimento alla tradizione medievale, secondo la quale il cavaliere, vestito di bianco, trascorreva in preghiera nella cappella del castello la notte precedente l'investitura.

➤ *Anche con l'aiuto di un dizionario, completate in modo coerente le frasi scegliendo tra le espressioni o modi di dire qui di seguito suggeriti:*

essere al verde - fiocco rosa - bilancio in rosso - dare carta bianca - essere una mosca bianca - eminenza grigia - film a luci rosse - settimana bianca - passare la notte in bianco - assegno in bianco - vedere tutto nero - essere la pecora nera - principe azzurro

1. Sarà perché ero preoccupato o perché ieri sera ho preso un caffè, ma non sono riuscito a chiudere occhio; insomma _____

2. Ai signori Lancetti è nata una bambina: hanno messo _____ sulla porta del loro appartamento.

3. Possiamo spendere qualsiasi cifra riteniamo opportuna: il direttore ci _____.

4. È una ragazza molto romantica: sogna ad occhi aperti il suo _____ .

5. Mentre i suoi fratelli si sono fatti una posizione e sono stimati da tutti, lui è un vagabondo, passa le sue giornate al bar: è proprio la _____ della famiglia.

6. Da quando è stato lasciato dalla sua ragazza, Luigi è triste e sconsolato: _____ .

7. Luisa ha un marito che ha molta fiducia in lei; ogni volta che ha bisogno di soldi, lui le lascia un _____ .

8. Negli ultimi anni, soprattutto con la diffusione delle videocassette e di Internet, molte sale dove si proiettavano _____ sono state chiuse.

3. Riformulazioni

> *Riscrivete le frasi seguenti sostituendo le parole in corsivo con altre di significato simile senza modificare il senso generale:*

1. Ma *accanto ai rischi tradizionali* possiamo ora aggiungere un *inedito* "rischio soldi".
2. Ricordatevi sempre di non *affidare unicamente* alle carte di credito la vostra solvibilità.
3. *Qualche spicciolo* in tasca *potrebbe tornare utile* per affrontare *brillantemente* situazioni difficili.
4. Come *nelle gite di gioventù* in utilitaria, la vecchia cara colletta *si è rivelata come l'unica strada praticabile.*
5. Bisognava *vuotare le tasche* altrimenti rischiavamo di non tornare a casa.

4. Frase nominale

Nel parlato quotidiano, ma anche nella lingua scritta soprattutto in quella dei giornali, si incontrano frasi caratterizzate dall'assenza del verbo. Si tratta di **frasi nominali**. Il contesto in cui vengono usate rende possibile la loro comprensione. Si usano, infatti, in situazioni molto frequenti o comunque quando l'interlocutore condivide le presupposizioni sottese all'informazione trasmessa. Frasi nominali sono, ad esempio, le diverse forme di convenevoli e di saluto come *Buongiorno!, Buonasera!, A presto, A domani, Un forte abbraccio,* ecc., quelle brevi informazioni, osservazioni o richieste, tipo: *Tutto a posto, Biglietti, per favore!, Ottima la tua idea!,* ecc.

Frequenti sono le frasi nominali negli articoli giornalistici: i titoli ne sono l'esempio più evidente. Né mancano esempi di frasi nominali nella prosa letteraria: qui lo stile nominale serve a dare maggiore immediatezza ed espressività al messaggio.

a. Riformulate le seguenti frasi nominali riprese dall'articolo del "Corriere della sera" in una forma "verbale" (ossia, contenente il verbo):

1. "Signori, una colletta per la benzina!"
2. "Consiglio: ..."
3. "Senza soldi niente benzina, dunque niente ritorno in Inghilterra"
4. "A quel punto l'inconsueta richiesta".
5. "Ricavato della colletta: 1200 sterline, più di due milioni e mezzo di lire".

b. Riformulate i seguenti titoli di giornale esplicitando il verbo sottinteso:

1. Treni fermi da domani. Venerdì regolari i voli.
2. In due con le armi spianate e via mezzo miliardo.
3. Il nord nella nebbia, autostrade paralizzate.

4. Trattative interrotte: scioperi in vista.
5. L'Italia in rosso: record del deficit con l'estero.
6. In piazza contro la politica delle armi.
7. Discoteca addio, tutti a letto alle due.
8. Caldo insopportabile: città stremate e senza acqua.
9. Milano: week-end senza automobili.
10. Accordo tra i ministri dell'Ambiente e dell'Istruzione: ecologia in tutte le scuole italiane.

C | PRODUZIONE ORALE O SCRITTA

1. Raccontate una vostra esperienza di viaggio particolarmente movimentata e piena di imprevisti o contrattempi.

2. Il tempo libero oggi: evasione o arricchimento culturale.

3. Viaggiare in aereo oggi: rischi e vantaggi.

4. Siete alla dogana dell'aeroporto e i doganieri vi fanno aprire la valigia: descrivete le cose che vi avete messo e dite perché le portate con voi.

5. Immaginando di dover intervistare uno dei passeggeri del volo di cui si parla nell'articolo del Corriere della sera, costruite una serie di possibili domande.

2. IL POSTINO DI FILADELFIA

"Facevo il postino a Filadelfia, a diciott'anni già per le strade con la sacca a tracolla[1], sempre, tutte le mattine, d'estate quando l'asfalto è una melassa[2] e d'inverno
quando si cade sulla neve ghiacciata. Così per dieci anni, a portare lettere. Tu non
sai quante lettere ho portato, migliaia. Erano tutti signori, sulle buste. Lettere da ogni
5   parte del mondo: Miami, Parigi, Londra, Caracas. "Buongiorno signore. Buongiorno
signora. Sono il postino"
   Alzò il braccio e indicò il gruppo di ragazzi sulla spiaggia. Il sole stava calando e
l'acqua sfavillava. Dei pescatori, accanto a noi, preparavano una barca. Erano uomini seminudi con un panno sui lombi[3]. "Qui siamo tutti uguali", disse, "non ci sono
10 signori". Mi guardò ed ebbe un'espressione maliziosa."Tu sei un signore?".
   "Tu che ne dici?".
   Mi guardò dubbioso. "Più tardi ti rispondo". Poi indicò le baracchette di foglie di
palma che sorgevano sulla nostra sinistra, appoggiate alle dune[4]. "Noi viviamo là, è
il nostro villaggio, si chiama Sun". Tirò fuori una scatolina di legno con cartine e
15 miscela[5] e si arrotolò una sigaretta. "Tu fumi?".
   "Di solito no", dissi, "ma ora sì, se me ne offri una".
   Lui ne preparò una anche per me e disse:"Questo fumo è buono, rende allegri, tu
sei allegro?"
   "Senti", dissi, "mi piaceva la tua storia, continua a raccontare".
20 "Beh", disse lui, "un giorno camminavo in una strada di Filadelfia, faceva un gran
freddo, stavo consegnando la posta, era mattina, la città era piena di neve, è così
brutta Filadelfia, percorrevo strade enormi, poi infilai un vicolo lungo e buio, solo
una lama di sole che era riuscita a forare la caligine[6] lo illuminava in fondo, io quel
vicolo lo conoscevo, ci portavo la posta tutti giorni, era una strada che finiva contro
25 il muro di cinta di un'officina di automobili. Beh, sai che vidi quel giorno?, prova a
indovinare".
   "Non ne ho idea", dissi io.
   "Prova a indovinare".
   "Mi arrendo, è troppo difficile".
30 "Il mare", disse lui. "Vidi il mare. In fondo al vicolo c'era un bel mare azzurro con
le onde increspate di spuma e una spiaggia di sabbia e delle palme. Che ne dici,
eh?".
   "Curioso", dissi io.
   "Il mare io l'avevo visto solo al cinema o sulle cartoline che venivano da Miami o
35 dall'Avana. E quello era un mare identico, un oceano, ma senza nessuno, con la
spiaggia deserta. Pensai: hanno portato il mare a Filadelfia. E poi pensai: ho un
miraggio[7], come si legge nei libri. Tu cosa avresti pensato?".
   "Le stesse cose", dissi io.
   "Già. Ma il mare non può arrivare a Filadelfia. E i miraggi succedono nel deserto,
40 quando c'è il sole a picco e hai una gran sete. E quel giorno faceva un freddo cane,
era tutto pieno di neve sporca. Così mi avvicinai piano piano, attratto da quel mare,
con la voglia di tuffarmici dentro, anche se faceva freddo, perché quell'azzurro era

un invito e le onde scintillavano[8], il sole le illuminava". Fece una breve pausa e tirò una boccata di fumo. Sorrideva con aria assente e lontana, rivivendo quel giorno.

45 "Era una pittura. Avevano dipinto il mare, quei figli di cane. A Filadelfia a volte lo fanno, è un'idea degli architetti, dipingono sul cemento paesaggi, vallate, boschi e via dicendo, così ti sembra meno di vivere in una città orribile. Ero a due palmi da quel mare sul muro, con la mia sacca a tracolla, in fondo al vicolo il vento faceva mulinello[9] e sotto la sabbia dorata giravano cartacce, foglie secche, un sacchetto di

50 plastica. Spiaggia sporca, a Filadelfia. Lo guardai un momento e pensai: se il mare non va da Tommy, Tommy va dal mare. Che ne dici?".

"Conoscevo un'altra versione", dissi io, "ma il concetto è lo stesso".

Lui rise. "Proprio così", disse. "E allora sai cosa feci? Prova a indovinare".

"Non ne ho idea".

55 "Aprii il bidone[10] dell'immondizia e ci depositai la mia sacca. Stai lì buona, corrispondenza. Poi andai di corsa alla sede centrale e chiesi di parlare col direttore. Ho bisogno di tre mesi di stipendio anticipato, dissi, mio padre ha una malattia molto grave, è in ospedale, guardi questi certificati medici. Lui disse: prima firma questa dichiarazione. Io la firmai e presi i soldi".

60 "Ma tuo padre era malato davvero?".

"Certo che lo era, aveva un cancro. Ma tanto moriva ugualmente anche se io restavo a portare la corrispondenza ai signori di Filadelfia".

"È logico", dissi io.

"Portai via solo una cosa", disse lui, "prova a indovinare".

65 "Davvero troppo difficile, è inutile, mi arrendo".

"L'elenco telefonico", disse lui con soddisfazione.

"L'elenco telefonico?".

"Già, l'elenco telefonico di Filadelfia. Fu tutto il mio bagaglio, è quanto mi resta dell'America".

70 "Perché?", gli chiesi. La cosa mi stava interessando.

"Scrivo cartoline. Ora sono io che scrivo ai signori di Filadelfia. Cartoline con un bel mare e la spiaggia deserta di Calangute, e dietro ci scrivo: cordiali saluti dal postino Tommy. Sono arrivato alla lettera C. Naturalmente salto i quartieri che non mi interessano e scrivo senza francobollo, la tassa la paga il destinatario".

75 "Da quanto tempo sei qui?", gli chiesi.

"Quattro anni", disse lui.

"L'elenco telefonico di Filadelfia deve essere lungo".

"Sì", disse lui, "è enorme. Ma tanto non ho fretta, ho tutta la vita"

(A. TABUCCHI, *Notturno indiano*, Sellerio, Palermo, 1995)

1. è la striscia che si appoggia sulla spalla o intorno al collo per portare una borsa o una sacca ■ 2. liquido molto denso e dolce ■ 3. fianchi ■ 4. mucchi di sabbia formati dal vento su una spiaggia o nel deserto ■ 5. mescolanza di qualità diverse di tabacco ■ 6 pulviscolo che toglie. trasparenza all'atmosfera, foschia ■ 7. illusione ottica dovuta al grande caldo ■ 8. riflettevano sprazzi di luce ■ 9. faceva girare velocemente l'aria su se stessa ■ 10. grosso contenitore di plastica o di metallo per i rifiuti

a | COMPRENSIONE DEL TESTO

1. Informazioni specifiche

> *Rispondete alle seguenti domande:*

1. Dove si trova il protagonista quando racconta la sua storia?
2. A chi racconta la sua storia?
3. Quale fatto "strano" lo spinge ad abbandonare Filadelfia e a cambiare vita?
4. Quale motivo porta per ottenere lo stipendio anticipato?
5. Cosa porta con sé nel viaggio che intraprende?
6. Come trascorre il suo tempo l'ex- postino di Filadelfia?

2. Sintesi

> *Riesponete sinteticamente la storia del postino Tommy.*

b | ANALISI LESSICALE E LINGUISTICA

1. Polisemia

vai a pag. 24

> *Completate ciascuna coppia di frasi con la stessa parola usata con significato diverso:*

1.a. La mamma ha chiesto a Luca di buttare i rifiuti nel _____ dell'immondizia che è in fondo alla via.
   b. Era convinto di aver fatto un affare, ma quando ha aperto il pacco e ha visto che la cinepresa era di cartone compresso ha capito che gli avevano fatto un _____ .

2.a. Sembra che i contatti tra i mafiosi detenuti in carcere avvengano durante l'ora d'_____ .
   b. Posso anche sbagliarmi, ma ha l' _____ di una persona perbene.

3.a. Ha imparato l'elettronica in un corso per _____ .
   b. Tra quello che ha detto la televisione e quello che scrivono i giornali di oggi non c'è _____ .

4.a. Non devi prendere alla _____ tutto quello che dice, spesso parla tanto per dire. .
   b. Si è fidanzato con una ragazza che vive a Milano e le scrive almeno una _____ alla settimana.

5.a. Lo riconoscerai facilmente perché ha una _____ di fragola sulla guancia sinistra.
   b. Resto ancora a letto perché non ho _____ di alzarmi con questo freddo.

6.a. La nave colpita da un missile è colata a _____ nel giro di pochi minuti.
  b. Era l'ora più calda della giornata ed il sole batteva a _____ sulle nostre teste.

7.a. Carla ha preso un bel nove nella _____ dal greco
  b. Ho sentito cose diverse su quanto è accaduto: ora raccontami la tua _____!

2. Gruppi semantici

> Cancellate dai seguenti gruppi di parole quella che per qualche tratto semantico non appartiene al gruppo, ed indicate perché:

1. nebbia - fuliggine - foschia - caligine - smog
2. cartolina - lettera - alfabeto - e-mail - pacco
3. argine - spiaggia - riva - arenile - costa
4. vicolo - via - viale - sentiero - strada urbana
5. immondizia - rifiuti - pattume - spazzatura - bidone
6. fonografo - cellulare - telefono - cordless - satellitare

3. Forme intensive

Nella descrizione di oggetti, persone, stati d'animo, sentimenti, ecc., possono essere espressi gradi diversi delle loro qualità o modi di essere. Se si dice: "faceva freddo" si indica una certa quantità di freddo, se invece si vuole attenuare si dirà: "faceva poco freddo", se si vuole intensificare si dirà: "faceva *molto* freddo" o più ancora "faceva *troppo* freddo", "freddissimo".

Ci sono, insomma, diversi meccanismi di intensificazione: il più comune, quello che riportano le grammatiche, è il superlativo, che si forma aggiungendo alla radice dell'aggettivo il suffisso "issimo". Ma si può anche ricorrere a particolari intensificatori come gli avverbi di quantità: *molto, troppo, assai, parecchio,* ecc.

Altre possibili modalità di intensificazione sono: la ripetizione della stessa parola (es.: *piano piano*) oppure la successione di aggettivi disposti in scala (*climax*), oppure il ricorso ad espressioni idiomatiche connotate come intense: ad esempio, "*è un gioco da ragazzi*" indica un gioco facilissimo o semplicissimo. Quest'ultimo meccanismo di intensificazione si ottiene combinando certi particolari nomi o aggettivi con certi aggettivi o sintagmi preposizionali, formando così delle espressioni fisse semanticamente connotate (*poliremiche*).

Vediamo i seguenti esempi:

un freddo molto intenso	può essere	*un freddo cane*
uno molto, ma molto ricco	è	*ricco sfondato*
un buio molto intenso	è	*un buio pesto*
una persona molto povera	è	*povero in canna*
uno che ha molta fame	è	uno che ha una *fame da lupo*
un grande silenzio	può essere	un *silenzio di tomba, ecc.*

In molti casi i gradi molto elevati di intensità sconfinano in *iperboli*. L'**iperbole** è una figura retorica che tende appunto ad ingigantire o diminuire la realtà per dare maggior efficacia al discorso: ad esempio, per dire che "uno è *magrissimo*", iperbolicamente si dirà che "è *pelle e ossa*".

*a. Nelle frasi seguenti sostituite l'espressione intensiva generica con una più effica-
ce utilizzando gli aggettivi e i sintagmi preposizionali suggeriti in fondo all'esercizio:*

1. Lo sai quanto ha vinto Marco al totocalcio? Ben 125mila euro. Ha proprio avuto una *fortuna molto grande*.
2. Non mi sono fermato mai per tutto il giorno, ed ora sono *molto stanco*.
3. Non mangio da due giorni; e ora ho una *grandissima fame*.
4. Quando è venuto giù il temporale Marta era uscita senza l'ombrello; quando è torna-ta a casa era *molto bagnata*.
5. È nuova oppure è usata la tua macchina? - Ma non la vedi? È *nuovissima*!
6. Non si riusciva a sentire nulla: c'era *molto rumore*.
7. Mario è a letto e ha *molta febbre*.
8. Alla fine del concerto il pubblico ha salutato Andrea Bocelli con *un grande applauso*.
9. Tu è meglio che non parli: hai *completamente torto*.
10. Non siamo potuti entrare perché il cinema era *molto pieno*.

> **assordante - da cavallo - da lupo - di zecca - fradicio -
> marcio - morto - scrosciante - sfacciato - zeppo**

*b. Completate le frasi seguenti con l'opportuna espressione iperbolica scegliendola fra
quelle suggerite in fondo all'esercizio:*

1. Per un appartamento così bello centomila euro sono _____
2. La conferenza sembrava che non finisse mai: è durata _____ !
3. Per ripulire tutto il garage ho sudato _____ .
4. All'improvviso il cielo è diventato nero e nel giro di pochi minuti ha cominciato a pio-vere _____ .
5. Il concorrente ha risposto a tutte le domande, anche a quelle più difficili: è davvero _____ .
6. Non posso proprio venire: ho _____ cose da fare.
7. È _____ non assaggiare un dolce così invitante!
8. Quando ha visto sulla tavola tutto quel _____ si è messo a mangiare _____ .
9. Quando Maria gli ha detto che l'avrebbe sposato, lui per la gioia si sentiva _____ .
10. Sono davvero _____ per quello che ti è accaduto.

> **a catinelle - a crepapelle - al settimo cielo - ben di Dio
> - centomila - desolato - sette camicie - una cifra ridi-
> cola - un'eternità - un delitto - un pozzo di scienza**

4. La scrittura allegra

Tommy, il postino di Filadelfia, se avesse aspettato qualche anno forse avrebbe avuto meno lettere e cartoline da consegnare, perché ora le lettere e le cartoline sono state in gran parte sostituite dai fax, dalle e-mail e dagli Sms (*Short message service*), i messaggini, che si inviano con il telefonino. Nella sola Italia ogni giorno se ne mandano più di dieci milioni. E, come succede per ogni mezzo di comunicazione, la forma del messaggio si adegua alla natura e alle caratteristiche del mezzo stesso. Si tratta, infatti, di brevi messaggi, dei quali non resta traccia come per le lettere e le cartoline, se non per brevissimo tempo. L'esigenza di essere concisi (non si possono superare i 160 caratteri) ha portato alla codificazione di nuove regole ed espedienti originali di scrittura. Tra questi espedienti, oltre allo scorciamento delle parole, così tipico del linguaggio giovanile, c'è il ricorso alle sigle, ai numeri e ai simboli matematici (+, -, x) e a piccole immagini costruite con i segni della tastiera.

Ecco alcuni esempi di messaggi tra amici e fidanzati:

"*Dove 6?*" (Dove sei?) "*Sono a Pg*" (Sono a Perugia)
"*C 6 scem8?*" (Ci sei scemotto?)
"*Ci vediamo alla uni in biblio*" (Ci vediamo all'università in biblioteca)
"*Quando non C 6 mi sento Xsa*" (quando non ci sei mi sento persa)
"*TVTB*" (Ti voglio tanto bene)
"*6 tu che non vai bene X me*" (sei tu che non vai bene per me).

Con la tastiera del telefonino o di un computer si possono scrivere, inoltre, messaggi formati da semplici icone, sono le icone delle emozioni (*emoticons*), più comunemente dette "faccine". Queste trasmettono lo stato d'animo di chi invia il messaggio, proprio come nella comunicazione orale i gesti e la mimica facciale integrano la comunicazione verbale. Ecco alcune delle più diffuse "faccine" (se le ruotiamo di 90 gradi si può vedere un viso stilizzato):

:-)	= sono felice		:-))	= sono molto felice
:-(	= sono triste		:-/	= sono indeciso
:-P	= linguaccia		:-I	= sono confuso
;-)	= occhiolino		:-O	= sono sconvolto
0:-)	= angelo		:-?	= sono perplesso
:-	= indifferenza		:<	= broncio
:-0	= Ohi		:-D	= sorriso
;-*	= bacio		:-X	= bocca cucita
:'(	= lacrima			

Questo modo di comunicare incontra molta fortuna fra i giovani, che sono appunto gli utenti più numerosi e convinti di questo linguaggio. Tale successo si spiega con il fatto che si avvicina al parlato giovanile, ricco di spezzettature sintattiche, molto rapido e conciso e con una forte significatività della componente gestuale.

a. Trasformate i messaggi seguenti in "messaggini" utilizzando sigle , numeri e segni grafici:

1. Ha telefonato il dottor Tremonti.
2. Sei una vera strega.
3. Sei il più fico di tutta la scuola.
4. Voglio perdermi con te.

b. Riscrivete in forma linguistica completa i seguenti "messaggini":

1. 6 proprio 3mendo
2. A 9mbre parto X 3viso.
3. Arrivo con il 3no delle 8.
4. 6 sempre il + forte

C | PRODUZIONE ORALE O SCRITTA

1. La noia e la monotonia di un lavoro ripetitivo in una città avara di relazioni umane vere spingono il giovane Tommy ad un cambiamento radicale della propria vita.
   Conoscete o avete conosciuto qualcuno che ha avuto il coraggio di dare all'improvviso una svolta profonda alla sua vita? Raccontate questa sua esperienza.

2. Il postino erroneamente vi ha recapitato una lettera destinata ad un'altra persona che abita nella vostra stessa via. Senza pensarci l'avete aperta e letta. Lavorando di fantasia, raccontate il contenuto della lettera e dite cosa avete fatto dopo averla letta.

3. Scrivete un breve racconto in formato di "messaggino" (SMS) da inviare con il telefonino. Ricordate che non dovete superare i 160 caratteri, e che anche gli spazi vuoti sono caratteri.

ANTONIO TABUCCHI

Antonio Tabucchi è nato a Pisa nel 1943. Dopo gli studi nella sua città natale, dove si era laureato in Lettere, ha intrapreso l'attività di docente di letteratura portoghese prima all'Università di Genova poi a Siena.

Di Tabucchi va ricordata l'intensa attività di romanziere e saggista, ma anche di traduttore e critico letterario. A lui si deve, in particolare, l'edizione italiana dell'opera di Fernando Pessoa, poeta portoghese di inizio Novecento, sul quale ha scritto numerosi saggi critici. Pessoa e il Portogallo ispirano allo scrittore il concetto di *saudade*, la finzione e il lato nascosto della realtà. La saudade, definita nostalgia del passato e del futuro insieme, sentimento di sofferenza e dolcezza insieme, pervade tutti i racconti di Tabucchi e conferisce loro la peculiarità più tipica e meno spiegabile. La finzione, il gusto per la maschera e le mille facce di sé, emblematico e seducente in Pessoa, si lega strettamente al problema del mentire e si traduce anche in un grande amore per il teatro. Quanto al lato nascosto della realtà, esso ne contiene il senso più vero: non di certo svelato dalla ragione, che può ben poco in un universo in cui la vera chiave di lettura del reale è riposta nel suo rovescio, in cui l'incongruità delle cose ne svela il senso più autentico, bensì dal paradosso, dall'equivoco, dal caso, dal rovescio. Ecco allora il sogno, e soprattutto l'allucinazione, strumenti conoscitivi per eccellenza, e col sogno il rebus, l'enigma, la coincidenza.

Tra i romanzi e racconti di Tabucchi, nei quali l'autore cattura momenti essenziali della condizione umana, vanno ricordati *Piazza d'Italia* (1975), *Donna di Porto Pim* (1983), *Il gioco del rovescio* (1981), *Notturno Indiano* (1984), *Piccoli equivoci senza importanza* (1985). Del 1994 è *Sostiene Pereira*, il romanzo sicuramente più noto di Tabucchi, dal quale è stata tratta anche una versione cinematografica. Il romanzo narra una vicenda ambientata nella Lisbona del 1938. La tranquillità di Pereira, un giornalista di cronaca nera cui è stata affidata la pagina culturale di un piccolo giornale, è sconvolta dall'arrivo di un giovane collaboratore italiano impegnato politicamente. Il contatto con questo giovane porta il vecchio giornalista ad una intensa maturazione ed infine ad una dolorosa presa di coscienza. Più recente è il falso giallo: *La testa perduta di Damasceno Monteiro* (1997). Romanzo epistolare è *Si sta facendo più tardi* (Feltrinelli, 2001). Si tratta di diciassette lettere di personaggi maschili ad altrettante figure femminili. Lettere sui destini della vita, sulla circolarità del tempo e soprattutto sulle passioni umane e sull'illusorietà dell'amore. Diciassette voci monologanti, in attesa di una risposta. E alla fine, infatti, una sola risposta femminile a tutte le diciassette lettere chiude il libro, riassumendolo, ripensandolo e cercando di tirare i fili di tanti discorsi solo apparentemente diversi.

3. L'UOVO AL CIANURO

Diventato aiutante del signor Pareille, mi aspettavo da un giorno all'altro il racconto della sua storia. Mi decisi un pomeriggio a domandargli dove avesse vissuto prima di venire al nostro paese e che diavolo gli fosse capitato.

Per nulla sorpreso, posò come un sigaro lo sfumino[1] che aveva in mano e cominciò:

"Questo mestiere l'ho imparato in gioventù a Torino, andando a curiosare nel laboratorio d'un povero fotografo che lavorava in fondo a un cortile. Metti poi che ero pittore, per diletto e non per professione, ma assai bravo. Combinando insieme queste mie capacità mi sono improvvisato fotografo quando ho avuto bisogno di guadagnarmi da vivere, cioè quando sono uscito dal carcere dopo diciotto anni di pena."

Riprese tra le dita lo sfumino. E come avesse detto una cosa da niente, continuò:

"Ero un signore, ricco, onorato, invidiato da tutta la città. E in un momento mi sono caduti addosso diciotto anni di reclusione, che ho scontato uno dopo l'altro, fino a pochi mesi fa, quando sono stato dimesso."

Senza accorgermi, mi ero avvicinato alla porta.

"Non avere paura" mi disse. "Non ho mai fatto male a nessuno. Fu solo per un uovo che andai in carcere."

"Per un uovo!" esclamai tornandomi a sedere.

"Per un uovo. Un uovo che fu la causa di tutte le mie sventure."

"Ero un signore" ripeté "ricco e onorato. Nobile per di più, perché mi chiamavo Armando Giulio Pareille de la Bretellière e sono nobile. Vivevo nella splendida città di Torino e avevo quarant'anni, quando la nobildonna mia moglie morì improvvisamente, per cause tutt'ora sconosciute. Essa era ereditiera, assieme al fratello, di una grande sostanza. Con la sua morte, il fratello rimase unico erede del patrimonio che cadde presto in sue mani, essendo venuto a morte un anno dopo anche il vecchio padre. Invano cercai di avere qualche briciola dell'eredità che il giovane si apprestava a dilapidare[2]. Il testamento privilegiava mia moglie, ma essendo essa premorta al genitore, la successione cadeva totalmente sul figlio superstite. Sono questioni legali che tu non puoi capire, ma ti basti sapere che mio cognato non continuò neppure a pagarmi la rendita della dote[3] di mia moglie, dote che non essendo mai stata costituita, era rimasta confusa col patrimonio paterno. Da tempo, fidando nell'eredità di mia moglie, avevo dato fondo al mio patrimonio personale. Versavo in gravi ristrettezze e un giorno andai ad esporre a mio cognato la situazione nella quale mi trovavo.

"Il maggiordomo mi disse che il signore non rientrava mai per la colazione prima delle tredici, e tentò di farmi parlare con l'amministratore, che per caso era in villa in attesa del padrone. Insistetti per ottenere un colloquio con mio cognato, e fui fatto accomodare in un salotto. Dal posto dov'ero seduto osservavo un cameriere che preparava la tavola andando e venendo dalla cucina. Mancava poco alle tredici, quando lo vidi recare in tavola un piatto con due uova. Sapevo che mio cognato aveva l'abitudine di sorbirne un paio prima della colazione, quasi a modo di aperitivo. Ad un tratto scorsi una mano che si stendeva sul tavolo e prendeva un uovo. Una tenda mi impediva di vedere a chi appartenesse quella mano che poco dopo riapparve e posò di nuovo l'uovo nel piatto.

45 "Arrivò finalmente con grande strepito il mio odiato cognato. Appena mi ebbe visto, prevenendo ogni mia richiesta mi disse che con la morte di sua sorella era finita tra noi ogni parentela, per cui tutto ciò che mi poteva offrire erano due uova fresche della sua fattoria. E accennava a quelle che aveva davanti.

"Mi ritirai con un amaro sorriso, e preso il cappello nell'entrata lasciai per sempre
50 quella casa. Traversando il parco sbagliai strada e invece di arrivare al cancello giunsi presso una darsena⁴, sul lato della villa che scendeva verso il fiume. Da un viale parallelo vidi venire in direzione contraria alla mia l'amministratore che finse di non vedermi.

"Affacciatomi a guardare nell'acqua, scorsi un uovo nel fondo limaccioso⁵ del
55 fiume, che in quel punto fa un'ansa⁶ stagnante⁷. Sentii delle voci dalla villa e mi allontanai dal pontile⁸, cercando l'uscita. Prima di arrivare al cancello fui sorpassato da un cameriere che correva in cerca d'un medico gridando: "Il padrone sta male, il padrone muore!"

"Mio cognato, appena liberato dalla mia presenza, aveva sorbito metà del primo
60 uovo, quando lo colse un gran disgusto, seguito da convulsioni spasmodiche⁹. Prima di sera correva per la città la notizia della sua morte.

"Ti chiederai come abbiano potuto incolpare me. L'uovo all'esame chimico rivelò tracce evidenti di cianuro. Il guscio venne osservato attentamente e si trovò che aveva tre forellini: due ai poli opposti, praticati dal cameriere, e un terzo attraverso
65 il quale era stato iniettato il veleno, certamente con una siringa. [...]

"Fui arrestato la mattina dopo. Negai ogni addebito¹⁰, ma venne fuori un altro teste, un pescatore, che mentre risaliva il fiume aveva visto un uomo del mio tipo gettare qualcosa nell'acqua poco dopo il mezzogiorno. Il Pubblico Accusatore, nella sua requisitoria disse che la prova contro di me era perfettamente conchiusa, proprio
70 come un uovo.

(P. CHIARA, *L'uovo al cianuro e altre storie*, Mondadori, Milano, 1969)

1. piccolo rotolo di pelle o seta usato per sfumare i colori di un disegno ■ 2. sperperare, spendere rapidamente una ricchezza ■ 3. complesso dei beni che la moglie portava sposandosi ■ 4. parte del porto dove si lasciano le navi in riparazione o in disarmo ■ 5. fangoso ■ 6. curva di un fiume ■ 7. con acqua ferma ■ 8. struttura di legno su pali che dalla riva si protende verso il mare o il lago e alla quale si assicurano le barche ■ 9. molto dolorose ■ 10. accusa

1. Informazioni specifiche

> *Rispondete alle seguenti domande:*

1. Chi racconta la storia e a chi?
2. Chi sono i protagonisti?
3. Dove viveva e cosa faceva il signor Pareille all'epoca dei fatti?
4. Qual è la sua attività attuale?
5. Perché il signor Pareille è finito in prigione?
6. Quanti anni ha trascorso in carcere?
7. Qual è, approssimativamente, l'età del signor Pareille? Da che cosa la si deduce?

2. Analisi del discorso narrativo

a. Analizzando la struttura compositiva del racconto, indicate il tipo di intreccio, la forma espositiva (oggettiva, soggettiva, comica o fantastica) e il punto di vista assunto.

b. In base al racconto, indicate quali elementi possono essere presi a favore della innocenza del signor Pareille e su quali elementi si è invece fondata l'accusa della sua colpevolezza.

c. In un racconto, come in ogni testo narrativo, si possono individuare delle parti o sequenze, caratterizzate da unità di luogo, di azione e di partecipanti. Ciascuna di queste sequenze sviluppa una parte della storia, e, come una scena di un film o di una rappresentazione teatrale, si collega alle altre secondo una trama. Ogni sequenza, inoltre, ha una sua compiutezza in quanto sviluppa un tema specifico.
All'interno di un testo narrativo possiamo ritrovare temi dinamici (quelli che presentano le azioni), temi descrittivi (quelli che riguardano aspetti di ambienti e persone), temi ideativi (quelli che concernono i giudizi, le opinioni, i commenti, ecc).

> *Del testo letto individuate le sequenze narrative e per ciascuna evidenziate il tema (o argomento) trattato.*

3. Sintesi

> *Riesponete in modo sintetico la sfortunata vicenda del signor Pareille.*

vai a pag. 24

1. Polisemia

1. *Indicate, fra quelli proposti a lato, il senso che assume il verbo "mettere" nelle seguenti frasi:*

1. Metti che ero pittore per diletto.	
2. Mi ha messo al corrente di tutto.	a. confrontare
3. L'hanno messo dentro per furto.	b. risparmiare
4. Ma vuoi mettere un piatto di tagliatelle fatte in casa con quelle di un ristorante?	c. diffondere
	d. scommettere
5. E' il solo che abbia messo a fuoco il problema.	e. considerare
6. Ha messo da parte un bel gruzzolo.	f. informare
7. Ci ho messo mezz'ora.	g. imprigionare
8. Quanto ci metti che domenica l'Inter vince?	h. indossare
9. Ha messo un vestito nuovo.	i. impiegare
10. Ha messo in giro la voce che Luisa ha un amante.	l. centrare

vai a pag. 82

2. Modi di dire

> *Spiegate, anche con l'aiuto del dizionario, il senso delle seguenti espressioni presenti nel testo letto:*

- Il patrimonio cadde presto in sue mani.
- Dilapidare un'eredità.
- Dare fondo al patrimonio personale.
- Versare in gravi ristrettezze economiche.
- Negare ogni addebito.

vai a pag. 102

3. Famiglie di parole

> *Nei gruppi di parole seguenti ce n'è una che non appartiene alla stessa famiglia delle altre. Aiutandovi magari con un vocabolario, individuatela!:*

1. città - cittadino - civetta - civile - civiltà
2. ferrovia - ferramenta - ferragosto - ferraglia - ferriera
3. fiore - fioraio - fiordo - floricoltura - fioriera
4. frate - frattempo - fratello - fratricida - fraterno
5. porta - portuale - portone - portiera - portinaio
6. gioco - giocoliere - giocattolo - giocoso - giogo
7. arte - artista - artificio - artigiano - arteria
8. mano - manico - maniaco - manica - manubrio - maniglia

4. Il gerundio

Il gerundio è un modo verbale che nella forma è estremamente semplice: è invariabile e caratterizzato dalla desinenza "-ndo" che si aggiunge alla radice del verbo. È un modo verbale indefinito, vale a dire non dà indicazioni relative alla persona che fa l'azione e al tempo dell'azione.

Ess.: parlare   →   parl**ando**
        scrivere   →   scriv**endo**
        partire   →   part**endo**.

Alla semplicità formale si accompagna, tuttavia, una varietà di funzioni e significati che lo rendono molto complesso. Esso presenta, infatti, un evento (azione o stato) mettendolo in rapporto a quello espresso dalla proposizione (o frase) reggente.
Il gerundio può esprimere:

* il **modo** in cui si comporta chi fa l'azione principale (*valore modale*)
     Es.:
          È arrivato *correndo*.   (= come? di corsa)

* il **mezzo** (o strumento) con cui si compie l'azione principale (*valore strumentale*)
     Es.:
          Si è arricchito *lavorando*   (= con che cosa? Con il lavoro)

* la **circostanza** di tempo in cui avviene l'azione principale (*valore temporale*)
     Es.:
          Guardando la TV, si è addormentato.   (= quando? mentre guardava)
          Avendo finito il lavoro, è tornato a casa.   (= quando? dopo aver finito)

* la **causa** che determina l'azione principale (*valore causale*)
     Es.:
          Avendo bevuto molto, si è sentito male.   (= perché? perché aveva bevuto)
          Pensando di essere in ritardo, affrettò il passo. (= perché pensava)

* la **concessione**, vale a dire l'evento nonostante il quale si verifica o meno l'azione principale (*valore concessivo*); il gerundio è, di norma, accompagnato dalla congiunzione "pur".
     Es.:
          Pur *mangiando* molto, non ingrassa. (= nonostante che mangi)

* la **condizione** necessaria perché si verifichi l'evento principale (*valore ipotetico*)
     Es.:
          Facendo più ore straordinarie, guadagneresti di più.   (= se facessi)

* un **paragone** presentato come ipotetico (*valore comparativo-ipotetico*)
     Es.:
          Il farmacista fissò il postino come *aspettando* una spiegazione. (= come se aspettasse)

* un evento semplicemente **contemporaneo** o **successivo** rispetto all'azione principale senza un chiaro rapporto di subordinazione (*gerundio coordinativo*).
     Es.:
          Mario ascoltava il concerto, *battendo* ogni tanto il tempo con il piede.
          (= e ogni tanto batteva il tempo)

Date le diverse funzioni che assume non sempre è possibile individuarle con precisione; spesso nello stesso gerundio possono essere compresenti valori diversi.

> *Nelle frasi seguenti sostituite il gerundio con forme, verbali o nominali, equivalenti:*

1. Questo mestiere l'ho imparato andando a curiosare nel laboratorio d'un povero fotografo.

   _____

2. Combinando insieme queste mie capacità mi sono improvvisato fotografo.

   _____

3. Esclamai tornandomi a sedere.

   _____

4. Il fratello rimase unico erede, essendo venuto a morte un anno dopo anche il vecchio padre.

   _____

5. Il testamento privilegiava mia moglie, ma essendo premorta al genitore, la successione cadeva sul figlio superstite.

   _____

6. Da tempo, fidando nell'eredità di mia moglie, avevo dato fondo al mio patrimonio personale.

   _____

7. Un cameriere preparava la tavola andando e venendo dalla cucina.

   _____

8. Prevenendo ogni mia richiesta disse che era finita tra noi ogni parentela.

   _____

9. Traversando il parco sbagliai strada.

   _____

5. La frase interrogativa indiretta

> *Trasformate nelle frasi che seguono le domande dirette in interrogative indirette:*

1. Ti chiederai: "Come hanno potuto incolpare te?"
2. Mi chiesi: "A chi apparterrà quella mano sbucata dalla tenda?"
3. Mi decisi un pomeriggio a domandargli: "Dove hai vissuto prima di venire qui?"
4. Don Pasquale non capiva questo: che bisogno c'è di ricorrere alla parola quando si può dire tutto con impercettibili movimenti del capo?
5. Mi chiedevo, osservandolo: "Come si può rubare con una faccia simile?"
6. A questo punto mi chiedo: esiste una legge che pone dei limiti ai profitti di un privato?
7. All'ora di cena si è presentato un giovane che ha chiesto: "Il signor Cafasso ha trovato, nella discesa, una borraccia?"
8. Ogni volta che capitavo in amministrazione mi chiedevano: "Lei chi è? Perché è venuto? A che titolo le spettano i soldi?"
9. In quella situazione mi chiedevo: "Come uscirò da questa trappola infernale?"

1. Se voi foste stati i giudici nel processo contro il signor Pareille quale sentenza avreste emesso? e perché?

2. Avrete senz'altro visto qualche film giallo o letto qualche romanzo poliziesco. Raccontatene brevemente la trama.

3. Uno dei problemi legati all'amministrazione della giustizia in ogni Paese è costituito dagli errori giudiziari: capita, talora, che delle persone innocenti paghino per colpe mai commesse. Dite in che modo si dovrebbero tutelare i cittadini da simili rischi e come dovrebbero essere eventualmente risarcite le vittime di un errore giudiziario.

4. Nella storia giudiziaria di ogni paese c'è sempre stato qualche processo che per i personaggi coinvolti o per il tipo di delitto o per la scarsità delle prove, è stato seguito con interesse e partecipazione, determinando anche posizioni e opinioni contrapposte tra colpevolisti e innocentisti. C'è stato nel vostro paese nei tempi recenti un processo che ha diviso a lungo l'opinione pubblica? Provate a raccontarlo.

Profilo dell'autore a pag. 35

4. LA LETTERA MINATORIA

La lettera arrivò con la distribuzione del pomeriggio. Il postino posò prima sul banco, come al solito, il fascio versicolore[1] delle stampe pubblicitarie; poi con precauzione, quasi ci fosse il pericolo di vederla esplodere, la lettera: busta gialla, indirizzo a stampa su un rettangolino bianco incollato alla busta.

5   "Questa lettera non mi piace" disse il postino.

Il farmacista levò gli occhi dal giornale, si tolse gli occhiali; domandò "Che c'è?" seccato e incuriosito.

"Dico che questa lettera non mi piace". Sul marmo del banco la spinse con l'indice, lentamente, verso il farmacista.

10   Senza toccarla il farmacista si chinò a guardarla; poi si sollevò, si rimise gli occhiali, tornò a guardarla.

"Perché non ti piace?

"E' stata impostata qui, stanotte o stamattina presto; e l'indirizzo è ritagliato da un foglio intestato[2] della farmacia.

15   "Già" constatò il farmacista: e fissò il postino, imbarazzato e inquieto, come aspettando una spiegazione o una decisione.

"E' una lettera anonima" disse il postino.

"Una lettera anonima" fece eco il farmacista. Non l'aveva ancora toccata, ma già la lettera squarciava[3] la sua vita domestica, calava come un lampo ad incenerire una 20 donna non bella, un po' sfiorita, un po' sciatta[4], che in cucina stava preparando il capretto da mettere al forno per la cena.

"Qui il vizio delle lettere anonime c'è sempre" disse il postino. Aveva posato la borsa su una sedia, si era appoggiato al banco: aspettava che il farmacista si decidesse ad aprire la lettera. Gliel'aveva portata intatta, senza aprirla prima (con tutte 25 le precauzioni, si capisce), fidando sulla cordialità e ingenuità del destinatario: "se l'apre, ed è cosa di corna, non mi dirà niente; ma se è minaccia o altro, me la farà vedere". Comunque, non sarebbe andato via senza sapere. Tempo ne aveva.

"A me una lettera anonima?" disse il farmacista dopo un lungo silenzio: stupito e indignato nel tono ma nell'aspetto atterrito. Pallido, lo sguardo sperso, gocce di sudo- 30 re sul labbro. E al di là della vibratile[5] curiosità in cui era teso, il postino condivise stupore e indignazione: un brav'uomo, di cuore, alla mano; uno che in farmacia apriva credito a tutti e in campagna nelle terre che aveva per dote della moglie, lasciava che i contadini facessero il comodo loro. Né aveva mai sentito, il postino, qualche maldicenza che sfiorasse la signora.

35   Di colpo il farmacista si decise: prese la lettera, l'aprì, spiegò il foglio. Il postino vide quel che si aspettava: la lettera composta con parole ritagliate dal giornale.

Il farmacista bevve di un sorso l'amaro calice. Due righe, poi. "Senti senti" disse: ma sollevato, quasi divertito. Il postino pensò: "niente corna". Domandò "E che è, una minaccia?"

40   "Una minaccia" assentì il farmacista. Gli porse la lettera. Il postino avidamente la prese, a voce alta lesse: "*Questa lettera è la tua condanna a morte, per quello che*

hai fatto morirai" la richiuse, la posò sul banco. "E' uno scherzo" disse: e lo pensava davvero.

"Credi che sia uno scherzo?" domandò il farmacista con una punta di ansietà.

45 "E che altro può essere? Uno scherzo. C'è gente a cui prudono le corna: e si mette a fare di questi scherzi. Non è la prima volta. Ne fanno anche per telefono.

"Già" disse il farmacista" mi è capitato. Suona il telefono, di notte: vado a rispondere e sento una donna che mi domanda se avevo perso un cane, che lei ne aveva trovato uno mezzo celeste e mezzo rosa e le avevano detto che era mio. Scherzi. Ma
50 questa è una minaccia di morte.

"È la stessa cosa" affermò il postino con competenza. Prese la borsa, si avviò. "Non stia a pensarci" disse come congedo.

(L. SCIASCIA, *A ciascuno il suo,* Einaudi, Torino, 1966)

1. dai molti colori ■ 2. foglio con sopra stampato il nome e l'indirizzo di una società o ditta o persona ■ 3. apriva con violenza, strappando ■ 4. disordinata, non curata nell'aspetto ■ 5. che si muove con vibrazioni

a | COMPRENSIONE DEL TESTO

1. Informazioni specifiche

➤ *Rispondete alle seguenti domande:*

1. Da quali elementi il postino deduce che si tratta di una lettera anonima?
2. Come accoglie il farmacista la lettera? Qual è la sua reazione?
3. Perché il postino è sicuro che aspettando verrà a conoscere il contenuto della lettera?
4. Perché il farmacista, dopo aver letto la lettera, si tranquillizza un po'?
5. Di che cosa il postino cerca di convincere il farmacista?

2. Analisi degli elementi semantici

➤ *Spiegate il senso delle seguenti espressioni usate nel testo:*

- E' cosa di corna.
- Fare il comodo proprio.
- Bere di un sorso l'amaro calice.
- Gli prudono le corna.
- Essere una persona di cuore.

3. Sintesi

➤ *Completate con le parole opportune il testo seguente che è una sintesi del brano di Sciascia:*

Un pomeriggio il postino _____ al farmacista insieme alle stampe _____ una lettera particolare dalla busta _____ e con l'indirizzo ritagliato da un foglio _____ della farmacia. Doveva essere stata _____ la notte o nel primo _____ . Si trattava di una lettera anonima, non c'erano _____ . Il postino, dopo averla _____ sul banco, aspettò che il farmacista l' _____ , curioso di sapere se si trattava di _____ o di minaccia. Dopo molte _____ , con il terrore nell'animo, il farmacista _____ ad aprire la lettera; e si sentì quasi _____ e divertito nel _____ che era solo una minaccia. _____ poi la lettera al postino che _____ la lesse e commentò che _____ di uno scherzo. Ma il farmacista non era dello stesso _____ : se scherzi erano state le molte _____ notturne ricevute negli ultimi _____ , questa lettera non era uno _____ , ma una terribile _____ . E una nuova _____ invase il suo animo.

---

b | ANALISI LESSICALE E LINGUISTICA

1. Derivazione

a. *Dei seguenti aggettivi, che nel testo letto connotano i diversi stati d'animo del farmacista, indicate il sostantivo e il verbo da cui derivano o da essi derivato:*

	sostantivo	verbo
- seccato	_____	_____
- incuriosito	_____	_____
- imbarazzato	_____	_____
- inquieto	_____	_____
- stupito	_____	_____
- indignato	_____	_____
- atterrito	_____	_____
- sollevato	_____	_____
- divertito	_____	_____

b. *Indicate la parola base da cui derivano le parole seguenti:*

- postino	→ _____	farmacista	→ _____
- occhiali	→ _____	incenerire	→ _____
- sfiorita	→ _____	anonimo	→ _____
- curiosità	→ _____	celeste	→ _____

vai a pag. 24

2. Polisemia

La parola **"mano"** ricorre in italiano tanto in parole composte (*manodopera*), come in espressioni idiomatiche dai significati più diversi. Nel testo di Sciascia, ad esempio, si legge che il farmacista era un uomo "*alla mano*", intendendo con questo che era una persona disponibile e cortese, che non si dava troppe arie.

➤ *Anche con l'aiuto del dizionario, cercate di spiegare il significato che assumono le espressioni contenenti la parola "mano" nelle frasi che seguono:*

1. Quando *ci mette le mani* lui, puoi star sicuro che la cosa è risolta.
2. Ha affrontato la curva *contro mano* ed è finito addosso ad un camion.
3. "E' nuova questa macchina?" "No, l'ho presa di *seconda mano.*"
4. Il vocabolario è lì, ce l'hai *a portata di mano*.
5. Sembra una cosa d'altri tempi: Marco *ha chiesto la mano* di Laura ai genitori di lei.
6. Dice sempre che sua moglie ha le *mani bucate*.
7. Lo farei volentieri, signorina, ma ho *le mani legate*.
8. Non mi piace vederti stare tutto il giorno *con le mani in mano*.

3. Posizione dell'aggettivo

L'aggettivo ora precede ora segue il nome cui si riferisce. Di norma l'aggettivo dopo il nome (*posizione postnominale*) è sintatticamente non marcato ed ha funzione restrittiva o denotativa, vale a dire definisce o limita il campo di applicazione del nome. L'aggettivo messo prima del nome (*posizione prenominale*) è sintatticamente marcato ed ha una funzione connotativa, esprime cioè un giudizio o una valutazione del parlante o attribuisce un senso figurato. Certi aggettivi, come ad esempio quelli di relazione (*ferroviario, statale, fotografico, nucleare, ecc.*) hanno sempre e solo la funzione restrittiva ed hanno sempre una posizione postnominale.
Es.:
  Marco è proprio un *bel* tipo.
  Maria è la ragazza con la gonna *verde*.
  Vive in una zona *residenziale*.

Alcuni aggettivi esprimenti caratteristiche fisiche o qualità possono essere sia prima che dopo il nome, ma assumono significati diversi nelle due posizioni. In genere dopo il nome tali aggettivi hanno il significato letterale e prima del nome hanno un significato traslato.
Es.:
  Ho comprato una macchina *nuova*.   (= uscita dalla fabbrica)
  Ho comprato una *nuova* macchina.   (= un'altra)

Certi aggettivi uniti a particolari nomi formano un'espressione rigida, una unità semantica: es.: *la camera oscura, la luna nuova*.... Così, l'aggettivo *stretto* a seconda del nome con cui si combina può significare ora *prossimo*, ora *intimo*, ora *urgente*, ora *severo*, ora *puro*, ecc.

a. *Riscrivete le frasi che seguono inserendo gli aggettivi suggeriti nella posizione opportuna e rispettando gli accordi morfologici:*

1. Un signore introdusse una busta nella cassetta delle lettere.

   [giallo - grosso - quarantenne]

2. Il numero di Patrizia lo trovi nella rubrica che devo aver lasciato su quella poltrona.

   [nuovo - vecchio - telefonico]

3. Secondo una ricetta per questo dolce ci vogliono le mandorle.

   [amaro - antico - siciliano]

4. Entrò dalla porta un signore con indosso un cappotto che contrastava con il suo volto.

   [alto - bello - lungo - marrone - pallido - principale -teso]

5. Qualcuno aveva incollato sul foglio delle parole ritagliate da un giornale.

   [bianco - sportivo - vecchio]

6. Il pubblico seguiva col fiato sospeso le vicende rappresentate sulla scena.

   [attento - emozionante - interessato]

b. *Nelle frasi che seguono inserite l'aggettivo "stretto" prima o dopo il nome cui si rapporta ed indicate, anche con l'aiuto del dizionario, il significato particolare che assume:*

1. Per la rabbia parlava a _____ denti _____ .
2. Tra i due fatti c'è una _____ relazione _____ .
3. Tutti dicono che è un professore di _____ manica _____ .
4. Nell'interpretare le leggi occorre attenersi al/allo _____ significato ____ delle parole.
5. Non è un gran lavoratore: fa giusto il/lo ____ necessario _____ .
6. Anche quando è in televisione parla in _____ dialetto _____ .
7. Mi sono trovato nella _____ necessità _____ di informare il direttore.
8. Data la sua notorietà il prigioniero veniva tenuto sotto _____ sorveglianza _____ giorno e notte.

4. Aggettivazione

> L'autore del testo, per evidenziare il contrasto di sentimenti e atteggiamenti del farmacista e del postino, ricorre a coppie di aggettivi e sostantivi di significato opposto o di intensità diversa. Così il farmacista è inizialmente "seccato e incuriosito", poi è "imbarazzato e inquieto", successivamente è "stupito e indignato", mentre il postino confida sulla "cordialità e ingenuità" del farmacista.

➤ *Sull'esempio di Sciascia, provate a completare le frasi che seguono aggiungendo all'aggettivo o sostantivo evidenziato un altro che lo rafforzi.*

1. Quando toccò a lui, cominciò a parlare con voce <u>chiara</u> e ....
2. Soffiava un vento <u>impetuoso</u> e ....
3. Quando se lo vide davanti provò <u>imbarazzo</u> e ....
4. Questo vino mi piace perché è <u>frizzante</u> e ....
5. Lo guardava sorridendo in modo <u>ironico</u> e ....
6. Mi trovo bene in campagna perché c'è <u>pace</u> e ....
7. Ieri sera Luisa indossava un vestito <u>elegante</u> e ....
8. Sara, <u>preoccupata</u> e ...., aspettava notizie di suo padre.

1. Lavorando di fantasia cercate d'immaginare l'autore della lettera minatoria e i motivi per cui l'ha scritta. Ricostruite i possibili antefatti.

2. Esprimete il vostro punto di vista sul fenomeno delle lettere anonime. Pensate che in qualche caso queste possano servire?

3. Avete ricevuto una lettera anonima contenente calunnie e giudizi negativi nei vostri confronti espressi da una persona da voi ritenuta amica. Come reagite?

4. Se avete un giornale italiano, ritagliate le parole dei titoli e costruite con esse alcune frasi che abbiano senso.

Profilo dell'autore
LEONARDO SCIASCIA

Leonardo Sciascia è nato a Racalmuto, in provincia di Agrigento, in Sicilia, nel 1921.
Maestro elementare fino al 1957, Sciascia ha esordito nella narrativa con *Le parrocchie di Regalpetra* (1956), una serie di "cronache" su un immaginario paese siciliano, nel quale sono ravvisabili le condizioni e i problemi di qualsiasi altro paese dell'isola. A quest'opera sono seguiti i racconti de *Gli zii di Sicilia*, dove attraverso la rievocazione di storie del recente passato si scopre e si analizza il presente della propria terra e della propria gente.
E la Sicilia torna ad essere presente nelle opere successive, nei romanzi più impegnati che hanno assicurato a Sciascia una vasta notorietà, e che testimoniano il suo impegno sociale e civile: *Il giorno della civetta* (1961), *Il consiglio d'Egitto* (1963), *Morte dell'inquisitore* (1964), *A ciascuno il suo* (1966), *L'onorevole* (1966), *Il contesto* (1971), *Todo modo* (1974), *Candido, ovvero un sogno fatto in Sicilia* (1977).
I temi di questi romanzi di Sciascia sono per lo più tratti dalla realtà sociale della sua Sicilia; tra questi emerge il fenomeno criminoso della "mafia", di cui si evidenzia il rapporto con il potere e il radicamento con la cultura dell'isola. La Sicilia di Sciascia scrittore è una realtà sociale complessa, un miscuglio di culture, di scontri di interessi e poteri, di inganni e di sopraffazioni: ed è anche una tradizione letteraria varia e complicata con radici in antiche culture europee e mediterranee. Di questa realtà Leonardo Sciascia, dopo Verga, Pirandello, Tomasi di Lampedusa è l'interprete più acuto, più sensibile e più spietato. (E. Siciliano)
La Sicilia non è solo la realtà sociale più vicina e nota allo scrittore, ma è anche un concentrato di problemi che sono di tutta l'Italia (o di tutto il mondo moderno): un osservatorio privilegiato che permette di comprendere comportamenti politici, sociali e morali più ampi. Da questo osservatorio può analizzare anche avvenimenti accaduti fuori dalla Sicilia. E' da questa abitudine ad analizzare che nascono i romanzi-inchiesta e di ricostruzione indiziaria, alla scoperta dell''altra storia', quella più nascosta e segreta che è dietro i fatti grandi o piccoli, dal già citato *Il consiglio d'Egitto* ad *Atti relativi alla morte di Raymond Roussel* (1971), a *La scomparsa di Majorana* (1975) a *L'affaire Moro* (1979) alle brevi e intense *Cronachette* (1985).
Interesse tra i critici e i lettori hanno riscosso anche i suoi interventi saggistici e aforistici da *Pirandello e la Sicilia* (1961) a *La corda pazza* (1970), da *Nero su nero* (1979) a *La palma va a Nord* (1982) fino ad *Alfabeto pirandelliano* (1989).
Sciascia è morto a Palermo il 20 novembre 1989, al termine di un'attività di scrittura divenuta negli ultimi tempi più febbrile che mai nonostante la malattia: quattro libri uno dopo l'altro: oltre al già citato *Alfabeto pirandelliano*, sono usciti *Fatti diversi di storia letteraria e civile*, *Una storia semplice* e *A futura memoria* (postumo).

5. CASINÒ

Entrare in un Casinò vuol dire uscire dalla vita di ogni giorno, dimenticare tutto, tutto sperare: soglia magica che basta attraversare, e il cuore batte ad un ritmo diverso, si respira un'aria nuova: il potere, il piacere, la libertà non sono più il lontano traguardo di quotidiane fatiche e tormenti, non sono più l'avvenire in cui continuiamo caparbi a credere sebbene non passi giorno senza che ne dubitiamo, non sono più sogno ma concrete realtà a cui manca, per non restare sogno, solo l'aiuto del caso.

Secondo questa interpretazione, il Casinò si opporrebbe alla vita: è tutto ciò che la vita non è. Ma, secondo un'altra interpretazione più sottile, il Casinò, al contrario, racchiude e concentra in sé tutti gli episodi della vita, spogliandoli delle loro apparenze, riducendoli alla loro nuda sostanza, e riproponendoli allo stato puro del loro rapporto con noi. Seduti per un paio di ore a un tavolo di roulette o di chemin, proviamo via via il desiderio, la speranza, la gioia della vittoria, la paura, la delusione, il dolore della sconfitta, l'ostinata fedeltà ad una sola idea e la pazienza delle attese, l'improvviso moto volontario con cui decidiamo di cambiare tutto e di seguire una nuovissima ispirazione. E poiché, se riflettiamo a quanto sappiamo per esperienza, anche la vita attraversa successive serie di episodi a cui reagiamo con simili e corrispondenti stati d'animo, ma poi nonostante ogni nostro sforzo, è sempre decisa, in definitiva, dalla fortuna di una coincidenza, di un abbinamento, di un incontro, si potrebbe dire che il Casinò è un simbolo dell'esistenza umana.

Tutt'e due le interpretazioni sono valide: e nella loro contraddittorietà consiste, forse, il segreto del fascino del Casinò. [...]

Uno o due Pascal, mille o duemila franchi, erano certo una partenza modesta, ma non disprezzabile. Mentre li cambiavo alla cassa trasformandoli nei leggeri e colorati gettoni che, perso ogni valore reale, sembravano possedere soltanto quello ideale di un'infinita possibilità d'acquisto, alle mie spalle l'atmosfera sonora della sala mi risucchiava[1] con la forza di un vortice[2]: il gaio, frusciante brusio[3] era percorso, come da secchi prolungati brividi, dalle raganelle[4] delle palline vicine o lontane: e già credevo distinguere, tra gli annunci dei croupier, l'agognato[5]:

"17, noir, impair, manque!"

Soffici erano i passi sulla distesa della moquette, lago purpureo[6] che dava la sensazione di un miracolo: come se avessi dovuto affondarci e, invece, vi avanzavo sopra diritto, sfiorando, galleggiando[7].

Nel momento in cui mi avvicinavo al primo tavolo, la pallina, esattamente con l'anticipo che era stato necessario a impedirmi di puntare, la pallina si fermava sul 17. Sorrisi tra me. Ci ero abituato. Raramente, ormai, entravo in un Casinò: ma quelle poche volte mi capitava sempre così. Non era un buon auspicio[8]. Oppure, lo era? Propendevo per il primo dei due significati, e mi allontanai lentamente verso gli altri tavoli, gingillandomi[9], la mano in tasca, con i miei gettoni di breve vita. Sapevo che avrei finito per giocare e per perdere: uno se lo dice sempre, come scaramanzia[10]. Tuttavia, ciò che potevo perdere mi garantiva un divertimento così fugace, che cercavo di ritardare ancora un po' il momento in cui avrei incominciato. La mia mez-

z'ora buona, in cui sarebbero usciti il 17 e i suoi vicini, era proprio adesso, forse: e la mezz'ora che avrei scelto, dopo, sarebbe, invece, stata sfortunata. Di questo sba-
45 glio, avevo già avuto una prova: se fossi entrato al Casinò qualche secondo prima, già prendevo un pieno. Sapevo tutto: perché dunque, tormentarmi? Ero ancora di buonumore. Cominciai ad aggirarmi nelle sale del Privé, contentandomi di pensare che, poi, avrei giocato, e rassegnandomi, nell'attesa, a guardare gli altri. [...]

Andavo lungo i tavoli. Di là dalle nuche[11] e dalle spalle che sfioravo, osservavo i
50 volti di quelli che puntavano, dall'altra riva. Le fisionomie dei giocatori sono uno spettacolo che non annoia mai chi le scruti e, intanto, segua attentamente il gioco senza parteciparvi.

Ero giunto all'ultima delle roulettes. Mentre il croupier lanciava la pallina, notai che il 17 non era stato coperto. Era forse venuto il mio momento di cominciare? Cavai
55 di tasca un gettone e stesi la mano. Esitai ancora. Il rien ne va plus mi fermò. Dopo qualche istante, si fermò anche la pallina: sul 17. Ridevo.

La teoria di puntare sempre e soltanto lo stesso numero e di coprirsi, cioè di riser-varsi un parziale recupero con le combinazioni vicine a quello stesso numero (vici-ne sulla roulette o sulla tavola) si basa su un calcolo delle probabilità abbastanza
60 serio: purché, naturalmente, si continui a giocare per un certo tempo a un solo tavo-lo. Ecco il calcolo: dato che la roulette gira, dato che la pallina corre e salta, e dato che la casella in cui la pallina finisce per fermarsi è molto più frequentemente un'al-tra e molto meno frequentemente la stessa della casella in cui si è fermata la volta precedente, il giocatore logico deve puntare sempre lo stesso numero, imitando quei
65 cacciatori che non vanno a scovare la preda[12] intorno nel bosco, ma la aspettano fermi a un passaggio obbligato. Il giocatore che cambia di continuo le sue puntate imbrocca[13], sì, qualche coincidenza, ma rischia sempre di incrociarsi con la fortuna senza trovarla mai.

(M. SOLDATI, *L'attore,* Mondadori, Milano, 1970)

1. mi attirava ■ 2. rapido movimento circolare di un liquido o di un gas su se stesso ■ 3. rumo-re confuso e basso ■ 4. qui, il rumore delle palline che girano nella roulette ■ 5. desiderato con passione. ■ 6. color porpora ■ 7. stando come sospeso in aria ■ 8. augurio ■ 9. giocherel-lare per ammazzare il tempo ■ 10. atto o mezzo per allontanare la sfortuna ■ 11. parte poste-riore della testa ■ 12. animale catturato durante la caccia ■ 13. indovinare

a | COMPRENSIONE DEL TESTO

1. Informazioni specifiche

➤ *Rispondete alle seguenti domande:*

1. Quali sono le interpretazioni, fra loro contraddittorie, del casinò date dal narratore?
2. Quali sentimenti prova chi entra in un casinò?
3. Qual è il primo impulso che prova il narratore quando si avvicina al tavolo della rou-lette?

4. Cosa vuol dire "coprirsi" nel linguaggio tecnico del gioco della roulette?
5. Come deve comportarsi un buon giocatore di roulette se vuole avere qualche chance di vincita? A chi deve somigliare?
6. In quale nazione si trova il casinò del racconto? Da che cosa lo si deduce?

2. Analisi del testo

a. *Dividete il testo letto in paragrafi e per ciascuno individuate la frase o il gruppo di parole che ne riassume il contenuto.*

_____

_____

b. *Il protagonista narratore entrando nel casinò ha un atteggiamento di curiosità e di fatalismo. Individuate nel testo gli elementi dai quali si può dedurre un tale atteggiamento.*

_____

_____

c. *Ricercate nel testo i termini che si riferiscono al gioco della roulette.*

_____

_____

d. *Nella parte iniziale del brano l'autore enuncia una sua tesi circa il significato simbolico del casinò. Nell'argomentare egli ricorre a figure retoriche come l'**anafora**, il **parallelismo**, e la **gradazione**.(Per la relativa scheda v. a pag. 39)*
Trascrivete le anafore, i parallelismi e le gradazioni che ricorrono nella parte iniziale del testo.

_____

_____

b | ANALISI LESSICALE E LINGUISTICA

1. La metafora

La metafora è un procedimento linguistico di slittamento o trasferimento del significato di una parola da quello originario ad uno nuovo. Il meccanismo consiste nell'accostare parole che hanno o che richiamano un tratto comune in modo che questo venga evidenziato come un nuovo significato.
Quando si dice, ad esempio:

Quel pilota è un asso

si accosta all'idea del pilota vincitore di molte gare l'"asso", cioè la carta da gioco più importante che permette, in molti giochi di carte, di ottenere un punteggio elevato o la vincita. Ed allora "asso" è sinonimo di "vincente". In altri termini, si può dire che la metafora è un paragone o una similitudine accorciata.

La metafora è di larghissimo uso, ed è molto importante nella creazione del lessico e nell'ampliamento del significato di molte parole. Molte metafore sono diventate d'uso così esteso che quasi più nessuno si accorge che si tratta di figure create dall'immaginazione (*metafore morte*); molte sono dette comunemente *modi di dire* ed hanno spesso origine dalla storia, dalla   tradizione popolare, dal linguaggio poetico, ecc. Così, quando diciamo *le gambe del tavolo*, oppure *la memoria del computer* o *i piedi del monte* o *il cuore della città* o *l'occhio del ciclone* usiamo delle metafore; come metafore di origine lontana, storica o letteraria, sono *andare a Canossa*; *ci vediamo a Filippi*; *essere la cenerentola* ecc.

Molte parole della lingua sono trasposizioni metaforiche di parole più antiche. Ad esempio, *eburneo* che significava "fatto d'avorio" ora significa anche "di colore simile all'avorio".

a. *Spiegate il senso delle seguenti metafore usate nel brano di M. Soldati:*

1. "soglia magica" (r. 2)   _____
2. "le raganelle delle palline" (r. 28)   _____
3. "la moquette, lago purpureo..." (r. 31) _____
4. "i miei gettoni di breve vita" (r. 39)   _____
5. "i volti di quelli che puntavano dall'altra riva" (r. 50) _____

b. *Indicate con [P] se le parole in corsivo sono usate in senso proprio e con [M] se sono usate in senso metaforico:*

1. Quel ragazzo ha preso una brutta *piega* [.....].
2. Il *pane* [.....] oggi non è fresco: è quello di sabato scorso.
3. Camminavano seguendo la *china* [.....] del monte.
4. Non dargli troppo *spago* [.....], altrimenti non te lo levi più di torno.
5. Non è *pane* [.....] per i suoi denti.
6. Da quando ha saputo quella notizia è al settimo *cielo* [.....].
7. Quel detective è un vero *segugio*: [.....] quando scopre una pista non la molla di sicuro.
8. Mamma, puoi fare la *piega* [.....] a questi pantaloni?
9. Questo *spago* [.....] è troppo corto: prendine uno più lungo!
10. La *gatta* [.....] ha avuto quattro bei micini.
11. Qui *gatta* [.....] ci cova.
12. Hai trovato la *chiave* [.....] del rebus?

vai a pag. 82

2. Modi di dire

> *Anche con l'aiuto di un dizionario, spiegate il senso dei seguenti "modi di dire" basati sulla parola "<u>gioco</u>":*

- fare il gioco di qualcuno ....
- fare buon viso a cattivo gioco ....
- fare il doppio gioco ....
- avere buon gioco ....
- prendersi gioco di qualcuno ....
- stare al gioco ....

3. La frase concessiva

Spesso constatiamo che un evento o una circostanza si verifica anche quando un altro evento dovrebbe logicamente impedirlo o renderlo impossibile. Questo concetto può essere espresso sul piano sintattico attraverso la **frase** (o proposizione) **concessiva**. In tale caso, le due frasi interessate, quella principale e quella secondaria, esprimono due concetti opposti o contrastanti, e l'azione o evento espresso nella principale è quello che effettivamente si realizza.
Osservate le frasi seguenti:

Ero molto stanco	↔	non riuscivo ad addormentarmi
Aveva paura del buio	↔	partì di notte
La minestra non mi piace	↔	mangio la minestra

esprimono concetti contrastanti; per unire le coppie di frasi in un enunciato occorre che la frase che contrasta con l'informazione principale abbia un valore concessivo. Le tre coppie di frasi si uniscono nei seguenti enunciati:
Benché fossi molto stanco, non riuscivo a dormire
Partì di notte, *nonostante che avesse paura del buio*.
Anche se la minestra non mi piace, la mangio.

Osservate come con le congiunzione **sebbene, benché, nonostante che, quantunque, per quanto** il verbo è al modo congiuntivo, mentre con la congiunzione **anche se** il verbo è all'indicativo.

➤ *Trasformate gli enunciati che seguono in modo da esprimere una concessione:*

Modello	Sentiva che era il momento giusto per puntare, tuttavia esitò, e perse ancora una volta l'occasione propizia. Sebbene sentisse che era il momento giusto per puntare, esitò, e perse ancora una volta l'occasione propizia.

1. Non passa giorno senza che noi dubitiamo della fortuna, tuttavia continuiamo a credere caparbi nella fortuna.
2. Era innocente, ma tutte le prove sembravano indicare lui come colpevole.
3. Avevo un terribile mal di testa, e tuttavia rimasi ad ascoltarlo finché non smise di parlare.
4. L'avevo invitata con molto calore a fermarsi a pranzo con noi, ma Patrizia non ha voluto sentire ragioni.
5. Ha superato i settant'anni, e tuttavia è ancora dinamico e pieno di vitalità.
6. Quando vede i dolci non riesce a resistere alla voglia di mangiarli, eppure soffre di diabete.

4. Appropriatezza linguistica

> Completate il testo che segue con le parole mancanti scegliendole fra le alternative suggerite nella tabella che segue:

Giocatori d'azzardo

Gli italiani sono non solo un popolo di navigatori, di poeti, cantanti e cuochi, ma anche un popolo di giocatori, gente che ama il rischio e l'azzardo. Totocalcio, lotto, superenalotto, totip, tris, corse di cavalli ecc., lo dimostrano. Sei-sette milioni di italiani ogni anno _____ (1) in uno dei quattro casinò presenti in Italia. A San Remo, Saint Vincent, Campione e Venezia lasciano _____ (2) come un miliardo di euro.

Quello dei casinò è un mondo _____ (3), un mondo coi suoi limiti e i suoi eccessi, un mondo freddo e caldo allo stesso tempo, dove la bravura e la professionalità si _____ (4) con l'unico giudice arbitro ammesso in questo ambiente: la fortuna. E alla fortuna _____ (5) il popolo delle slot-machines, quelle macchine infernali _____ (6) tengono incollati a sé migliaia di giocatori che sognano la _____ (7) di gettoni da trasformare in tanto denaro da cambiarti la vita. E la fortuna la cercano, anche con tanti piccoli gesti e _____ (8) scaramantici, tutti quegli uomini e quelle donne che si siedono, seri e assorti _____ (9) tavolo della roulette. Li vedi che _____ (10) il tappeto verde, stringono fra le mani le fiches colorate, denaro _____ (11) che può volatilizzarsi o trasformarsi in una grossa fortuna. Qualcuno fuma nervoso, qualche altro _____ (12) su un foglietto i numeri e studia la _____ (13) delle uscite. Qualcuno beve, ma una bibita non alcolica: c'è bisogno di presenza e _____ (14). Il vero giocatore d'azzardo non confonde e non _____ (15) la sua grande passione con gli altri piaceri che la vita può dare.

	A	B	C	D
1.	varcano	entrano	escono	invadono
2.	cosa	tanto	chi	qualcosa
3.	a parte	in parte	per parte	di parte
4.	misurano	calcolano	pesano	provano
5.	si fida	sfida	si affida	si confida
6.	chi	cui	che	quali
7.	calata	cadenza	cascata	invasione
8.	culti	riti	cerimoniali	funzioni
9.	sul	intorno al	nel	in mezzo al
10.	scrutano	scelgono	rovistano	perquisiscono
11.	prevedibile	vizioso	virtuoso	virtuale
12.	aguzza	attacca	punta	appunta
13.	sfilata	sequenza	trafila	sequela
14.	lucidità	luce	trasparenza	luminosità
15.	mesce	fonde	mischia	infonde

Anche con le parole si può giocare. Lo sanno bene gli appassionati di cruciverba e di enigmistica. Per loro questi giochi non sono solo espedienti per ammazzare il tempo o un modo per rendere meno tediosa un'attesa, ma una continua sfida con se stessi, con la propria abilità di scoprire le più strane combinazioni con cui le parole si possono collegare fra di loro, ma soprattutto perché il gioco, anche quello enigmistico, pur con le sue ferree regole, è espressione di libertà e fantasia. Sono giochi linguistici le filastrocche cui fin da bambini veniamo abituati, gli indovinelli, i rebus, le parole crociate, ecc. A giochi di parole ricorre la pubblicità per costruire slogan, ma anche poeti e letterati si sono spesso divertiti a giocare con le parole: allitterazioni, assonanze, onomatopee, e molte figure retoriche sono esempi di uso creativo e divertente della lingua. Illustri semiologi come Raymond Quenau e Umberto Eco non hanno disdegnato di misurarsi con giochi linguistici. Proverbi e sentenze popolari affidano a curiose combinazioni di parole e di suoni la loro sopravvivenza nella memoria collettiva. Su giochi linguistici erano basati nel mondo antico i responsi degli oracoli e gli enigmi. Possiamo dire che l'enigmistica è antica quanto la lingua.

I giochi linguistici possono essere visti anche come una maniera divertente di esplorazione della lingua, un modo in cui forme, suoni e significati si possono combinare sì da ottenere effetti ed esiti curiosi, allo stesso modo in cui un pittore combina i colori della tavolozza ottenendo figure strane, originali, curiose o divertenti.

Vediamo alcuni dei più noti giochi linguistici.

❏ L'**anagramma**: consiste nella formazione di una parola o di una frase con la stesse lettere che compongono un'altra parola o frase di senso diverso.

ess.:

anima → *mania*;	perso → *spero*;	manica → *mancia*;	passo → *sposa*;
pasto → *posta*;	pastello → *spellato*;	esami → *se mai*;	

❏ Il **palindromo**: è una parola o una frase che si può leggere da sinistra verso destra come da destra verso sinistra ed ha sempre lo stesso significato:

ess. Parole:

ossesso, oro, bob, anilina, ala, aia, aveva, avallava, ebbe, esose, ingegni, onorarono, osso, otto, radar, ottetto.

Frasi:

Avevi visioni d' un evo dove nudi noi si viveva.

Alle carte t'alleni nella tetra cella.

❏ Il **bifronte** è simile al palindromo. Bifronti sono infatti parole o frasi che possono avere due fronti, cioè se vengono lette da destra verso sinistra acquistano un significato diverso:

ess.:

arpa → apra; ramo → omar, erede → edere; asso → ossa; acetone → enoteca;
avida → adiva; agir → iga; alati → itala; avara → arava; bus → sub;
essere → eresse; assegni → ingessa; otri → irto; ruppe → eppur;

❏ La **sciarada** è un gioca linguistico che consiste nel dividere una parola in parti rappresentanti ciascuna una parola di senso compiuto:

Ess:

prima-vera; mai-ali; maggio-renne; raggi-ungere; presi-dente; lati-tante; zucche-rare; note-voli; pizzi-cotti; circo-stanza; ma-le-dirò; con-dire; col-pendolo; con-tratto, ecc.

☐ L'**apostrofo** è una particolare forma di sciarada che prevede il semplice inserimento di un apostrofo per trasformare una parola in un'altra preceduta da articolo o preposizione o pronome.

Ess.:

duomo	→ d'uomo;	*Andava al **duomo** a passo **d'uomo**.*
lotto	→ l'otto	*Al **lotto** **l'otto** non esce da venti settimane.*
lago	→ l'ago	*Ho perso **l'ago** nel **lago**.*
lacero	→ l'acero	Dormiva **lacero** sotto **l'acero**.
luna	→ l'una	E' **l'una**: sorge la **luna**.
lira	→ l'ira	Canta **l'ira** di Achille sulla **lira**.
loro	→ l'oro	*Loro* cercano **l'oro**.
dorso	→ d'orso	Sul **dorso** aveva una pelle **d'orso**.

☐ I **falsi alterati** sono nomi che foneticamente sembrano alterati (accrescitivi, diminutivi, vezzeggiativi, ecc.) di altri nomi, e invece indicano un referente che in genere non ha nulla a che vedere con il nome da cui sembrerebbe derivare. Un "tacchino" è un uccello domestico e non già ha un piccolo "tacco" di scarpa.

Esempi di falsi alterati:

mancia → *mancina;* gazza → *gazzella* o *gazzetta;* matto → *mattone;* colle → *colletto;* lato → *latino;* mulo → *mulino;* rapa → *rapina;* scontro → *scontrino;* foca → *focaccia;* botte → *bottone;* bacio → *bacino,* ecc.

☐ Lo **scarto**: il gioco consiste nel togliere da una parola una lettera o una sillaba, ottenendo un'altra parola di significato diverso. La lettera o sillaba può essere eliminata all'inizio, alla fine o in mezzo alla parola.

Ess.:

rape	→ ape	(scarto iniziale)
arido	→ rido	"
sogni	→ ogni	"
guscio	→ uscio	"
rumore	→ more	(scarto iniziale sillabico)
ragazza	→ gazza	"
bastona	→ stona	"
rilievi	→ lievi	"

☐ La **zeppa**, o aggiunta, è il contrario dello scarto: il gioco, infatti, consiste nell'inserire una lettera o una sillaba in una parola per ottenerne un'altra di significato diverso.

Ess.:

felce → felice; pineta → pianeta; pizza → piazza; gradinata → grandinata; libro → libero; pesante → pensante; ciglio → cigolio; soffitto → soffritto; cane → carne

In qualche caso con zeppe diverse si ottengono più parole:

Es.:

mare → marte, marce, magre, madre;

❏ Il **cambio**, invece, consiste nel sostituire in una parola una lettera con un'altra così da avere una parola diversa.
Ess.:

castello → cartello;
baco → buco;
poeta → porta; ecc.

Quando a partire da una parola attraverso una serie di cambi di lettera si arriva ad una parola molto diversa dalla prima, si ha un **metagramma**.
Ess.:

basta - pesce: basta → pasta → pesta → pesca → pesce
bocca - mento: bocca → bacca → banca → banco → manco → manto → mento

❏ Lo **spostamento** si ha quando in una parola una lettera cambia la sua posizione all'interno della sequenza.
Ess.:

piazza → pazzia (spostamento della "i" dalla 2ª alla 5ª posizione)
l'uno di giuGno → lunGo digiuno

❏ Lo **scambio** si ha quando all'interno di una parola due lettere si cambiano di posto e si ottiene così una parola diversa.
Ess.:

balletto → bolletta
invidia → indivia

❏ L'**acrostico** è un gioco enigmistico che consiste nel trovare, sulla base di definizioni date, un certo numero di parole le cui lettere iniziali formino una parola o una frase di senso compiuto. In poesia l'acrostico è un componimento nel quale le lettere iniziali dei versi lette dall'alto in basso formano una parola o una frase di senso compiuto. In questa seconda forma può essere usato anche come esercizio didattico. In questo caso, ad esempio, si scrive un nome proprio, o un nome qualsiasi o anche una breve frase in verticale e quindi si compone una frase usando come iniziali di parola le lettere incolonnate.
Es.:

Marta   Partono
Aveva   Alle
Una   Otto
Rosa   Le
Odorosa   Operaie

oppure acrostici in cui la frase risultante si collega alla parola data:
MARE (Molto Amata Residenza Estiva); PASTO (Preliminari, Antipasti, Secondi, Torte, Omaggi)

❏ Il **tautogramma**: è una frase o un testo in cui tutte le parole cominciano con la stessa lettera, (esclusi, di norma, gli articoli e le preposizioni).

Ess.:

Vi voglio vedere venerdì ventuno vicino a via Verdi.
Brindo beato con un buon bicchiere di barbera.

☐ Il **lipogramma** è un testo in cui vengono sistematicamente escluse tutte le parole che contengono una determinata lettera dell'alfabeto. Vediamo negli esempi che seguono come una storia può essere raccontata in modo diverso ricorrendo ai lipogrammi.

Es.:
Testo di partenza:

Quando quella mattina scese in garage si accorse con sorpresa che la macchina non c'era più. Pensò subito ad un furto, ma poi si ricordò che il giorno prima era tornato a casa con un collega ed aveva lasciato la macchina nel parcheggio della ditta.

Lipogramma in "a"
Molto presto scese nel luogo delle vetture: oddio è vuoto, è un furto! No, no, ricordo il mio bolide l'ho messo nel posteggio dell'opificio. Ieri sono rivenuto con un socio dell'ufficio.

Lipogramma in "e"
Quando la mattina andò di sotto l'auto mancava dal box. Un furto? Poi si ricordò: la macchina sta in ditta. Il giorno prima sono tornato a casa con un compagno d'ufficio.

Lipogramma in "i"
Anche allora scese a prendere la vettura nel garage, ma, sorpresa!, non c'era. Pensò ad un furto, ma dopo rammentò che era tornato a casa con un collega e la vettura era sostata presso la sede dell'ente dove lavorava.

Esercizi

1. Provate a costruire degli acrostici usando le seguenti parole:

italiano - casanova - spazio

2. Per le seguenti coppie di parole indicate il tipo di operazione o "gioco" linguistico (anagramma, cambio, spostamento, scambio, falso alterato, ecc.) che porta a formare la seconda parola:

- otre → oltre   _____
- uscio → scio   _____
- corto → corteo   _____
- gallo → gallone   _____
- pistola → stola   _____
- pasto → patos   _____
- corno → corvo   _____

- grillo → grilletto   _____
- grosso → osso   _____
- frazione → razione   _____
- becco → becchino   _____
- prateria → pirateria _____
- passo → sposa   _____
- povera → vapore   _____

3. Nelle parole che seguono inserite una lettera in modo da formare un'altra parola:

- mare   →   _____
- casa   →   _____

- carta   →   _____
- cosa   →   _____
- vista   →   _____
- collo   →   _____
- mano   →   _____
- tempo   →   _____
- posta   →   _____

4. *Per le parole che seguono indicate le possibili altre parole che si ottengono cambiando una lettera:*

es.: tetto → testo, letto, getto, metto, setto, tatto, tutto, petto...

1. palco   →   _____
2. dente   →   _____
3. collo   →   _____
4. pozzo   →   _____
5. porta   →   _____
6. figlio   →   _____
7. cartello →   _____
8. suono   →   _____

5. *Nel testo che segue alcune parole sono state sostituite da un loro anagramma che nel testo è scritto in corsivo; reinserite le parole originali:*

Il gioco non era più una passione per lui era diventata una malattia, o dal suo punto di *stiva* (_____), una medicina da prendere ormai ad intervalli regolari. Così anche quella sera era di nuovo a quel *volato* (_____) verde a scrutare i *rumeni* (_____) che uscivano, a seguire dove si fermava ogni volta la pallina. Ma quella sera si sentiva particolarmente euforico ed *caciotte* (_____): sentiva che finalmente era arrivato l'*esatto* (_____) incontro con la fortuna. Aspettò il momento *datato* (_____) e piazzò tutte le fiches che aveva sul 17. Al segnale del croupier la pallina cominciò a *rigare* (_____) e saltare nella ruota. Attimi lunghi come secoli prima che la pallina si fermasse lì, proprio lì, sul 17. L'eccitazione è al massimo, il *ripreso* (_____) si fa affannoso, nelle tempie il sangue gli *spula* (_____) più forte che mai e un sudore freddo *precorre* (_____) la sua schiena. Gli sembra di morire, quando ansante e *sconta* (_____) si sveglia tutto *adusto* (_____). È solo nel suo letto e nella sua casa da quando il vizio del gioco gli ha fatto perdere ogni affetto e tutte le persone più care.

6. *Completate le frasi che seguono inserendo, in base al senso, il "falso alterato" adatto:*

1. Diceva di conoscere bene il _____ perché aveva misurato il *lato* corto del triangolo.
2. Entrò in banca con una piccola *rapa* in mano e disse: "Fermi tutti! Questa è una _____!"
3. Disse che era una _____ perché gli aveva lasciato una misera *mancia*.

4. Quando all'uscita dal ristorante il finanziere gli chiese lo _____ disse che non poteva aver fatto un piccolo *scontro* perché non aveva un'automobile.

5. Gli disse che l'avrebbe aspettato sulla _____ del porto, e Marco girò per tutto il porto alla ricerca di una piccola *banca*.

7. *Collegate le parole della colonna A con il corrispondente anagramma nella colonna B:*

A	B
1. aperte	a. *toro*
2. notte	b. *volata*
3. stile	c. *nemica*
4. sosta	d. *parete*
5. palco	e. *liste*
6. fallo	f. *pietanze*
7. nave	g. *remoto*
8. masso	h. *netto*
9. donna	i. *tasso*
10. cinema	l. *folla*
11. tavola	m. *vena*
12. timore	n. *danno*
13. motore	o. *colpa*
14. orto	p. *mossa*
15. paziente	q. *merito*

d | PRODUZIONE ORALE O SCRITTA

1. Illustrate le regole di un gioco d'azzardo o di carte che conoscete.

2. Avete mai tentato la fortuna al gioco? Raccontate questa vostra esperienza.

3. Per la psicanalisi il giocatore d'azzardo è un masochista mentale che è spinto al gioco dal bisogno inconscio di perdere. Per lo Stato italiano il giocatore è un criminale, a meno che non rischi i suoi soldi in una casa da gioco controllata o gestita dallo Stato. Per voi, chi è il giocatore d'azzardo?

4. Una tradizione che l'avvento dei videogiochi e dei giochi elettronici non ha scalfito è quella della tombola a Natale. Adulti e bambini, giovani e vecchi, eccoli seduti intorno al tavolo della cucina o del salotto a segnare sulle cartelle con fagioli, ceci o bucce di arancia i numeri estratti. Eccoli pronti a gridare *ambo* quando due numeri estratti sono vicini sulla cartella, oppure *terno, quaterna* o *cinquina* se i numeri vicini sono tre, quattro o cinque, o pronti ad esultare per la tombola, quando sono usciti tutti i quindici numeri della propria cartella. La tombola in famiglia è un rito collettivo che unisce l'Italia dal nord alla Sicilia. La tombola di Natale è anche occasione di uno scambio di ricordi, come un rito collettivo che si ripete ogni anno. Un antropologo italiano ha osservato che i giochi di Natale riescono a far fare a tutti l'esperienza del tempo lineare che

se ne va e non torna più e quella del tempo ricorrente (la festa che ritorna ogni dodici mesi). Ed è questa esperienza del tempo che riunisce i viventi di tutte le età.

Sicuramente anche nella tradizione culturale del vostro paese ci sono giochi o manifestazioni popolari collettive collegate a qualche importante festività religiosa o civile. Provate a descrivere qualcuno di tali giochi o manifestazioni.

Profilo dell'autore
MARIO SOLDATI

Mario Soldati è nato a Torino nel 1906, e nella sua città natale ha studiato e si è laureato in Lettere nel 1927. Trasferitosi poi a Roma ha frequentato l'Istituto Superiore di Storia dell'arte, e successivamente ha studiato a New York alla Columbia University, dove è rimasto fino al 1931. All'esperienza americana fa riferimento *America primo amore* (1935), un diario-racconto in cui lo scrittore rievoca il suo lungo e complesso rapporto con l'America.

Dal 1931 al 1961 alterna, in modo disuguale, periodi di attività letteraria a periodi di intenso lavoro come sceneggiatore e regista cinematografico (sono circa una quarantina i film, tratti per lo più da opere letterarie, alla cui sceneggiatura lui lavora: tra questi, *Piccolo mondo antico, Malombra, Le miserie di Monsù Travet, La provinciale,* ecc.). Collabora, allo stesso tempo a quotidiani e periodici.

Soldati è scrittore spontaneo e autentico. Le sue pagine raggiungono un naturale risultato di leggerezza, con timbri tra il giallo e il grottesco e una fine analisi psicologica. In esse Soldati rievoca in modi ora ironici ora grotteschi ambienti e personaggi ai quali è legata la sua esperienza personale.

Della sua ricca produzione narrativa si possono ricordare: *Il vero Silvestri* (1957), *A cena col commendatore* (1950), *Lettere da Capri* (1954), *L'attore* (1970), *Lo smeraldo* (1974), *La sposa americana* (1977). Molte sono anche le raccolte di racconti: tra questi: *I racconti* (1927-1947), *Vino al vino* (1971), *55 novelle per l'inverno* (1971), *I racconti del maresciallo* (1967) da cui è stata tratta una serie di film per la televisione curati dallo stesso autore. Nel 1982 pubblica *Lo scopone* un libro tra il saggio e il racconto dove uno scrittore e un giocatore accanito parlano della loro passione creando una specie di manuale del gioco. Nell'84 escono *Nuovi racconti del maresciallo* (subito trasferiti nello stesso anno in una popolare serie televisiva), dove la rapidità di narrare per immagini si unisce ad un grande mestiere letterario. Del 1987 è *El paseo de Gracia,* forse il romanzo più estroso e spumeggiante dell'ultima stagione creativa dello scrittore. Nel 1991 esce *La confessione* un racconto iniziato negli anni '30 e ripreso molti anni dopo.

Soldati è morto a Lerici (Liguria) il 19 giugno 1999.

6. I PENSIERI DI UN ASSASSINO

Eppure sono felice, eppure son tranquillo. Ma temo d'esserlo come un mio contadino, che imprigionarono due anni fa per un omicidio commesso sui colli. Io conosco solo le notizie che ne hanno dato i giornali: ho conosciuto appena quel mio contadino. Ma l'omicidio mi si è ricostruito da sé nella fantasia come lo racconto. Il contadino s'era accorto che sua moglie lo tradiva. Una domenica, invitò il rivale a traversare i colli con lui per diporto[1].

L'omicida aveva deciso d'uccidere a metà brughiera[2], e s'era munito di coltello. Però, fin dalla porta di casa cominciò a camminare dietro la vittima, quasi che si fosse proposto di calpestar le sue orme, come un bambino a cui il padre faccia la pedata nella neve. Il motivo, per cui aveva deciso d'uccidere, gli era divenuto d'un tratto indifferente, come se non riuscisse a ricordarsene: e certo, ora, non avrebbe preso quella decisione. La ricordava però a freddo, come un nome e una data; e ci teneva immediatamente a non modificarla. Dato uno scopo alla sua vita, intorno aveva fatto il vuoto, abolendo[3] di forza tutti gli altri: in modo che il suo pensiero, anche distratto s'incamminasse per forza lì, perché gli erano tolte tutte le altre vie: e giungesse sempre a quel risultato. Non poteva fare che quello, perché aveva ridotto la vita a una sola fissazione. Quell'atto era l'unico possibile; e tuttavia, quanto più camminava, diventava lontano, assurdo. Non gli ripugnava[4]: ma l'immaginazione non voleva crederci, come se si trattasse d'un avvenimento troppo fantastico. Crederci gli pareva poco serio, come scavare per terra sperando di trovare un tesoro. Il corpo del rivale gli pareva strano, con quei due pioli[5] che servono per camminare, e quei due globi girevoli che, voltandosi verso di lui lo vedevano. Impossibile che da quell'oggetto uscisse sangue; che vi accadesse un mutamento, se vi picchiava con un coltello. Questa incredulità stessa gli dava curiosità di provare; l'assurdità dell'atto gli pareva a tratti difficoltà; compierlo, prodezza da raccontare.

Verso mezzogiorno giunsero al punto più alto dei colli: un piccolo altopiano ondulato, coperto d'erba arida e roggia[6], con qualche pinastro[7], sparsovi, e mandre di pecore, bianche il corpo, le gambe nere. Al contadino mancava il coraggio. Una grande timidezza, un'impossibilità di cogliere il momento buono; come provavo io ragazzo, quando dovevo chiedere danaro a mio padre, e le parole non m'uscivan di gola: finché mi ponevo un termine di tempo, entro il quale mi prescrivevo di osare. Il corpo del rivale si faceva sempre più strano: non gli pareva che, alla percossa, sarebbe scoppiato?

L'esitazione finì quando riuscì a distrarsi, e gli sfuggì il primo colpo di mano: credo che materialmente guardasse altrove. Gli altri colpi seguirono per paura dell'offeso e del suo risentimento. Un cane, che ha morso il suo padrone, spesso per scappare gli salta alla gola, perché in due modi ci si nasconde: abolendo sé, e abolendo gli occhi che cercano. Continuò la strada da solo, e giunto al di là dell'altipiano, si fermò a far colazione. Gli pareva di abbracciare il mondo con un solo sguardo simile a quello del Padre Eterno che lo regge in mano sotto forma di globo. [...] Stava così, seduto fuori del mondo, a contemplarlo: vedeva il cadavere del rivale, niente più umano e commovente d'un sasso o d'un corso d'acqua: meno d'una foglia che, sull'albero sovrastante, dondolava ostinata. In tutto il fogliame, non riusciva a fissare che quella, come se vi fosse pericolo che lo schiacciasse cadendo.

45   Sua moglie lo vide tornare con un viso umile e pentito. Tutta la sera, davanti a lei e ai figlioli, s'accusò d'essere cattivo marito e padre, perché, proprio in un giorno di festa, li aveva lasciati soli ed era andato a spasso per conto proprio. Il rimorso era così insolito, e si manifestava in parole così convinte ed eccessive, che gli altri temevano che fosse impazzito. Lo calmavano, dicevano che la colpa non era grave. Egli
50 scuoteva il capo, diceva ch'era gravissima: e per provarlo, argomentava con gran serietà, e riusciva quasi a persuaderli. Il giorno dopo l'arrestarono.

(G. PIOVENE, La vedova allegra, Buratti, Torino, 1931)

1. divertimento, spasso ■ 2. terreno alluvionale incolto e coperto di cespugli e arbusti ■ 3. togliere, eliminare ■ 4. non provava nessun sentimento di rifiuto ■ 5. piccoli legni cilindrici aguzzi alle estremità che si conficcano in terra o nei muri per appendervi cose o per formare scale; qui il termine si riferisce alla gambe ■ 6. rosseggiante. ■ 7. pino marittimo

---

a │ COMPRENSIONE DEL TESTO

1. Informazioni specifiche

➤ *Rispondete alle seguenti domande:*

1. Chi narra il fatto?
2. Quando e dove è accaduto, secondo il narratore?
3. Per quale motivo il contadino aveva deciso di uccidere?
4. Quale piano ha in mente?
5. Perché egli cammina dietro la sua vittima? A cosa pensa mentre cammina?
6. Cosa prova mentre osserva il cadavere del "rivale"?
7. Cosa fa l'assassino quando torna a casa?

2. Valutazione e riflessione

a. Sulla base delle indicazioni presenti nel testo, cercate di ricostruire la personalità di quest'uomo, così come appare al narratore.

b. La figura del rivale perde via via, nell'immaginario dell'assassino, i contorni e le dimensioni di un essere umano e diventa quasi una cosa. Provate a spiegare questo strano processo mentale.

c. Come spiegate il comportamento che tiene la sera con la moglie e i figli?

d. I pensieri dell'assassino sono, in realtà, una fantasia del narratore. Cosa avrà pensato, secondo voi, quest'uomo negli attimi che precedettero il suo terribile gesto?

vai a pag. 11

1. Campi semantici

➤ *Cancellate dai seguenti gruppi di parole quella che per uno o più tratti di significa-to si distingue dalle altre, ed indicate per quale o quali tratti si differenzia:*

1. omicida - suicida - insetticida - parricida
2. brughiera - altipiano - prateria - steppa
3. assassino - vittima - omicida - uccisore
4. contrario - rivale - ostile - nemico - avversario
5. orma - traccia - impronta - pedata - calco
6. sguardo - svista - occhiata - guardata
7. mandria - gregge - branco - sciame
8. rimorso - pentimento - angustia - rammarico - rincrescimento.

2. I verbi parasintetici

Una particolare forma di parola composta è rappresentata dai verbi "*parasintetici*", vale a dire da quei verbi che derivano da un nome o da un aggettivo con l'aggiun-ta simultanea di un prefisso (*a-, di-, in- s-, ri-, per-, tra-, stra-*) e un suffisso verbale (*-are* o *-ire*). Caratteristica fondamentale di tali parole composte è proprio la simul-taneità dell'aggiunta degli elementi a destra e a sinistra della parola base. Così da "*grande*" deriva "*ingrandire*", ma non è possibile avere né "*grandire*" né "*ingrande*". Altri esempi:

bello	**a** + bell + **ire**	→ *abbellire*
bottone	**a** + botton + **are**	→ *abbottonare*
magro	**di** + magr + **ire**	→ *dimagrire*
bocca	**in** + bocc + **are**	→ *imboccare*
arido	**in** + arid + **ire**	→ *inaridire*
barba	**s** + barb + **are**	→ *sbarbare*
notte	**per** + nott + **are**	→ *pernottare*

➤ *Provate, ora, a costruire dai seguenti nomi e aggettivi il verbo parasintetico appro-priato e, magari con l'aiuto del dizionario, spiegatene il senso:*

1. prigione → ....
2. arido → ....
3. coraggio → ....
4. pazzo → ....
5. basso → ....
6. sabbia → ....
7. allegro → ....
8. giovane → ....

9. tasca   →   ....
10. notte   →   ....
11. povero   →   ....
12. lieto   →   ....
13. amore   →   ....

3. Parole solidali

In un testo le parole vanno concatenate secondo precise regole e tenendo conto del senso di ciò che precede come di ciò che segue. Ci sono parole che per il loro significato specifico o ristretto si possono combinare solo con alcune altre. Ad esempio, *saporito* può dirsi solo di un cibo, e *camuso* si può dire solo parlando del naso, così come *abbaiare*, in senso proprio, indica il verso del cane.

Tra le parole che si ricollegano solo con altre, i verbi costituiscono il gruppo più interessante, in quanto ci sono verbi che richiedono solo certi soggetti, e verbi che si combinano solo con determinati oggetti. Si ha, perciò, limitazione di soggetto e limitazione di oggetto. Ad es.: il verbo **evaporare** può avere come soggetto solo nomi indicanti sostanze liquide, come l'acqua, la pioggia, l'alcool, ecc., mentre il verbo **infliggere** può avere come oggetti termini indicanti cose poco piacevoli, come *punizione* o *sconfitta* o *condanna* o *pena*, o il verbo **brandire** può avere come oggetto un'arma.

Certe combinazioni sono così rigide da dar luogo a stilemi fissi o frasi fatte, come ad esempio: *correre il rischio, sbarcare il lunario, rassegnare o dare le dimissioni, stare in campana*, ecc.

Un uso improprio delle combinazioni di parole può dar luogo a metafore, ma anche a nonsense o assurdità.

a. Completate le seguenti frasi inserendo il soggetto o l'oggetto appropriato al verbo:

1. Lo ha morso ....
2. Il padre gli ha appioppato ....
3. Socchiudi un po' .... !
4. Su quel cavallo ha scommesso ....
5. .... è deragliato a causa di una frana.
6. Per l'occasione il Tesoro ha coniato ....
7. Il generale ha impartito .... a tutta la caserma.
8. Ho sentito .... ragliare.
9. Quel film ha riscosso un grande .... di critica e di pubblico.

b. Completate le frasi che seguono con il verbo opportuno:

1. Bisogna .... provvedimenti urgenti contro l'inquinamento atmosferico della nostra città.
2. Il dottor Bruni .... le dimissioni da direttore artistico.

3. Nessuno studente è riuscito a .... il problema.
4. Puoi darmi una mano a .... i nodi che sono in questa corda?
5. Il Ministero degli Esteri .... un concorso per addetto culturale presso le amba-
sciate.
6. Il povero ragazzo .... un grave intervento al cuore.
7. Mi .... le parole di bocca.
8. Il Presidente della Repubblica .... omaggio alla tomba del Milite ignoto.
9. Per riparare la macchina da solo Carlo .... sette camicie.

c. *Ogni parola della prima lista è legata da un rapporto di solidarietà semantica con
una o più parole della seconda lista. Indicate le possibili combinazioni:*

A	B
1. commettere	a. pena
2. rassegnare	b. lacuna
3. dissipare	c. occasione
4. colmare	d. omicidio
5. scontare	e. ricchezze
6. rompere	f. dimissioni
7. cogliere	g. indugi

C | RITORNO AL TESTO

➤ *Completate il brano che segue con le parole mancanti:*

Un contadino, avendo scoperto che sua moglie lo ...., decise di .... Una
domenica mattina invitò .... ad andare .... con lui su in collina, in mezzo alla
.... Partirono insieme, in silenzio: il contadino camminava .... la sua vittima,
quasi a cancellarne le .... Era un tipo risoluto: una volta presa ...., niente e nessuno .... avrebbe fatto .... idea; e anche se in quel momento la cosa gli
sembrava .... e inspiegabile, sentiva che doveva portarla a ....

Verso .... arrivarono sul punto più .... dei colli, e lì, a sangue ...., il
contadino uccise il suo rivale, senza avere però il coraggio di guardarlo ....

La sera, ritornò .... triste e .... Fra lo stupore della .... e dei figli ripe-
teva con .... di non essere .... di loro, di non essere né un buon .... né un
buon ...., perché quel giorno .... da solo e li aveva lasciati ....

La mattina dopo la polizia lo ....

1. Raccontate un fatto di cronaca nera che avete letto di recente nel giornale.

2. Vi è mai capitato di reagire violentemente ad un torto subito? Ripensando oggi a quel fatto, come lo valutate?

3. Il protagonista del racconto di Piovene è spinto dalla gelosia ad un delitto assurdo. Eppure la gelosia è un sentimento naturale presente in ogni essere umano: quando si ama fortemente qualcuno si ha anche il timore di perderlo.
   Dite, anche sulla base delle vostre esperienze, i modi in cui si può manifestare la gelosia e perché spesso porta a compiere gesti ed azioni incontrollate.

Storia di parole

Gelosia

La gelosia è un sentimento naturale, come l'amore. E' lo stato d'animo di chi dubita dell'amore e della fedeltà della persona amata o di chi sa di averne perduto i favori a vantaggio di un altro. La gelosia ha forme e manifestazioni le più diverse. Ma da dove deriva il termine "gelosia"? La parola deriva dall'aggettivo "geloso" (anticamente *zeloso*), derivato a sua volta dal latino *zelus*. Zeloso indicava, in origine, la persona piena di fervore e buona volontà d'agire, oggi diremmo "zelante". Se andiamo ancora più indietro nella ricerca dell'origine arriviamo al greco *zelos*, che significa "bollore", "ebollizione". Il termine greco aveva una varietà di significati: si andava dal semplice fervore al desiderio ardente di qualcosa o di qualcuno, da cui fatalmente nascono sentimenti che vanno dall'invidia al sospetto, alla rivalità e quindi anche alla gelosia.

È curioso notare, inoltre, che con il termine gelosia in italiano si indica anche l'infisso a stecche inclinate e intelaiate che chiude all'esterno le finestre, più noto con il nome di "persiana". La gelosia consente a chi è dentro la casa di guardare fuori senza essere visto dall'esterno. Proprio perché questo tipo di chiusura delle finestre era frequente e diffusa soprattutto in Oriente, dove tradizionalmente le donne erano tenute segregate dalla vita comune, che venne detta "persiana".

Profilo dell'autore
GUIDO PIOVENE

Guido Piovene è nato a Vicenza il 27 luglio 1907 da famiglia aristocratica: era figlio del conte Francesco e di Stefania di Valmarana. Laureatosi in Lettere all'Università di Milano nel 1930, ha cominciato subito la sua attività di giornalista: corrispondente dell'"Ambrosiano", fino al 1934, poi del "Corriere della sera" dal 1935 al 1952, quindi inviato e collaboratore de "La Stampa" fino al 1974, quando è entrato come responsabile della sezione culturale e letteraria de "Il giornale nuovo" di Montanelli,

L'esordio letterario di Piovene si ha con i racconti de *La vedova allegra*, del 1931, dove si possono già intravedere alcuni tratti della sua scrittura: il paesaggio veneto, le psicologie complesse, i personaggi femminili tormentati. Il successo e la notorietà si affermeranno dieci anni dopo con *"Lettere di una novizia"*, torbida vicenda di una suora che fugge dal convento e per non rientrarvi, si spinge fino al delitto. Due anni dopo esce la *"Gazzetta nera"* (1943), cinque racconti collegati dal filo di un'inchiesta giornalistica su una serie di delitti, e nel 1951 ecco *Pietà contro pietà*, in cui forse anche a seguito della drammatica esperienza della guerra, si ha l'assunzione della realtà come male. La violenza, l'angoscia, la fame hanno livellato l'umanità, sicché non è possibile distinguere gli oppressi e gli oppressori, i portatori del vero e del falso, del bene e del male. Ne *I falsi redentori* (1949) la dimensione del male si fa più cupa ed ossessiva.

Nel 1953 la RAI gli affida l'incarico di redigere una serie di appunti di viaggio attraverso le regioni d'Italia: con la moglie percorre la penisola e coglie note di costume e di vita, insieme con spunti per riflessioni politiche e sociali. Ne nasce il *Viaggio in Italia*, cui seguirà, quasi ideale prosecuzione, *"L'Europa semilibera"*, appunti del globe-trotter in Europa.

Del 1962 è la raccolta di saggi *"La coda di paglia"* che raccoglie scritti già pubblicati in vari periodici, e dell'anno dopo il romanzo *"Le furie"*, in cui redenzione e santità si mescolano ad ipocrisia e prostituzione.

L'ultimo romanzo è del 1970 *Le stelle fredde*, il cui protagonista percepisce arcani messaggi dall'aldilà e si chiude in una sua fredda solitudine.

Il linguaggio di Piovene narratore e saggista è complesso e chiaro allo stesso tempo, di una chiarezza essenziale che gli deriva dalla lunga esperienza giornalistica, un linguaggio che è limpido e trasparente anche quando affronta zone d'ombra psicologiche. Si può quasi dire che quanto più la materia trattata è oscura e torbida tanto più la parola che la riflette è nitida ed esplicativa.

Piovene è morto a Milano nel 1974.

7. IL CARCERATO

Un piccolo uomo cencioso e scalzo, ammanettato tra due carabinieri procedeva a balzelloni[1], nella strada deserta e polverosa, come in un penoso ritmo di danza, forse perché zoppo o ferito a un piede. Tra i due personaggi in uniforme nera, che nella crudezza della luce estiva sembravano maschere funebri, il piccolo uomo aveva un
5 vivace aspetto terroso[2], come di animale catturato in un fosso. Egli portava sulla schiena un fagottino[3] dal quale usciva, in accompagnamento al suo saltellare, uno stridio[4] simile a quello della cicala.

L'immagine pietosa e buffa m'apparve e venne incontro mentre mi trovavo seduto sulla soglia di casa, col sillabario[5] sulle ginocchia, alle prime difficoltà con le vocali
10 e le consonanti; e fu una distrazione inaspettata che mi mosse al riso. Mi girai attorno per trovare qualcuno che condividesse la mia allegria e in quello stesso momento, dall'interno di casa, udii sopraggiungere il passo pesante di mio padre.

"Guarda com'è buffo", gli dissi ridendo.

Ma mio padre mi fissò severamente, mi sollevò di peso tirandomi per un orecchio
15 e mi condusse nella sua camera. Non l'avevo mai visto così malcontento di me.

"Cosa ho fatto di male?" gli chiesi stropicciandomi[6] l'orecchio indolorito.

"Non si deride un detenuto, mai".

"Perché no?"

"Perché non può difendersi. E poi perché forse è innocente. In ogni caso è un
20 infelice".

Senza aggiungere altro, mi lasciò solo nella camera, in preda a un turbamento di una nuova specie. Le vocali e le consonanti, con i loro complicati accoppiamenti, non mi interessavano più.

Quella stessa sera, invece di mandarmi a letto all'ora abituale, mio padre mi con-
25 dusse in piazza con sé, cosa che gli accadeva raramente; e invece di restare, come al solito, con i suoi amici, dalla parte della Società di Mutuo Soccorso[7], andò a sedersi a un tavolino, davanti al Caffè dei "galantuomini", dove vari signori si gode-vano il fresco dopo la giornata afosa. Al tavolino accanto il pretore conversava col medico condotto[8].

30 "Di che cosa è incolpato l'uomo arrestato oggi?" chiese mio padre al pretore col quale era in buone relazioni.

"Ha rubato", rispose il pretore.

"Di dov'è il ladro? E' un vagabondo? E' un disoccupato?" chiese ancora mio padre.

"È un manovale della fabbrica di mattoni, e pare che abbia rubato qualcosa al
35 padrone", rispose il pretore. "Ha forse rubato anche a te?"

"Strano", disse mio padre. "Scalzo e vestito di stracci come l'ho visto, egli aveva piuttosto l'aria di un derubato."

(I. SILONE, *Uscita di sicurezza*, Longanesi, Milano, 1971)

1. a piccoli salti, saltellando ■ 2. sporco di terra ■ 3. piccolo sacco di stoffa con il quale si avvolgono oggetti personali ■ 4. suono acuto e prolungato ■ 5. libro scolastico per imparare a

leggere ■ 6. strofinare con la mano o le dita una parte del corpo ■ 7. prima forma di associazione dei lavoratori che serviva all'assistenza e all'aiuto nei momenti di maggiore necessità (malattia, disoccupazione, vecchiaia) ■ 8. medico al quale viene affidata dall'autorità sanitaria una zona in cui svolgere la propria attività

a | COMPRENSIONE DEL TESTO

1. Informazioni specifiche

➤ *Rispondete alle seguenti domande:*

1. Che cosa colpisce l'attenzione del bambino?
2. Dove si trova il bambino? Che cosa fa in quel momento?
3. Qual è la sua reazione di fronte a ciò che vede?
4. Come reagisce, invece, il padre?
5. Perché il padre quella sera porta con sé il bambino in piazza?
6. Di che cosa è accusato il detenuto?

2. Analisi e riflessione

1. Silone racconta un episodio della sua infanzia, e in particolare una lezione appresa da suo padre. Indicate quale insegnamento egli può aver tratto da quella esperienza.

2. Commentate l'amara conclusione del padre: "Strano! Scalzo e vestito di stracci come l'ho visto, egli aveva piuttosto l'aria di un derubato".

3. Sintesi

➤ *Riesponete in modo sintetico il brano letto.*

b | ANALISI LESSICALE E LINGUISTICA

1. Sinonimi

vai a pag. 57

➤ *Ricercate nel testo i sinonimi delle seguenti parole:*

- ballo _____
- lacero _____
- fannullone _____
- dolorante _____
- canzonare _____

- comico _____
- spartire _____
- abbinamento _____
- duramente _____
- accusato _____

2. Riformulazioni

➤ *Riscrivete il testo che segue sostituendo il maggior numero di parole ed espressioni possibile con altre di significato equivalente:*

Quella stessa sera, invece di mandarmi a letto all'ora abituale, mio padre mi condusse in piazza con sé, cosa che gli accadeva raramente; e invece di restare, come al solito, con i suoi amici, dalla parte della Società di Mutuo Soccorso, andò a sedersi a un tavolino, davanti al Caffè dei "galantuomini", dove vari signori si godevano il fresco dopo la giornata afosa.

3. Famiglia di parole

Come si è già detto in un'altra parte del libro, le parole con origine comune e con significato affine costituiscono una famiglia.

Così alla famiglia di "**mano**" appartengono parole come *maniglia, manico, maniera, manciata, manovra, manifesto, manesco, maneggiare, manetta, ammanettare, manubrio,* ecc.

➤ *Completate le frasi seguenti con parole appartenenti alla famiglia di* mano:

1. Suo padre lavora come _____ in una impresa edile.
2. Mentre faceva la _____ di retromarcia ha urtato un'altra macchina in sosta.
3. Nell'aprire la porta gli è rimasta la _____ in mano.
4. Si è tolto la giacca ed è rimasto in _____ di camicia.
5. E' un tipo violento e _____: sta' alla larga da lui!
6. Occupa un posto di grande responsabilità e _____ forti somme di denaro.
7. Ha tirato fuori dalle tasche una _____ di spiccioli.
8. Il professore di matematica ci ha detto di portare domani anche il _____ di fisica.
9. Alla fine del pranzo ha lasciato una forte _____ per la cameriera.
10. La tua versione dei fatti mi fa capire che si tratta di un altro paio di _____ .

4. Funzioni comunicative: dare ordini

Talora un ordine o un consiglio o un suggerimento si presentano in una forma meno marcata, quasi fosse una constatazione o affermazione decisa. In tal caso, invece di ricorrere ad un imperativo o a una struttura imperativale, si preferisce usare una forma impersonale all'indicativo. Il contesto comunicativo situazionale ed il tono della voce segnalano la funzione di comando o di suggerimento (*funzione conativa*). Nel brano di Silone, ad esempio, il padre invece di ordinare al figlio di non deridere mai un detenuto, afferma in modo perentorio: "Non si deride un detenuto, mai!", intendendo che *non si deve deridere mai un detenuto.*

➤ *Trasformate in una forma imperativale con "si deve" o "andare + participio passato" o "non + infinito" le seguenti frasi:*

mod.:	**Non si deride un detenuto, mai!** *Non si deve deridere un detenuto, mai!* *Un detenuto non va deriso, mai!* *Non deridere un detenuto, mai!*

1. Le cicche non si gettano per terra.
2. Non si fanno promesse se non si è sicuri di mantenerle.
3. Qui non si fuma!
4. Non si attraversano i binari!
5. Non si disturba chi dorme!
6. Non si critica ciò che non si conosce.
7. Non si spara agli animali protetti.
8. Non si sparla degli assenti

C | PRODUZIONE ORALE O SCRITTA

➤ *Discutete sui seguenti soggetti:*

1. Nel passato erano soprattutto la miseria e la disperazione a spingere al furto. A vostro avviso, oggi la situazione è la stessa o qualcosa è cambiato?

2. Spesso nelle nostre città si incontrano persone povere o emarginate che chiedono l'elemosina. Come reagite di fronte alle loro richieste?

3. Provate a spiegare perché, come il bambino protagonista del racconto, spesso si ride dinanzi alla sfortuna o alla disgrazia o alle difficoltà di un altro.

4. C'è un fatto o una scena vissuta nella vostra infanzia che vi torna spesso in mente? Provate a raccontarla spiegando perché a distanza di tempo tale ricordo è ancora vivo.

Profilo dell'autore
IGNAZIO SILONE

Ignazio Silone, pseudonimo di Secondo Tranquilli, nasce a Pescina dei Marsi, in Abruzzo nel 1900 e, giovanissimo, entra nel partito socialista. Nel 1920 assume la direzione della rivista "Avanguardia". L'anno dopo, spostatosi su posizioni più radicali, partecipa con Togliatti e Gramsci alla fondazione del PCI, dal quale uscirà dieci anni più tardi. Esule dal 1930 in Svizzera, a Zurigo, ritorna sotto la bandiera socialista e fonda, durante la seconda guerra mondiale un centro per l'assistenza ai fuoriusciti. Rientrato in Italia dopo la liberazione assume la direzione del giornale socialista "L'Avanti" e viene eletto all'Assemblea Costituente. Ma nei panni del politico Silone non si sente a proprio agio, per questo abbandona anche i socialisti, e si dedica esclusivamente all'attività di scrittore, come "socialista senza partito e cristiano senza chiesa". Il suo primo romanzo, *Fontamara*, è del 1930, e descrive la vita dura dei contadini della sua terra, l'Abruzzo. Seguono *Pane e vino* (1937), riedito nel 1955 con il titolo *Vino e pane*, e *Il seme sotto la neve* (1941). Nei romanzi successivi l'impegno sociale si affievolisce, mentre cresce quello cristiano. Questo cambiamento lo ritroviamo in *Una manciata di more* (1952), *Il segreto di Luca*, (1956), *La volpe e le camelie* (1960). Nel 1956 pubblica un volume autobiografico, *Uscita di sicurezza*; nel 1968 esce *L'avventura di un povero cristiano*, la storia del papa abruzzese Celestino V, nelle cui vicende di cristiano deluso si rispecchia la vita dell'autore.

Silone muore a Ginevra nel 1978. Dopo la sua morte sono usciti: *Memoriale dal carcere svizzero*, (1979) e *Severina* (1981) portato a termine dalla moglie.

8. LA CAMERIERA

Curiosa la storia che mi ha raccontato Antonelli della sua cameriera. Questa ragazza italiana, ancora sorpresa di trovarsi a New York, ora andrà via, deve sposarsi. E'
venuta da pochi mesi dall'Italia, un paese del Sud, ha dei parenti che vivono ormai
qui da una ventina d'anni, a Brooklyn. La cucina non ha finestra propria, ma un'a-
5 pertura che la inserisce nella stanza di soggiorno. E da lì, preparando a vista le portate della nostra cena, la cameriera guarda attraverso la tavola il ponte di
Williamsburg, che da lassù sembra una mostruosa combinazione di coccodrilli, e il
panorama industriale. Non è bella, ma sorride dolcemente.
Antonelli mi racconta che pochi giorni fa questa sua Giuseppina o Enrichetta,
10 viene chiamata al telefono proprio mentre ferveva una riunione conviviale[1] pomeridiana: in poche parole, un cocktail-party. Al telefono, Giuseppina scoppia in singhiozzi[2]: le hanno annunciato, con qualche ritardo, la morte di uno zio, che ha
conosciuto da poco, ma che è sempre un parente, carne e sangue della famiglia. È
lo stesso Antonelli che si preoccupa di accompagnarla alla Funeral home, dove il
15 cadavere è stato preparato all'ultima visita dei parenti e degli amici.
Giuseppina si veste in nero stretto, con un velo. Non conosce gli usi nuovi degli
italo-americani, non sa che alla Funeral Home verrà servito un rinfresco e che le
signore avranno dei larghi cappelli, a imitazione delle signore indigene[3]; che infine
la morte viene affrontata con trattenuta emozione e sforzo di eleganza. Lei è rima-
20 sta ai pianti di famiglia, alle faticose cerimonie, alle lodi del defunto, alla vedova che
rifiuta il cibo e che le comari[4] compiangono sospirando.
Giuseppina trova lo zio seduto in una poltrona Biedermeyer, morto, ben vestito
e ravviato[5]. Accanto ha un tavolino dov'è negligentemente posata una copia del
Progresso Italo-Americano, nella presunzione che il defunto abbia appena finito di
25 darle un'occhiata. Per conferirsi una maggiore illusione di vita, oltre al sorriso ben
stampato sul volto, lo zio ha tra le dita della destra un grosso sigaro, simbolo di
successo.
Giuseppina va a baciare lo zio, si mette in ginocchio, prega, piange, risuscita il suo
fasto[6] meridionale di lagrime davanti alla morte, forse perché si sente obbligata dalla
30 presenza dei paesani, ma non è da escludersi che sia sincera. Tra gli invitati, un giovane si eccita all'idea di quella ragazza vestita di nero che piange. E' un'immagine
rimasta in lui nel subconscio[7], un'immagine del suo paese d'origine, che non ha
conosciuto bene, ma che la madre ricorda spesso e rappresenta: un'immagine di
sole e di lutti, arcaica, dove il dolore dev'essere manifestato con la disperazione,
35 come fa appunto la ragazza; e che per vie misteriose conduce all'idea del possesso
immediato, della riparazione erotica della vita di fronte alla morte: la vedova da con-
solare.
Tra le ragazze presenti, Giuseppina è l'unica che risveglia in lui il desiderio originale e dimenticato. Si offre di accompagnarla a casa. Tra quindici giorni si spose-
40 ranno.

(da E. FLAIANO, *Melampus*, Rizzoli, Milano, 1974)

1. un convivio è un banchetto o mensa raffinata ed elegante che si offre in occasione di una ricorrenza o festa, come ad esempio un matrimonio ▪ 2. successioni rapide di inspirazioni ed espirazioni accompagnate da un pianto convulso ▪ 3. originarie del posto ▪ 4. la comare è la donna che tiene a battesimo e alla cresima un bambino. Qui si indicano genericamente le vecchie amiche e vicine di casa ▪ 5. ben pettinato ▪ 6. messa in mostra di quanto di bello o di ricco si ha ▪ 7. complesso di fatti psichici e mentali avvertiti solo vagamente e che non affiorano chiaramente a livello di consapevolezza

a │ COMPRENSIONE DEL TESTO

1. Informazioni specifiche

➤ *Rispondete alle seguenti domande:*

1. Perché Giuseppina lascerà la casa dove lavora come cameriera?
2. Dove e come ha conosciuto il suo futuro marito?
3. Perché Giuseppina comincia a piangere quando risponde al telefono?
4. Come si veste per andare alla Funeral Home?
5. Come è stato preparato il cadavere dello zio per la visita dei parenti?
6. Cosa fa Giuseppina quando arriva alla Funeral Home?
7. Che cosa ricorda al giovane il comportamento di Giuseppina davanti al cadavere dello zio?
8. In che modo il giovane italo-americano ha avuto conoscenza della sua terra d'origine?

2. Sintesi

➤ *Reinserite le parole opportune nel seguente testo che è una sintesi di quello di Flaiano:*

Giuseppina, una ragazza dell'Italia del _____, lavora come _____ a New York in casa di Antonelli. Un giorno riceve una _____ in cui le comunicano che un suo _____ che aveva appena conosciuto è _____. Alla notizia la ragazza scoppia in un _____ dirotto. Il padrone di casa l' _____ alla Funeral home dove è esposto il _____ dello zio. Lei si è vestita in nero _____: non sa che negli Stati Uniti ad un _____ si usa offrire un _____, la gente si veste in modo _____, e il cadavere è acconciato come se _____ ancora in vita. Vede infatti lo zio _____ in poltrona, ben vestito e con in mano un _____. Tutto fa pensare più ad una _____ che ad un funerale.

La ragazza davanti allo zio morto si getta in _____, prega, piange e si dispera, come è uso nell'_____ del sud.

La vista di questa ragazza _____ di nero colpisce un giovane italo-americano _____ alla cerimonia: quella scena richiama alla sua _____ le immagini della sua terra d'origine, così come vagamente _____ e come gli sono state descritte da sua _____.

Al termine lui l'accompagna a casa e le chiede di diventare sua _____.

1. Aree semantiche

➤ *Individuate nel testo di Flaiano i termini e le espressioni che semanticamente si collegano a:*

morte: _____

famiglia: _____

casa: _____

pasto: _____

2. Parafrasi esplicative

➤ *Le seguenti frasi sono la spiegazione di un termine. Individuatelo e trascrivetelo accanto:*

es.: *riunione conviviale pomeridiana, cioè un* cocktail-party

1. offrire cibi freddi, bevande e dolci ad un ricevimento o festa, cioè _____ .
2. nativo del luogo dove vive, cioè _____
3. donna cui è morto il marito, cioè _____
4. il corpo di un essere umano morto, cioè _____
5. la persona che serve a tavola, cioè _____
6. cucchiaio, forchetta e coltello, cioè _____

vai a pag. 57

3. Sinonimi

➤ *Le seguenti parole fanno parte tutte del campo semantico relativo alla morte. Suddividetele in gruppi di sinonimi:*

cadavere - cremazione - crepare - corpo - decedere - deceduto - decesso - defunto - dipartita - esequie - estinto - fatale - fossa - funebre - funerale - funerario - funesto - imbalsamazione - inumazione - lugubre - luttuoso - morire - morte - morto - mortuario - mummificazione - rito funebre - salma - sarcofago - schiattare - sepolcro - spegnere - spirare - trapasso - tomba - tumulazione - tumulo

_____

_____

_____

_____

_____

4. Registri e stili linguistici

➤ *Indicate a quale registro o stile linguistico appartiene ciascuna delle seguenti espressioni usate per annunciare una morte:*

- È passato a miglior vita   _____
- È crepato   _____
- Ci ha lasciati   _____
- Si è spento serenamente   _____
- Dio l'ha chiamato a sé   _____
- E' tragicamente deceduto   _____
- È schiattato   _____
- Non è più tra noi   _____
- La sua anima bella è salita in cielo   _____
- Un improvviso malore ha stroncato l'esistenza   _____
- C'è rimasto secco   _____
- È mancato all'affetto dei suoi cari   _____

5. Le parentele

La **parentela** indica il vincolo che unisce persone discendenti dagli stessi genitori e il vincolo di affinità tra coniugi. Nelle diverse culture le relazioni di parentela sono viste in *linea verticale* (rapporti di discendenza e ascendenza) e in *linea orizzontale* (rapporti di fratellanza e assimilati).
Sulla base dei legami parentali si può delineare il sistema che fissa e fa riconoscere le usanze sociali che si osservano nel comportamento reciproco di individui uniti da rapporti di consanguineità e di affinità. Per questo, i termini che segnalano i legami parentali sono molto importanti perché rivelano anche i vincoli più o meno forti (*parenti stretti* e *parenti alla lontana*) e gli obblighi sociali che ne derivano.

➤ *Eccovi una lista di termini parentali:*

cognato - cugino - figliastro - figlio - fratello - genero - marito - nipote - nonno - padre - patrigno - suocero - zio - cognata - cugina - figlia - figliastra - madre - moglie - matrigna - nonna - nuora - sorella - suocera - zia

➤ *Collegate ciascun termine della lista con quello o quelli più vicini in linea orizzontale e verticale:*

es.: **padre** → *madre* (linea orizz.), *figlio* e *figlia* (linea vertic.)

1. _____
2. _____
3. _____
4. _____

6. Proverbi

> *Con l'aiuto del dizionario spiegate il senso o traducete nella vostra lingua i seguenti proverbi:*

- Muor giovane chi al cielo è caro.
- Chi muore giace e chi vive si dà pace.
- Morto un papa se ne fa un altro.
- I parenti son come le scarpe: più sono stretti più fanno male.
- Tale il padre tale il figlio.
- Tra moglie e marito non mettere il dito.

7. Funzione attributiva e predicativa degli aggettivi

Un aggettivo ha funzione **attributiva** se assegna una caratteristica o qualità al nome cui si riferisce, ha una funzione **predicativa** quando riferendosi e concordando con un nome completa il significato del verbo. L'aggettivo in funzione di complemento predicativo non può essere omesso: è essenziale alla comprensione della frase.

Es.:

Ho letto un libro *interessante*.	(f. attributiva)
È stata una *bella* esperienza.	(f. attributiva)
Maria è *simpatica* a tutti.	(f. predicativa)
Carlo considera Luca *colpevole*.	(f. predicativa)
La vittoria della squadra ha reso *felici* i tifosi.	(f. predicativa)

Gli aggettivi svolgono una funzione predicativa nei confronti del soggetto o dell'oggetto di un verbo anche quando si comportano come avverbiali.

Es.:

Gianni se n'è andato *arrabbiato*.
È morto *giovane*.
Marco è tornato a casa *stanco*.

> *Per le seguenti frasi indicate se l'aggettivo in corsivo ha una funzione attributiva o predicativa:*

1. *Curiosa* la storia che mi ha raccontato Antonelli.
2. Questa ragazza *italiana*, ancora *sorpresa* di trovarsi a New York, ora andrà via.
3. La cucina non ha finestra *propria*.
4. Il ponte di Williamsburg da lassù sembra una *mostruosa* combinazione.
5. Questa Giuseppina viene chiamata al telefono proprio mentre ferveva una riunione *conviviale pomeridiana*.
6. Giuseppina si veste in nero *stretto*.
7. Non conosce gli usi *nuovi* degli italo-americani.
8. La morte viene affrontata con *trattenuta* emozione.
9. Giuseppina trova lo zio *seduto* in una poltrona, morto, ben *vestito e ravviato*.
10. Lo zio ha tra le dita della destra un *grosso* sigaro.
11. Giuseppina forse si sente *obbligata* dalla presenza dei paesani, ma non è da escludere che sia *sincera*.
12. Giuseppina è l'unica che risveglia in lui il desiderio *originale e dimenticato*.

8. La frase relativa

La **frase relativa** svolge all'interno della frase complessa (o periodo) una funzione analoga a quella dell'aggettivo nella frase singola: una funzione attributiva, cioè delimita o modifica un nome. Due sono, infatti, gli usi fondamentali della relativa: individuare in modo univoco la persona o cosa di cui si vuole parlare (*uso restrittivo*) o aggiungere un'informazione accessoria su qualcuno o qualcosa comunque già chiaramente individuato (*uso appositivo*)

Es.:

Al libro *che ho acquistato ieri*, mancano alcune pagine. (uso restrittivo)

L'unico giornale *che ha riportato la notizia*, è stato
La Repubblica. (uso restrittivo)

Gianni, *che è a me molto caro*, ha avuto ultimamente
delle difficoltà finanziarie. (uso appositivo)

> *Per le seguenti frasi relative, tratte dal testo di Flaiano, indicate se sono usate in senso restrittivo o appositivo:*

1. Curiosa la storia *che mi ha raccontato Antonelli* della sua cameriera.
2. Ha dei parenti *che vivono ormai qui da una ventina d'anni.*
3. La cucina ha un'apertura *che la inserisce nella stanza di soggiorno.*
4. La cameriera guarda attraverso la tavola il ponte di Williamsburg *che da lassù sembra una mostruosa combinazione di coccodrilli.*
5. Le hanno annunciato la morte di uno zio *che ha conosciuto da poco ma che è sempre un parente.*
6. È lo stesso Antonelli che si preoccupa di accompagnarla alla Funeral home, *dove il cadavere è stato preparato all'ultima visita dei parenti.*
7. Lei è rimasta ai pianti di famiglia, alla vedova *che rifiuta il cibo e che le comari compiangono* sospirando.
8. Giuseppina è l'unica *che risveglia in lui il desiderio originale e dimenticato.*

C | PRODUZIONE ORALE O SCRITTA

A. Discussione sul testo

1. Quali tratti che distinguono il modo di celebrare un funerale negli USA e in Italia sono evidenziati nel testo di Flaiano?

2. Il pianto di Giuseppina al telefono è spontaneo o indotto da una regola comportamentale derivata dalla sua cultura?

3. Perché, secondo voi, il cadavere viene presentato a parenti e amici ben vestito e curato?

4. L'immagine che il giovane italo-americano si è fatto della sua terra d'origine è autentica o solo uno stereotipo sulla cultura dell'Italia del sud?

5. Che cosa vuol significare l'autore quando osserva che il desiderio suscitato dalla vista della ragazza piangente e disperata nel giovane italo-americano è originale e dimenticato?

B. Ampliamento delle tematiche:

1. Raccontate come si svolge un "funerale" nel vostro paese, descrivendo i riti e le cerimonie che lo accompagnano e l'abbigliamento di coloro che vi prendono parte.

2. In ogni epoca, gesti, riti, abbigliamento e usanze funebri si sono variamente accompagnati alla morte e il dolore per la perdita di una persona è stato vissuto in maniera diversa. Ad esempio, nel Medioevo la morte era generalmente attesa serenamente, come qualcosa di familiare. Secondo voi, come viene vissuto nel nostro secolo l'evento della morte?

3. Il senso che si dà alla morte caratterizza una società ed informa quindi sul tipo di cultura vigente: quale idea della morte prevale nella cultura del vostro paese?

4. Scrive Philippe Ariès: "Oggi i bambini vengono iniziati fin dalla più tenera età alla fisiologia dell'amore e della nascita, ma quando non vedono più il nonno e chiedono perché, in Francia si risponde loro che è partito per un paese molto lontano, e in Inghilterra che riposa in un bel giardino dove cresce il caprifoglio. Non sono più i bambini a crescere sotto il cavolo, ma i morti a scomparire tra i fiori". (Storia della morte in Occidente. Dal Medioevo ai giorni nostri, Milano, 1978, pag. 214)
Commentate l'osservazione di Ariès.
Quali spiegazioni sulla morte di una persona avete sentito dare ad un bambino?

Profilo dell'autore
ENNIO FLAIANO

È nato a Pescara nel 1910 ed è morto a Roma nel 1972. Dopo aver studiato architettura è passato al giornalismo. Dal 1949 al 1953 è stato redattore del settimanale "Il mondo" dove si occupava soprattutto di critica cinematografica e teatrale.
Nel 1949 pubblica il suo primo romanzo: *Tempo di uccidere*, che è anche la sua migliore opera romanzesca. Con esso vinse anche il premio Strega. Il romanzo è ambientato in Africa nel periodo della guerra di Abissinia del 1936. Un giovane ufficiale italiano per una sequenza di fatti casuali si trova coinvolto in un delitto e poi un altro e un altro ancora. Alla fine è contagiato dalla lebbra, o meglio così lui crede. Alla fine tutto si ricompone: quella africana è stata per il giovane protagonista un'esperienza terribile che tuttavia ha agito positivamente sulla sua coscienza.
A distanza di alcuni anni, dopo un'intensa attività nel cinema, Flaiano pubblica due volumi di racconti e satire: *Diario notturno* (1956) e *Una e una notte* (1959). Altri testi di respiro narrativo li troviamo in *Il gioco e il massacro* (1970), un volume che in pratica conteneva due racconti lunghi *Oh Bambay* e *Melampus*. In *Melampus* (da cui è tratto il brano che abbiamo letto) si racconta la strana metamorfosi amorosa che porta una donna innamorata ad uno stato di devota e totale sudditanza al suo uomo. Nel 1971 esce *Un marziano a Roma*, una raccolta di farse e commedie.
Ma lo strano destino di questo autore ha voluto che fosse ricordato più per la sua attività nel cinema (importante e notevole) e per i suoi aforismi e le sue battute e per il suo fine umorismo talora cinico e spiazzante piuttosto che per i suoi romanzi.
Intensa, si è detto, è stata l'attività di Flaiano nel cinema, sia come autore di soggetti di film che come sceneggiatore. In particolare va ricordata la sua collaborazione ai film di Federico Fellini: *I vitelloni, La strada, Le notti di Cabiria, La dolce vita* e *Fellini 8½*.

al di là delle apparenze

Ci sono momenti in cui sentiamo forte il bisogno di guardarci dentro, di ascoltarci, di seguire il filo dei nostri pensieri, di dare una risposta ai perché che non solo riguardano noi stessi ma il mondo e la vita stessa. Sono questi i momenti in cui prendiamo coscienza che la nostra essenza di uomini va oltre il corpo e investe qualcosa di più profondo, difficile da definire, che chiamiamo di volta in volta, sentimento, anima, spirito, intelletto, immaginazione; e questa forza interiore ci spinge ad andare oltre la semplice percezione ed osservazione dei fatti, e ci porta ad interpretarli, approfondirli o trasportarli magari in dimensioni surreali, fantastiche o allegoriche.

Il nostro continuo interrogarci, alla scoperta del misterioso mondo dell'io e dell'altro, sia su tematiche profonde come la libertà, l'amore, o il senso dell'universo, sia su fatti banali, è il motivo che percorre i brani di questa sezione, dedicata appunto a quella riflessione che ci fa andare al di là delle apparenze.

Difficile è la conquista della libertà, ma, una volta raggiunta, ancora più difficile è saperla usare nella maniera giusta. È quanto sembra ricordarci Buzzati, con il suo apologo del pesce, che, pur vissuto sempre in un piccolo vaso, riesce a cogliere il senso della libertà come possibilità di godere di una grande vasca.

Infinite sono le possibilità di combinazione nell'universo, le simmetrie, gli accoppiamenti, le armonie, ma anche gli errori con le loro inevitabili conseguenze. Così l'acquisto di due pantofole spaiate porta Palomar, il protagonista dell'omonimo romanzo di Calvino, a scorgere una stretta correlazione tra eventi che si svolgono in tempi e spazi molto distanti. Allo stesso modo, in un altro racconto sempre di Calvino, *La notte dei numeri*, un errore di calcolo di un contabile si ingigantisce negli anni e su di esso si fonda la fortuna illusoria di una grande compagnia.

Come contenersi di fronte ad una giovane donna che in una spiaggia solitaria prende il sole a seno nudo? Rimanere distaccati e indifferenti, o semplicemente incuriositi, o invece rispettosi a testimonianza di una mutata mentalità, più aperta e più consona ai tempi? Sono queste le riflessioni in cui si trova immerso, ancora, Palomar.

Altra tematica presente in questa sezione è quella dell'amore. Giuseppe Berto descrive una donna adulta che fa i suoi primi passi in questo terreno insidioso, incerta, vergognosa, e tuttavia desiderosa di essere notata dal giovane seduto di fronte a lei nello scompartimento del treno.

La vicenda di Belluca, protagonista del racconto pirandelliano *Il treno ha fischiato*, appare incredibile e assurda. Ma se ci guardiamo intorno, quante persone vengono considerate "pazze" solo perché il loro comportamento o atteggiamento non corrisponde al cliché dominante?

sezione 8

1. LA LIBERTÀ

Tempo fa, al mercato, comprai un pesce rosso contenuto in un vasetto rotondo di vetro trasparente. Là dentro l'animale stava stretto, di nuotare non se ne parlava neanche. E vederlo dar di muso[1] continuamente contro il vetro mi faceva star male. Per quanto ripetute, le delusioni mai lo persuadevano, era evidente, dell'inutilità dei
5 suoi sforzi per evadere[2].

Impietosito, decisi di procurargli una casa meno angusta[3]. E in giardino feci costruire una bella vasca tonda del diametro di metri tre e cinquanta, e profonda mezza gamba. Pronta che fu la vasca, la riempii di acqua fresca, e stavo per rovesciarci dentro il pesciolino quando mi venne in mente: lui attualmente si trova in
10 acqua quasi tiepida, se lo getto all'improvviso in un'acqua fredda, non si prenderà una congestione? A evitare il rischio, adottai una soluzione molto semplice. Calai sul fondo, così come stava, il vaso di vetro lasciandoci dentro l'acqua e il pesciolino. Con due vantaggi: uno, che la bestiola si poteva così acclimatare[4] alla bassa temperatura della vasca; secondo, che più grande, perché inaspettata e senza scosse, sareb-
15 be stata la sua lieta sorpresa, quando, venuto, come faceva spesso, in superficie, si fosse accorto che l'acqua non finiva lì, che la prigione non era più prigione e che tutto intorno si stendeva un grande oceano a sua disposizione.

Così avvenne. Deposto il vaso sul fondo, per qualche tempo il pesce continuò a battere il naso contro il vetro, poi risalito, casualmente all'imboccatura della boccia[5], trovando ancora acqua, si affacciò timidamente, e infine, non incontrando ostacoli
20 di sorta[6], si mise a scorribandare[7] da una parte all'altra della vasca, entusiasta[8] della inaspettata libertà.

Questa allegria durò un paio di giorni. Tre mattine dopo, andato a vedere come stava restai di sasso vedendolo rintanato[9] nel vaso che avevo dimenticato nella vasca. Se ne stava quieto quieto dondolandosi a mezz'acqua, né dava più di testa,
25 come prima, contro la parete. "Capriccio di pesce!" io pensai. "Anche gli ergastolani liberati spesso desiderano tornare, per una breve visita, al carcere dove hanno passato tanti anni di amarissima clausura".

Ma non fu una breve visita. Anche la sera il pesce se ne stava all'interno della boccia, e così all'indomani e così il terzo giorno successivo. Tanto che io persi la pazien-
30 za e gli parlai:

"Caro pesce, scusa, ma mi pare che adesso tu passi il segno! Ho speso un mucchio di quattrini perché tu potessi nuotare a tuo piacere, tanto mi facevi pena sempre chiuso in quel misero vaso, e tu nel vaso ci ritorni, e ci passi le giornate intere come se non te ne importasse niente di esser libero. Giuro che mi fai cadere le braccia!"
35 Allora (siccome è una fandonia che i pesci sono muti e soltanto si nota in loro una certa difficoltà nel pronunciare la erre) allora l'animaletto mi rispose:

"O uomo, come sei poco intelligente, e perdona la sincerità. Che strana idea della libertà tu hai. Non è l'uso della libertà che importa, anzi esso è di solito una cosa insulsa[10] e volgarissima. Ciò che importa, è la possibilità di usarne. Qui è il suo sapo-
40 re più squisito. Io amo stare in questo vaso, che è così intimo e raccolto, propizio[11] alle meditazioni solitarie. Ma so che quando voglio posso uscirne e fare lunghi viaggi nella vasca (per la quale tra parentesi ti sono estremamente grato).

"Era carcere questo vaso e adesso non lo è più, ecco la differenza. Non solo. Standomene qui rincantucciato[12], io vivo dal punto di vista materiale l'identica vita di una volta, quando ero prigioniero ed infelice. Ma proprio ciò mi permette di godere la beatitudine raggiunta. Così infatti non dimentico le pene già sofferte, traggo dal confronto una consolazione sempre nuova ed evito che l'abitudine alla vastità me ne annulli a poco a poco il gusto. Io sto nel carcere ma la porta è aperta, e vedo fuori il mondo sterminato che mi aspetta, e tale vista mi rasserena il cuore. Se io invece, per sfruttare avidamente il bene avuto in sorte, se io corressi a destra e a manca[13] tutto il giorno senza fermarmi mai, a un certo punto sarei sazio. E la soddisfazione cesserebbe. E comincerei a desiderare mari sempre più grandi, vastità sempre più sconfinate, ciò che oggi non mi avviene. Insomma tornerei a essere infelice. Vedi dunque che della divina libertà nessuno sa godere più di me. E adesso, se vuoi farmi cosa grata, lasciami tranquillo nel mio buco."

Al che io, con la sensazione di avere fatto una pessima figura, mi ritirai balbettando vaghe scuse.

(D. BUZZATI, In quel preciso momento, Mondadori, Milano, 1963)

1. sbattere il muso ■ 2. uscire da un carcere ■ 3. piccola ■ 4. adattare, abituarsi ■ 5. vaso ■ 6. nessun ostacolo ■ 7. correre qua e là senza meta ■ 8. molto felice ■ 9. chiuso nella propria casa o tana ■ 10. non importante, senza valore ■ 11. adatto ■ 12. relegato o chiuso nel proprio piccolo angolo (cantuccio) ■ 13. sinistra

a COMPRENSIONE DEL TESTO

1. Informazioni specifiche

a. - Rispondete alle seguenti domande:

1. Quali erano le dimensioni della vasca fatta costruire per il pesce?
2. Perché il narratore mette il pesce nella vasca con tutto il vaso?
3. Che cosa di strano rileva il narratore il terzo giorno?
4. Che cosa chiede, allora, il narratore al pesce?
5. Che cosa risponde il pesce alle osservazioni dell'uomo?

b. - Indicate con quali altri termini nel testo sono indicati:

– il pesce → _____

– il vaso → _____

2. Sintesi

➤ *Completate con le parole opportune la seguente sintesi del racconto di Buzzati:*

Un giorno un signore comprò al mercato _____ dentro un vaso di vetro _____ e se lo portò a casa. Fece poi _____ una bella vasca nel _____ e quando fu _____ vi mise il pesce con _____ perché si adattasse gradatamente alla _____ dell'acqua della vasca e alla nuova e vasta _____ .

Difatti, il pesce, dopo i primi _____ tentativi cominciò a _____ beato per tutta la _____ . E questo durò per due _____ . Al terzo, il padrone _____ vide rintanato in quel vaso che _____ prima la sua prigione e così la sera _____ e il giorno dopo. Allora, _____ al pesce, gli domandò perché mai _____ restare in quell'angusto _____ invece di correre libero per _____ . Il pesce - che _____ a quanto molti credono, non è _____ , anche se non riesce a _____ la erre - rispose che finalmente era _____ , ma non perché _____ libero ma perché aveva _____ di usare la libertà.

---

b | ANALISI LESSICALE E LINGUISTICA

vai a pag. 82

1. Modi di dire

a. *Scrivete accanto ad ognuna delle seguenti espressioni il suo significato scegliendolo dalla lista di seguito proposta:*

> superare ogni limite - girare senza meta - sbattere il capo
> - rimanere di stucco - scoraggiare

1. restare di sasso   _____
2. dare di testa   _____
3. passare il segno   _____
4. far cadere le braccia   _____
5. correre a destra e a manca _____

b. **Nel racconto l'autore fa riferimento ad una concezione diffusa secondo cui i pesci non parlano: da qui il detto:** *Essere muti come un pesce.* **La lingua ha altre espressioni e modi di dire che fanno riferimento ai pesci o all'azione del pescare.**

➤ *Con l'aiuto del dizionario cercate di spiegare il senso delle espressioni in corsivo presenti nelle frasi che seguono:*

1. Non si preoccupi, signora, il suo bambino è *sano come un pesce.*
2. A questa festa, con tutta questa gente, *mi sento come un pesce fuor d'acqua.*
3. Vivo in questo paese da più di quindici anni, ma mi sento ancora straniero e non mi sento più italiano, insomma *non sono né carne né pesce.*
4. Dammi un consiglio tu, perché veramente *non so che pesci pigliare.*
5. Dove hai imparato a nuotare? *Nuoti come un pesce.*
6. Quando succedono certi scandali c'è sempre qualcuno pronto a *pescare nel torbido.*

7. Dai, datti da fare, perché *chi dorme non piglia pesci.*
8. Nella lotta contro i furti d'arte non si arriva mai ai committenti, ma nella rete della polizia restano solo *i pesci piccoli.*
9. Marta è nata *sotto il segno dei pesci.*

vai a pag. 57

2. Sinonimi

> Ricercate nel testo, nei paragrafi suggeriti, le parole che hanno un significato simile alle seguenti:

1. scappare   (par. 1) _____
2. pensare   (par. 2) _____
3. succedere   (par. 3) _____
4. mettere   (par. 3) _____
5. due   (par. 4) _____
6. interessare (par. 6) _____
7. soldi   (par. 6) _____
8. bugia   (par. 7) _____
9. concetto   (par. 8) _____
10. carcerato   (par. 9) _____

3. Riformulazioni

> Riscrivete le frasi che seguono cambiandone la struttura sintattica, ma utilizzando il più possibile le stesse parole:

1. Là dentro l'animale stava stretto, di nuotare non se ne parlava neanche.

_____

2. Deposto il vaso sul fondo, per qualche tempo il pesce continuò a battere il naso contro il vetro, poi, risalito casualmente all'imboccatura del vaso, trovando ancora acqua, si affacciò timidamente e infine, non incontrando ostacoli di sorta, si mise a scorribandare da una parte all'altra della vasca.

_____

_____

3. Siccome è una fandonia che i pesci sono muti, soltanto si sente in loro una certa difficoltà nel pronunciare la erre.

_____

4. Famiglia di parole

Nel testo di Buzzati abbiamo letto che il pesce se ne stava "rincantucciato" nel vaso; vale a dire se ne stava tranquillo e beato in un "cantuccio", in un angolo. "Rincantucciare" e "cantuccio" derivano dalla parola "canto". Ma, in italiano, "canto" ha due accezioni fra loro molto diverse, che si spiegano con il fatto che derivano da due diverse parole: una di origine latina, "cantus", che indica l'esecuzione vocale di una melodia o ritmo, e l'altra di origine greca, "kanthòs" (= angolo dell'occhio), che indica angolo o spazio angolare delimitato da due pareti interne o formato da due muri esterni di un edificio. Molte sono le parole che derivano da "canto" inteso come "canzone": ad es.: *accento, accentuare, incantare, incanto, incentivo, incantesimo, canzonare, scanzonato,* ecc. Dal temine "canto", inteso come "angolo", derivano diverse espressioni d'uso comune come *d'altro canto, da un canto ... dall'altro, dal canto mio (tuo, suo ecc.), mettere da canto* (= risparmiare) e anche alcune parole come: *cantina, cantone, cantoniere, accanto, accantonare, cantonata, scantonare*, e naturalmente *cantuccio* e *rincantucciare*, ecc.

a. *Nelle frasi seguenti sostituite la parola o l'espressione in corsivo con un'altra di significato equivalente:*

1. *Accanto* al bar Cavour c'è un piccolo negozio d'abbigliamento.
2. Per ritrovare la collana Marisa ha frugato inutilmente in tutti i *cantucci*.
3. Per adesso questo problema lo *accantoniamo*, lo riprenderemo quando avremo discusso di un altro problema più urgente.
4. Mi dispiace dirtelo, ma *hai preso una grossa cantonata*.
5. Per paura del rimprovero di suo padre il bambino *si rincantucciò* dietro l'armadio.
6. L'assemblea condominiale ha deciso di *accantonare* ogni mese una somma per i lavori di restauro della facciata del palazzo.

b. *Completate le frasi che seguono con parole derivate da "canto" sia nel senso di "canzone" che di "angolo":*

1. Ognuna delle undici famiglie in casa, ... al secchio, teneva appesa una corda.
2. Le pareti dell'anticamera sono coperte di fotografie di attori, attrici, registi e ....
famosi.
3. Devo cambiare la macchina e per questo ogni mese .... circa trecento euro.
4. Il professore Balducci ha una .... ricchissima, con oltre tremila bottiglie dei migliori vini italiani e delle migliori annate.
5. Il barbiere rimase un momento come ....: con una mano teneva il rasoio e con l'altra mi stringeva la testa.
6. La Svizzera è uno stato federale diviso in quattro ....
7. Da .... sono felice perché sono stato promosso, dall'altro mi preoccupa il pensiero del futuro che appare tanto incerto.
8. Tutti i compagni di classe lo .... perché alla sua età portava ancora i calzoni corti.
9. La prospettiva di un buon guadagno è il miglior .... al lavoro.

5. Presente indicativo

Il presente indicativo è il tempo verbale che segnala il fatto, l'azione o il modo di essere che accade o sussiste nel momento in cui si parla o si scrive.
Oggi **fa** *freddo.*   *Non mi* **sento** *in forma in questo momento.*
È il tempo della contemporaneità, e talora di una contemporaneità relativa, in quanto può abbracciare un lasso di tempo più ampio rispetto al momento presente. In alcuni casi, infatti, l'azione espressa al presente si riferisce a qualcosa che si ripete abitualmente. In tal caso il presente vale anche per il passato e per il futuro.
Es.:

Grazie! Non **fumo**.
Ogni volta che lo **incontro** *mi* **racconta** *la stessa storia.*

Simile a questo **presente abituale** è il presente che si usa nelle massime morali, nei proverbi, nelle norme giuridiche e nelle definizioni scientifiche. È il cosiddetto **presente acronico** o **atemporale** (cioè fuori del tempo), che indica uno stato o una realtà generale valida in ogni tempo.

Es.:

*La lingua **batte** dove il dente **duole**.*

*La repubblica **riconosce** e **garantisce** i diritti inviolabili della persona.*

*L'angolo retto **è** l'angolo di 90 gradi.*

Nella lingua parlata si usa spesso il presente invece del futuro, soprattutto se nella frase c'è un avverbio o un complemento di tempo che segnala il futuro: *Torno domani. La prossima settimana le lezioni iniziano alle otto e mezza.*

Un uso particolare del presente è il cosiddetto **presente storico**, il tempo che viene usato per raccontare in modo vivace un fatto o un evento del passato, quasi a volerlo far rivivere per chi ascolta o legge come se si stesse svolgendo in quel momento. Tale uso lo si incontra nei manuali di storia e spesso nei testi letterari.

Es.:

*Il 20 settembre 1870 i bersaglieri **entrano** a Roma attraverso il varco aperto a Porta Pia.*

Anche se non proprio storico, sempre al passato si riferisce il presente che si incontra nella lingua parlata e nei titoli dei giornali. Anche qui, l'uso del presente invece di un passato prossimo serve a dare maggiore vivacità e colore a ciò che si racconta.

Es.:

***Esco** come al solito di casa e chi ti **vedo** alla fermata dell'autobus?*
Carlo con la biondina che aveva incontrato la sera prima in discoteca.
***Esce** dall'ufficio postale e lo **scippano** della pensione.*

a. *Nelle frasi che seguono indicate se il presente significa un fatto abituale, (ab), atemporale (at), storico (s) o futuro (f):*

1. Napoleone muore nell'isola di Sant'Elena, solo e dimenticato. [_____]
2. Vado raramente a teatro. [_____]
3. L'articolo è una parte variabile del discorso. [_____]
4. Lunedì prossimo hanno inizio le vacanze natalizie. [_____]
5. D'estate dopo pranzo faccio sempre un breve sonnellino. [_____]
6. La legge punisce i fabbricatori e gli spacciatori di biglietti falsi. [_____]
7. I panni sporchi si lavano in famiglia. [_____]
8. Domani i quotidiani non escono a causa di uno sciopero dei poligrafici. [_____]

b. *Completate le frasi che seguono con il presente dei verbi dati fra parentesi:*

1. (*io - trarre*) _____ dal confronto una consolazione sempre nuova.
2. Se permette, signora, il bicchiere glielo (*riempire*) _____ io.
3. I tuoi amici (*comparire*) _____ sempre in ore impossibili.
4. In questo momento non (*io-disporre*) _____ di molto denaro liquido.
5. (*io-cogliere*) _____ l'occasione per farti i miei migliori auguri.
6. E' un orologio a cui (*tenere*) _____ molto: era di mio nonno!
7. Il lavoro non (*progredire*) _____ molto.
8. (*io-disfare*) _____ le valigie in un attimo e poi scendo.

vai a pag. 210

6. La particella pronominale "ne"

> *Per le seguenti frasi, indicate se la particella **ne** ha un valore **pronominale, avverbiale, partitivo** oppure semplicemente **rafforzativo**, e individuate il termine al quale fa riferimento:*

1. L'animale stava stretto, di nuotare non se **ne** parlava neanche.
2. Il pesce se **ne** stava tranquillo all'interno della boccia.
3. Tu ritorni nel vaso e ci passi le tue giornate come se non te **ne** importasse niente di essere libero.
4. Non è l'uso della libertà che importa. Quello che importa è la possibilità di usar**ne**.
5. Io amo stare in questo vaso intimo e raccolto. E so che quando voglio uscir**ne**, posso farlo.
6. Non dimentico le pene sofferte, traggo dal confronto una consolazione sempre nuova ed evito che l'abitudine alla vastità me **ne** annulli il gusto.

C | PRODUZIONE ORALE O SCRITTA

1. Dite quale concetto di libertà emerge dalle parole del pesce ed esprimete le vostre valutazioni in proposito.

2. Che cosa significa per voi "libertà": è solo qualcosa che è dato o è qualcosa che ciascuno di noi si deve conquistare?

3. Indicate quali sono le libertà fondamentali della persona umana.

4. La storia dell'umanità è stata spesso scandita da momenti di lotta per la conquista o l'affermazione della libertà di un popolo. Dite su quali fondamenti si basa la libertà di un popolo e in che modo questa va mantenuta.

5. Spesso si sente dire che oggi i giovani sono più liberi di quelli di altre generazioni. Fino a che punto vi sembrano veramente liberi dalle mode, dai modelli imposti dai mass-media, dalle suggestioni della politica, del facile guadagno o del successo?

Profilo dell'autore a pag. 78

2. LA PANTOFOLA SPAIATA

In un viaggio in un paese dell'Oriente, il signor Palomar ha comprato in un bazar[1] un paio di pantofole. Tornato a casa, prova a calzarle: s'accorge che una pantofola è più larga dell'altra e gli cade dal piede. Ricorda il vecchio venditore seduto sui calcagni[2] in una nicchia[3] del bazar davanti a un mucchio di pantofole di tutte le dimen-
5 sioni, alla rinfusa[4]; lo vede mentre fruga[5] nel mucchio per trovare una pantofola adatta al suo piede e gliela fa provare, poi si rimette a frugare e gli consegna la presunta compagna, che lui accetta senza provarla.

"Forse adesso, - pensa il signor Palomar, - un altro uomo sta camminando per quel paese con due pantofole spaiate". E vede una smilza[6] ombra percorrere il deserto zop-
10 picando, con una calzatura che gli sguscia[7] dal piede a ogni passo, oppure troppo stretta, che gli imprigiona il piede contorto. "Forse anche lui in questo momento pensa a me, spera d'incontrarmi per fare il cambio. Il rapporto che ci lega è più concreto e chiaro di gran parte delle relazioni che si stabiliscono tra esseri umani. Eppure non ci incontreremo mai". Decide di continuare a portare queste pantofole spaiate per soli-
15 darietà col suo compagno di sventura ignoto, per tener viva questa complementarità così rara, questo specchiarsi di passi zoppicanti da un continente all'altro.

Indugia nel rappresentarsi quest'immagine, ma sa che non corrisponde al vero. Una valanga di pantofole cucite in serie viene periodicamente a rifornire il mucchio del vecchio mercante di quel bazar. Nel fondo del mucchio resteranno sempre due pan-
20 tofole scompagnate, ma finché il vecchio mercante non esaurirà le sue scorte (e forse non le esaurirà mai, e morto lui la bottega con tutte le merci passerà ai suoi eredi e agli eredi degli eredi), basterà cercare nel mucchio e si troverà sempre una pantofo-la da appaiare a un'altra pantofola. Solo con un acquirente distratto come lui può veri-ficarsi un errore, ma possono passare secoli prima che le conseguenze di questo erro-
25 re si ripercuotano su un altro frequentatore di quell'antico bazar. Ogni processo di di-sgregazione dell'ordine del mondo è irreversibile[8], ma gli effetti vengono nascosti e ritardati dal pulviscolo[9] dei grandi numeri che contiene possibilità praticamente illi-mitate di nuove simmetrie, combinazioni, appaiamenti.

Ma se il suo errore non avesse fatto che cancellare un errore precedente? Se la sua
30 distrazione fosse stata apportatrice non di disordine ma d'ordine? "Forse il mercante sapeva bene quel che faceva, - pensa il signor Palomar, - dandomi quella pantofo-la spaiata ha messo riparo a una disparità che da secoli si nascondeva in quel muc-chio di pantofole, tramandato da generazioni in quel bazar".

Il compagno ignoto forse zoppicava in un'altra epoca, la simmetria dei loro passi
35 si risponde non solo da un continente all'altro, ma a distanza di secoli. Non per que-sto il signor Palomar si sente meno solidale con lui. Continua a ciabattare faticosa-mente per dar sollievo alla sua ombra.

(I. CALVINO, *Palomar,* Einaudi, Torino, 1983)

1. negozio di merci varie, tipico dei paesi orientali ■ 2. parte posteriore dei piedi ■ 3. rientranza in un muro a scopo di ornamento per inserirvi oggetti o statue ■ 4. in disordine ■ 5. cercare con insistenza ■ 6. magra ■ 7. esce fuori ■ 8. che non può tornare indietro ■ 9. è l'insie-me di piccolissime particelle di polvere sospese nell'aria

1. Analisi e riflessione

1. Palomar fa tre ipotesi su come e dove sia finita la pantofola spaiata. Riportate qui di seguito, in sintesi, le tre ipotesi:

     1ª ipotesi: _____

     2ª ipotesi: _____

     3ª ipotesi: _____

2. Un fatto banale, come l'acquisto di due pantofole spaiate, fa riflettere Palomar sull'ordine che regna nell'universo. Individuate nel testo queste riflessioni ed evidenziate quale rapporto viene stabilito tra l'ordine dell'universo e la pantofola spaiata.

_____

_____

3. Indicate cosa prova Palomar verso l'ignoto compratore dell'altro paio di pantofole spaiate, e come lo dimostra.

_____

_____

4. Osservate i tempi verbali scelti per le diverse ipotesi. Provate a spiegarne l'uso in rapporto a ciascuna ipotesi.

_____

_____

vai a pag. 73

1. Coesione testuale

Per evitare la ripetizione delle stesse parole chi scrive ricorre spesso a termini sinonimici o più generali (**iperonimi**).

➤ *Per le seguenti parole del testo letto indicate le corrispondenti a cui rimandano:*

1. calzatura	rimanda	a →	....
2. valanga	"	a →	....
3. mercante	"	a →	....
4. bottega	"	a →	....
5. merci	"	a →	....
6. scompagnate	"	a →	....

2. Iperonimi

vai a pag. 101

> *Indicate un iperonimo (termine sinonimico dal significato più ampio e generale) per ognuna delle serie di parole seguenti:*

1. ciabatta - pantofola - scarpa - stivale ....
2. bazar - merceria - ferramenta - osteria ....
3. giornalaio - libraio - fioraio - droghiere ....
4. cucchiaio - forchetta - coltello - cucchiaino ....
5. armadio - divano - comò - sedia - tavolo ....
6. pranzo - cena - colazione ....
7. marte - terra - giove - saturno - plutone ....
8. penna - matita - gomma - inchiostro - carta ....
9. cravatta - camicia - maglione - pantaloni ....
10. tostapane - aspirapolvere - frigorifero ....
11. briscola - scopa - canasta - tressette - poker ....
12. berretto - basco - bombetta - casco ....

3. Riformulazioni

> La lingua offre varie possibilità per variare il discorso e per formulare uno stesso messaggio in modi differenti. Questo è possibile grazie alle risorse di ordine sia semantico sia morfologico sia sintattico di cui dispone ogni lingua. A livello sintattico, ad esempio, molte frasi subordinate possono essere espresse in forma implicita o esplicita, così come una struttura subordinata può essere sostituita da una coordinata, o una forma verbale dalla corrispondente nominale.
> Nelle seguenti frasi:
>
> a. *Quando tornò in Italia riabbracciò i suoi figli.*
> b. *Tornato in Italia riabbracciò i suoi figli.*
> c. *Al suo ritorno in Italia riabbracciò i suoi figli.*
> d. *Tornò in Italia e riabbracciò i suoi figli.*
>
> il contenuto è identico ma cambia la forma sintattica.

> *Riscrivete le seguenti frasi modificandone la struttura sintattica:*

1. Lo vede mentre fruga nel mucchio per trovare una pantofola adatta al suo piede.
2. Tornato a casa, prova a calzarle.
3. E morto lui, la bottega con tutte le merci passerà ai suoi eredi.
4. Basterà cercare nel mucchio e si troverà sempre una pantofola da appaiare a un'altra pantofola.
5. Vede una smilza ombra percorrere il deserto zoppicando.

397

4. Sequenza logica

Le informazioni fornite da un testo sono disposte secondo un ordine logico e/o cronologico tale da rendere possibile la comprensione.

➤ *Riordinate la seguente lista sì da formare un testo di senso compiuto:*

    a. ha trovato prima l'una poi l'altra pantofola
    b. Perciò quando è venuto al suo bazar
    c. si è accorto che non andavano bene:
    d. Forse molto tempo prima lui stesso o suo padre
    e. ed è andato via.
    f. che senza nemmeno provarle
    g. quel signore così mite e tranquillo
    h. che nel suo mucchio di pantofole ce n'erano due spaiate.
    i. si è messo le pantofole ai piedi,
    l. il paio di pantofole spaiate.
    m. le ha pagate
    n. Un vecchio venditore orientale si era accorto
    o. una era più larga dell'altra.
    p. Solo quando, arrivato a casa,
    q. aveva commesso quell'errore.
    r. Ha frugato nel mucchio:
    s. e le ha consegnate a Palomar
    t. ha pensato di rifilargli

1. _____	2. _____	3. _____	4. _____	5. _____	6. _____
7. _____	8. _____	9. _____	10. _____	11. _____	12. _____
13. _____	14. _____	15. _____	16. _____	17. _____	18. _____

C | ANALISI LINGUISTICA

1. La frase temporale con "finché"

Quando si vuole indicare che un'azione dura fino al momento in cui ne inizia un'altra si usa la congiunzione di tempo *finché* o altre locuzioni analoghe, come *fino a quando, fino a che, fino al momento in cui, fintantoché*, seguite dal verbo all'indicativo o al congiuntivo, oppure *fino a* seguito dall'infinito.
Il modo indicativo, in genere, si usa per azioni al passato, mentre il congiuntivo per azioni al futuro (anche se è possibile usare l'indicativo futuro).

Osservate!

Ho studiato **finché** non sono andato a letto.
Ha riso **fino** a piangere.
Studierò **finché non** vada a letto (o andrò)

Da notare che:

a. quando si usa **"finché non"** l'evento introdotto funziona come punto terminale dell'azione indicata nella reggente. Il "non" ha valore "pleonastico" e non già negativo.

> Lavoro **finché non** mi stanco
> *(= dopo che mi sono stancato non lavoro più.)*
>
> Aspetto **finché** Carla **non** telefonerà.
> *(= quando Carla telefona smetto di aspettare)*

b. quando si usa il solo **"finché"** come congiunzione temporale le due azioni, quella della dipendente e quella della reggente, sono generalmente contemporanee e di uguale durata.

> Lavoro **finché** ne ho le forze.   *(= lavoro per tutto il tempo che ho le forze.)*
> Ho corso **finché** ho potuto.

➤ *Eccovi delle coppie di eventi. Collegateli fra loro con la congiunzione "finché", "finché non", o "fino a":*

Ho lavorato molto   - Mi sono stancato.

    - Ho lavorato molto finché non mi sono stancato.

    - Ho lavorato molto fino a stancarmi.

---

1. Si troverà sempre una pantofola spaiata.
2. Belluca copiava le carte fino a tarda notte.
3. Fiorella rimase ad ascoltarmi
4. Aspetteremo
5. Sfogliò il libro.
6. Ha studiato tutta la sera.
7. Non potrai votare.
8. Non posso pagarti.

- Il vecchio mercante esaurisce le sue scorte.
- La penna gli cadeva di mano.
- L'ebbi convinta a lasciare quel lavoro.
- Smetterà di piovere.
- L'occhio cadde su quella foto.
- Si è addormentata su una pagina.
- Compirai diciotto anni.
- Avrò preso lo stipendio.

---

d | PRODUZIONE ORALE O SCRITTA

1. Lavorando di fantasia, immaginate lo sfortunato cliente che ha acquistato le altre due pantofole spaiate, e descrivetene le possibili reazioni e pensieri.

2. Raccontate un acquisto di cui poi vi siete pentiti.

3. In giro per un mercato: sensazioni, curiosità, suoni e colori.

ITALO CALVINO

Italo Calvino nasce a Santiago de Las Vegas, vicino a L'Avana (Cuba) il 15 ottobre 1923, da genitori italiani, i quali per ricordare al figlio le proprie origini gli danno il nome di Italo. Ma di Cuba Calvino ha il dato anagrafico della nascita; due anni dopo, infatti, i genitori tornano in Italia a San Remo, dove il padre era stato chiamato a dirigere la stazione sperimentale di floricoltura. A San Remo Italo trascorre la fanciullezza e la gioventù. Finiti gli studi liceali, comincia a seguire la tradizione scientifica della famiglia, ma ben presto si accorge che è più affascinante seguire le proprie fantasie letterarie. A vent'anni, dopo l'8 settembre del 1943, entra come partigiano nelle Brigate Garibaldi e va a combattere in quegli stessi luoghi in cui era vissuto e che aveva scoperto da ragazzo. E' la scoperta da cui nascono *Il sentiero dei nidi di ragno* e tanti altri racconti imperniati sulla Resistenza. Tuttavia, del tempo dell'adolescenza gli rimarrà sempre il sentimento profondo della natura, che gli si era svelata attraverso gli occhi scientifici del padre. Da qui deriva anche quel gusto ad osservare ogni specie di albero, quell'attenzione alla vita degli animali, anche i più piccoli, descritti attraverso gli occhi incantati dei protagonisti di tanti racconti.

Negli anni tra il 1945 e il 1947 segue gli studi universitari alla facoltà di Lettere di Torino e scrive in venti giorni il suo primo romanzo: *Il sentiero dei nidi di ragno*, pubblicato da Einaudi, la casa editrice dove aveva cominciato a lavorare.

Nel 1949, pubblica il volume di racconti *Ultimo viene il corvo*, che da una parte si riallaccia al primo romanzo per certi motivi sulla Resistenza partigiana, e dall'altra se ne allontana per l'accentuazione, in alcuni racconti, dell'elemento avventuroso-fiabesco.

Nel 1952, in pieno clima neorealistico, esce il *Visconte dimezzato*, e due anni dopo ecco un'altra raccolta di racconti: *L'entrata in guerra*; un ritorno alla Resistenza, al realismo: è un momento di riflessione dello scrittore su se stesso: un primo bilancio.

La dimensione magica e favolistica ritorna nel libro *Fiabe italiane*, risultato di circa due anni di lavoro antologico e filologico. Con *Il barone rampante* (1957), apparentemente un racconto fiabesco, Calvino affronta il tema dell'alienazione e con *La speculazione edilizia* (1957) un tema più legato alla realtà sociale.

Nel 1958 esce una raccolta delle varie storie che aveva scritto e che non avevano trovato collocazione nelle precedenti opere: *I racconti*. Del 1959 è il terzo romanzo della trilogia "araldica": *Il cavaliere inesistente*. L'anno successivo inserirà i tre romanzi, *Il visconte dimezzato, Il barone rampante,* e *Il cavaliere inesistente,* in un unico volume dal titolo *I nostri antenati.*

Insieme all'attività creativa, Calvino prosegue quella saggistica e soprattutto il suo approfondimento delle ideologie emergenti e l'analisi del mondo contemporaneo.

Nel 1963 esce *Marcovaldo ovvero Le stagioni in città*, una serie di racconti che ad un occhio superficiale possono sembrare separati dal contesto socio-politico-culturale, ma che in realtà sono una ripresa, in chiave fiabesca e ironica, del tema della emarginazione e dell'impossibile integrazione di una umanità degradata sociologicamente e psicologicamente in un universo che non le appartiene.

Nel clima di scoperte e progressi scientifici degli anni '60, Calvino riscopre le ascendenze scientifiche della sua famiglia e si tuffa nel nuovo soggetto. Nel 1965 escono *Le cosmicomiche* e nel 1967 il romanzo *Ti con zero*. Alla scienza tornerà con una delle sue ultime opere *Palomar* (1983). Palomar, il protagonista, usa il microscopio e il telescopio per cercare un significato in ciò che incontra o lo circonda: un'onda, un mulo, la luna, le stelle, una macelleria, una pantofola spaiata, la società, la politica, l'universo, la morte. Ma il mistero dell'io e degli altri, del piccolo e dell'immenso rimane inalterato e inesplorato. L'avventura di Palomar si conclude con la dichiarata sconfitta della ragione: e tuttavia egli sa che deve continuare nella sua ricerca: nella somma degli scacchi, nella nobiltà delle sue sconfitte sta la sua vittoria.

Prima di *Palomar* erano usciti *Le città invisibili* (1972), *Il castello dei destini incrociati* (1973) e *Se una notte d'inverno un viaggiatore* (1979), un romanzo in cui si raccontano le disavventure di un lettore che non riesce mai a completare la lettura dei vari romanzi nei cui inizi si imbatte. In queste opere Calvino tende a sostituire il mondo della storia con quello delle regole geometriche, dei rapporti perfetti, del gioco delle armonie prestabilite.

Calvino muore a Siena il 19 settembre 1985.

3. IL SENO NUDO

Il signor Palomar cammina lungo una spiaggia solitaria. Incontra rari bagnanti. Una giovane donna è distesa sull'arena prendendo il sole a seno nudo. Palomar, uomo discreto, volge lo sguardo all'orizzonte marino. Sa che in simili circostanze, all'avvicinarsi d'uno sconosciuto, spesso le donne s'affrettano a coprirsi, e questo gli pare non bello: perché è molesto per la bagnante che prendeva il sole tranquilla; perché l'uomo che passa si sente un disturbatore; perché il tabù della nudità viene implicitamente confermato; perché le convenzioni rispettate a metà propagano insicurezza e incoerenza nel comportamento anziché libertà e franchezza.

Perciò egli, appena vede profilarsi da lontano la nuvola bronzeo-rosea d'un torso nudo femminile, s'affretta ad atteggiare il capo in modo che la traiettoria[1] dello sguardo resti sospesa nel vuoto e garantisca del suo civile rispetto per la frontiera invisibile che circonda le persone.

Però, - pensa andando avanti e, non appena l'orizzonte è sgombro, riprendendo il libero movimento del bulbo oculare[2] - io, così facendo, ostento[3] un rifiuto a vedere, cioè anch'io finisco per rafforzare la convenzione che ritiene illecita la vista del seno, ossia istituisco una specie di reggipetto mentale sospeso tra i miei occhi e quel petto che, dal barbaglio[4] che me ne è giunto sui confini del mio campo visivo, m'è parso fresco e piacevole alla vista. Insomma, il mio non guardare presuppone che io sto pensando a quella nudità, me ne preoccupo, e questo è in fondo ancora un atteggiamento indiscreto e retrivo[5].

Ritornando dalla sua passeggiata, Palomar ripassa davanti a quella bagnante, e questa volta tiene lo sguardo fisso davanti a sé, in modo che esso sfiori con equanime[6] uniformità la schiuma delle onde che si ritraggono, gli scafi delle barche tirate in secco, il lenzuolo di spugna steso sull'arena, la ricolma luna di pelle più chiara con l'alone bruno del capezzolo, il profilo della costa nella foschia, grigia contro il cielo.

Ecco, - riflette, soddisfatto di se stesso, proseguendo il cammino, - sono riuscito a far sì che il seno fosse assorbito completamente dal paesaggio, e che anche il mio sguardo non pesasse più che lo sguardo d'un gabbiano o d'un nasello[7].

Ma sarà proprio giusto, fare così? - riflette ancora, - o non è un appiattire la persona umana al livello delle cose, considerarla un oggetto, e quel che è peggio, considerare oggetto ciò che nella persona è specifico del sesso femminile? Non sto forse perpetuando[8] la vecchia abitudine della supremazia maschile, incallita con gli anni in un'insolenza[9] abitudinaria?

Si volta e ritorna sui suoi passi. Ora, nel far scorrere il suo sguardo sulla spiaggia con oggettività imparziale, fa in modo che, appena il petto della donna entra nel suo campo visivo, si noti una discontinuità, uno scarto, quasi un guizzo. Lo sguardo avanza fino a sfiorare la pelle tesa, si ritrae, come apprezzando con un lieve trasalimento la diversa consistenza della visione e lo speciale valore che essa acquista, e per un momento si tiene a mezz'aria, descrivendo una curva che accompagna il rilievo del seno da una certa distanza, elusivamente ma anche protettivamente, per poi riprendere il suo corso come niente fosse stato.

Così credo che la mia posizione risulti ben chiara, - pensa Palomar, - senza malintesi possibili. Però questo sorvolare dello sguardo non potrebbe in fin dei conti essere
45 inteso come un atteggiamento di superiorità, una sottovalutazione di ciò che un seno è e significa, un tenerlo in qualche modo in disparte, in margine o tra parentesi. Ecco che ancora sto tornando a relegare il seno nella penombra in cui l'hanno tenuto secoli di pudibonderia sessuomaniaca[10] e di concupiscenza[11] come peccato...

Una tale interpretazione va contro alle migliori intenzioni di Palomar, che pur appar
50 tenendo a una generazione matura, per cui la nudità del petto femminile si associava all'idea d'un'intimità amorosa, tuttavia saluta con favore questo cambiamento nei costumi, sia per ciò che esso significa come riflesso d'una mentalità più aperta nella società, sia in quanto una tale vista in particolare gli riesce gradita. È quest'incoraggiamento disinteressato che egli vorrebbe riuscire a esprimere nel suo sguardo.

55 Fa dietro-front. A passi decisi muove ancora verso la donna sdraiata al sole. Ora il suo sguardo, lambendo volubilmente il paesaggio, si soffermerà sul seno con uno speciale riguardo, ma s'affretterà a coinvolgerlo in uno slancio di benevolenza e gratitudine per il tutto, per il sole e il cielo, per i pini ricurvi e la duna e l'arena e gli scogli e le nuvole e le alghe, per il cosmo che ruota intorno a quelle cuspidi aureolate.

60 Questo dovrebbe bastare a tranquillizzare definitivamente la bagnante solitaria e sgombrare il campo da illazioni[12] fuorvianti. Ma appena lui torna ad avvicinarsi, ecco che lei s'alza di scatto, si ricopre, sbuffa, s'allontana con scrollate infastidite delle spalle come sfuggisse alle insistenze moleste d'un satiro[13].

Il peso morto d'una tradizione di malcostume impedisce d'apprezzare nel loro giu
65 sto merito le intenzioni più illuminate, conclude amaramente Palomar.

(I. Calvino, *Palomar*, Einaudi, Torino, 1983)

1. linea tracciata da qualcosa in movimento rispetto ad un punto di riferimento ■ 2. occhio ■ 3. metto in mostra ■ 4. lampo improvviso ed intenso di luce ■ 5. vecchio, antiquato ■ 6. imparziale ■ 7. è un tipo di pesce ■ 8. mantenere durevole nel tempo ■ 9. arroganza, mancanza di rispetto ■ 10. pudore derivato da un modo ossessivo di considerare la sessualità come vizio o come desiderio prepotente ■ 11. desiderio sessuale ■ 12. conclusioni, più o meno motivate, dedotte da una o più premesse ■ 13. individuo morbosamente animato da desideri sessuali

a | COMPRENSIONE DEL TESTO

1. Informazioni specifiche

➤ *Rispondete alle seguenti domande:*

1. Qual è la prima reazione di Palomar alla vista del seno nudo della bagnante?
2. Quali significati Palomar attribuisce al gesto di ricoprirsi da parte della donna e al proprio guardare da un'altra parte?
3. Quale riflessione fa quando passa per la seconda volta davanti alla bagnante?
4. Quante volte, complessivamente, Palomar passa davanti alla bagnante?
5. Con quali termini o espressioni viene indicato, di volta in volta, il seno?
6. Qual è, alla fine, la reazione della donna?

2. Sintesi

➤ *Riesponete, in modo sintetico, le riflessioni di Palomar.*

1. Suffissi

Nel testo si legge "pudibonderia", una parola che difficilmente troverete in un dizionario italiano. Essa è stata coniata, sul modello del corrispondente termine francese, aggiungendo all'aggettivo "pudibondo" (= che prova o denota un pudore accentuato) il suffisso "-eria".
Questo suffisso serve a formare parole che indicano:
a. luoghi in cui viene svolta un'attività commerciale o produttiva; ad es.: *latteria, oreficeria, barbieria, pizzeria,* ecc.
b. corpi militari, come *fanteria, artiglieria, cavalleria* ...
c. qualità o azioni con significato collettivo o peggiorativo, come *vigliaccheria, furberia, porcheria,* ecc.
d. un insieme di oggetti o cose: *minuteria, chincaglieria* ...
Questo suffisso, nell'italiano colloquiale, è molto produttivo. Lo troviamo in tanti neologismi, spesso di breve durata, indicanti negozi o botteghe che vendono o producono nuovi oggetti. Ecco allora nascere un po' ovunque delle *jeanserie* (negozi che vendono abbigliamento in jeans), delle *pulloverie,* delle *spaghetterie, frullatorie* (dove si possono gustare frullati e frappè) e anche *ragazzerie* (negozi che vendono indumenti per ragazzi). E che dire delle *gadgeterie,* quei negozi in cui si vendono curiosi ed inutili oggetti da regalare a scopo promozionale? In Toscana si trovano anche delle *vinsanterie,* delle particolari enoteche o *fiaschetterie* specializzate nella vendita del vinsanto.

a. Indicate che cosa si vende o si produce nei seguenti negozi o botteghe dal nome terminante in "-eria":

1. polleria: _____
2. coltelleria: _____
3. cremeria: _____
4. pelletteria: _____
5. tabaccheria: _____
6. armeria: _____
7. macelleria: _____
8. norcineria: _____
9. gioielleria: _____
10. conceria: _____
11. calzoleria: _____
12. camiceria: _____
13. pasticceria: _____
14. pescheria: _____

b. Scrivete almeno dieci nomi di negozi o botteghe terminanti con il suffisso "-eria":

_____

_____

_____

c. *Dei seguenti nomi indicanti azioni o qualità negative indicate l'aggettivo da cui derivano, e il loro significato:*

- spavalderia: _____
- tirchieria: _____
- cretineria: _____
- spilorceria: _____
- sciatteria: _____
- cafoneria: _____

- spacconeria: _____
- furfanteria: _____
- ghiottoneria: _____
- buffoneria: _____
- fesseria: _____
- cialtroneria: _____

3. Discorso indiretto libero

Il discorso indiretto libero, detto anche discorso rivissuto, è la forma con cui il discorso indiretto di un personaggio è riportato mantenendo alcune caratteristiche del discorso diretto; mancano, infatti, spesso sia i verbi introduttivi che la congiunzione subordinante.

➤ *Rilevate, nel brano letto, le parti espresse in discorso indiretto libero, indicando come e con quale effetto stilistico si collegano e si intrecciano alle parti raccontate in "terza" persona.*

C | ANALISI TESTUALE

1. I connettivi

Un testo è tale perché i pezzi di informazione che contiene sono fra loro collegati come i mattoni di una costruzione. I diversi meccanismi che legano un testo servono a renderlo coeso.

La coesione testuale consiste, quindi, nella corretta relazione fra le varie parti di un testo, e si realizza attraverso mezzi diversi, come l'accordo morfologico, i collegamenti anaforici e cataforici, i campi lessicali e i connettivi.

Questi ultimi, i *connettivi*, consentono di collegare due informazioni presentate in successione, evidenziando il rapporto logico (causa, effetto, scopo, tempo, luogo, modalità, ecc.) che intercorre fra loro. I principali connettivi italiani sono:
le preposizioni, **le congiunzioni** e **alcuni avverbi**.

Le congiunzioni, ad esempio, collegano due pezzi (parole, frasi o proposizioni) e segnalano anche la relazione che intercorre fra loro. Si hanno così congiunzioni che sommano semplicemente le informazioni (come le *copulative*), congiunzioni che separano (*congiunzioni disgiuntive*), congiunzioni che servono a tirare una conclusione di quanto detto nel primo pezzo (*conclusive*), congiunzioni che evidenziano la contrapposizione tra due informazioni (*congiunzioni avversative*) e congiunzioni che correlano fra loro frasi o parole. Ci sono inoltre delle congiunzioni che instaurano un legame più forte tra le informazioni, determinando, sul piano sintattico una stretta dipendenza del secondo pezzo dal primo (*congiunzioni subordinanti*). I principali rapporti segnalati dalle congiunzioni subordinanti sono quelli di dichiarazione, di causa, di fine, di conseguenza, di tempo, di paragone, ecc.

Il brano di Calvino si presenta, sul piano testuale, fortemente coeso. La logica stringente dei ragionamenti di Palomar è sottolineata da una varia serie di connettivi che mettono in luce rapporti di causa ed effetto, di correlazione, di tempo, di ipotesi, ecc., come: **ma, perché, anziché, appena, in modo che, ossia, cioè,** ecc.

➤ *Indicate la relazione di significato che, nelle seguenti frasi del testo di Calvino, il connettivo in corsivo segnala:*

1. Questo gli pare non bello: *perché* è molesto per la bagnante che prendeva il sole tranquilla.

   _____

2. *Perciò* egli, *appena* vede profilarsi da lontano la nuvola bronzeo-rosea d'un torso nudo femminile, s'affretta ad atteggiare il capo *in modo che* la traiettoria dello sguardo resti sospesa nel vuoto.

   _____

3. *Però*, io, *così* facendo, ostento un rifiuto a vedere, *cioè* anch'io finisco per rafforzare la convenzione che ritiene illecita la vista del seno, *ossia* istituisco una specie di reggipetto mentale sospeso tra i miei occhi e quel petto.

   _____

4. *Insomma*, il mio non guardare presuppone che io sto pensando a quella nudità.

   _____

5. *E* questa volta tiene lo sguardo fisso davanti a sé, *in modo che* esso sfiori con equanime uniformità la schiuma delle onde.

   _____

6. Ecco, sono riuscito a far *sì che* il seno fosse assorbito completamente dal paesaggio.

   _____

7. Si volta *e* ritorna sui suoi passi.

   _____

8. *Ma* sarà proprio giusto, fare così? *o* non è un appiattire la persona umana al livello delle cose.

   _____

9. *Però* questo sorvolare dello sguardo non potrebbe in fin dei conti essere inteso come un atteggiamento di superiorità?

   _____

10. *Ecco che* ancora sto tornando a relegare il seno nella penombra.

    _____

11. *Tuttavia* saluta con favore questo cambiamento nei costumi, *sia* per ciò che esso significa come riflesso d'una mentalità più aperta nella società, *sia* in quanto una tale vista in particolare gli riesce gradita.

    _____

12. *Ma appena* lui torna ad avvicinarsi, ecco che lei s'alza di scatto.

    _____

1. Come giudicate Palomar: un guardone, un filosofo, uno scienziato naturalista, un curioso o un vecchio pedante? Perché?

2. Commentate l'amara conclusione finale di Palomar.

3. Molto spesso le nostre azioni, pur fatte con la migliore delle intenzioni, vengono interpretate negativamente dagli altri. Raccontate un episodio in cui vi siete trovati in una simile situazione.

4. Riscrivete il racconto di Calvino dal punto di vista della bagnante.

Profilo dell'autore a pag. 400

4. UNA RAGAZZA O UNA ZITELLA?

Sapeva benissimo di non essere bella. Sapeva perfino di non esserlo mai stata, neppure a vent'anni, quando press'a poco tutte sono belle. Immaginarsi poi ora, che di anni ne aveva trentasette. Eppure, sotto lo sguardo del signore che occupava il posto verso il finestrino, non si sentiva nemmeno brutta. Non che lui la
5 guardasse in modo sfacciato, o anche solo insistente. Tutt'altro. Teneva il giornale davanti e solo ogni tanto, come stanco della lettura, alzava gli occhi senza parzialità sui viaggiatori del sedile di fronte, guardandoli e non guardandoli si potrebbe dire, e su di lei non si fermava più che sugli altri, però lei sentiva che il modo in cui guardava lei era diverso da quello in cui guardava gli altri, vi era nei suoi
10 occhi un'offerta e nello stesso tempo una richiesta di fiducia, così le sembrava, ma in ogni caso si poteva essere certi d'un suo discreto interesse, manifestato con prudenza e fermezza.

Quand'era entrata nello scompartimento, dopo essere salita a Orte[1], non aveva badato[2] al signore vicino al finestrino, né ad alcun altro viaggiatore, per essere pre-
15 cisi, si era solo preoccupata di chiedere se il posto fosse libero, ed ora non avrebbe saputo dire chi le avesse risposto, se lui o un altro. E neppure avrebbe saputo dire se era soltanto la terza volta che, passandole addosso lo sguardo, lui assumeva quella particolare espressione, ma meglio che espressione si sarebbe potuto dire intensità, che la faceva sentire meno brutta.
20 Non sapeva quando avesse cominciato a guardarla, sapeva però che era almeno la terza volta che la guardava, e benché una parte di lei vivamente desiderasse che egli alzasse gli occhi dal giornale, un'altra parte provava imbarazzo a causa di quel desiderio, non per niente, ma perché in realtà il signore era appena un ragazzo, forse non arrivava neanche ai trent'anni. Oh, non doveva essere ridicola.
25 Per punirsi abbassò con ostinazione[3] gli occhi sulla grande borsa a secchiello[4] che si teneva sui ginocchi. Era rigida con se stessa, non facile agli abbandoni, neppure agli abbandoni segreti: ci teneva ad essere una ragazza onesta. E non era sciocca, tant'è vero che, pensando di sé, essa usava non solo la parola ragazza, ma anche, a seconda delle circostanze, la parola zitella che si trova all'estremo
30 opposto.

(G. BERTO, *E forse l'amore,* Rusconi, Milano, 1975)

1. piccola cittadina a nord di Roma ■ 2. fare caso, accorgersi ■ 3. atteggiamento di chi insiste su una posizione nonostante le difficoltà ■ 4. borsa di forma rotonda che somiglia a un piccolo secchio

1. Informazioni specifiche

> *Rispondete alle seguenti domande:*

1. Chi sono i protagonisti del testo? Qual è la loro età? Cosa fanno?
2. Il racconto segue il filo dei pensieri della ragazza. Che cosa, in particolare, attira la sua attenzione?
3. La ragazza si trova combattuta tra due sentimenti. Quali?
4. Che idea di se stessa ha la ragazza?

2. Sintesi

> *Nel seguente brano mancano alcune parole e la punteggiatura. Completatelo!*

Di una cosa era .... sicura: non era bella ma lo strano .... dello sconosciuto seduto di fronte a lei fece .... quella certezza. Le sembrava che gli occhi di lui la .... in maniera diversa .... altri anche se non insistentemente o .... non sapeva bene quando aveva cominciato ad .... a lei ma aveva .... il suo sguardo su di sé per .... tre volte. Combattuta .... il desiderio di essere guardata e la .... di provare quel desiderio temette infine di essere .... e data la giovane età del ragazzo finì con .... lo sguardo sulla borsa che teneva sulle ginocchia.

vai a pag. 57

1. Sinonimi

> *Scrivete accanto ad ogni aggettivo i corrispondenti sinonimi scegliendoli dalla lista alfabetica qui di seguito proposta:*

> **arrogante - attento - cocciuto - deciso - determinato - diffidente - energico - equilibrato - fermo - impertinente - infastidito - inflessibile - insistente - insofferente - intollerante - misurato - ostinato - prudente - rigido - rigoroso - scomodo - sfacciato - spudorato - testardo**

a. sfrontato _____

b. cauto _____

c. risoluto _____

e. disagiato _____

f. intransigente _____

g. caparbio _____

2. La congiunzione "se"

La congiunzione **se** viene usata per introdurre:

I. un'*ipotesi* reale, possibile o impossibile.

Es.:

- **Se** lo vedo glielo dico.
- **Se** partisse ci avvertirebbe senz'altro.
- **Se** fosse arrivato mi avrebbe telefonato.

II. un'*interrogativa indiretta* a risposta aperta, cioè una domanda non introdotta da pronomi, aggettivi o avverbi interrogativi, e alla quale si può rispondere con un "sì" o con un "no".
Il verbo può essere all'indicativo, al condizionale, al congiuntivo o all'infinito.

Es.:

1a. Maria chiede : "Paolo vieni al cinema con me"? (risp. sì o no)
1b. Maria chiede a Paolo **se** va al cinema con lei.
2a. La ragazza ha chiesto: "E' libero il posto?"
2b. La ragazza ha chiesto **se** il posto era (o fosse) libero.

III. un'*interrogativa indiretta dubitativa*, introdotta o da verbi ed espressioni di dubbio o da verbi di percezione o verbi o espressioni di valore dichiarativo. Le dubitative possono essere *semplici* o *disgiuntive*:
* *semplici* quando esprimono un solo dubbio relativamente ad un evento
* *disgiuntive* (...se ... o ...) quando vengono poste due possibilità o eventi in alternativa fra di loro.
Il verbo della dubitativa può essere all'indicativo, al congiuntivo, al condizionale o all'infinito.
Talora, nelle disgiuntive, il verbo è omesso.

Es.:

- Non so **se** mia moglie sarà d'accordo.
- Non so **se** Patrizia accetterebbe una soluzione simile.
- Guarda **se** è uscito l'Espresso di questa settimana.
- Senti lui **se** sia il caso di farlo.
- Sono incerto **se** comprarlo o meno.
- Non so dove andare: **se** a Roma o a Milano.

a. Nelle seguenti frasi trasformate l'interrogativa indiretta in una domanda diretta.

1. Si era solo preoccupata di chiedere se il posto fosse libero.
2. Chiedigli se ha preso lui le chiavi della macchina.
3. Era indeciso se dirglielo a voce o per telefono.
4. Non avrebbe saputo dire chi le avesse risposto, se lui o un altro.
5. Abbiamo domandato ad un vigile se si poteva raggiungere il centro storico con la macchina.
6. Ci domandavamo se avrebbe mai accettato la nostra proposta.
7. Ci domandavamo se avesse accettato quella proposta.
8. Non so se sia il caso di invitare anche il suo capufficio.

b. Nelle seguenti frasi indicate la diversa funzione svolta dal "se" (ipotetica, interrogativa indiretta, dubitativa semplice o disgiuntiva):

1. Se non sei d'accordo fammelo sapere presto!
2. Vedi un po' tu se riesci a convincerlo.
3. Dimmi quale vino preferisci, se un bianco o un rosso.
4. Se vedi Mario, chiedigli se domenica viene anche lui alla partita.
5. Non ci troveremmo in questa situazione se non avessimo dato retta a te e al tuo fiuto.
6. Si chiedeva se avesse fatto bene a lasciarlo.
7. Domandò chi egli fosse se garzone o figlio di bagnino.

C | PRODUZIONE ORALE O SCRITTA

1. Descrivete i diversi stati d'animo che attraversa la ragazza di fronte agli sguardi dello sconosciuto.

2. "Pensando di sé, non solo usava la parola ragazza, ma anche la parola zitella, che si trova all'estremo opposto". Date una vostra interpretazione alla frase.

3. Con gli elementi presenti nel testo provate a ricostruire la personalità della ragazza.

4. Immaginate un possibile sviluppo per l'episodio che avete letto.

5. Vi siete mai trovati nella situazione di essere fissati da una persona sconosciuta? Come avete reagito?

d | CURIOSITÀ LINGUISTICHE

Zitella e scapolo

La protagonista del testo di Berto pensa di essere una "zitella", e non una ragazza: ragazza, infatti, qui è intesa come donna giovane, bella, desiderabile e quindi che si può sposare, mentre zitella indica una donna non più bella, o non più giovane o non più desiderabile, insomma senza più chances per sposarsi.

Il termine zitella deriva da "zita", una variante dell'italiano antico "citta", che significava semplicemente ragazza. Dall'originario significato di ragazzetta, o donna non maritata, esso ha assunto le connotazioni negative della donna non più giovane che non riesce a trovare un marito.

Ben diversa storia ha il corrispondente maschile di zitella, cioè *scapolo*. Già all'origine il termine ha una valenza positiva: lo scapolo è colui che è riuscito a sfuggire al "cappio" (corda usata per impiccare i condannati a morte) del matrimonio. La parola deriva dal tardo latino *excapulare* (da *capulus* = cappio), che vuol dire appunto "sfuggire dal cappio, dal giogo". Dal significato originario di "libero da soggezione", passò poi ad indicare l'uomo non sposato.

Questa diversa valenza dei due termini è ancora presente nel parlare comune: al termine scapolo, in genere, si associa una scelta di indipendenza, mentre zitella fa pensare alla condizione di "solitudine" in cui viene a trovarsi la donna senza marito.

Profilo dell'autore
GIUSEPPE BERTO

Giuseppe Berto è nato a Mogliano Veneto nel 1914. Dopo gli studi liceali intraprese la carriera militare e nel 1935 partì volontario per l'Abissinia, dove rimase per quattro anni. Tornato in Italia, nel '39, si laureò in Lettere e cominciò ad insegnare nelle scuole pubbliche. Qualche anno dopo lo scoppio della guerra si arruolò di nuovo come volontario e ripartì per l'Africa. Fatto prigioniero dagli inglesi nel 1943, finì nel Texas e lì conobbe altri scrittori italiani come Gaetano Tumiati. Fu allora che cominciò a scrivere: racconti che rievocavano i colori e le stagioni della sua Mogliano, e racconti che toccavano argomenti più realistici e scabrosi. Poi il suo primo romanzo completo *Le opere di Dio,* dove narra le vicende di una famiglia contadina travolta dalla guerra sul fronte del fiume Garigliano. Successivamente, impressionato da quello che stava succedendo in Italia (nel suo campo di prigionia si venne, infatti, a sapere degli spaventosi bombardamenti che avevano distrutto alcune città italiane, fra le quali anche la sua Treviso), scrisse *La perduta gente.* Quest'ultimo romanzo fu poi pubblicato da Longanesi nel 1947 con il titolo *Il cielo è rosso,* e conobbe un grosso successo di pubblico e di critica. Non incontrarono lo stesso successo sia il primo romanzo *Le opere di Dio,* uscito prima a puntate sulla rivista "Il Ponte" e poi pubblicato in volume, sia l'altra opera *Il brigante* (1951).

Berto attraversò un lungo periodo di crisi testimoniata dal libro *Guerra in camicia nera* (1955). Dalla crisi uscì con una terapia psicoanalitica e il resoconto della propria malattia divenne il suo più noto romanzo: *Il male oscuro,* pubblicato nel 1964 e con il quale vinse nello stesso anno i premi letterari più prestigiosi in Italia, il Viareggio e il Campiello. Il romanzo è infatti un aggrovigliato monologo interiore che mette in risalto le nevrosi del protagonista narratore. Ormai guarito pubblicò altre opere come *La Fantarca* (1965), *La cosa buffa* (1966), *Anonimo veneziano* (1971) e i racconti di *E forse l'amore* (1975).

Viveva, negli ultimi anni, soprattutto in Calabria, a Capo Vaticano, e lì è morto nel 1978.

5. LA NOTTE DEI NUMERI

Il grande salone della contabilità è diviso in tanti box. Si sente un ticchettio[1], dal fondo. Ci dev'essere ancora qualcuno che fa lo straordinario. Paolino gira da un box all'altro, ma è come un labirinto di anditi[2] tutti uguali e il ticchettio sembra venga sempre da un posto diverso. Alla fine, nell'ultimo box scopre, curvo su una vecchia addizionatrice, un ragioniere allampanato[3], in un pullover, con una visiera[4] di celluloide[5] verde a metà di un oblungo cranio calvo. Il ragioniere per battere sui tasti alza i gomiti col movimento d'un uccello che sbatte le ali: pare proprio un grosso uccello appollaiato lì, con quella visiera che sembra un becco. Paolino fa per vuotare il portacenere, ma il ragioniere sta fumando e posa la sigaretta sull'orlo proprio allora.

"Ciao", fa il ragioniere.

"Buonasera", dice Paolino.

"Che fai in giro a quest'ora?" Il ragioniere ha una lunga faccia bianca, dalla pelle secca, come se non vedesse mai il sole.

"Vuoto i portacenere.

"I ragazzi la notte devono dormire.

"Sono con mia madre. Siamo quelli della pulizia. Cominciamo adesso.

"Fino a che ora ci state?

"Le dieci e mezzo, le undici. Alle volte poi facciamo lo straordinario, alla mattina.

"Il contrario di noialtri, lo straordinario alla mattina.

"Sì, ma solo una volta o due la settimana, quando si dà la cera.

"Invece io sempre, lo straordinario. Io non finirò mai.

"Che cosa?

"Di far tornare i conti.

"Non tornano?

"Mai.

Fermo, impugnando la manovella dell'addizionatrice, con l'occhio sullo stretto foglio che si srotola fino a terra, il ragioniere sembra aspetti qualcosa dalla fila dei numeri che sale fuori dal rullo, come sale il fumo dalla sigaretta tenuta stretta tra le labbra in un filo diritto davanti al suo occhio destro e incontra la visiera, devia, sale ancora fino al globo della lampadina e s'annuvola sotto il paralume.

"Adesso glielo dico", pensa Paolino. E chiede: "Ma non ci sono le macchine elettroniche che fanno tutti i calcoli da sole, scusi?

Il ragioniere strizza l'occhio irritato dal fumo. "Tutti sbagliati", dice.

Paolino ha posato lo straccio[6] e la pattumiera[7] e s'appoggia al tavolo del ragioniere. "Sbagliano, quelle macchine?

L'uomo con la visiera scrolla il capo. "No, è da prima, è tutto sbagliato già da prima". S'alza, il pullover è troppo corto e la camicia gli fa uno sbuffo torno torno alla cintura. Prende la giacca dalla spalliera della sedia e se la mette. "Vieni con me.

Paolino e il ragioniere camminano tra i box. Il ragioniere ha il passo lungo e

Paolino deve trotterellargli dietro. Percorrono tutto il corridoio; arrivati in fondo il ragioniere solleva una tenda: c'è una scala a chiocciola[8] che scende. C'è buio, ma il ragioniere sa dov'è un interruttore e accende una fioca lampadina là sotto. Ora scen-
45 dono per la scaletta a chiocciola, giù nei sotterranei della ditta. Nei sotterranei c'è una porticina chiusa con un catenaccio[9]: il ragioniere ha la chiave, apre. Dentro non ci dev'essere impianto elettrico, perché il ragioniere accende un fiammifero e a colpo sicuro trova lì una candela e l'accende. Paolino non distingue bene, ma capisce d'essere allo stretto, in una specie di celletta, e tutt'intorno, ammucchiati in pile che arri-
50 vano fino al soffitto, ci sono degli scartafacci[10], dei registri, carte polverose, ed è certo di lì che promana quell'odore di muffa.

"Questi sono tutti i vecchi libri mastri[11] della ditta", dice il ragioniere, "nei cent'anni della sua esistenza". S'è issato a sedere in cima a uno sgabello, e apre un quaderno stretto e lungo, di su un alto banco inclinato a leggio. "Vedi? Questa è la cal-
55 ligrafia di Annibale De Canis, il primo ragioniere della ditta, il ragioniere più diligente che ci sia mai stato: guarda come teneva i registri."

Paolino scorre con lo sguardo le colonne di numeri in bella calligrafia oblunga, con piccoli svolazzi.

"A te solo faccio vedere queste cose: gli altri non capirebbero. E qualcuno bisogna
60 pur che lo veda: io sono vecchio.

"Sì, signor ragioniere", fa Paolino, con un filo di voce.

"Non c'è mai stato un ragioniere come Annibale De Canis", e l'uomo con la visiera verde sposta la candela, illuminando, sopra una pila di registri, accanto a un vecchio pallottoliere[12] dalle stecche sgangherate, la fotografia d'un signore coi baffi e il pizzo, in
65 posa accanto a un cane volpino. "Eppure, quest'uomo infallibile, questo genio, vedi, il 16 novembre 1884", e sfoglia le pagine del libro mastro, apre dove c'è per segno una penna d'oca rinsecchita, "ecco: qui, un errore, un grossolano errore di quattrocentodieci lire in una somma". Al fondo della pagina, la cifra della somma è contornata da un fregaccio a matita rossa. "Nessuno se n'è mai accorto, io solo lo so, e sei la prima per-
70 sona a cui lo dico: tientelo per te e non lo dimenticare! E poi, se anche lo andrai a dire in giro, sei un ragazzo e nessuno ti darà retta... Ma adesso sai che tutto è sbagliato. In tanti anni, quell'errore di quattrocentodieci lire sai quant'è diventato? Miliardi! Miliardi! Hanno un bel girare le macchine calcolatrici, i cervelli elettronici e tutto il resto! L'errore è al fondo, al fondo di tutti i loro numeri, e cresce, cresce, cresce!" Avevano rinchiuso
75 lo stanzino, risalivano per la scaletta a chiocciola, ripercorrevano il corridoio. "La ditta è diventata grande, grandissima, con migliaia d'azionisti, centinaia di ditte consociate, rappresentanze estere a non finire, e tutti macinano soltanto cifre sbagliate, non c'è nulla di vero in nessuno dei loro conti. Mezza città è costruita su questi sbagli, che dico mezza città: mezza nazione! E le esportazioni e le importazioni? Tutte sbagliate, tutto il mondo
80 si porta dietro quest'errore, l'unico errore compiuto in vita sua dal ragionier De Canis, quel maestro, quel gigante della contabilità, quel genio!"

L'uomo è andato all'attaccapanni e s'è messo il cappotto. Senza più la visiera verde, la sua faccia appare per un momento ancora più slavata e triste, poi torna in ombra sotto l'ala del cappello calata sugli occhi.
85 "E sai cosa ti dico?" fa, chinandosi, a voce bassa, "io sono sicuro che lui l'aveva fatto apposta!"

(I. CALVINO, *I racconti*, Einaudi, Torino, 1958)

1.rumore secco, rapido e leggero che si ripete ■ 2. brevi e stretti corridoi ■ 3. alto e secco ■ 4. piccola tesa posta sulla parte anteriore dei berretti per riparare gli occhi dalla luce ■ 5. materia plastica trasparente 6. pezzo di stoffa usato per pulire ■ 7. è un contenitore per la spazzatura ■ 8. scala che sale a forma di spirale ■ 9. sbarra di ferro che scorrendo in anelli infissi nei battenti di una porta serve a chiuderla ■ 10. libri o quaderni mal ridotti ■ 11. registri che riportano i conti del dare (o uscite) e dell'avere (entrate) già specificati in altri registri contabili ■ 12. strumento formato da una serie di aste orizzontali su cui sono infilate delle palline, usato per fare semplici operazioni aritmetiche

a | COMPRENSIONE DEL TESTO

1. Informazioni generali

Indicate:

- chi sono i protagonisti: ....
- dove si svolge l'azione: ....
- quando avvengono i fatti narrati: ....
- quali attività svolgono i protagonisti: ....

2. Informazioni specifiche

> *Rispondete alle domande che seguono:*

1. Che cosa fa Paolino negli uffici della contabilità?
2. Cosa è rimasto a fare il ragioniere in ufficio?
3. Quando e perché fanno lo straordinario le donne delle pulizie?
4. Dove il ragioniere accompagna Paolino?
5. Quale segreto il ragioniere rivela a Paolino? e perché?
6. Perché, secondo il ragioniere, i conti della ditta sono tutti sbagliati?
7. Quali sono i tratti fisici del ragioniere (aspetto, abbigliamento ...) che vengono evidenziati nel testo?

3. Sintesi

Il racconto letto è solo una parte di un racconto più lungo, quindi il titolo riferendosi al racconto intero può non risultare appropriato alla parte qui riportata.

a. Formulate un titolo appropriato al racconto .

b. Riassumete il testo letto.

1. Campi semantici

vai a pag. 11

Rintracciate nel testo i termini e le espressioni che si riferiscono alla "contabilità" e all'"abbigliamento":

contabilità: _____

abbigliamento: _____

2. Parole omografe

Il lessico di ogni lingua è caratterizzato dalla grande economia di termini rispetto agli oggetti e ai concetti designati e ai significati possibili. E ciò dipende dal fatto che una parola può avere più di un significato (*polisemia*) e dal fatto che parole diverse assumono la stessa forma (*omonimia* oppure *omografia*) e solo il contesto aiuta a distinguere una parola dall'altra. Le parole omografe sono il risultato della trasformazione di parole originariamente diverse, oppure il risultato della flessione morfologica: ad esempio, la *borsa* della spesa ha un'origine diversa dalla *borsa* intesa come mercato di azioni e valute, mentre *abito* può indicare, in contesti diversi, un sostantivo maschile o il presente indicativo, prima persona, del verbo *abitare*:

Ora abito a Firenze.

Ha un abito nuovo.

➤ *Formate delle frasi in cui la parola evidenziata abbia un significato e una funzione grammaticale diversa da quella che ha nel testo letto:*

Es.: Come se non vedesse mai il **sole** (r. 13): Carla e Lucia sono uscite da **sole**

1. Il ragioniere sembra **aspetti** qualcosa (r. 27): _____

2. La fila dei numeri che **sale** dal rullo (r. 28): _____

3. Gli fa uno sbuffo torno **torno** alla cintura (r. 37-38): _____

4. Il ragioniere solleva una **tenda** (r. 42): _____

5. Il ragioniere ha il **passo** lungo (r. 40): _____

6. E **sei** la prima persona cui lo dico (r. 68-69): _____

7. Se lo andrai a dire in **giro** (r. 69-70): _____

8. Nessuno di darà **retta** (r. 70): _____

9. E tutto il **resto** (r. 72): _____

3. Definizioni

> Anche con l'aiuto di un dizionario, spiegate il senso delle seguenti espressioni riprese dal testo di Calvino:

a. fare lo straordinario: ....

b. strizzare l'occhio: ....

c. a colpo sicuro: ....

d. andare a dire in giro: ....

e. dare retta: ....

4. La preposizione "a": valori modali e strumentali

La preposizione **a** si trova spesso in unità sintagmatiche ed espressioni di valore modale o strumentale.

1. Le realizzazioni **modali** con la preposizione **a** sono le più frequenti e fra loro molto diverse, ed indicano:

a. la **maniera** di compiere un'azione o il modo di comportarsi, come in: *rimanere a bocca aperta, imparare a memoria, imparare a proprie spese, stare ad occhi chiusi, parlare a bassa voce, pregare a mani giunte,* ecc.

b. la **conformità** ad un modello, per somiglianza, come in: *occhi a mandorla, cappello a cilindro, bicchiere a calice, gonna a campana, orecchie a sventola,* ecc.; o perché eseguito o fatto secondo l'uso, la moda, la foggia di un luogo o di una persona o di una categoria, come in: *spaghetti all'amatriciana, pollo alla cacciatora, vestito alla marinara, giacca all'inglese,* ecc.

c. locuzioni avverbiali ormai consolidate, come: *alla meglio, alla carlona, alla rinfusa, a colpo sicuro, all'antica, alla lontana,* ecc.

2. Le realizzazioni **strumentali** sono anch'esse numerose, anche se spesso al valore strumentale si affianca quello modale e causale.

La preposizione **a** è presente:

a. in espressioni in cui l'elemento terminale indica prevalentemente il mezzo con cui si fa qualcosa o che permette il funzionamento di qualcosa:
    es.:
    macchina a vapore, mulino a vento, fucile ad aria compressa, cucina a gas, aereo a reazione, scrivere a macchina, chiudere a chiave, portare a spalla, ecc.

b. in espressioni in cui il valore strumentale è meno rilevante rispetto a quello modale, si tratta per lo più di unità lessicali che si riferiscono a particolari oggetti:
    es.:
    scala a chiocciola, sedia a braccioli, arma a doppio taglio, porta a vetri, quaderno a quadretti, camicia a scacchi, giacca a vento, pentola a pressione, ecc.

c. in espressioni costituite dal verbo "giocare" e termini che indicano l'oggetto con cui si gioca o la specie di gioco:
    es.:
    giocare a scacchi, a carte, a biliardo, a moscacieca, a guardie e ladri, a tennis, a calcio, a pallavolo, ecc.

Completate le frasi che seguono con l'opportuna espressione scegliendola fra quelle proposte nel riquadro seguente:

> a benzina - a calci - a caso - a corda - a dirotto - a fiato - alla griglia - alla meglio - a metano - alla milanese - a pelo - a petrolio - alla pescatora - a pieni polmoni - a pugni - a regola d'arte - alla romana - a scartamento ridotto - a secchiello - allo spiedo - alla svizzera - all'uncinetto - a vanvera - a vetri - al volo

1. Io sono d'accordo di andare in quella pizzeria, però paghiamo _____ .
2. A me piace il pesce, perciò come primo piatto prendo un risotto _____, mia moglie invece preferisce un risotto _____, per secondo prendiamo tutti e due pollo _____ .
3. Qui l'aria è davvero salubre: si può respirare _____ .
4. Solo recentemente nel nostro appartamento abbiamo installato il riscaldamento _____ .
5. Angela ha realizzato una bellissima coperta matrimoniale _____ .
6. I due bambini ad un certo punto hanno cominciato a litigare furiosamente e si sono presi _____ e _____ .
7. I mobili antichi che erano nel salone delle feste sono stati restaurati _____ .
8. Quando ci sono occasioni come queste è bene coglierle _____ .
9. L'ufficio fotocopie si trova dopo quella porta _____ in fondo al corridoio.
10. Che ne dici se questo pesce lo facciamo _____ ?
11. Ad un certo punto è cominciato a piovere _____ ed allora ci siamo riparati in un casolare nelle vicinanze.
12. Il fatto avvenne su quella piccola e lenta ferrovia _____ che da Smirne va a Sciabin Karà Hissàr.
13. Sotto la luce rossastra della lampada _____ apparvero i lineamenti volgari di una faccia equivoca.
14. La chitarra e il mandolino sono strumenti _____ .
15. Tutta la piazza antistante la cattedrale era occupata da giovani che dormivano in sacchi _____ .
16. La ragazza teneva stretta a sé sulle ginocchia una borsa _____ .

5. La frase comparativa

"Comparare" vuol dire confrontare, e nella lingua il confronto fra due o più cose, persone o elementi si fa in diversi modi. La comparazione può essere realizzata con semplici complementi di paragone, ma anche con un apposito tipo di frase subordinata: la **frase comparativa**.

Nella frase comparativa il secondo termine del confronto invece di essere costituito da un nome o da un aggettivo o da un sintagma preposizionale è costituito da una frase o proposizione subordinata.

Come il complemento di paragone anche la frase comparativa può essere di tre tipi: *di uguaglianza, di maggioranza o di minoranza.*

La **comparativa di uguaglianza** esprime l'analogia o similitudine tra quanto è detto nella frase principale e quello che viene indicato nella frase subordinata:

Es.:

>   Lidia è davvero **così** intelligente **come** pensavo.
>   Il vestito della sposa era **tale** e **quale** me l'avevi descritto.

In un giorno ha speso **tanti** soldi **quanti** io ne guadagno in tre mesi.

Tutto è accaduto **come** avevo previsto.

Come si vede dagli esempi, la comparativa di uguaglianza si realizza usando come correlativi nella reggente gli avverbi *tanto* o *così* e nella subordinata *quanto* o *come*, oppure con *tale* e *quale*, fra loro correlati. Il verbo, di norma, è all'indicativo.

La **comparativa di maggioranza o di minoranza** indica una disuguaglianza tra quanto è detto nella principale e quanto espresso nella subordinata.

Es.:

Maggioranza:

Questa è la calligrafia di Annibale De Canis, il ragioniere **più** diligente **che** ci sia mai stato.

Era l'invenzione **più** miracolosa **che** si potesse immaginare.

Siamo arrivati **più** presto **di quanto** ci aspettassimo.

Minoranza:

Studia **meno di quanto** i professori credano.

Era **meno** alto **di quanto** mi immaginassi.

Nella frase reggente, come si nota dagli esempi, si possono avere funzionali di correlazione come **'più'** o **'meno'** o anche aggettivi intrinsecamente comparativi (come, *maggiore, minore, migliore, peggiore*, ...). La subordinata, che fa da secondo termine di paragone, può essere introdotta da **che** o da **di** seguito

(a) da **quanto**. Il modo del verbo è al congiuntivo, o, in uno stile meno curato, all'indicativo

(b) oppure da **quello che**, e il modo verbale è, di norma, l'indicativo.

Con questo tipo di comparativo è frequente la presenza dell'avverbio "non", che non ha però valore negativo, ma solo rafforzativo ("non" espletivo). Può, infatti, essere eliminato senza che il significato della frase sia modificato. In questo caso il verbo della comparativa è sempre al congiuntivo.

Es.:

Antonio è **più** intelligente **di quanto** io **non** *credessi*.

Gianni ha corso **meglio di quanto non** *abbiano fatto* gli altri concorrenti.

(c.) Il secondo termine può essere introdotto anche da **di + come**. In tale caso si usa solo l'indicativo e non appare mai il *non espletivo*.

Es.:

Tua moglie **è più** giovane **di come** me la figuravo.

La comparativa di maggioranza si può fare anche con **più che** o **piuttosto che** e infinito (*forma implicita*).

Es.:

Più che *parlare*, gridava.

Piuttosto che uscire con lui, mi lascerei chiudere in una prigione.

➤ *Completate le frasi che seguono con gli appropriati funzionali di correlazione comparativa:*

1. Era _____ considerato _____ meritasse.
2. Si è dimostrato _____ accondiscendente _____ immaginassi.

3. La stagione è stata peggiore _____ ci aspettavamo.

4. Le persone disoneste, per fortuna, sono _____ si crede.

5. Lui è _____ ricco _____ vuol far credere agli altri.

6. È _____ cordiale con gli amici _____ è scorbutico con la moglie.

7. L'estate scorsa il mare era _____ pulito _____ i giornali dicevano.

8. Preferisco digiunare _____ andare a mangiare in quella trattoria.

9. Gli italiani del secolo scorso vivevano in modo molto diverso da _____ viviamo noi oggi.

10. In un mese ho letto _____ libri _____ ne hai letti tu in un anno.

11. Il film non è stato _____ avvincente _____ aveva sostenuto la critica.

C | ANALISI TESTUALE

1. Riformulazioni

> *Riscrivete le frasi che seguono sostituendo le parole ed espressioni in corsivo con altre, senza modificare il senso della frase:*

1. *Al fondo* della pagina la cifra della *somma è contornata da un fregaccio* a matita rossa.

   ....

2. Ed è certo di lì che *promana* quell'odore di muffa.

   ....

3. S'è *issato* a sedere *in cima* a uno sgabello.

   ....

4. È come un labirinto di *anditi* tutti uguali.

   ....

5. Paolino non *distingue* bene, ma capisce *d'essere in una specie di celletta.*

   ....

6. Ecco qui *un errore, un grossolano errore* di 410 lire in una somma.

   ....

7. Sei un ragazzo e nessuno *ti darà retta.*

   ....

8. *Hanno un bel girare* le macchine calcolatrici.

   ....

9. Paolino, *fa per vuotare* il portacenere, ma il ragioniere sta fumando e posa la sigaretta sull'orlo proprio *allora.*

   ....

419

2. Tecnicismi

Nei testi e nei discorsi di natura tecnica compaiono espressioni e termini specifici di una data disciplina, che sono familiari per gli addetti ma incomprensibili per i non esperti. Si tratta di tecnicismi, vale a dire parole ed espressioni che fanno parte di un linguaggio tecnico. Troviamo, ad esempio, tecnicismi non solo nei manuali e testi specifici delle varie scienze e discipline, ma spesso anche nella stampa e nei periodici a larga diffusione, in articoli che trattano di medicina e salute, di informatica, di elettronica, di chimica, di motori e persino in articoli che si occupano di moda e costume.

➤ *Completate il testo che segue con i termini tecnici mancanti scegliendoli fra quelli dati qui di seguito:*

abaco - astrazione - binario - cifre - computer - decimale - decine - duodecimale - lettere - numerazione - numeri - posizionale - quinquale - sessagesimale - segno - simbolo - tavolette - valore - vigesimale - zero

La storia dei numeri

In passato gli uomini hanno inventato diversi strumenti e metodi per fare i calcoli. Il primo movente dei calcoli fu quello economico. I sovrani volevano conoscere l'entità delle loro ricchezze, i commercianti quanto guadagnavano dai loro traffici.

Il romanzo della matematica comincia nella notte dei tempi, quando ancora non c'erano i [1] _____ ma solo quantità. Quando un pastore cominciò a fare una tacca sul suo bastone per ogni pecora del suo gregge, abbinando un [2] _____ ad ogni elemento (una tacca per ogni pecora), aprì la strada al calcolo, alla matematica. Il passaggio successivo fu quello ricorrere ad un [3] _____ che indicasse, ad esempio, cinque tacche, o meglio cinque pecore. Iniziò il processo di [4] _____ che oggi noi nemmeno prendiamo in considerazione ma che fu fondamentale e richiese molto tempo.

I primi documenti di matematica sono delle [5] _____ sumeriche, tenute dai contabili dell'epoca. Sotto la spinta della necessità la matematica si è sviluppata impetuosamente, anche se i vari popoli hanno seguito vie diverse. I sumeri usavano il sistema [6] _____ (sessanta), quello che oggi usiamo per calcolare le ore, i Maya e gli Aztechi usavano un sistema [7] _____ (venti), altri quello [8] _____ (dodici), altri quello [9] _____ (cinque), e altri ancora quello [10] _____ (due), quello che oggi noi usiamo per i [11] _____. Un bel guazzabuglio, in cui nemmeno i romani se la cavavano molto bene, dal momento che fino alla comparsa dello [12] _____, i sistemi di notazione matematica continuavano ad essere "bizantini": usavano per numeri alcune [13] _____ dell'alfabeto. L'uso numerico dell'alfabeto era praticato anche da ebrei e greci. Si deve agli Indiani la scoperta fondamentale del sistema di [14] _____ "posizionale", (le unità, le [15] _____, le centinaia, ecc.) che assegna a un numero collocato in una data posizione un [16] _____. Tale sistema era fondato sull'uso di nove [17] _____ e dello zero (sistema [18] _____). Un siffatto sistema rimase sempre sconosciuto ai Greci; esso fu trasmesso all'Occidente molto tempo dopo dagli Arabi. Gli abacisti, che usavano uno strumento simile al pallottoliere, l'[19] _____, opposero una feroce resistenza alla matematica [20] _____, perché vedevano perdere il proprio potere.

d | ANALISI STILISTICA

1. Lo scrittore nel raccontare e descrivere assume il punto di vista del bambino; vede e sente attraverso i suoi occhi e i suoi orecchi, esprime i pensieri e i sentimenti di Paolino. In tal modo ottiene un particolare effetto narrativo, quello di "straniamento", per cui le cose, le persone e i fatti sono presentati come se fossero visti per la prima volta da un osservatore diverso dal narratore. E il lettore di questa storia è, così, portato a identificarsi con il bambino, a notare particolari che di solito si trascurano perché si guarda tutto con l'occhio dell'abitudine.

   ➤ *Evidenziate come nel testo letto le descrizioni e le immagini vengano filtrate dal punto di vista del bambino.*

2. L'effetto del racconto deve molto anche all'uso dei tempi verbali.

   ➤ *Indicate quali tempi verbali sono usati nel racconto e quale effetto e significato danno ad esso.*

e | PRODUZIONE ORALE O SCRITTA

1. La storia dell'errore di calcolo trasmesso e ingigantito attraverso gli anni ha un chiaro valore simbolico: che cosa ha voluto dire Calvino con questa storia?

2. Forse vi sarà capitato di conoscere una persona che, come il ragioniere del racconto di Calvino, era così attaccata al proprio lavoro da vivere esclusivamente in funzione di esso. Descrivetene l'aspetto, le abitudini e le eventuali manie.

3. Dite come l'attuale sviluppo della tecnologia e in particolare dell'informatica abbia modificato le forme della produzione e del lavoro, e con quali vantaggi e rischi.

Profilo dell'autore a pag. 400

6. IDEE D'UN NARRATORE SUL LIETO FINE

Il figlio di un farmacista studiava all'estero. Alla morte del padre è tornato a casa per occuparsi della farmacia, diventando farmacista in un piccolo paese nei dintorni di Viadana, provincia di Mantova.

La fama della sua sapienza s'era diffusa nelle campagne, attraverso voci che par-
5 lavano della sua immensa biblioteca, d'una sua prodigiosa cura contro il mal d'o-
recchi, d'un metodo nuovissimo per irrigare[1] i campi, e delle dodici lingue parlate dal farmacista, il quale, tra l'altro, secondo le voci stava traducendo in tedesco la Divina Commedia.

Il proprietario di un caseificio[2] nei paraggi[3] ha deciso di stipendiare l'ormai matu-
10 ro studioso perché si occupasse dell'educazione di sua figlia; quest'ultima infatti, essendo un'ardente sportiva, andava male a scuola e inoltre detestava i libri, il latino e la buona prosa in lingua italiana. Più che altro per passione allo studio e non per necessità di denaro, il farmacista accettava, e per un'intera estate si recava ogni giorno a far lezione alla giovane atleta.

15 E un giorno è accaduto che la giovane atleta s'è innamorata di lui, al punto da abbandonare ogni attività sportiva e mettersi a scrivere poesie, versi in latino e naturalmente lunghe lettere.

Qualcuno parla ancora d'una macchina acquistata dal farmacista per l'occasione, di lunghe scorribande[4] dei due per le campagne, e addirittura di convegni notturni
20 in una stalla.

Ad ogni modo, la prova dei rapporti amorosi tra i due, nell'ultimo scorcio[5] dell'estate, veniva alla luce solo nell'inverno successivo, quando un pacco di lettere era requi-
sito alla ragazza dalle suore del suo collegio, e debitamente trasmesso ai genitori. Il contenuto di quelle lettere appariva tanto rivoltante agli occhi del proprietario del casei-
25 ficio, che costui decideva di rovinare il farmacista e di cacciarlo per sempre dal paese.

I fratelli della ragazza, allora appartenenti alle squadre fasciste, devastavano più volte la farmacia sulla piazza del paese, e una volta bastonavano duramente il suo proprietario.

Tuttavia questi fatti non sembra abbiano preoccupato molto il farmacista. Per un
30 certo periodo egli continuava a ricevere i clienti nella farmacia devastata, tra i vetri rotti, scaffali demoliti, vasi fracassati[6]; poi un bel giorno ha chiuso bottega e s'è riti-
rato tra i suoi libri, senza più uscire di casa se non occasionalmente.

Tutto il paese lo sapeva immerso nei suoi studi, e lo vedeva di tanto in tanto passare sulla piazza sorridente, diretto all'ufficio postale per ritirare i nuovi libri che gli
35 erano arrivati.

In seguito è stato ricoverato all'ospedale e di qui trasferito in un sanatorio. Restava per lunghi anni nel sanatorio e nessuno sapeva più niente di lui.

Al ritorno dal sanatorio il vecchio studioso era magrissimo. Un'anziana donna di servizio che era tornata a prendersi cura di lui, si lamentava con tutti perché lui non
40 voleva mai mangiare: diceva che mangiare non gli piaceva e restava tutto il giorno tra i suoi libri.

Sempre più magro l'uomo usciva di casa molto raramente e mostrava di non riconoscere più nessuno in paese, nemmeno la figlia del defunto proprietario del caseificio, incontrata qualche volta sulla piazza. Però sorrideva a tutti, e si dice che salu-
45 tasse i cani che vedeva levandosi il cappello.

Avendo evidentemente smesso del tutto di nutrirsi dopo la morte dell'anziana
donna di servizio, e prolungato il digiuno per settimane, quando veniva ritrovato
morto nella sua biblioteca (da un idraulico) era già identico a uno scheletro: di lui
restava solo pelle incartapecorita[7] attaccata alle ossa. Era chino sull'ultima pagina
50 d'un libro, dove stava applicando una striscia di carta.

Anni dopo la sua grande biblioteca veniva assegnata in eredità a una nipote, e
questa frugando tra i libri ha creduto di capire come il vecchio studioso avesse trascorso l'ultima parte della sua vita.

Per quest'uomo tutti i racconti, i romanzi, i poemi epici dovevano andare a finir
55 bene. Evidentemente non tollerava le conclusioni tragiche, le conclusioni melanco-
niche o deprimenti d'una storia. Perciò nel corso degli anni s'era dedicato a riscrivere il finale d'un centinaio di libri in tutte le lingue; inserendo nei punti riscritti dei
foglietti o strisce di carta, ne trasformava le conclusioni, portandole sempre ad un
lieto fine.

60 Molti dei suoi ultimi giorni di vita devono essere stati consacrati alla riscrittura del-
l'ottavo capitolo della terza parte di Madame Bovary, quello in cui Emma muore.
Nella nuova versione Emma guarisce e si riconcilia col marito.

L'ultimissimo suo lavoro è però quella striscia di carta che aveva tra le dita e
che, già ormai morto di fame, stava applicando sull'ultima riga d'un romanzo
65 russo in traduzione francese. Questo è forse anche il suo lavoro più perfetto; qui,
cambiando solo tre parole, ha trasformato una tragedia in una buona soluzione di
vita.

(G. CELATI, *Narratori delle pianure,* Feltrinelli, Milano, 1985)

1. portare acqua nei campi per le coltivazioni ■ 2. industria che produce formaggi e altri prodotti
derivati del latte ■ 3. vicinanze ■ 4. giri, passeggiate ■ 5. parte ■ 6. rotti ■ 7. divenuta
dura e spessa come la cartapecora

1. Informazioni specifiche

➤ *Rispondete alle seguenti domande:*

1. Quali attività e invenzioni avevano reso famoso il farmacista?
2. Perché il farmacista accettò di dare lezioni private alla figlia del proprietario del caseificio?
3. Quale prova della relazione amorosa tra il farmacista e la sua allieva fu scoperta? E da chi?
4. Come fu punito il farmacista?
5. Quali attività intraprese dopo che ebbe lasciato la farmacia?
6. Chi e come ha scoperto l'attività svolta dal farmacista negli ultimi anni di vita?

2. Analisi stilistica

a. *Osservate il particolare uso dei tempi nella narrazione. Quali caratteristiche presenta? Quale effetto ne deriva?*

b. *La vicenda del farmacista è narrata per intero oppure ci sono salti di tempo e di sequenze? Per quale motivo e con quale effetto espressivo e ritmico?*

3. Sintesi

➤ *Tracciate un breve profilo del protagonista sintetizzandone la vicenda.*

b ANALISI LESSICALE E LINGUISTICA

1. Riformulazioni

➤ *Riscrivete le seguenti frasi sostituendo le parole in corsivo con altre dal significato simile senza cambiare il senso della frase:*

1. Il proprietario di un caseificio *nei paraggi* ha deciso di *stipendiare l'ormai maturo studioso*, perché *si occupasse dell'educazione liceale* di sua figlia.

2. Quest'ultima *detestava* i libri, il latino e la buona prosa in italiano.

3. *Qualcuno* parla ancora di lunghe *scorribande* dei due per le campagne, e addirittura di *convegni* notturni in una stalla.

4. Il contenuto di quelle lettere *appariva tanto rivoltante agli occhi* del proprietario del caseificio.

5. Non usciva più di casa se non *occasionalmente*.

6. *Un'anziana donna di servizio* che era tornata a prendersi cura di lui, si lamentava con tutti.

7. Stava *applicando* una striscia di carta sull'ultima pagina di un libro.

8. Molti dei suoi ultimi giorni di vita devono *essere stati consacrati* alla riscrittura dell'ottavo capitolo della terza parte di Madame Bovary.

2. L'imperfetto

Nel racconto di Celati si nota un particolare uso dei tempi verbali, con un continuo passaggio dal passato prossimo all'imperfetto nella narrazione di fatti che nella realtà si sono succeduti sequenzialmente l'uno all'altro. Così facendo, lo scrittore colloca alcuni momenti della vicenda del farmacista - quelli narrati all'imperfetto - in un ambito storico indefinito ed incerto, che fortemente contrasta con gli eventi puntuali e determinati narrati al passato prossimo. Questo effetto è ottenuto sfruttando le caratteristiche dell'imperfetto.

L'imperfetto indicativo italiano, infatti, si caratterizza, oltre che per il valore temporale di azione passata, per la valenza aspettuale imperfettiva.

L'aspetto imperfettivo indica un'azione considerata nel suo svolgimento senza tener conto né del suo inizio né della sua conclusione. Questo aspetto consente di dare all'azione un senso di indeterminatezza, la sgancia quasi dal tempo reale in cui si svolge facendole assumere talora valori e significati diversi. Ad esempio:

- *Il figlio d'un farmacista* **studiava** *all'estero.*

è più indeterminato di:

- *Il figlio d'un farmacista ha studiato (o studiò) all'estero.*

Fogarasi nella sua *Grammatica del Novecento* scrive: "Per la sua imprecisione nel rappresentare i contorni dell'azione, l'imperfetto è adatto alla descrizione di un distacco dalla realtà, come per esempio il racconto di un sogno, o la trasposizione mentale in una sfera del desiderio, dell'immaginazione."

Per questo carattere di indeterminatezza l'imperfetto viene usato oltre che per i suoi valori temporali indicanti, ad esempio, la durata, o la ripetizione di un'azione (*imperfetto iterativo*) o la contemporaneità con una azione passata, viene usato anche per esprimere modalità diverse che appartengono ad altri tempi o modi. Si ha così l'imperfetto *storico, ludico, onirico, di modestia, conativo, potenziale, ipotetico,* ecc.

1. **L'imperfetto "storico"** si usa al posto del passato remoto soprattutto quando si vuole sottolineare, di un fatto, il suo svolgersi, o per ottenere effetti di indeterminatezza come nel brano di Celati.

Es.:

> Nel 1265 *nasceva* a Firenze Dante Alighieri.

2. **L'imperfetto "ludico"**, o come lo chiama G. Rodari, "fabulativo", è tipico delle fiabe e del linguaggio dei bambini; è il tempo verbale che precede o accompagna giochi nei quali essi assumono un ruolo.

Es.:

> Facciamo che tu *eri* una principessa chiusa in un castello e io *ero* un principe e ti *venivo* a liberare.

3. Simile all'imperfetto ludico è quello **"onirico"** o fantastico, usato per descrivere sogni o eventi immaginari.

Es.:

> Ho fatto un terribile sogno: *mi trovavo* su una piccola barca in balia di onde altissime...

4. Molto frequente nella lingua parlata e nell'italiano colloquiale è l'**imperfetto "di modestia"** o cortesia, con il quale si tende ad attenuare una affermazione o una richiesta al presente.

Es.:

> *Volevo* chiederLe un piacere...

5. **L'imperfetto "conativo"** o intenzionale viene usato per sottolineare lo sforzo o l'intenzione di iniziare un'azione.

Es.:

> Ah!, *dimenticavo* di dirti che poco fa ha telefonato tua moglie.
> Per poco non *andavamo* a sbattere su un albero.

6. **L'imperfetto "potenziale"**, che sostituisce spesso nel parlato il condizionale composto, esprime una possibilità avvertita come non realizzabile o non realizzata.

Es.:

> Mario doveva essere qui da un'ora.
> Tra due minuti *dovevo* incontrare il direttore.

7. **L'imperfetto "ipotetico"** o irreale prende il posto del condizionale passato o del congiuntivo piuccheperfetto o di entrambi nel periodo ipotetico detto della "irrealtà", dando però all'ipotesi così formulata un senso più indeterminato.

Es.:

> Se lo *sapevo*, non ci sarei venuto.
> Se l'avessi saputo, non ci *venivo*.
> Se lo *sapevo*, non ci *venivo*.

a. *Riscrivete la parte del racconto di Celati che va dalla riga 21 alla riga 36 sostituendo, dove è possibile, l'imperfetto con un tempo del perfetto (passato prossimo o remoto).*

b. *Indicate il valore dell'imperfetto nelle seguenti frasi (conativo - descrittivo - ludico - onirico - ipotetico - potenziale - iterativo - storico - di contemporaneità, ...):*

1. La prova dei rapporti amorosi tra i due, nell'ultimo scorcio dell'estate, veniva [.......] alla luce solo nell'inverno successivo, quando un pacco di lettere era requisito [........] alla ragazza dalle suore del suo collegio. (G. Celati)

2. Sempre più magro usciva [.........] di casa molto raramente e mostrava [............] di non riconoscere più nessuno in paese. (G. Celati)

3. Sono sorprese da fare? - Arrivavo [..........] prima io della lettera se te la scrivevo [..........]. (V. Pratolini)

4. Erano [...........] lì lì per azzuffarsi.

5. La luce saliva dal mare, scendeva [...........] dal cielo, brillava [............] nell'aria. Il mare era [............] quieto e sicuro, solo un tremante margine di spuma sul lido tradiva [............] il suo piacere di vivere. (M. Bontempelli)

6. Se la incontrava [...........], vedendola di lontano, cambiava [............] marciapiede. (V. Pratolini)

7. Per poco non mi prendevo [...........] una storta con questi tacchi. (C. Cassola)

8. La gioia di questo monumento, in questa piazza miracolosa, è nella sua altezza famigliare. Un palmo più basso ne scapitava [..........] la solennità, un palmo più alto denunciava [..........] la poca altezza dei due palazzi laterali. (A. Baldini)

9. Egli sorrise, teneva [...........] le mani dietro la testa e lei continuò. (V. Pratolini)

10 "Mi trovavo precisamente a Cimarra di Panisperna, in quel punto dove hanno tagliato in mezzo l'Orto Botanico, quando a un tratto mi pareva [..........] di sentire scoccare dal cielo sopra Santa Maria Maggiore una terribile modulazione, ben nota, quella di un proiettile di cannone che solca l'aria. Sentivo [........] il cuore serrarmisi, come spesso accade sul primo colpo, e, fra me dicevo [..........]: "Ci siamo". Dopo qualche secondo un'esplosione si sentiva [..........], ma molto in basso, verso Foro Trajano. Alla fine pensavo [..........] ... - A questo punto mi sono svegliato". (A. Baldini)

11. A Gavirate, una volta, c'era [..........] una donnina che passava [.........] le giornate a contare gli starnuti della gente poi riferiva [............] alle amiche i risultati dei suoi calcoli e tutte insieme ci facevano [..........] sopra grandi chiacchiere. (G. Rodari)

12. "Bè?" fa l'uomo. "Venivo [..........] a prendere l'altro fiasco - dice Pin - Questo è spagliato". (I. Calvino)

13. Sapevo che il mondo era [..........] così. (I. Silone)

14. Il 3 agosto 1492 Cristoforo Colombo salpava [...........] dal porto di Palos.

15. Quando veniva ritrovato [...........] morto nella sua biblioteca (da un idraulico) era [...........] già identico a uno scheletro. (G. Celati)

16. Eravamo nel cortile al buio, una fila di gente, servitori, ragazzi, contadini di là intorno, donne - e *chi rideva*, - seduti sul mucchio della maliga, e sfogliavamo [...........], in quell'odore secco e polveroso dei cartocci, e tiravamo le pannocchie gialle contro il muro del portico. E quella notte c'era [...........] Nuto, e quando Cirino e la Serafina giravano [...........] coi bicchieri lui beveva [..........] come un uomo. Doveva [............] avere quindici anni, per me era [........] già un uomo. (C. Pavese)

17. A che ora dovevamo [............] vederci, stasera?

18. Adesso era [..........] mattina, io cercavo [...........] i polli. (G. Rodari)

19. Penso che un giorno così non ritorni mai più
    mi dipingevo [..........] le mani e la faccia di blu
    poi d'improvviso venivo [..........] dal vento rapito
    e incominciavo [..........] a volare nel cielo infinito... (D. Modugno)

20. In strada faceva ancora più caldo di quando ero venuto; l'aria era [..........] ancora più densa e opaca. I contorni delle macchine si dilatavano [............] nello spazio; scorrevano paralleli ai marciapiedi in masse rosa e bianche, porose. (A. De Carlo)

C | PRODUZIONE ORALE O SCRITTA

1. Gli ultimi anni della vita del protagonista di questo racconto sono trascorsi nel riscrivere i finali di alcuni romanzi, novelle e poemi. Provate, anche voi, a riscrivere con un lieto fine la triste vicenda di questo farmacista.

2. La riflessione finale dell'autore nasconde un giudizio sulla letteratura e sull'arte. Provate a spiegarlo.

3. Raccontate con un lieto fine una storia tragica, reale o fantastica, che conoscete.

Profilo dell'autore a pag. 267

7. IL TRENO HA FISCHIATO

Non avevo veduto mai un uomo vivere come Belluca.

Ero suo vicino di casa, e non io soltanto, ma tutti gli altri inquilini della casa si domandavano con me come mai quell'uomo potesse resistere in quelle condizioni di vita.

5   Aveva con sé tre cieche, la moglie, la suocera e la sorella della suocera: queste due, vecchissime, per cataratta[1]: l'altra, la moglie, senza cataratta, cieca fissa: palpebre murate.

Tutt'e tre volevano esser servite. Strillavano dalla mattina alla sera perché nessuno le serviva. Le due figliuole vedove, raccolte in casa dopo la morte dei mariti, l'una 10 con quattro, l'altra con tre figlioli, non avevano mai tempo né voglia da badare ad esse; se mai, porgevano qualche ajuto alla madre soltanto.

Con lo scarso provento[2] del suo impieguccio di computista[3] poteva Belluca dar da mangiare a tutte quelle bocche? Si procurava altro lavoro per la sera, in casa: carte da ricopiare. E ricopiava tra gli strilli indiavolati di quelle cinque donne e di quei sette 15 ragazzi finché essi, tutt'e dodici, non trovavano posto nei tre soli letti della casa.

Letti ampii, matrimoniali; ma tre.

Zuffe furibonde, inseguimenti, mobili rovesciati, stoviglie[4] rotte, pianti, urli, tonfi[5], perché qualcuno dei ragazzi, al bujo, scappava e andava a cacciarsi fra le tre vecchie cieche, che dormivano in un letto a parte, e che ogni sera litigavano anch'esse 20 tra loro, perché nessuna delle tre voleva stare in mezzo e si ribellava quando veniva la sua volta.

Alla fine, si faceva silenzio, e Belluca seguitava a ricopiare fino a tarda notte, finché la penna non gli cadeva di mano·e gli occhi non gli si chiudevano da sé.

Andava allora a buttarsi, spesso vestito, su un divanaccio sgangherato, e subito 25 sprofondava in un sonno di piombo, da cui ogni mattina si levava a stento, più intontito che mai.

Ebbene, signori: a Belluca, in queste condizioni, era accaduto un fatto naturalissimo.

30   Quando andai a trovarlo all'ospizio, me lo raccontò lui stesso, per filo e per segno. Era, sì, ancora esaltato un po', ma naturalissimamente, per ciò che gli era accaduto. Rideva dei medici e degli infermieri e di tutti i suoi colleghi, che lo credevano impazzito.

"Magari!" diceva. "Magari!

Signori, Belluca, s'era dimenticato da tanti e tanti anni - ma proprio dimenticato - 35 che il mondo esisteva.

Assorto nel continuo tormento di quella sua sciagurata esistenza, assorto tutto il giorno nei conti del suo ufficio, senza mai un momento di respiro, come una bestia bendata, aggiogata alla stanga[6] d'una noria[7] o d'un molino, sissignori, s'era dimenticato da anni e anni - ma proprio dimenticato - che il mondo esisteva. Due sere 40 avanti, buttandosi a dormire stremato su quel divanaccio, forse per l'eccessiva stanchezza, insolitamente, non gli era riuscito d'addormentarsi subito. E, d'improvviso, nel silenzio profondo della notte, aveva sentito, da lontano, fischiare un treno.

Gli era parso che gli orecchi dopo tant'anni, chi sa come, d'improvviso gli si fossero sturati[8].

45 Il fischio di quel treno gli aveva squarciato e portato via d'un tratto la miseria di tutte quelle sue orribili angustie, e quasi da un sepolcro scoperchiato s'era ritrovato a spaziare anelante[9] nel vuoto arioso del mondo che gli si spalancava enorme tutt'intorno.

S'era tenuto istintivamente alle coperte che ogni sera si buttava addosso, ed era corso col pensiero dietro quel treno che s'allontanava nella notte.

50 C'era, ah! c'era, fuori di quella casa orrenda, fuori di tutti i suoi tormenti, c'era il mondo, tanto, tanto, tanto mondo lontano, a cui quel treno s'avviava... Firenze, Bologna, Torino, Venezia... tante città, in cui egli da giovine era stato e che ancora, certo, in quella notte sfavillavano di luci sulla terra. Sì, sapeva la vita che vi si viveva! La vita che un tempo vi aveva vissuto anche lui! E seguitava, quella vita; aveva 55 sempre seguitato, mentr'egli qua, come una bestia bendata, girava la stanga del molino. Non ci aveva pensato più! Il mondo s'era chiuso per lui, nel tormento della sua casa, nell'arida, ispida[10] angustia della sua computisteria... Ma ora, ecco, gli rientrava, come per travaso violento, nello spirito. L'attimo, che scoccava per lui, qua, in questa sua prigione, scorreva come un brivido elettrico per tutto il mondo, e 60 lui con l'immaginazione d'improvviso risvegliata poteva, ecco, poteva seguirlo per città note e ignote, lande[11], montagne, foreste, mari... Questo stesso brivido, questo stesso palpito del tempo. C'erano, mentr'egli qua viveva questa vita "impossibile", tanti e tanti milioni d'uomini sparsi su tutta la terra, che vivevano diversamente. Ora, nel medesimo attimo ch'egli qua soffriva, c'erano le montagne solitarie nevose che 65 levavano al cielo notturno le *azzurre fronti...* Sì, sì le vedeva, le vedeva, le vedeva così... c'erano gli oceani... le foreste...

E, dunque, lui - ora che il mondo gli era rientrato nello spirito - poteva in qualche modo consolarsi! Sì, levandosi ogni tanto dal suo tormento, per prendere con l'immaginazione una boccata d'aria nel mondo.

70 Gli bastava!

Naturalmente, il primo giorno, aveva ecceduto[12]. S'era ubriacato. Tutto il mondo, dentro d'un tratto: un cataclisma[13]. A poco a poco, si sarebbe ricomposto. Era ancora ebro[14] della troppa aria, lo sentiva.

Sarebbe andato, appena ricomposto del tutto, a chiedere scusa al capo-ufficio, e 75 avrebbe ripreso come prima la sua computisteria. Soltanto, il capo-ufficio ormai non doveva pretender troppo da lui come per il passato: doveva concedergli che di tanto in tanto, tra una partita e l'altra da registrare, egli facesse una capatina, sì, in Siberia... oppure oppure... nelle foreste del Congo.

"Si fa in un attimo, signor Cavaliere mio. Ora che il treno ha fischiato...

(L. PIRANDELLO, *Novelle per un anno,* Mondadori, Milano, 1956)

1. malattia dell'occhio che rende opaco il cristallino ■ 2. guadagno ■ 3. contabile ■ 4. piatti e posate ■ 5. rumore che fa un corpo cadendo ■ 6. ciascuna delle due barre di legno di un carro in mezzo alle quali si mette l'animale da tiro ■ 7. era una macchina usata per sollevare acqua, era costituita da un nastro girevole su cui era fissata una serie di secchi ■ 8. aperti ■ 9. affannato e desideroso insieme ■ 10. spinosa ■ 11. terre ■ 12. aveva esagerato, passato il limite ■ 13. grave sconvolgimento, disastro ■ 14. ubriaco

1. Informazioni specifiche

➤ *Rispondete alle seguenti domande:*

1. Chi racconta la vicenda di Belluca?
2. Dove si trova Belluca al momento della narrazione dei fatti, e perché?
3. Quale attività svolgeva?
4. Quante e quali persone vivevano nella casa di Belluca?
5. Cosa faceva per mantenere tutte quelle persone?
6. Com'era l'atmosfera che si viveva in casa Belluca?
7. Quale "evento" ha determinato l'improvviso cambiamento di vita di Belluca?

2. Sintesi

➤ *Ricostruite il racconto seguendo l'ordine cronologico dei fatti.*

1. Sinonimi

vai a pag. 57

➤ *Ricercate e trascrivete qui appresso le parole del testo che hanno un significato simile a quello delle seguenti:*

- aprire   → _____
- urlare   → _____
- lite   → _____
- prima   → _____
- ragioniere   → _____
- esagerare   → _____

- carcere   → _____
- sfamare   → _____
- vita   → _____
- troppo   → _____
- fantasiaì   → _____
- sconosciuto   → _____

vai a pag. 24

2. Polisemia

➤ *Indicate con quale significato sono usate nel testo di Pirandello le parole che seguono:*

- **fisso** (r. 6) → attaccato [a] - fermo, immobile [b] - stabile [c]
- **mobile** (r. 17) → che si muove [a] - oggetto d'arredamento [b] - corpo di polizia [c]
- **volta** (r. 21) → arco [a] - tempo [b] - turno [c]
- **partita** (r. 78) → registrazione di conti [a] - competizione sportiva [b] - quantità di merce comprata o venduta in blocco [c]
- **profondo** (r. 43) → pesante [a] - grave [b] - totale [c] - cupo [d]

3. Tempi verbali

➤ *La prima parte del brano di Pirandello è all'imperfetto indicativo, mentre la seconda è al trapassato prossimo. Spiegate il valore che questi tempi verbali hanno ai fini della narrazione.*

4. Discorso diretto

La seconda parte del brano della novella di Pirandello è tutta un discorso indiretto. Il narratore, un vicino di casa di Belluca, riferisce ciò che l'infelice "computista" gli ha raccontato.

➤ *Riscrivete in prima persona la parte del testo che va dalla riga 37 "Assorto nel continuo tormento..."] alla riga 50 ["... s'allontanava nella notte."].*

5. Aggettivi

L'aggettivo, in rapporto al nome a cui si riferisce, ha due funzioni fondamentali:

* una **funzione attributiva**, quando l'aggettivo fa parte del gruppo del nome, e determina od espande il nome cui fa riferimento;
* una **funzione predicativa**: quando l'aggettivo fa parte del gruppo del verbo pur specificando o determinando un nome, come si ha, ad esempio, con i verbi copulativi;

Es.:

Luca è *felice*.
Maria sembra *insoddisfatta*.
Guardava *preoccupato* la grandine che cadeva.
Marco è tornato a casa *stanco*.

In base al modo in cui attribuiscono una qualità o caratteristica al nome gli aggettivi possono costituire:

* **una semplice espansione del nome**: quando la precisazione contenuta nell'aggettivo non è indispensabile a individuare il significato del nome;

Es.:

I raggi *luminosi* del sole filtravano attraverso le persiane.

* **una determinazione necessaria**: quando la precisazione contenuta nell'aggettivo è indispensabile per individuare in modo univoco il nome stesso rispetto ad altri;

Es.:

L'acqua *inquinata* rovina le colture agricole.

Nel testo di Pirandello troviamo una ricca aggettivazione che consente allo scrittore di colorire di impressioni e sfumature personali il racconto.

➤ *Per le seguenti frasi, riprese dal brano letto, indicate se gli aggettivi hanno una funzione attributiva (A) o predicativa (P) e se costituiscono una semplice espansione (E) o una determinazione necessaria (N) del nome cui si riferiscono:*

1. A Belluca era accaduto un fatto *naturalissimo*. [..........]
2. Assorto nel *continuo* [..........] tormento di *quella sua* [..........] *sciagurata* [.............] esistenza, come una bestia *bendata* [...........] s'era dimenticato da anni e anni che il mondo esisteva.
3. Con lo *scarso* [..........] provento del suo impieguccio di computista poteva dar da mangiare a *tutte quelle* [..........] bocche?
4. Andava allora a buttarsi, spesso *vestito*, [.............] su un divanaccio *sgangherato* [.............].
5. E subito sprofondava in un sonno di piombo da cui ogni mattina si levava più *intontito* [..........] che mai.
6. Il mondo s'era chiuso per lui nell'*arida* [..........], *ispida* [.........] angustia della sua computisteria.
7. Due sere avanti, buttandosi a dormire *stremato* [..........] su quel divanaccio non gli era riuscito d'addormentarsi subito.
8. Nel silenzio *profondo* [.........] della notte aveva sentito fischiare il treno.
9. S'era trovato a spaziare *anelante* [.........] nel vuoto *arioso* [........] del mondo.

C | RITORNO AL TESTO

Le scelte linguistiche sono coerenti con la prospettiva scelta dall'autore di far narrare la storia ad un vicino di casa di Belluca. Lo stile, perciò, riflette il racconto fatto ad altre persone presenti. Vi troviamo, infatti, alcune caratteristiche della lingua parlata, come:

      a. ripetizioni di parole ed espressioni;
      b. intercalari;
      c. frasi nominali;
      d. inversioni dell'ordine normale delle parole nella frase;
      e. appelli diretti al pubblico.

➤ *Trovate e trascrivete esempi delle caratteristiche stilistiche qui sopra elencate.*

d | PRODUZIONE ORALE O SCRITTA

1. Provate ad immaginare ciò che può essere accaduto prima e che ha determinato il ricovero del povero Belluca in manicomio.

2. La novella di Pirandello è la storia di un impiegato che si libera, anche se solo con la fantasia, dalla gabbia di doveri, costrizioni e soprusi in cui è rinchiuso, ed il suo gesto è interpretato dagli altri come follia e per questo egli viene chiuso in manicomio. Commentando la vicenda di Belluca, dite come spesso il giudizio che formuliamo sugli altri si basi su interpretazioni inesatte del loro comportamento.

3. Avete letto qualche altra novella di Pirandello, o avete assistito alla rappresentazione di una sua opera teatrale? Provate a raccontarne, in breve, la trama.

4. Cosa pensate se vi imbattete in persone eccentriche o che si comportano in modo strano, come ad esempio:
   - una persona che passeggia per la via principale della città con indosso solo un accappatoio;
   - una persona che parla ovunque e con chiunque ad alta voce dei suoi casi personali;
   - una persona che ride continuamente; ecc.

Profilo dell'autore
LUIGI PIRANDELLO

È nato a Girgenti (oggi Agrigento) nel 1867 ed è morto a Roma nel 1936. Laureatosi a Bonn, in Germania, ha vissuto quasi sempre a Roma, dove insegnava Letteratura italiana.
La sua attività letteraria si può dividere in due grandi periodi che segnano due interessi diversi: nel primo, che precede la prima guerra mondiale, predomina l'interesse per la narrativa, nel secondo prevale l'attività teatrale. Fra il 1901 e il 1915 scrive, infatti, la gran parte dei romanzi: tra questi ricordiamo: *L'esclusa, Il fu Mattia Pascal, I vecchi e i giovani, Si gira*, e numerosi racconti riuniti poi nei 15 volumi delle *Novelle per un anno*, pubblicati a partire dal 1922. Ultimo tra i grandi romanzi pirandelliani è stato *Uno nessuno e centomila*. Negli anni tra il 1916 e il 1936 compone drammi e nel 1926 fonda una sua compagnia teatrale che rappresenterà sulle scene i drammi da lui scritti, riscuotendo molto successo. Tra i molti titoli vanno ricordati: *Liolà, Così è (se vi pare), Il gioco delle parti, Sei personaggi in cerca d'autore, L'uomo dal fiore in bocca, Enrico IV, Ciascuno a suo modo, Come tu mi vuoi, Questa sera si recita a soggetto*.
Nel 1936 Pirandello è stato insignito del premio Nobel per la letteratura.
La sua vasta opera si caratterizza per la ricorrente presenza di temi che costituiscono il nocciolo della sua filosofia e della sua visione della realtà: la rappresentazione, talora ironica e corrosiva, del contrasto tra apparenza e realtà, in una visione amara e paradossale dell'esistenza umana.
Nei suoi drammi e nei suoi racconti è rappresentata la crisi dell'uomo moderno, il suo stato di incomunicabilità ed alienazione. Ciascuno di noi è, parafrasando uno degli ultimi suoi romanzi, uno e centomila e quindi nessuno. La nostra realtà quotidiana è fragile apparenza: essa si mostra diversa a ogni persona che ci osserva, e anche a noi stessi, quando il dolore o la morte o il cieco gioco del caso distruggono le nostre illusioni e mettono a nudo la vera sostanza della vita. La scoperta del vuoto, dell'abisso in cima al quale viviamo è la situazione centrale dei drammi pirandelliani. Il teatro è lo specchio della vita: scena irreale dove noi, come attori drammatici, recitiamo volta per volta centomila parti.

INDICE ANALITICO